EL ALCOHOLISMO
EN MEXICO
II. ASPECTOS SOCIALES,
CULTURALES Y ECONOMICOS

VALENTIN MOLINA PIÑEIRO

LUIS A. BERRUECOS V.

LUIS SANCHEZ MEDAL

EL ALCOHOLISMO EN MEXICO

II. Aspectos Sociales, Culturales y Económicos

Fundación de Investigaciones Sociales, A.C.

1985

Primera edición: 1983

Segunda edición: 1985

Impreso en: IMPRESIONES MODERNAS, S. A.
Sevilla No. 702-bis. 03300 México, D. F.

CONTENIDO

PROLOGO

Dr. Valentín Molina Piñeiro
Presidente Ejecutivo de la Fundación
de Investigaciones Sociales, A. C.

Los trabajos que se presentan en este Tomo II continúan en la línea de las publicaciones anteriores que se refieren a la Patología (Tomo I) y a los Documentos Legales e Históricos (Tomo III) del Alcoholismo en México.

Ha sido el interés de la Fundación de Investigaciones Sociales, A.C. responder a los fines que determinan su universo de trabajo y en virtud de la amplia gama de temas relacionados con la problemática del alcoholismo, se incluyen aquellos relacionados con los aspectos económicos. sociales y culturales.

Los autores que en esta obra colaboran, proceden de diversos centros de investigación e instituciones de educación superior y son todos ellos reconocidos profesionales en sus respectivos campos, que se han interesado y han investigado diversas facetas del problema.

Así el lector encontrará trabajos elaborados por antropólogos, economistas psiquiatras, médicos internistas y especialistas en salud pública, trabajos sociales, sociólogos, demógrafos, abogados y filósofos, que desde diversos ángulos, contribuyen con sus aportaciones derivadas de extensas investigaciones, al entendimiento de la problemática del uso, abuso del alcohol y alcoholismo.

Es la intención de esta obra, como de la anterior, contribuir a que las autoridades

y la sociedad en general, tengan mayores elementos para comprender la multicausalidad del fenómeno.

En este sentido, el lector encontrará tanto trabajos teóricos que abordan la problemática desde una disciplina en particular, como aquéllos que son el resultado de estudios realizados acerca de la industria, el enfoque comunitario del problema, la influencia de los aspectos sociales en el tratamiento y rehabilitación del paciente alcohólico, modelos de atención para los enfermos y de intervención comunitaria y otros tales como los problemas metodológicos a los que se enfrenta el investigador de las características epidemiológicas del alcoholismo.

También se incluyen trabajos referidos a casos específicos de las zonas marginadas o las colonias populares de las grandes urbes, así como las diversas concepciones que en torno al alcohol han surgido en la historia de México. Se mencionan algunos aspectos legales importantes, la influencia de los medios de comunicación colectiva y casos específicos de consumo de alcohol entre estudiantes o menores infractores. No solamente se presenta una panorámica general, tanto teórica como referida a casos particulares de la población o segmentos específicos de edad sino que también se proponen modelos de prevención

al problema desde perspectivas tales como
la de la sociología de la educación.

Por último, se hace una revisión final de
los trabajos y se marcan puntos en común
y diferencias en los enfoques de este vasto
equipo de veintidós investigadores que en
un intento multidisciplinario, han escrito
y colaborado en esta obra.

Si ello resulta de interés para el público
en general, la Fundación habrá cumplido
con la misión que se trazó al iniciar esta
serie de publicaciones en torno al problema del alcoholismo en nuestro país que
tan graves repercusiones representa para
el individuo, la familia y la sociedad en
general.

ASPECTOS ANTROPOLOGICOS DEL ALCOHOLISMO

LUIS BERRUECOS VILLALOBOS*

INTRODUCCIÓN

En este trabajo se presenta, de la manera más esquemática posible, una revisión de algunos objetivos de la antropología social y cómo pueden ellos influir en el entendimiento de la problemática del alcoholismo. Asimismo, se abordan someramente algunos conceptos de enfermedad desde una perspectiva social y cultural, así como elementos generales en torno al punto de partida de las investigaciones antropológicas: el estudio de la familia y su relación con el problema del alcoholismo.

Más adelante se pretende ofrecer al lector una visión general de las investigaciones realizadas, con las dificultades teóricas en la definición del objeto de estudio, así como algunas ideas de autores de las ciencias sociales en la investigación del alcoholismo, para arribar a las conclusiones y proposiciones finales.

Se pretende también coincidir con afirmaciones de algunos especialistas en este campo, en el sentido de que el alcoholismo representa una de las más graves farmacodependencias, y que la antropología social puede coadyuvar para una mejor comprensión de la naturaleza sociocultural de este fenómeno multicausal o multifactorial.

La forma en la que el antropólogo debe abordar esta problemática es la que en alguna ocasión denominamos estudios "etnográficos o naturalísticos de la ingesta inmoderada de bebidas alcohólicas**". Posteriormente se delinearán tanto el papel de esta ciencia social en el problema, como algunos de los criterios que pueden servir para su comprensión.

LA ANTROPOLOGÍA SOCIAL

La antropología social es la ciencia natural y teórica de la sociedad humana; estudia la cultura en sí y los fenómenos socioculturales, analizando las formas de asociación entre los individuos que llegan a constituir así redes de relaciones sociales, conocidas también como estructura u organización social.

Esta ciencia se preocupa asimismo del análisis de esas relaciones en cuanto a su diferenciación en términos de *status* (posiciones) y papeles en la sociedad, no desde un punto de vista particular sino general.

En las investigaciones sobre farmacodependencia, en donde obviamente incluimos al alcoholismo y que constituye un problema multifacético en el que intervienen factores muy diversos, el enfoque interdisciplinario es básico.

* Etnólogo, Maestro en Antropología (Antropología Social), Maestro en Artes (Antropología Culteural). Profesor Titular del Departamento de Relaciones Sociales de la Unidad Xochimilco de la Universidad Autónoma Metropolitana; Profesor de Posgrado en la Universidad Nacional Autónoma de México; Investigador de la Asociación Nacional de Universidades e Institutos de Enseñanza Superior, coordinador general del Centro de Psiquiatría y Neurofisiología Clínica, A. C.

** Con el objeto de facilitar la lectura de este trabajo, se incluyen las notas al final. Este trabajo es el resultado de diferentes artículos, ponencias, conferencias y obras escritas del autor desde 1973.

[1]

La antropología social, en función de su naturaleza, no puede ser ajena a esta problemática. Particularmente la antropología médica (como se ve en las colaboraciones de Miranda y Vargas en esta obra), los estudios de epidemiología y la epidemiología social empiezan a interesarse en el análisis de los factores que motivan al individuo a la utilización de drogas, destacando también las diferencias que existen en cuanto a las formas y maneras de uso y abuso de las mismas.

La antropología médica trata de estudiar los factores, mecanismos y procesos que juegan un papel o influencian el modo como los individuos y grupos son afectados por las enfermedades y cómo responden a ellas, examinando estos problemas con énfasis en los patrones de conducta que son, en gran medida, derivados de pautas culturales impuestas por la sociedad.

Una de las ramas de la antropología médica, la etnomedicina, en la que se analizan los problemas médicos desde el punto de vista de los individuos y grupos estudiados (enfoque "emic" —criterio utilizado por los antropólogos para la descripción y entendimiento de lo observado, pero desde la perspectiva del sujeto que vive la experiencia),[4] propone ver las enfermedades como categorías culturales y como un grupo de eventos relacionados también culturalmente, utilizando indicadores fenomenológicos para definir los diferentes estados de enfermedad.[2] Por otra parte, la epidemiología analiza la distribución y determinantes de la frecuencia de las enfermedades en los grupos humanos.

La epidemiología social, por su parte, intenta relacionar factores sociales y culturales a las enfermedades específicas encontradas en una población o grupo social.

Para entender la problemática del alcoholismo, y de la farmacodependencia en general, es necesario considerarlo como una enfermedad y tener en mente el significado e importancia del *stress* social. Siempre que un individuo se enferma, el tipo de enfermedad que adquiere y la clase de tratamiento que percibe dependen, en gran medida, de factores sociales.

Uno de los aspectos que más interesa a los antropólogos en este tipo de análisis es lo que se ha dado en llamar la "personalidad social", es decir, el cómo se conforma la personalidad a través de la posición que un individuo ocupa en la estructura social y el complejo de relaciones que establece con sus semejantes.

En el caso concreto de la farmacodependencia, se ha visto que los miembros de la llamada *subcultura de la adición* mantienen mecanismos de cohesión social similares a los de la cultura mayor que les engloba y de la que forman parte; y es precisamente el análisis de este tipo de relaciones entre adictos y el cómo se estructuran y validan las posiciones y papeles, lo que interesa. Partiendo de un individuo con quien se ha establecido un contacto aceptable y existe *rapport* (relación de confianza entre el entrevistado y el informante), se procede al estudio de su red de relaciones sociales para, eventualmente, lograr una visión más adecuada de esos mecanismos que mantienen unido al grupo o que sirven para desorganizarlo socialmente.

CONCEPTOS DE ENFERMEDAD

Es una verdad aceptada que los conceptos emitidos acerca de la enfermedad en general, y del alcoholismo en particular, tienen implicaciones sociales importantes. La medicina se define en términos de su preocupación por la enfermedad. La misma definición de enfermedad es el producto de acontecimientos histórica y socialmente determinados. Las actividades médicas, entonces, encuentran bases en las categorías socialmente estructuradas. Además de ello, dado que las definiciones de la enfermedad, al parecer, abarcan fenómenos relativos al sufrimiento humano, las consecuencias derivadas linealmente de las actividades médicas conllevan, directa o indirectamente, a cierta relación con la vida de los miembros de una sociedad.

El desarrollo de la sociedad contemporánea ha enfatizado la organización y la prestación de los servicios médicos y ha confrontado y desafiado las orientaciones médicas tradicionales así como también sus metas.

El lenguaje o el conocimiento acerca del funcionamiento del cuerpo, sin duda influencia el papel y la importancia que se le atribuye en la vida diaria y más importante que ello, la naturaleza de la realidad que los sujetos van a tener acerca de su propio cuerpo. Las sensaciones y los sentimientos que usualmente se ligan a estados biológicamente alterados, como en el caso de la ingesta inmoderada de bebidas alcohólicas, por citar un ejemplo, deben ser vistos como una función de esos símbolos y significados que tienen que ver con el cuerpo.

Fábrega[3] enmarca adecuadamente el problema del alcoholismo desde una perspectiva diferente en el análisis sistemático y en la definición de la enfermedad relacionada con problemas sociales y cómo éstos influyen en lo que el hombre hace y puede hacer para afrontarlo.

Con una óptica diferente, insistimos en que el problema del alcoholismo, al ser también social, es susceptible de ser investigado por cualesquiera de las ciencias sociales, en virtud de que no reconoce fronteras de clase o estrato y se presenta en todos los sectores de la población.

Así, nos interesan los factores que motivan al individuo a utilizar de manera exagerada el alcohol[4] y dejar establecida la diferencia entre uso, abuso y consumo exagerado.

Uno de los principales problemas en el análisis de la ingesta inmoderada de alcohol es la carencia de información científica y veraz en cuanto a la magnitud del problema, a pesar de varias investigaciones ya realizadas.

El análisis que el antropólogo puede hacer del alcoholismo, necesariamente debe partir del individuo que sufre el problema en el contexto de su propia familia de la que se deriva y en el marco de la sociedad que determina, en última instancia, sus características socioculturales. El estudio de familias en el problema del alcohol o su consumo inmoderado, ha reportado interesantes avances en el entendimiento de la problemática.[5, 6, 14] Abordaremos, a continuación, algunas consideraciones generales en torno a la familia, que sin duda servirán para comprender de mejor manera al alcoholismo.

LA FAMILIA

Cuando se toca el tema de la familia es necesario enfatizar sus funciones primarias o básicas, es decir, aquéllas que le dan supervivencia en el tiempo y que son fundamentales para el desarrollo de la vida social del hombre. En este sentido, cabe aclarar que las funciones básicas son las sexuales, las económicas, las reproductivas y las educacionales. Con lo anterior, enfatizamos el hecho de que la familia, como cualquier otra institución social que investiguen los antropólogos, sirve para satisfacer necesidades, aunque hay que aclarar que hay otras agencias sociales, otras relaciones fuera de la familia y otros satisfactores sociales que ayudan a cumplir alguna de estas funciones aunque nunca supliendo las de la familia.

La familia también asegura el mantenimiento de sus miembros y continúa la especie humana a través de sus funciones reproductivas pero, de manera relevante, la familia permite al individuo una mejor adaptación (o en casos al revés) al medio social a la vez que provee la entidad afectiva necesaria para el desenvolvimiento del sujeto. En este punto radica, en muchos casos, el surgimiento de conductas desviadas hacia el alcoholismo.

Cuando se intenta estudiar a un grupo social desde el punto de vista antropológico, se hace énfasis en su organización y, en particular, ello se refiere al estudio de los aspectos culturales derivados de la manera en que los individuos se organizan en grupos. En un contexto más amplio, el estudio del comportamiento cultural, que es el objeto de la antropología social, tiene que basarse en la organización social y en el análisis de la interacción entre los individuos dentro y fuera del núcleo familiar y como su comportamiento es diverso según sean las respuestas a diferentes estímulos que se presenten. La conducta de un padre alcohólico, por ejemplo, será decisiva en la educación de los hijos.

En todas las culturas están produciéndose constantes cambios al interior de los elementos ya descritos, y nunca encontraremos sociedades con sus elementos culturales estáticos sino siempre en constante movimiento: por ello el antropólogo vuelve continuamente a las comunidades que analiza y que prácticamente nunca terminará de estudiar.

Usualmente se dice que las sociedades menos desarrolladas son las que conservan más elementos culturales, y que las más desarrolladas, por su propia dinámica, provocan más cambios. Todos estos fenómenos afectan a la familia y es así que hablamos de tres tipos básicos en México:

a) *La familia indígena* es aquella de los grupos semi-aislados o con contacto ocasional con otros grupos y en donde las relaciones interfamiliares y fuera de la familia son abiertas; la comunicación es más fluida y no hay fenómenos que afecten el contacto entre los miembros del grupo.

b) En la *familia campesina*, o de sociedad en transición, en donde el lenguaje ya no es indígena pero tampoco castellano sino mestizo ("ladino" en Chiapas, por ejemplo), en donde hay un contacto más permanente con las ciudades, usualmente comercial; las oportunidades de desarrollo se presentan más amplias que en la sociedad indígena: son múltiples y la selección se torna más difícil, empezando a surgir la competencia como indicador fundamental de las relaciones inter y extrafamiliares. A diferencia de las sociedades anteriores en donde hay más homogeneidad cultural, en las campesinas predomina la tendencia a la individualización.

c) En la *familia urbana* no existen las llamadas relaciones "cara a cara". Hay más individualización que en las zonas rurales y el intercambio y cooperación son sustituidos por la compra-venta y la competencia.

Lo interesante de la familia urbana es que, contrariamente a lo que se piensa, es mucho más complicada en cuanto a su estructura y función que la indígena o campesina, y es donde el investigador tiene más dificultad para realizar su trabajo. Lo anterior contradice la idea de que la consecuencia lógica del desarrollo es la simplificación de las relaciones sociales; la industrialización y la alta tecnificación social en la sociedad urbana han venido a complicar las relaciones sociales urbanas.

En la familia urbana mexicana se dan fenómenos interesantes de patología social, como la prostitución que no se conoce en las comunidades indígenas; las tasas de delincuencia, violencia y uso de drogas son mayores en la ciudad, guardando las debidas proporciones de tamaño. El alcoholismo en el campo es un severo problema de salud pública, genera accidentes, enfermedades y problemas con la ley. La cohesión social del campo no permite el surgimiento de la prostitución, por ejemplo, pero sí facilita el consumo exagerado de alcohol, fenómeno que, como apuntamos, cruza todos los estratos de clase con las diferencias obvias en el consumo (tipo de bebida) y la ocasión. Lo mismo ocurre con las drogas: las capas altas recurrirán indudablemente a las más caras, mientras que las que no tienen acceso a ellas utilizarán los inhalantes de bajo costo.

En el análisis de la familia y de algunos de los factores apuntados, radica el buen éxito de un estudio antropológico del problema del alcoholismo.

Es en la familia donde se dan los primeros pasos en torno a la educación y capacitación del individuo en la sociedad, y esto tiene antecedentes incluso prehispánicos,[7] por lo que cualquier acción preventiva (educar es prevenir) debe contemplar estas situaciones ya descritas.

El desarrollo de responsabilidades comunales en educación será la siguiente meta en la planeación y desarrollo de los programas educativos en torno al alcoholismo.[8]

LA INVESTIGACIÓN SOBRE EL ALCOHOLISMO EN MÉXICO

En otros trabajos el lector podrá consultar, tanto en este tomo como en el anterior, información histórica acerca del alcoholismo,[9-12] por lo que situándonos en la época contemporánea y sin pretender elaborar una revisión exhaustiva de lo hecho en términos de investigación del alcoholismo en nuestro país, quisiéramos apuntar unas breves consideraciones al respecto.

En primer término, podríamos decir que son pocos los esfuerzos que en materia de investigación se han realizado y que básicamente, lo publicado se refiere al área biomédica, más que a la social, económica o cultural. De ahí la idea de este tomo II en el que se reportan trabajos recientes desde este enfoque. Aún así, estamos en espera de próximos trabajos de investigación que sin duda proporcionarán nuevos conocimientos acerca del problema, que permitan una escena de la problemática más confiable en términos cualitativos y cuantitativos y que faciliten ejercer acciones de diversos tipos.

Entre lo reportado, citamos a Cabildo, quien en 1973 señaló que de los 452.640 matrimonios realizados en ese año, se suscitaron 45.264 divorcios y 11.326 separaciones en donde el alcohol estuvo presente. El suicidio parece estar vinculado a la problemática: la Procuraduría del Distrito informó en 1977 que cada 31 horas 41 minutos ocurría un suicidio y 5 para-suicidios, el 80% de los cuales por mujeres, y de nuevo, con el alcohol presente.[13]

El subempleo, que según los especialistas se concentra en las delegaciones de Azcapotzalco, Gustavo A. Madero, Iztacalco, Cuauhtémoc y Venustiano Carranza, es otro factor que predispone al alcoholismo.[13]

Al parecer, en América Latina hay 10.4 hombres alcohólicos por cada mujer. En México, el 64% de los delitos contra las personas se cometen en estado de embriaguez.[13]

Las estadísticas más recientes nos muestran que la atención a la salud sigue siendo un grave problema, sobre todo en las zonas marginadas de las grandes ciudades,[15] e inclusive los 1.200 grupos de Alcohólicos Anónimos que existían en 1977 en el país, no son suficientes para la demanda, mientras que, por otra parte, los pacientes no asisten a los servicios destinados al efecto.

En 1960, Cabildo encontró en una muestra entre burócratas una tasa de 7 alcohólicos por cada mil habitantes, y según García González y Calderón, el 2.7% de los pacientes internados en 1961 en el hospital psiquiátrico de la SSA eran alcohólicos.[13]

Según Elizondo[16] en 1962 había 1,317.000 habitantes, pero para 1977 la cifra aumentó en el D. F. a 8.750 personas por cada cien mil.[13]

El Dr. Velasco Fernández estima que en 1961 en nuestro país se consumieron 61.1 litros per-cápita de bebidas alcohólicas, entre los mayores de 15 años, mientras que, por otra parte, se produjeron 1.504 millones de litros de bebidas, destacando la cerveza, el pulque y el aguardiente. Se calcula que para el mismo año había 8 alcohólicos por cada 100 habitantes adultos, lo que representaba entonces pérdidas anuales de dos millones de pesos por ausentismo laboral.[17]

En 1970 había 150 mil expendios de bebidas embriagantes en la República, y en ese año se consumieron 1.500 millones de litros de cerveza, es decir, una ingesta de 29.1 litros por habitante.[13]

En julio de 1977 se introducían diariamente al Distrito Federal 375 mil litros de pulque de manera clandestina para 1.165 pulquerías; mientras tanto, la casa Pedro Domecq produjo 874,549.200 litros de alcohol, por lo que obtuvo ganancias de 1,032.670,000 pesos.[13] Durante 1976, el IMCE estimó una producción de bebidas alcohólicas que llegó a la cantidad de 42.850,000 litros; en ese año, 52 negocios estaban registrados como dedicados a la importación y exportación de bebidas alcohólicas y en ese mismo año, el promedio de internamiento sanatorial de cada derechohabiente alcohólico en el IMSS, fue de 2 y medio meses por año, lo que significó pérdidas por 625 horas en el trabajo de cada uno de ellos.[13] Mientras tanto, en 1980 se recaudaron solamente por concepto de producción de cerveza en el país, poco más de 50 millones de pesos. Al respecto, es interesante señalar que al 5 de enero de

1982, se tenían registradas un total de 1.462 compañías con autorización para la compra-venta-exportación de 4.190 productos alcohólicos en el Catálogo de Productos por Empresa de la Dirección General de Alimentos, Bebidas y Medicamentos de la SSA.[5]

El porcentaje de indígenas analfabetos y alcohólicos, según estimaciones del Dr. Marroquín del Instituto Indigenista Interamericano era, en 1977, del 80%. Por otra parte, se calcula que en 1976 se perdieron 4 millones de pesos en salarios que dejaron de percibirse por no asistir a los centros de trabajo; el 51% de los lesionados y el 15% de los accidentes de tránsito tienen su origen en el alcohol. Las poblaciones con mayores cantidades de inválidos por alcoholismo son el D. F., los Estados de México, Veracruz, Jalisco y Puebla, y se estima que en 1980 había en México, según cálculos proyectados, 870.642 inválidos por alcoholismo.

Diversos estudios de Velasco, Calderón, Gamiochipi, Cabildo y otros, han estimado que la cirrosis hepática, la intoxicación alcohólica, los suicidios y los homicidios son, entre otras, las causas de mortalidad más frecuentemente asociadas con la ingestión excesiva de bebidas alcohólicas.

Según De la Fuente[52] la mortalidad causada por cirrosis hepática, uno de sus indicadores del alcoholismo más usados, no ha variado en los cinco últimos años y figura en el noveno lugar entre las causas de mortalidad general, con una tasa de 20 por 100.000 habitantes. Los varones de 40 a 60 años ocupan el primer lugar. Según Bustamante entre el 5.7 y el 7% de la población de mayores de 14 años son alcohólicos.

La relación del abuso del alcohol con los actos de violencia en la forma de accidentes y homicidios es muy alta. Según datos de la Dirección de Bioestadística, en la República Mexicana, en el año de 1976, los accidentes ocuparon el cuarto lugar como causa de mortalidad general, con una tasa de 39.7 por 100.000 habitantes. Los homicidios ocuparon el décimo segundo lugar, con una tasa de 16.5 por 100.000 habitantes, aunque en algunas regiones del país la tasa es de 84 por 100.000 habitantes. En una proporción elevada de los casos de violencia, no menor de 50%, el alcohol ha intervenido como causa y también en no menos del 18% de los accidentes de tráfico. Otro indicador indirecto de la salud mental son las tasas de suicidio. Las cifras varían entre 2.5 y 4.5 por 100.000 habitantes.

En la ciudad de México, el 81.7% de las intoxicaciones que se ven en los hospitales se deben a problemas causados por el alcohol; el 16.1 a drogas de uso médico y sólo el 2.2 a drogas de uso no médico.[52]

Por otra parte, Campillo Serrano afirma que en el Distrito Federal, en 1971, el 18% de los accidentes de tránsito ocurrieron bajo los efectos del alcohol. En actas que se levantaron por lesiones en riña, el consumo de alcohol estuvo asociado en el 51% de los casos. Se calculó que alrededor del 2% de los trabajadores faltan diariamente a su empleo como consecuencia del alcohol. Finalmente, de una muestra de 3.802 pacientes con alcoholismo, el 29% de ellos carecían de empleo.[54]

En México, algunas instituciones se han interesado en el estudio de esta problemática y han logrado cierta información importante sobre el alcoholismo. Entre otras, la Dirección de Salud Mental de la SSA, el Instituto Mexicano de Psiquiatría, el Centro de Salud Mental Comunitaria San Rafael en Tlalpan, la Universidad Autónoma Metropolitana (Unidad Xochimilco), la Asociación Nacional de Universidades e Institutos de Enseñanza Superior, el Instituto Nacional Indigenista, el Instituto Nacional de la Nutrición y varios investigadores del área social (antropólogos, sociólogos, demógrafos, historiadores, comunicólogos, abogados, psicólogos, economistas, etc.). Algunos resultados de esas investigaciones son reportados en esta obra.

Antes de revisar las acciones concretas que en materia de alcoholismo se están llevando a cabo en nuestro país, convendría citar datos recientes referentes a la problemática en sí.

Según COPLAMAR,[15] la cirrosis hepática causó en 1975 el 0.5% de las muertes entre los 15-24 años. Esta enfermedad, resultado de la combinación de la mala nutrición y el alcoholismo crónico, se inicia desde edades tempranas, origina deterioro progresivo y tiene una causalidad social. En México, recientemente se ha propuesto en la Cámara de Diputados prohibir la propaganda de bebidas alcohólicas e incluso se ha establecido una reglamentación, pero tales medidas no han prosperado mucho en opinión de COPLAMAR. También el 83% de las muertes de la población por grupos de enfermedades para más de 65 años de edad en 1974, se debió a la violencia.[15]

En relación a las respuestas al proceso de salud-enfermedad en México, se afirma que en 1937 se planteó el control de alimentos y bebidas y se prohibió transitoriamente el expendio de bebidas alcohólicas

en zonas ejidales. En 1938 se anunció que se enviaría a la Cámara un proyecto de ley ya formulado en relación al Seguro Social en donde se hablaba de invalidez, pero no prosperó dicha moción por el conflicto suscitado por la expropiación petrolera. No es sino hasta 1981 que se creó el Comité Mixto Consultivo de Publicidad de Alimentos, Bebidas y Medicamentos, y el Consejo Nacional Antialcohólico del que pocas acciones se conocen.

Sin embargo, en el artículo 39 de la Ley Orgánica de la Administración Pública Federal, relativo a los asuntos que la Secretaría de Salubridad y Asistencia debe despachar, se especifica en la fracción XVI que debe de cumplirse con la tarea de estudiar, adaptar y poner en vigor las medidas necesarias para luchar contra las "plagas sociales que afectan la salud, contra el alcoholismo y las toxicomanías y otros vicios sociales..."

El código sanitario vigente determina en su fracción IX que es materia de salubridad general "... el control de alimentos, bebidas alcohólicas y no alcohólicas..." y en la siguiente fracción, se afirma que: "La campaña nacional contra el alcoholismo, incluyendo las medidas relacionadas con aquélla, que limiten o prohiban el consumo de alcohol", y: "IX. La formulación y ejecución de programas que limiten o prohiban la producción, venta y consumo de estupefacientes, psicotrópicos y otras sustancias que intoxiquen al individuo o dañen la especie humana". De lo anterior se infiere que corresponden a la SSA las tareas de educación para la salud y la prevención de los accidentes, lo que está establecido en la Ley Orgánica de la Administración Pública, el Código Sanitario e inclusive en la Ley Federal del Trabajo, a pesar de que la oferta y la calidad de los servicios prestados no están regulados sistemáticamente y algunos de los reglamentos vigentes son francamente obsoletos.

Por otra parte, el control de la higiene y calidad de las bebidas en términos de su producción, es deficiente, la vigilancia es inadecuada entre otras razones por la corrupción y la ausencia de informes, y no se ha logrado la cabal aplicación de los reglamentos en relación al registro de bebidas e higiene de las mismas. Inclusive en la propia fracción XI del apartado B del artículo 123 constitucional, no se incluye ninguna referencia sobre la higiene y prevención laborales, aunque parece que con la elevación a rango constitucional del derecho a la salud, se contempló este problema.

En la Ley Federal del Trabajo se establece que los patrones son los responsables por los riesgos de trabajo, aunque no se sabe si el alcoholismo se incluye en esta caracterización. También se han establecido Comisiones Mixtas de Higiene y Seguridad Laboral y una Comisión Consultiva Nacional de Seguridad e Higiene en el Trabajo con la participación de tres organismos del sector público, organizaciones patronales y de trabajadores. Son estas comisiones las oportunidades que los trabajadores tienen para participar en materia de salud, pero en virtud de que las instituciones tienen poco interés en investigar sistemáticamente la situación de salud de los trabajadores y que los pocos estudios realizados se manejan confidencialmente, se desconoce qué se hace en materia de alcoholismo, lo que indudablemente afecta las relaciones laborales.

Cabe mencionar también que tanto la infraestructura como el personal capacitado para atender la problemática que nos ocupa, no son suficientes; si consideramos que tradicionalmente son los psiquiatras los que atienden problemas de alcoholismo, tenemos el dato que afirma que el número de especialistas para todo el país era de 553 en 1977.[6 y 52]

Los pronósticos indican que en menos de veinte años, el déficit de médicos se incrementará notablemente, por lo que la magnitud de un esfuerzo adicional se requiere ya para atender la demanda, pero no con los viejos criterios de proporcionar servicios solamente a una fracción de la población sobre todo urbana, sino también a las inaccesibles geográficamente, con modelos de atención a la salud menos costosos y con énfasis en las acciones preventivas, evitando la multiplicidad de esfuerzos, programas y planes inconexos, evitando la interrupción en las políticas ocasionada por los cambios gubernamentales, ubicando al personal idóneo en los lugares adecuados, capacitando al personal de salud y creando conciencia en los tomadores de decisiones políticas de que las acciones en materia de salud, en particular, en contra del alcoholismo, deben ser objeto de mayor atención.

LAS CIENCIAS SOCIALES Y EL ESTUDIO DEL ALCOHOLISMO

Ha quedado asentado que el daño que el alcohólico se causa a sí mismo y a los demás es enorme y que a nivel interpersonal sus efectos son incalculables en términos de desintegración, empobrecimiento familiar, aparición de problemas de patología social, etcétera.

Recientemente[53] se ha considerado que el término de "síndrome de dependencia al alcohol" es el más adecuado para sustituir la multiplicidad de definiciones que en torno al alcoholismo se han generado. En este sentido, Velasco Fernández[18] menciona que dentro de las variadas definiciones, cabe resaltar las de Keller, Ford y la ya conocida de Jellinek. De cualquier forma, Velasco clasifica las diversas definiciones del alcoholismo como aquellas que:

a) se refieren al alcohol mismo;
b) enfatizan los factores sociales, y
c) muy variadas, hacen de la patología subyacente el criterio fundamental.

De las que ponen el acento en los aspectos sociales, la Orgaización Mundial de la Salud[18] dice que el alcoholismo es toda forma de ingestión de alcohol que excede el consumo alimentario tradicional y a los hábitos sociales propios de la comunidad considerada, cualquiera que sean los factores etiológicos responsables y el origen de esos factores, como la herencia, la constitución física o las influencias psicopatológicas y metabólicas adquiridas.

Mencionaremos ahora de manera muy general algunos de los trabajos y las ideas derivadas de un análisis social realizados por científicos sociales sobre el problema.

En 1943, Horton describió la personalidad y la cultura como partes integrantes de un mismo fenómeno a través de un estudio comparativo transcultural en el que destacó la función del alcohol en diferentes sociedades. Afirma que las dificultades inherentes al modo de vida pueden registrarse en la ansiedad y conflictos individuales y que para resolver esta situación, los sujetos utilizan formas particulares de conducta que o encuentran o innovan en su cultura. El beber alcohol para reducir la ansiedad es, en su opinión, uno de los ejemplos de este mecanismo, aunque también puede dar cabida a nuevas ansiedades ya que la intoxicación libera el comportamiento agresivo y los impulsos sexuales, aunque el grado de ingestión es determinado por la cultura, así como las sanciones a las transgresiones a las reglas establecidas por la propia cultura. Según el autor,[19] en comunidades en donde existe una constante inseguridad respecto al empleo y la situación económica y de salud, los excesos aparecerán y el beber excesivo se combina entonces y se correlaciona con la inseguridad en la subsistencia porque provee los medios para adaptarse al stress socialmente engendrado, y a su vez la intoxicación amenaza a la comunidad con la aparición de más stress, pero la intimidación que provoca el castigo social, limita hasta cierto punto los excesos. A las mismas conclusiones llegaron los Honigmann[20] en un estudio realizado entre los esquimales de la isla de Baffin.

En contraposición con Horton, Field[21] mantiene que los excesos en la ingestión de alcohol en comunidades pequeñas pueden determinarse por una organización débil y difusa, lo que sería el principio de la desintegración, más que por las ansiedades derivadas socialmente.

Honigmann[22] analizó los patrones de ingestión que varían de cultura a cultura y los diferentes estilos que prescriben la bebida usual y regulan sutilmente la cantidad a tomar así como la rapidez para la ingestión entre los kaska y los navaho, el estilo francés, los indios mohave, los patrones de ingesta en Chichicastenango,

Guatemala y en Chamula, Chiapas, para mostrar estas variaciones culturales.

Westermeyer[23] también ha mostrado cómo el alcohol es empleado dentro de contextos sociales rígidos, mientras que Pawlak[24] relaciona la ingesta inmoderada con los accidentes automovilísticos; por su parte, Chafetz y Demone[25] definen al alcoholismo no solamente en términos orgánicos, sino también sociales. Los patrones de ingesta judíos e irlandeses también ya han sido estudiados por Snyder y Landman,[26] y el análisis de los tipos de estructura social como factores curativos de la adicción al alcohol, han sido propuestos por Bales.[27]

Una de las contribuciones más importantes en el análisis etnopsiquiátrico del problema del alcoholismo es la propuesta por Devereux,[28] sobre todo en la cultura mohave, que han dado pie para los estudios de la interacción de factores sociales y alcohol por parte de Pittman y Snyder[29] y Graves[30] en cuanto a la etnicidad, la aculturación y el ajuste personal y la migración, y en México, Lomnitz,[31] en relación a los mecanismos de supervivencia en una barriada.

En relación a la clasificación de los bebedores, hay diferentes tipologías, como por ejemplo, la de Glenn.[32] La concepción del alcoholismo como una desviación social es uno de los enfoques recientes al problema propuesto por Laforest,[33] aunque autores como Gosselin[34] proponen modelos sociodemográficos para entender el problema que causa, en su opinión, la aparición de una conducta de desviación alcohólica y de comportamientos sociopsicológicos que se desarrollan al interior de un proceso de desintegración social progresiva, misma que se manifiesta por el deterioro de las relaciones interpersonales y coloca al alcohólico en una situación de enajenación social cada vez más pronunciada.[35]

Así, vemos que tanto la antropología y la sociología como otras disciplinas sociales, permiten comparar las prácticas de la ingestión de alcohol y los problemas asociados al consumo excesivo en diferentes sociedades y culturas: al parecer, el alcoholismo es menos problemático en aquellas áreas donde las costumbres, los valores y las sanciones están establecidos dentro de un marco cultural homogéneo, conocido y compartido por los habitantes y que, además, es consistente con la propia cultura. Por otra parte, también se observa que en algunos grupos existe ambivalencia respecto al alcohol y ahí no hay precisamente reglas preestablecidas.

El National Institute on Alcohol Abuse and Alcoholism (NIAAA) de los Estados Unidos[36] propone analizar con más detalle la exposición temprana de los niños al alcohol, el contenido de alcohol de las bebidas más usuales, sobre todo las tradicionales y las elaboradas clandestinamente (problema muy serio en México), el comportamiento de ingesta de los padres, la importancia moral atribuida al hecho de beber, la asociación del beber con conceptos de virilidad o impotencia, la aceptación social o moral de la abstinencia y, en general, las reglas del beber social.

Factores asociados al consumo de alcohol, que ya han sido estudiados, son los propuestos por Blane en poblaciones italo-americanas,[37] Filstead en un estudio de familias,[38] Paine,[39] entre los mexico-americanos, y Wüthrich[40] desde la óptica social, así como Cahalan et al.[41] que realizó una encuesta nacional en Estados Unidos sobre el comportamiento y actitudes de los alcohólicos, y los insuperables trabajos de Bunzel en Guatemala.[42] Al parecer, algunas de las consideraciones derivadas de dichos planteamientos ya han sido tomadas en cuenta en los programas de prevención, tratamiento y rehabilitación.

ACCIONES CONCRETAS, REVISIÓN Y PERSPECTIVAS

Como se desprende de la lectura de los trabajos incluidos en esta obra de García-Travesí, Velasco Muñoz-Ledo, Barba, Ríos, González, Nava y Casillas, varias son las acciones que se han emprendido, aunque de manera aislada, contra el alcoholismo y el abuso del alcohol en nuestro país. Ya citamos, por ejemplo, algunos acuerdos presidenciales de la década de los 30; se han mencionado bandos y decretos desde la época de la Colonia y, más recientemente, la creación del actual Instituto Mexicano de Psiquiatría, del Centro de Documentación sobre Alcoholismo y Abuso del Alcohol,[43] del I Encuentro Internacional sobre Epidemiología del Alcoholismo organizado conjuntamente por la Universidad Metropolitana-Unidad Xochimilco y la Dirección General de Salud Mental de la SSA, del estudio del Instituto de Investigaciones Sociales de la UNAM y de las adendas legales a las normas en materia.

También puede deducirse, de la lectura en este tomo de algunos trabajos, que resulta particularmente relevante que a pesar de que el problema del alcoholismo revista tal magnitud en nuestro país y constituya un fenómeno multicausal, sean más las contribuciones del área biomédica en detrimento de los análisis de corte sociológico o cultural, siendo hasta recientemente que ha surgido un genuino interés por la investigación seria y sistemática del problema.

Lo anterior obliga —como bien apunta Oberarzbacher[16]— a una revisión crítica en términos de la necesaria multicausalidad en equipos interdisciplinarios de trabajo, el manejo de un lenguaje común en términos de metodología científica, la construcción de un sólido cuerpo teórico en el cual sustentar con mayor precisión la óptica del análisis, amén de la necesaria y urgente revisión de la legislación vigente, del control estricto de los productos y de su publicidad. También nos obliga a desechar categóricamente los postulados, cifras y datos que se dan constantemente por personas ajenas a la investigación en la materia y que carecen de toda validez y confiabilidad científicas.

Es necesario enfatizar los estudios sobre alcoholismo con las ideas anteriores en mente, pero sobre todo en zonas marginadas e indígenas y en segmentos especiales de la sociedad (sobre todo jóvenes y viejos).[45]

Se requiere también trabajar más en torno al problema de las definiciones del alcoholismo y la diferenciación entre el uso y el abuso del alcohol, así como alrededor del problema de las taxonomías o tipologías, tanto de las bebidas o tipos de ingesta, como de los bebedores y sus contextos socioantropológicos.

Sería importante revalorar los estudios epidemiológicos que se han realizado y planear las estrategias adecuadas hacia la obtención de una panorámica epidemiológica más confiable a través de registros estrictos.

Lo que es evidente, a pesar de las múltiples declaraciones en torno a la magnitud del problema, es que todos, tanto políticos como estudiosos, apuntan a diversas cantidades que oscilan entre los cinco y los ocho millones de inválidos por alcoholismo, la mayor parte de ellos, jefes de familia. En México, la media por familia es de aproximadamente seis personas en promedio, lo que refleja el hecho de que entre el 43 y el 57% de la población está directa o indirectamente involucrada en el alcoholismo; así, no sería exagerado afirmar que casi no hay familia en México en donde no exista conocimiento de que uno de sus miembros tiene el problema del alcoholismo. También es evidente que la industria[5,46] genera empleos: si en 1746 la recaudación de impuestos a las bebidas alcohólicas alcanzó en el país a 161.000 pesos, en 1983 lo es de varios millones, algunos de los cuales podrían destinarse a la investigación, tratamiento y rehabilitación, prevención y formación de personal.

De entre las últimas investigaciones interesantes en torno al problema y que reafirman lo anterior, remitimos a la lectura de los trabajos de Medina Mora[47] sobre la prevalencia del consumo de alcohol en población mayor de 14 años en el D. F. y los hábitos de consumo en una población semirural, Topilejo,[48] el consumo de alcohol en La Paz, Baja California,[49] las encuestas de estudiantes universitarios de la UNAM de Benavides y Casillas,[50] los estudios del Instituto Nacional de la Nutrición, los esfuerzos pioneros del Centro de Salud Mental Comunitaria San Rafael, los de la Dirección General de Educación para la Salud de la SSA, recientemente realizados en la Delegación de Tlalpan, D. F. por Díaz-Leal[51] y los que se reflejan en esta obra y que son resultado de estudios que se vienen llevando a cabo desde hace muchos años.

Así, proponemos algunas sugerencias en torno al alcoholismo, tales como la formación de personal tanto de investigación como para el tratamiento, prevención y rehabilitación, los estudios más profundos que enfaticen el problema en zonas rurales, la búsqueda de subsidios no sólo del sector público sino de la comunidad en general y en especial el privado, como ocurre en varios países europeos y en Norteamérica, puesto que también son las industrias las afectadas por el ausentismo derivado del alcoholismo.

Las campañas preventivas deben educar a la población a beber responsablemente y a tratar de contrarrestar los efectos, poco estudiados, de los medios de comunicación colectiva.

Recordemos que el alcoholismo no es solo sino un síntoma de males sociales mayores, la traducción de toda una problemática social, económica, política y cultural.

Así, o se empieza por resolver algunos de estos males sociales, una vez que se conozcan científicamente, o deberemos contentarnos con afrontar las consecuencias del problema, cada vez más grave. Debemos convencer a los que tienen en sus manos el poder de actuar, de ejercer acciones integrales, conjuntas, racionales, coherentes y sistemáticas para no seguir gastando esfuerzos en vano en la resolución de los problemas derivados del alcoholismo cuyas consecuencias nos afectan a todos.

REFERENCIAS

1. BERRUECOS V L: *El enfoque antropológico sobre la farmacodependencia en las comunidades urbanas.* XLI Congreso Internacional de Americanistas, México, 1974; *El compadrazgo en América Latina.* XLI Congreso Internacional de Americanistas. México, 1974; "Nuevos sistemas de enseñanza en antropología social". Rev Educ Sup 7: 88, 1978. *El compadrazgo en América Latina: análisis antropológico de 106 casos.* Serie Antrop Soc 15: 111, 1976. *Visión general del compadrazgo en las sociedades indígenas, campesinas y urbanas de México.* Memorias de la XIII mesa redonda de la Sociedad Mexicana de Antropología. México: 1975.

2. FÁBREGA H: *Medical anthropology.* En: Bernard J. Siegel, *Biennial review of anthropology.* Stanford University Press California: 167, 1972.

3. FÁBREGA H: *Conceptos de enfermedad: caracteres lógicos e implicaciones sociales.* En: *Perspectivas en biología y medicina.* Vol XV, No 4, Verano. University of Chicago Press: 41 pp, 1972.

4. BERRUECOS V L: *La función de la antropología en las investigaciones sobre farmacodependencia.* Cemef informa, 2: 9-14, 1974.

5. DÍAZ L A L: *El alcoholismo: depuración colectiva.* Tesis de licenciatura. Departamento de Relaciones Sociales (Sociología). Unidad Xochimilco, Universidad Autónoma Metropolitana, México: 1982.

6. BERRUECOS V y VELASCO MUÑOZ-LEDO, M: *Lástima que Mohuintiá quema y nopapá: patrones de ingestión de alcohol en una comunidad indígena de la sierra norte de Puebla, México.* Reportes especiales del Centro Mexicano de Estudios en Salud Mental CEMESAM), México, 1977.

7. BERRUECOS V L: *La capacitación de los recursos humanos en el México precolombino.* En: *Tlamati* (órgano interno del Comité Nacional Mixto de Capacitación de la SA HOP.), No 1, 12-16, 1981.

8. BERRUECOS V L: *Developing communal responsabilities for education.* En: *1980 plus, community participation and learning, book V: international.* Australian Association for Community Education and Planning Services Division. Education Department of Victoria, Australia. Chapter XIX: 155-159. Melbourne, 1979.

9. BLUM H: *Society and drugs.* Jossey Bass Inc Publishers, New York, 1970.

10. BERRUECOS V L: *Antecedentes históricos de las drogas.* CEMEF, México, 1974.

11. CALDERÓN N G: *Consideraciones acerca del alcoholismo entre los pueblos prehispánicos de México.* Rev Inst Nac de Neurol 2: 5-13, 1968.

12. BERRUECOS V L: *Panorámica actual del problema del alcoholismo en México: antecedentes, acciones concretas e investigación.* Congreso anual de la Society for Applied Anthropology, Mérida, Yucatán, 1978.

13. BERRUECOS V L, C GARCÍA C y M P VELASCO MUÑOZ-LEDO: *Análisis hemerográfico sobre notas de alcoholismo aparecidas en seis diarios de la ciudad de México del 1o de mayo de 1976 al 30 de septiembre de 1977.* (No publicado)

14. BERRUECOS V L: *Algunas consideraciones acerca de las repercusiones del alcoholismo en las familias de una comunidad indígena de la sierra norte de Puebla, México.* II Congreso Nacional de Medicina General-Medicina Familiar, IMSS, México, 1978.

15. COPLAMAR: *Necesidades esenciales en México: situación actual y perspectivas al año 2000.* Tomo IV: *Salud.* Coordinación General del Plan Nacional de Zonas Deprimidas y Grupos Marginados. Presidencia de la República, Siglo XXI, México, 1982.

16. ELIZONDO L J A: Comunicación personal, 1977.

17. VELASCO F R: *Programa de acción contra el alcoholismo y el abuso del alcohol.* En: Armando Guerra G, *El alcoholismo en México.* Fondo de Cultura Económica, México, 1977: 161-170; *Salud mental, enfermedad mental y alcoholismo: conceptos básicos.* México: ANUIES-TRILLAS, 1980; *Esa enfermedad llamada alcoholismo.* Trillas, México, 1981.

18. ORGANIZACIÓN MUNDIAL DE LA SALUD (OMS/WHO): *Comité de Expertos en Salud Mental. Reporte de la primera sesión del subcomité del alcoholismo, No. 42.* Ginebra, Suiza, 1951.

19. HORTON D: *The function of alcohol in primitive societies: a cross-cultural study.* Quart J Stud Alcoh 4: 199-320, 1943.

20. HONIGMANN J y IOMA: *How baffin island Eskimos have learned to use alcohol.* Social Forces 44: 73-83, 1965.

21. FIELD P B: *A new cross-cultural study of drunkness.* En: *Society, culture and drinking patterns.* David J. Pittman y Charles R Snyder. New York, 1962.

22. HONIGMANN J J: *Personality in culture.* Harper and Row Publ, Inc, New York, 1967.

23. WESTERMEYER J: *Use of alcohol and opium by the Meo of Laos.* Amer J Psych 127: 1019-1023, 1971.

24. PAWLAK V: *Conscientious guide to drug abuse.* "Do it now" publication. Phoenix, Arizona, 1973.

25. CHAFETZ M E y DEMONE H W JR: *Alcoholism and society.* Oxford University Press, New York, 1962.

26. SNYDER CH R y LANDMAN R H: *Studies of drinking in jewish culture.* Quar J Stud Alcoh *12:* 451-74, 1951.

27. BALES F: *Types of alcohol structure as factors in cures for alcohol addiction.* Appl Anthrop *1:* 1-3, 1942.

28. DEVEREUX G: *The function of alcohol in Mohave society.* Quar J Stud Alcoh *9:* 207-51, 1940.

29. PITTMAN D J y SNYDER CH R: *Society, culture and drinking patterns.* Willey sons, New York. 1962.

30. GRAVES T D: *Alternative models for the study of urban migration.* Hum Organ, *25:* 295-99, 1966. *Acculturation, access and alcoholism in a tri-ethnic community.* Amer Anthrop *69:* 306-21, 1967. *The personal adjustment of navaho indian migrants to Denver, Colorado.* Amer Anthrop *72:* 35-54, 1970.

31. LOMNITZ L: *Supervivencia en una barriada de la ciudad de México.* Demografía y Economía, VII (1) 1973: 58-85. El Colegio de México.

32. GLENN H S: *Typical patterns of psychoactive drug use among non-arrested, non-clinical subjects.* US Office of Education, South East Regional Training Center, Miami, Fla, 1973: pp 1-8.

33. Laforest L: *L'usage quotidien de l'alcool et du tabac: deux habitudes liées au systéme d'interaction sociale.* Toxicomanies *9:* 73-79, Quebec, 1976.

34. GOSSELIN N: *Désintegration sociale et comportement alcoolique.* Toxicomanies *10:* 5-22, Quebec, 1977.

35. BERRUECOS V L: *La participación del sector salud en el bienestar del anciano.* XXXVI Reunión Anual de la Sociedad Mexicana de Salud Pública, Acapulco, México: 25-28 octubre, 1982.

36. NIAAA (NATIONAL INSTITUTE ON ALCOHOL ABUSE AND ALCOHOLISM): *Alcohol and Alcoholism: problems, programs and progress.* NIMH, NIAAA, Rockville, Maryland, EUA, 1972: p. 37.

37. BLANE H T: *Acculturation and drinking in an Italian-American community.* J Stud Alcoh *38:* 1324-1346, New Jersey, 1977.

38. FILSTEAD W J: *The family, alcohol misuse and alcoholism: priorities and proposals for an intervention.* J Stud Alcoh *38:* 1447-54, 1977.

39. PAINE H J: *Attitudes and patterns of alcohol use among mexican-americans.* J Stud Alcoh *38:* 544-553, 1977. New Jersey, EUA (ver p 545).

40. WÜTHRICH P: *Social problems of alcoholism.* J Stud Alcoh *38:* 881-890, New Jersey, 1977.

41. CAHALAN D, ET AL: *American drinking practices: A national study of drinking behavior and attitudes.* Monograph No 6, Rutgers Center of Alcohol Studies, New Brunswick, New Jersey, 1969.

42. BUNZEL R: *The role of alcoholism in two central-american cultures.* En: *Psychiatry. 3:* 361-387, 1940.

43. BERRUECOS V L: *Boletín del Centro de Documentación sobre el alcoholismo y el abuso del alcohol.* Dirección general de Salud Mental de la Secretaría de Salubridad y Asistencia y Unidad Xochimilco de la Universidad Autónoma Metropolitana. Vol 1, pp 1-50, 1976.

44. BERRUECOS V L: *La farmacodependencia como problema social.* Conferencia Centro Regional del Instituto Nacional de Antropología e Historia, Oaxaca, 1975.

45. BERRUECOS V L: *El alcoholismo y el abuso del alcohol como problema de salud pública desde el punto de vista de un antropólogo social.* XVII Mesa Redonda de la Sociedad Mexicana de Antropología, San Cristóbal de las Casas, Chiapas, México: 1981. *Aspectos antropológicos de la gerontología.* Sociedad Mexicana de Salud Pública, A C, de México, 1982. *Las investigaciones sobre el alcoholismo en México: análisis diacrónico y sincrónico.* X Congreso Mundial de Sociología, México, 1982. *La salud del adolescente rural.* En: *Revista de estudios sobre la juventud in telpuchtli, in ichpuchtli,* CREA, año 2, No 7, 1982: 33-38. *El alcoholismo como enfermedad social.* XXXVI reunión anual de la Sociedad Mexicana de Salud Pública, Acapulco, 1982.

46. EROSA B A: *Aspectos prehispánicos del alcoholismo.* Rev Méd Hosp Gen *112:* 113, 1979.

47. MEDINA M E, ET AL: *El consumo de alcohol en la población del Distrito Federal.* Sal Púb Méx *27:* 252, 1980.

48. NATERA R: *Un modelo de investigación para conocer hábitos de consumo de alcohol en una comunidad (resultados preliminares).* En: *Cuadernos Científicos CEMESAM,* Vol XII, octubre, 1980, México, Instituto Mexicano de Psiquiatría.

49. MEDINA M M E, ET AL: *Extensión del consumo de alcohol en La Paz, Baja California (encuesta de hogares).* En: *Cuadernos Científicos CEMESAM,* Vol XII, México, 1980: Instituto Mexicano de Psiquiatría.

50. BENAVIDES L y CASILLAS C L: *El alcoholismo: problema de graves repercusiones sociales.* En: *Gaceta UNAM 5:* 6, 1981.

51. DÍAZ L A y PANG M L: *La publicidad, la salud y los hábitos de consumo: estudio en*

tres colonias de Tlalpan, Ciudad de México. Reporte interno. Dirección General de Educación para la Salud, Secretaría de Salubridad y Asistencia. Noviembre, 1982.

52. DE LA FUENTE M R: *La salud mental.* VI mesa redonda del Seminario sobre Problemas de la Medicina en México, El Colegio Nacional, México. 1982: 305-335 (ver p 312).

53. CAMPILLO-SERRANO C: *El alcoholismo.* Seminario sobre problemas de la medicina en México, El Colegio Nacional, México, 1982: 337-340.

LA AGROINDUSTRIA DE BEBIDAS ALCOHOLICAS: EVOLUCION Y ESTRUCTURA*

AÍDA QUINTAR S.**

"Para todo mal, mezcal; para todo bien, también".

(Dicho popular)

"Los plantíos de maguey de pulque remontan a tanta antigüedad como la lengua azteca".

A. HUMBOLD
"Ensayo político sobre el reino de la Nueva España".

INTRODUCCIÓN

La antigüedad en la fabricación e ingestión de bebidas embriagantes en la historia del hombre no la exime de ser juzgada —a la luz de la proliferación del consumo a nivel mundial— como uno de los problemas más serios que afectan a la civilización actual.

El objeto del presente trabajo es aportar un mayor conocimiento del problema en México donde a partir de la segunda mitad de este siglo se manifiesta una acelerada expansión productiva de bebidas alcohólicas. El trabajo consta de dos partes, la primera se refiere a la evolución de estas industrias en las dos últimas décadas. Se inicia con la producción de este sector a nivel mundial lo cual permite ubicar el fenómeno de México en la dinámica del mercado internacional, por una parte, y, por otra, explicar el nuevo carácter que asume esta producción al ser implantada y desarrollada por empresas transnacionales que se expanden del centro a la periferia buscando nuevos mercados. En efecto, a partir de los años sesenta, y enmarcado en el proceso de sustitución de importaciones y diversificación industrial, se asiste en México a la penetración de nuevas marcas y productos que invaden el mercado. Esta evolución de los últimos veinte años, en materia de producción nacional de bebidas alcohólicas, se presenta en un segundo apartado. En el mismo se señalan los diversos aspectos que desde el punto de vista socioeconómico caracterizan el desarrollo de estas industrias. En un tercer punto nos referimos a la evolución, en ese período, del mercado de bebidas alcohólicas: se incluye aquí tanto el comercio interior como el exterior de estos productos, con lo cual se concluye la primera parte referida a la evolución de la rama.

La segunda parte del trabajo se refiere a la nueva estructura agroindustrial que presenta este sector productivo. En efecto, la producción de bebidas alcohólicas incluye tanto las actividades de la rama agrícola como las de la rama industrial.

* Este artículo es un subproducto de la "Investigación sobre variables que inciden en el consumo de licores (bebidas alcohólicas de alta graduación)" que se realizó en el Instituto de Investigaciones Sociales de la Universidad Nacional Autónoma de México, con financiamiento de la Secretaría de Salubridad y Asistencia.

** Economista del Instituto de Investigaciones Sociales de la UNAM.

Las grandes empresas procesadoras, con el objeto de asegurar un flujo regular de materias primas a los establecimientos industriales, a precios convenientes, tienden a implantar un conjunto de mecanismos conducentes a integrar las diversas fases de producción, lo cual da por resultado una creciente subordinación del sector agrícola al industrial. La integración y por tanto el control del proceso, por parte de las empresas industriales, también se extiende a la fase de distribución y consumo. En este sentido, la empresa agroindustrial ocupa un lugar privilegiado como agente económico ya que se constituye en el centro de las decisiones y determinaciones del proceso de producción y distribución que se irradia al conjunto del sistema.* En virtud de lo expuesto, la segunda parte se inicia con una caracterización general del sistema de bebidas alcohólicas y el impacto que se deriva del carácter integrado del mismo sobre la producción agrícola destinada a dicha industria como materia prima. Un segundo apartado se refiere a la concentración industrial del sistema y al carácter predominantemente transnacional que tiene la producción en los últimos años. En este punto se incluye la caracterización de las principales empresas que operan en el sector distinguiéndolas de acuerdo al origen del capital en empresas nacionales y empresas transnacionales. Un tercer punto de esta segunda parte se refiere al papel de la publicidad en la ampliación del mercado interno de estos productos, mismo que permitió a las grandes empresas, que se fueron estableciendo en el período, influir activamente en los gustos de la población moldeando de acuerdo a sus planes la demanda de las nuevas bebidas. Finalmente, se presenta a modo de conclusión una breve recapitulación de los aspectos más relevantes que se derivan del trabajo.

I. EVOLUCIÓN INDUSTRIAL DEL SISTEMA DE BEBIDAS ALCOHÓLICAS

1. *Producción mundial*

La producción de bebidas alcohólicas manifiesta un incremento significativo a nivel mundial a partir de la segunda mitad de este siglo. Es interesante destacar que parte de ese crecimiento se debe a la incorporación de nuevos países productores a los existentes hasta esa fecha.

En el caso de la cerveza, los principales productores en 1960 eran: Estados Unidos, Alemania Federal, Inglaterra, Unión Soviética, Francia, Alemania Oriental y México. Estos países concentraban el 66% de la producción mundial. En los años siguientes se observa una cierta tendencia a la descentralización; así, en 1977, la participación conjunta de esos países en el total de lo producido se reduce al 56%, fenómeno que se acompañó de un descenso en la dinámica de crecimiento.

En el caso de Estados Unidos —principal productor de cerveza—, la tasa media anual de crecimiento pasó de 4.5% en

---

* Se adopta el concepto de sistema o cadena agroindustrial entendiéndose por tal concepto el encadenamiento sucesivo de fases o etapas de producción y distribución del producto desde la materia prima hasta la venta del producto procesado, en el mercado. El sistema implica un conjunto de relaciones entre agentes económicos que participan en las diversas fases del proceso donde la gran empresa tiene una influencia mayor y, en ocasiones, determinante sobre los otros agentes y sobre el proceso en su conjunto.

1965/70 a una tasa negativa de 4.8% en el período 1975/77.

Un proceso similar ocurre en los otros países mencionados, excepto en el caso de México y la Unión Soviética, que incrementaron tanto su participación relativa como su tasa de crecimiento, en esos diecisiete años. La incorporación de otros países a esta rama se manifiesta en el incremento de su importancia relativa, en 1960 participaron en el 34% de la producción mundial y para 1977 dicha participación se elevó al 43% (cuadro 1).

México que, pese a tener aún una participación mínima en la producción mundial, ha experimentado una alta dinámica en su crecimiento en los últimos años; de seguir esta tendencia es de esperar que su importancia en el mercado mundial de vinos cobre significación en un futuro cercano.

También en el ramo de bebidas destiladas ocurre la integración de nuevas zonas de producción. A los principales productores —Estados Unidos, Japón, Inglaterra, Corea y Alemania Federal— que hacia

CUADRO 1

DISTRIBUCION POR PAISES DE LA PRODUCCION MUNDIAL DE CERVEZA, 1960 A 1977

Países	Producción mundial de cerveza (porcentajes)				
	1960	1965	1970	1975	1977
Estados Unidos	27.5	25.3	24.6	23.7	20.9
República Federal de Alemania	11.7	13.5	12.7	11.3	11.2
Gran Bretaña	10.8	9.7	8.6	8.2	8.2
U. R. S. S.	6.3	6.4	6.5	7.3	7.7
Francia	4.3	4.0	3.3	2.9	3.0
República Democrática Alemana	3.3	2.7	2.6	2.6	2.7
México	2.1	2.0	2.2	2.5	2.7
Otros	34.0	36.4	39.5	41.5	43.6
TOTAL	100.0	100.0	100.0	100.0	100.0

FUENTE: Statistical Year Book, 1960, 1965, 1970, 1975, 1977.

En relación a la producción de vinos, cinco países —Italia, Francia, Argentina, España y Estados Unidos— concentraron en 1960 el 68% de la producción mundial. Los años siguientes mostraron una pérdida de dinamismo de los mismos, que se expresó en un descenso en su participación relativa que llegó a ser de 63% en 1977. Dicha situación se asoció —como en el caso de la producción cervecera— a la incorporación de nuevas zonas a la producción vinícola. Este fue el caso de

1970 centralizaban el 70% de la producción se le incorporan nuevos países, haciendo descender la participación relativa de los primeros a 57% en 1977.

Es de destacar que comparando las tasas de crecimiento de la cerveza, el vino y los destilados fueron estos últimos los que presentaron el mayor dinamismo. Esta situación también se vio reflejada en México en la orientación que tomó la producción de bebidas alcohólicas en los últimos años.

Cuadro 2

Cuadro 2

DISTRIBUCION POR PAISES DE LA PRODUCCION MUNDIAL DE VINOS 1960 A 1977

Producción mundial de vinos (porcentajes)

Países	1960	1965	1970	1975	1977
Francia	25.9	23.7	24.9	20.8	18.6
Italia	22.7	23.7	22.7	21.6	22.5
España	8.7	9.2	8.5	10.2	7.7
Argentina	6.6	6.4	6.1	6.8	8.9
Portugal	4.7	5.1	3.7	2.8	0.3
Estados Unidos	4.3	5.2	3.2	4.5	5.2
México	0.0	0.0	0.1	0.1	0.1
Otros	27.1	26.7	30.8	33.2	36.7
TOTAL	100.0	100.0	100.0	100.0	100.0

FUENTE: Statistical Year Book. 1960, 1965, 1970, 1975, 1977.

2. *Producción nacional*

En México la producción de bebidas alcohólicas tuvo un ritmo ascendente a partir de 1960.

Si se observa el peso de las distintas industrias que conforman el sistema de bebidas alcohólicas, a partir de 1965 se puede apreciar que hay un incremento en la participación en el producto interno bruto del sistema por parte de las bebidas alcohólicas destiladas y de la industria del vino, en tanto que se da una drástica disminución en la participación de la industria cervecera que pasa del 79% en 1960 a una participación cercana al 60% en el quinquenio 1965/70. Sin embargo, para 1975, la cerveza retorna a su privilegiada posición, mientras que el vino y las bebidas destiladas bajan un tanto su peso relativo, consolidándose en una participación

Cuadro 3

DISTRIBUCION POR PAISES DE LA PRODUCCION MUNDIAL
DE BEBIDAS ALCOHOLICAS DESTILADAS 1970 A 1977

Producción mundial de bebidas destiladas (porcentajes)

Países	1970	1973	1975	1977
Estados Unidos	25.5	24.1	23.3	22.5
Reino Unido	10.5	11.5	9.2	8.4
Japón	10.4	9.9	9.6	10.5
República Federal Alemana	9.0	8.2	8.0	6.7
España	6.1	5.6	5.8	n.d.
Canadá	4.6	4.5	3.8	3.2
República de Korea	3.8	5.3	8.2	9.0
R. Democrática Alemana	3.0	2.9	3.1	3.3
Polonia	2.9	3.3	3.5	4.2
Checoslovaquia	2.4	2.2	2.3	2.4
México	2.0	1.6	2.3	2.9
Otros	19.8	20.7	21.0	26.8
TOTAL	100.0	100.0	100.0	100.0

FUENTE: Elaborado a partir de la información del Year Book of Industrial Statistics, 1979. Edition, V, III, ONU.

significativa, si bien bastante menor a la de la industria cervecera. La heterogeneidad de la dinámica del sistema resulta más notoria si se comparan las tasas anuales de crecimiento intercensal de las diversas clases, en el período 1960-1975, a través de los diversos indicadores económicos referidos a producción, empleo, remuneración, activos fijos, ventas, etc.

El ritmo de crecimiento de la producción ha sido diferente en las diversas clases industriales si bien la tasa media anual de crecimiento del sistema bebidas alcohólicas fue cercano al 8%, hubo industrias como la del pulque que manifestaron la tendencia contraria, ésta tuvo una tasa negativa de 3.8%, siendo el quinquenio 1970/75 el de mayor descenso. Hacia 1965 se produce una fuerte expansión en la producción de ron, a la cual se le suma en los años finales de la década la expansión de otras bebidas como el brandy, el vino y, posteriormente, en el primer quinquenio de los setenta, las bebidas destiladas a base de cereal como el vodka, el whisky, etc. La cerveza, por su parte, mantiene su incremento a lo largo de todo el período si bien se puede observar que eleva su ritmo a comienzos de 1970. En la industria de la sidra, no obstante presentar un ritmo ascendente en su tasa de crecimiento, el volumen elaborado es bastante menor, seguramente por el hecho de que es una bebida cuyo consumo principal se da en ciertos períodos donde se concentran los acontecimientos festivos.

De todo lo mencionado, se puede concluir que si bien en general crece la producción de bebidas alcohólicas entre 1960 y 1975, este crecimiento no es homogéneo en términos de los diversos productos ni en el ritmo ni en los volúmenes de producción. Se destacan en este conjunto la cerveza en primer lugar y los vinos y bebidas destiladas en segundo término. En el caso de las bebidas destiladas, el tequila ha presentado una evolución muy favorable y, como veremos más adelante, gran

CUADRO 4

MEXICO, EVOLUCION DEL NUMERO DE ESTABLECIMIENTOS EN EL SISTEMA DE BEBIDAS ALCOHOLICAS 1960 A 1975

	Número de establecimientos			
Clases industriales	1960	1965	1970	1975
Elaboración de bebidas alcohólicas a base de agaves, excepto pulque	211	240	300	267
Elaboración de bebidas alcohólicas a base de cereal, a base de caña de azúcar y otras bebidas no fermentadas	126	246	239	120
Elaboración de vinos y aguardientes de uva	159	70	64	59
Elaboración de pulque	1,160	1,117	970	666
Elaboración de sidra y otras bebidas fermentadas	19	19	18	25
Elaboración de malta y cerveza	18	19	28	24
Total de bebidas alcohólicas	1,693	1,711	1,619	1,161

FUENTE: Elaborado a partir de la información de los Censos Industriales de 1960, 1965, 1970 y 1975.

CUADRO 5

MEXICO EVOLUCION DEL NUMERO DEL PERSONAL OCUPADO EN EL SISTEMA
DE 'BEBIDAS ALCOHOLICAS 1960 A 1975

Clases industriales	Numero de personal ocupado			
	1960	1965	1970	1975
Elaboración de bebidas alcohólicas a base de agaves, excepto pulque	1,809	3,391	2,494	2,522
Elaboración de bebidas alcohólicas a base de cereal, a base de caña de azúcar y otras bebidas no fermentadas	3,156	3,152	3,164	1,932
Elaboración de vinos y aguardientes de uva	2,946	2,153	2,447	1,944
Elaboración de pulque	2,574	2,615	1,854	1,123
Elaboración de sidra y otras bebidas fermentadas	250	380	258	333
Elaboración de malta y cerveza	9,227	10,155	12,157	14,830
Total de bebidas alcohólicas	19,962	21,846	22,374	22,684

FUENTE: Elaborado a partir de la información de los Censos Industriales de 1960, 1965, 1970 y 1975.

parte del estímulo a su expansión radica en el comercio externo, ya que México es el único productor en el mundo y por tanto tiene un amplio mercado a nivel internacional.

Otras características que ameritan ser destacadas en la dinámica de crecimiento de esta rama son las referidas al número de establecimientos industriales y al de personal ocupado. Los establecimientos tu-

CUADRO 6

TASA MEDIA ANUAL DE CRECIMIENTO DE LA PRODUCCION DEL SISTEMA
DE BEBIDAS ALCOHOLICAS 1960 A 1975

Clases industriales	Valor de la producción (%)			
	1960 1965	1965 1970	1970 1975	1960 1975
Elaboración de bebidas alcohólicas a base de agaves, excepto pulque	17.2	10.6	4.3	10.6
Elaboración de bebidas alcohólicas a base de cereal, a base de caña de azúcar y otras bebidas no fermentadas	16.8	1.3	5.4	7.6
Elaboración de vinos y aguardientes de uva	8.4	11.5	−0.4	6.9
Elaboración de pulque	−1.5	−1.8	−7.8	−3.8
Elaboración de sidra y otras bebidas fermentadas	12.5	4.7	5.0	7.4
Elaboración de malta y cerveza	5.6	10.0	8.6	8.1
Total de bebidas alcohólicas	8.1	8.9	6.7	7.9
Total rama de bebidas	9.7	9.7	3.7	7.6

FUENTE: Elaborado a partir de la información del cuadro 1.

vieron una clara reducción en esos años; de 1.693 establecimientos en 1960, su número desciende a 1.161 quince años después, es decir un decremento del 32% (cuadro 4).

Por otra parte, es notorio que el ritmo de crecimiento del personal ocupado en esta rama fue muy lento y para ciertas industrias se observa una reducción efectiva del mismo. Se puede apreciar, en el cuadro 5, que las clases industriales de elaboración de bebidas destiladas, a base de cereal y a base de jugo de caña, reducen su personal de 3.156 a 1.932 en ese período; la industria vitivinícola de 2.946 a 1.944 personas ocupadas.

Sin embargo, la reducción en el número de establecimientos y el bajo crecimiento del personal ocupado no se reflejó en una declinación de la producción; por el contrario, el sistema tuvo un ritmo de crecimiento medio anual del 7.6% entre 1960 y 1975 (cuadro 6). Seguramente en esos años desaparecieron establecimientos medianos y pequeños, intensivos en mano de obra y de baja productividad, concentrándose la producción en grandes establecimientos con mayor intensidad en el uso de capital. En el caso de la industria pulquera la situación es diferente ya que a la reducción experimentada en el personal ocupado le acompaña un decrecimiento productivo que pone de manifiesto la franca declinación de esta industria.

Esta industria, en la actualidad, es básicamente artesanal familiar, y es probable que en las estadísticas haya un gran subregistro dado el carácter clandestino y semiclandestino que tiene parte de la misma. Algo similar debe ocurrir con otras producciones como el aguardiente de caña, mezcal, etc.

Otro hecho a destacar es el descenso de la participación de las remuneraciones en el valor agregado, para todas las industrias excepto la del pulque. Esta tendencia —más marcada en el caso de las industrias de bebidas destiladas, vinos y

Cuadro 7

MEXICO DISTRIBUCION DE LA PARTICIPACION EN EL PIB DEL SISTEMA BEBIDAS ALCOHOLICAS POR CLASES INDUSTRIALES 1960 A 1975

Clases industriales	Producto interno bruto (%)			
	1960*	1965	1970	1975
Elaboración de bebidas alcohólicas a base de agaves, excepto pulque	2.9	6.0	7.8	6.5
Elaboración de bebidas alcohólicas a base de cereal, a base de caña de azúcar y otras bebidas no fermentadas	8.0	22.2	16.3	9.7
Elaboración de vinos y aguardientes de uva	8.6	11.9	14.0	5.9
Elaboración de pulque	1.6	1.4	0.7	0.3
Elaboración de sidra y otras bebidas fermentadas	0.3	0.5	0.4	0.3
Elaboración de malta y cerveza	78.7	58.0	60.8	77.4
Total de bebidas alcohólicas	100.0	100.0	100.0	100.0

FUENTE: Elaborado a partir de la información de los Censos Industriales de 1960, 1965, 1970 y 1975.
* Estimado a partir de los datos sobre producción e insumos.

CUADRO 8

MEXICO. DISTRIBUCION DE LA PARTICIPACION DE LAS REMUNERACIONES EN EL VALOR AGREGADO CENSAL EN EL SISTEMA DE BEBIDAS ALCOHOLICAS POR CLASES INDUSTRIALES 1965 A 1975

Clases industriales	Participación de las remuneraciones en el valor agregado censal (%)		
	1965	1970	1975
Elaboración de bebidas alcohólicas a base de agaves, excepto pulque	27.1	10.8	10.3
Elaboración de bebidas a base de cereal	17.8	17.6	16.1
Elaboración de bebidas a base de caña de azúcar	*	20.6	11.3
Elaboración de vinos y aguardientes de uva	20.5	12.0	11.6
Elaboración de pulque	28.0	25.0	20.8
Elaboración de sidra y otras bebidas fermentadas	39.3	25.9	18.9
Elaboración de malta y cerveza**	26.2	22.3	11.0

FUENTE: Elaborado a partir de la información de los Censos Industriales de 1965, 1970 y 1975.
* En el censo de 1965 figuran agregadas ambas clases.
** Se agregaron las clases de fabricación de malta y elaboración de cerveza es decir la industria cervecera en razón de la integración de las mismas a nivel de las empresas.

cervezas— permite afirmar que el factor trabajo tuvo, en esos años, un margen de beneficio decreciente en contraste al factor capital en todo el sistema de bebidas alcohólicas (cuadro 8).

En relación a la tecnología utilizada y la productividad de la mano de obra se puede ver, en los cuadros 9 y 10, que las clases con mayor gasto por concepto de transferencia tecnológica son las que presentan los mayores incrementos en la productividad, a excepción del tequila, donde se da un gran aumento de la productividad por obrero ocupado, sin que se dé un alto gasto en el renglón de transferencia tecnológica, probablemente porque es una

CUADRO 9

MEXICO. EVOLUCION DE LA PRODUCTIVIDAD ANUAL POR OBRERO OCUPADO EN EL SISTEMA DE BEBIDAS ALCOHOLICAS POR CLASES INDUSTRIALES 1960 A 1975

Clases industriales	Productividad por obrero ocupado (a precios de 1960;* en miles de pesos)			
	1960	1965	1970	1975
Elaboración de bebidas alcohólicas a base de agaves, excepto pulque	27	28	88	117
Elaboración de bebidas alcohólicas a base de cereal, a base de caña de azúcar y otras bebidas no fermentadas	116	143	170	253
Elaboración de vinos y aguardientes de uva	46	110	169	134
Elaboración de pulque	38	78	21	47
Elaboración de sidra y otras bebidas fermentadas	17	23	42	35
Elaboración de malta y cerveza	148	103	145	215
Total de bebidas alcohólicas	105	92	137	196

FUENTE: Elaborado a partir de la información de los Censos Industriales de 1960, 1965, 1970 y 1975.
* Ver en anexo metodológico cómo se calculó la productividad anual por obrero ocupado.

CUADRO 10

MEXICO. DISTRIBUCION DE LA PARTICIPACION EN LOS GASTOS POR
TRANSFERENCIA TECNOLOGICA EN EL SISTEMA DE BEBIDAS
ALCOHOLICAS POR CLASES INDUSTRIALES 1965 A 1975

Clases industriales	Gastos por transferencia tecnológica (porcentajes)		
	1965*	1970	1975
Elaboración de bebidas alcohólicas a base de agaves, excepto pulque	1.0	1.0	2.9
Elaboración de bebidas alcohólicas a base de cereal, a base de caña de azúcar y otras bebidas no fermentadas	54.0	48.0	46.7
Elaboración de vinos y aguardientes de uva	8.8	32.3	17.3
Elaboración de pulque	0.0	0.0	0.0
Elaboración de sidra y otras bebidas fermentadas	0.0	0.0	1.2
Elaboración de malta y cerveza	36.4	16.8	31.9
Total de bebidas alcohólicas	100.0	100.0	100.0

FUENTE: Elaborado a partir de la información de los Censos Industriales de 1965 1970 y 1975.
* En 1965 este gasto se captó como "pago por regalías".

industria originaria de México, donde no existen pagos al exterior por marcas, patentes y asistencia técnica.

En resumen, se puede decir que el crecimiento de esta rama industrial fue muy dinámico para el caso de las industrias de bebidas destiladas, vinos y cervezas. Este crecimiento se dio en el marco de un proceso de concentración puesto de manifiesto en una reducción notoria del número de establecimientos industriales.

Por otra parte, el incremento de la producción no redundó en una mayor oferta de empleos, los que tuvieron un ritmo de crecimiento decreciente. Finalmente, el descenso de la participación de las remuneraciones en el producto interno y el aumento de la productividad por obrero ocupado permite afirmar que fue el factor capital el que experimentó los mayores beneficios de la expansión de esta rama.

Otro beneficiario de tal expansión fue el Estado, si se toma en cuenta el flujo monetario que en materia de contribución

fiscal aportaron estas actividades en esos años. El cuadro 11 muestra que la participación de las bebidas alcohólicas en el grupo de alimentos, bebidas y tabaco, fue muy importante en ese período. La re-

CUADRO 11

MEXICO EVOLUCION DE LA
PARTICIPACION DEL SISTEMA DE
BEBIDAS ALCOHOLICAS, EN RELACION
A LOS IMPUESTOS INDIRECTOS MENOS
SUBSIDIOS, EN EL GRUPO ALIMENTOS,
BEBIDAS Y TABACO 1970 A 1978

Años	Impuestos indirectos menos subsidios (porcentajes)	
	Alimentos, bebidas y tabaco	Bebidas alcohólicas*
1970	100.0	26.4
1971	100.0	31.3
1972	100.0	34.0
1973	100.0	32.6
1974	100.0	33.2
1975	100 0	35.5
1976	100.0	34.0
1977	100.0	37.5
1978	100.0	36.8

FUENTE: Elaborado a partir de la información del Sistema de Cuentas Nacionales, Cuentas de Producción S.P.P.
* Incluye las ramas 20 y 21 del Sistema de Cuentas Nacionales.

caudación de impuestos indirectos (excluyendo subsidios), en el caso de las bebidas alcohólicas, osciló entre el 26 y el 38% entre 1970 y 1978.

Si se compara la participación relativa de la cerveza y malta por una parte y la del resto de las bebidas alcohólicas por la otra, se aprecia que en el total de impuestos indirectos (menos subsidios), que aportan los alimentos, bebidas y tabaco, la cerveza y la malta participan en el 13.4% en 1970, mientras que el resto de bebidas alcohólicas participan en el 13%. En los tres años siguientes sube la participación del primer grupo a 23% en tanto que las del segundo descienden a 10%. A partir de 1974 declina la participación de la malta y la cerveza mientras que asciende la correspondiente a las otras bebidas alcohólicas. Ya para 1978 encontramos nuevamente una distribución más equitativa entre ambos grupos, la cerveza y la malta participan en el 19.2% y las otras bebidas alcohólicas en 17.6%

Si se compara la participación relativa del conjunto de bebidas alcohólicas (incluyendo cerveza y malta) con el tabaco, se observa que en el total de impuestos indirectos (menos subsidios) que corresponden al grupo de alimentos, bebidas y tabaco, este último en 1970 participaba en el 41.6% mientras que el conjunto de bebidas alcohólicas representaba el 26.4%. Esta relación se invierte en los años siguientes, en 1978 el tabaco aporta en términos de impuestos indirectos el 26.2% del total del grupo alimentos, bebidas y tabaco, mientras que el conjunto de bebidas alcohólicas eleva su participación al 36.8%.

La dinámica del sistema de bebidas alcohólicas no fue ajeno a la ampliación del mercado interno de esos productos, sino que por el contrario fue la base principal sobre la que se apoyó la expansión de la rama.

3. *Mercado de las bebidas alcohólicas*

La producción de bebidas alcohólicas se asienta en el incremento y en la reorientación de las pautas de consumo de la población mexicana, en los últimos veinte años.

3.1. *El consumo interno de bebidas alcohólicas*

En relación al consumo interno de bebidas alcohólicas (cuadro 12), se observa que el mismo paso de consumo equivalente a $ 2,888.822.00 en 1965 a $ 6,014.442.00* en 1975, es decir que en sólo diez años se da un incremento del 108%.

En el mismo cuadro se puede ver que el tequila tuvo un incremento del 69%, los whiskies, rones y similares se incrementaron en 52%, los vinos y los brandies en un 100% y la cerveza en un 131%.

La sidra pasó de $ 19,018.000.00 en 1960 a $ 27,498.000.00 diez años después.

El pulque decreció a lo largo de toda la década.

En ese período la cerveza y la industria vitivinícola tuvieron la mayor tasa de crecimiento, siguiéndole en orden de importancia el tequila y las destiladas a base de cereal y de jugo de caña; estas últimas, en el quinquenio de 1970/75, tienen, junto con la cerveza, la tasa más alta. La produc-

---

* Las cifras mencionadas se refieren a precios de 1960.

CUADRO 12

MEXICO. DISTRIBUCION DEL CONSUMO APARENTE EN EL SISTEMA DE BEBIDAS ALCOHOLICAS POR CLASES INDUSTRIALES 1965 A 1975

Clases industriales	Consumo aparente* (a precios de 1960; en miles de pesos)		
	1965	1970	1975
Elaboración de bebidas alcohólicas a base de agaves, excepto pulque	195,875	340,170	331,835
Elaboración de bebidas alcohólicas a base de cereales, a base de caña de azúcar y otras bebidas no fermentadas	463,726	506,480	708.307
Elaboración de vinos y aguardientes de uva	319,674	507,184	640.288
Elaboración de pulque	40,845	37,165	25,031
Elaboración de sidra y otras bebidas fermentadas	19,018	24,011	27,498
Elaboración de malta y cerveza	1.849,684	3.016,974	4.281,483
Total del sistema	2.888,822	4.431,985	6.014,442

FUENTE: Elaborado a partir de la información de los Censos Industriales de 1965, 1970 y 1975; y de los datos del Instituto Mexicano de Comercio Exterior.
* Consumo aparente = ventas netas + importaciones — exportaciones.

ción de nuevas bebidas, vinos y destilados de alta graduación, si bien comienza por substituir la importación de dichos productos, posteriormente, y como consecuencia de la aplicación de nuevas técnicas de mercado y de publicidad, logra ampliar el mercado. La cerveza, que inicialmente sufre el impacto de la competencia, pronto recupera su posición anterior e incluso la incrementa.

3.2. Importancia del comercio exterior en el sistema de bebidas alcohólicas

La participación de las importaciones en el consumo nacional y la participación de las exportaciones en las ventas netas de cada clase no es homogénea para el conjunto del sistema. La importación se refiere exclusivamente a las bebidas destiladas a base de cereal (whisky, vodka, etc.), a los vinos y en menor medida a bebidas como la sidra.

En los dos primeros grupos se registró un notable incremento hacia 1975 que coincide con un aumento de la producción nacional de estas bebidas. Esto significa que la ampliación del mercado para estos productos ha sido mayor que el incremento de la producción nacional.

En cuanto a las exportaciones, los productos que se exportan son el tequila, el ron, la cerveza, así como bebidas a base de cereal como el whisky. La colocación del tequila en el mercado mundial experimenta un gran incremento en los últimos años del setenta. En 1975, el 18% de las ventas totales de este producto se orientan al mercado externo.

La cerveza y el ron experimentan también un aumento significativo de la exportación pero su peso relativo en las ventas indicaría que el mercado interno es el destino preponderante de estos productos.

En el caso de las bebidas destiladas a base de cereal, como el whisky, las exportaciones podrían formar parte del comercio intrafirma que realizan las empresas transnacionales a nivel mundial, dado que la producción de dicha bebida, en México, está básicamente controlada por éstas.

3.3. *La dinámica de las ventas en el sistema de bebidas alcohólicas*

El ritmo de crecimiento de las ventas de bebidas alcohólicas manifiesta un importante dinamismo a nivel del sistema que crece entre 1965 y 1975 a una tasa del 7.5%. La mayor tasa se da en el caso de la cerveza (8.8), siguiéndole el tequila con el 7% y los vinos y aguardientes de uva con 5.6%. Las otras bebidas destiladas, como ya se mencionó, recién a partir de 1975 comienzan a expandirse, razón por la cual para la década 1965 a 1975 la tasa de crecimiento de las ventas es poco significativa.

Un aspecto importante vinculado a las ventas es el que está referido a la publicidad y la propaganda por medio del cual las empresas tienden a influir en las pautas de consumo de la población.

Las bebidas alcohólicas destiladas, el vino y la cerveza son las clases que presentan los mayores coeficientes de participación de los pagos por publicidad y propaganda en las ventas netas.

Si se toma en cuenta la participación a nivel de las clases en los pagos por publicidad y propaganda del sistema de bebidas alcohólicas (cuadro 13), se ve que la cerveza ocupa el primer lugar seguida por las bebidas destiladas a base de cereal y de aguardiente de caña y los vinos y aguardientes de uva.

Estas bebidas elevaron su participación entre 1970 y 1975, en forma notoria, lo cual coincide con el período de implantación y expansión de estas industrias; el vino llega a participar en el 25% de los pagos totales y las bebidas destiladas llegan a representar en 1975 el 34% de los pagos por publicidad que realizó el sistema.

Esta información permite afirmar que la expansión de la producción de bebidas alcohólicas en México se basó fundamentalmente en la ampliación del mercado interno. Esta ampliación estuvo estrechamente vinculada al incremento que tuvo la publicidad de estos productos, en especial en el caso de las bebidas destiladas y los vinos. También se puede concluir que la tendencia del consumo es al incremento de aquellas bebidas con mayor contenido alcohólico, con una excepción, la de la cerveza, que no sólo mantuvo sino

CUADRO 13

MEXICO. DISTRIBUCION DE LA PARTICIPACION EN LOS PAGOS POR PUBLICIDAD Y PROPAGANDA EN EL SISTEMA DE BEBIDAS ALCOHOLICAS POR CLASES INDUSTRIALES 1965-1975

Clases industriales	Pagos por publicidad y propaganda (cifras porcentuales)		
	1965	1970	1975
Elaboración de bebidas alcohólicas a base de agaves, excepto pulque	3.3	4.5	1.5
Elaboración de bebidas alcohólicas a base de cereal, a base de caña de azúcar y otras bebidas no fermentadas	12.4	22.5	33.7
Elaboración de vinos y aguardientes de uva	11.5	25.1	12.7
Elaboración de pulque	0.0	0.0	0.0
Elaboración de sidra y otras bebidas no fermentadas	0.2	0.2	0 6
Elaboración de malta y cerveza	72.6	47.7	51.4

FUENTE: Elaborado a partir de la información de los Censos Industriales de 1965, 1970 y 1975.

que también expandió su demanda. Otra conclusión que resulta del estudio de la información presentada es que el peso de los productos importados fue en general decreciente si bien aumentó en ciertos productos como las bebidas destiladas a base de cereal y los vinos, que pese a su gran expansión productiva no cubrieron la creciente demanda de los últimos años. Finalmente, se deduce de los datos que la exportación fue significativa para ciertos productos del sistema: el tequila en primer lugar y el ron y la cerveza en segundo lugar.

II. ESTRUCTURA DEL SISTEMA DE BEBIDAS ALCOHÓLICAS

1. Caracterización del sistema agroindustrial de bebidas alcohólicas

El desarrollo agroindustrial experimenta una acelerada expansión en México, a partir de la década de los sesenta. La industria tiende a convertirse en el principal destinatario de la producción agrícola. La producción de bebidas alcohólicas conforma una agroindustria específica en tanto su principal insumo industrial es de origen agrícola.

La agroindustria de bebidas alcohólicas está integrada por el conjunto de actividades agrícolas, industriales y de comercialización que conforman el proceso general de producción y distribución de estas bebidas. Contiene un conjunto heterogéneo de clases industriales que tienen en común la elaboración de bebidas con cierto contenido de alcohol*.

* La graduación alcohólica es menor en el caso de las bebidas sometidas a proceso de fermentación como es el caso del pulque, el vino, la cerveza y la sidra; o mayor en el caso de las bebidas sometidas a proceso de destilación como el tequila, el mezcal, el whisky, el vodka, la ginebra, el brandy, el ron y los aguardientes de caña.

Entre las principales características de esta agroindustria se puede mencionar la existencia de fuerte concentración industrial, alta participación de la inversión extranjera directa y tendencias a subordinar a ella los procesos anteriores (fase de producción de los insumos agrícolas) y posteriores (fase de distribución en el mercado interno y externo), conformando una cadena o sistema agroindustrial con centro en la gran empresa.

En el punto siguiente se analiza el impacto que la expansión de la producción industrial de bebidas alcohólicas ha tenido sobre la fase anterior, es decir, sobre la producción agrícola destinada a ser principalmente insumo industrial.

2. Producción de materia prima de origen agrícola

Todas las clases del sistema utilizan, como insumo principal, materia prima agrícola, ya sean cereales como en el caso de la cerveza, el whisky, el vodka, etc.; frutales como los vinos y aguardientes de uva, la sidra, etc.; caña de azúcar en el caso del ron y los otros aguardientes de caña; o maguey como en el caso del tequila, el mezcal y el pulque.

Por esta razón, la producción industrial de estas bebidas está estrechamente vinculada a la producción agrícola. En aquellos casos en que esta última tiene como destino principal la industria, el impacto que tiene la dinámica de la producción industrial de bebidas alcohólicas sobre la agricultura es fundamental, tal es el caso de la vid, la cebada y los magueyes.

El incremento de la participación de ciertas clases industriales en el sistema, en los últimos años, se correspondió con altas tasas de crecimiento de la producción de las materias primas agrícolas. Entre 1970 y 1978 la producción de cebada creció a una tasa media anual del 10% y la vid a una tasa del 12%. En el primer caso la tendencia fue errática ya que hubo años donde la tasa fue negativa (1971/72, 1974/75 y 1976/77) y años donde la tasa fue muy superior al promedio (1975/76). En relación a la vid, si bien hubo variaciones a lo largo de la década, la tendencia general fue la elevación de la tasa de crecimiento, la que fue particularmente favorable entre 1977 y 1978.

Tanto en el caso de la cebada como en el de la vid las tasas de crecimiento de la superficie fueron menores a las de crecimiento de la producción, lo cual estaría indicando un incremento en la productividad por hectárea. En ello parecería haber influido la intervención de las empresas industriales a través de asesorías técnicas, provisión de insumos tales como fertilizantes, plaguicidas, etc.

En cuanto a la evolución de los magueyes destinados al pulque, al mezcal y al tequila, no se pudo contar con información más actualizada que la del Censo Agrícola, Ganadero y Ejidal de 1970. Sin embargo, cabe mencionar que entre 1960 y 1970 el número de plantas tequileras tuvo una tasa media anual de incremento del 20% y que dado el aumento en la producción de tequila se puede suponer que la tendencia del cultivo se mantiene a lo largo de la década de los setenta.

En resumen, aquellos cultivos cuyo principal destino es la agroindustria de bebidas alcohólicas tuvieron una dinámica de crecimiento acorde con la de dichas industrias; incluso se apreció un incremento

en la productividad por hectárea seguramente asociado al asesoramiento realizado por las empresas para lograr mayores volúmenes de producción manteniendo la calidad del producto. En el caso de la caña de azúcar, los restantes cereales y frutales, el crecimiento es menor dado que no es esta industria el principal destino de los mismos.

3. Concentración industrial del sistema de bebidas alcohólicas

La Comisión Económica para América Latina (CEPAL) realizó un estudio sobre las empresas transnacionales en la agroindustria mexicana, encontrando que el sistema de bebidas alcohólicas presenta, en la actualidad, una estructura industrial altamente concentrada y con importante presencia de capital transnacional en las empresas líderes. El mismo señala que tomando como indicador de concentración el porcentaje controlado por las cuatro mayores plantas del sistema en relación a las variables producción bruta, ventas netas, personal ocupado y activos fijos, estas cuatro plantas mayores controlan el 62% de los activos fijos y de la producción bruta y el 63% de las ventas netas y del personal ocupado*.

Dicho fenómeno no se presenta de la misma manera en las diversas clases que componen el sistema; las clases que presentaron los mayores niveles de concentración son las correspondientes a las de bebidas destiladas a base de agaves, a base de cereal y los rones, por una parte, y las industrias maltera y cervecera por la

---

* CEPAL. "Las empresas transnacionales en la agroindustria mexicana". México, 1981.

otra. La industria vitivincola, si bien no presenta un nivel de concentración alto, tiene una significativa participación del capital extranjero, situación que es similar en el caso de las bebidas destiladas. Si se observan estas clases relacionando los niveles de concentración y la participación del capital extranjero con la dinámica de crecimiento de los mismos, cabe señalar que las clases que presentaron mayor dinamismo son aquéllas donde se registran altos niveles de concentración o una presencia significativa del capital extranjero. En 1975 resalta por el valor de la producción y el personal ocupado la industria de la cerveza a la cual habría que sumarle la de fabricación de malta, que se destina en su totalidad como insumo a la industria cervecera.

Le sigue, en magnitud muy inferior, la clase de elaboración de vinos y aguardientes de uva, la clase de elaboración de tequila, mezcal y otras bebidas a base de agaves, excepto pulque.

En tercer lugar se ubican las clases de elaboración de ron y aguardiente de caña y elaboración de vodka, ginebra y otras bebidas alcohólicas destiladas respectivamente.

Finalmente, y en una posición muy rezagada, encontramos al pulque y la sidra que están en manos del capital nacional mediano y pequeño.

Esto mismo se puede apreciar a través de la información censal sobre tamaño de los establecimientos según número de personal ocupado y distribución de la producción de los mismos. La distribución relativa de la producción en los establecimientos según el número del personal remunerado ocupado permite apreciar que

en la clase de elaboración de rones y aguardientes de caña el 5% de los establecimientos tienen más de 75 personas ocupadas y concentra el 83% de la producción. En esta clase los establecimientos medianos y pequeños son en su gran mayoría productores de aguardientes mientras que los mayores son productores de ron.

En la elaboración de bebidas destiladas a base de agaves y a base de cereales más del 65% de la producción se genera en establecimientos con más de 50 personas ocupadas.

En la industria vitivinícola y en la de sidra se observa una producción más distribuida en los diversos tamaños de establecimientos.

En la industria cervecera, que incluye además la fabricación de malta, la producción se concentra en establecimientos de más de 100 personas, no existiendo en la clase de elaboración de cerveza establecimientos con menor número de empleados y el 65% de la producción se realiza en plantas de 501 y más personas ocupadas.

Un caso muy diferente al de los ya mencionados es el de la industria del pulque. El 49% de la producción se realizó en establecimientos que tienen hasta 15 personas ocupadas, el 51% de la producción restante se genera en unidades domésticas con personal no remunerado. De los establecimientos productores el 94% tiene hasta 5 personas ocupadas, da empleo al 82% del personal remunerado y contribuye con el 43% a la producción de la clase.

En síntesis, se puede concluir que, si bien el sistema en conjunto presenta im-

portantes niveles de concentración tanto
en la producción, como en los activos fijos, el personal ocupado y las ventas, este
fenómeno no se presenta en forma homogénea en las diversas industrias de bebidas alcohólicas. Por otra parte, es importante destacar la estrecha relación que
existe entre niveles de concentración y
presencia del capital extranjero con dinamismo de las clases industriales. Es decir
que, a mayor concentración (como es el
caso de la cerveza) y mayor presencia del
capital extranjero (bebidas destiladas y
vinos), mayor es el dinamismo de esas industrias.

4. Características de las principales empresas que operan en el sistema

El desarrollo de este apartado se refiere
a las características generales que presentan las principales empresas que operan
en el sistema de bebidas alcohólicas. Contiene, además, una caracterización de las
mismas en relación al origen del capital
nacional o extranjero.

En relación al establecimiento de estas
empresas en México, se pueden señalar
tres etapas, a partir de fines del siglo pasado. Inicialmente, México era productor
de pulque, bebida de origen precolombino.
Hacia fines del siglo pasado se instalaron
las primeras empresas cerveceras. El resto
de las bebidas tenía una demanda muy pequeña que se cubría, fundamentalmente,
con las importaciones. En los años treinta
comienzan a instalarse empresas dedicadas a la elaboración de ron. Además, aparecen en el mercado compañías importadoras de vinos y bebidas destiladas. Finalmente, en los sesenta se establecen las
empresas vitivinícolas y las elaboradoras

de bebidas de alta graduación alcohólica,
muchas de las cuales se iniciaron en el
país como importadoras de estos productos, en la etapa anterior. De esta forma,
nos encontramos con que en 1980 existen
42 empresas con participación del capital
extranjero, dedicadas a la producción de
bebidas destiladas y vinos, principalmente.
La producción de cerveza, por el contrario, permanece bajo el control del gran capital nacional. Finalmente, el resto de las
bebidas fermentadas es producido por la
mediana y pequeña empresa nacional.

4.1 Empresas con participación de capital extranjero

A partir de los años sesenta, en México
se produce una entrada masiva de capital
extranjero en la industria en general y en
la agroindustria en particular. Este fenómeno también se da en el caso de la agroindustria de bebidas alcohólicas. Las clases
donde se asienta fundamentalmente el
capital extranjero en este sistema son las
de elaboración de bebidas destiladas a base
de agaves, a base de cereales y a base de
caña de azúcar; asimismo, la presencia del
capital extranjero es muy importante en la
industria vitivinícola.

De acuerdo a la información provenien-
te de la Dirección General de Inversiones
Extranjeras de la Secretaría de Patrimonio y Fomento Industrial, existen 42 empresas productoras de bebidas alcohólicas
en las que participa el capital extranjero.

Según el cuadro 14, 25 empresas tienen
una participación extranjera mayor al 49%
del capital social, 10 empresas tienen una
participación que osila entre el 25% y 49%
y sólo 7 tienen una participación inferior
al 25%.

CUADRO 14

MEXICO. DISTRIBUCION DE LAS EMPRESAS CON PARTICIPACION DE INVERSION EXTRANJERA DIRECTA (I.E.D.) MENOR AL 49% DEL CAPITAL SOCIAL 1980

Rangos de participación de la I.E.D.	No. de empresas	Nombre de las empresas	Capital social	% de Partic. I.E.D.	Origen de la I.E.D
Menor del 25%	7	Destilby, S. A. de C. V.	35.000.000	20.0	E. U. A.
		Antonio Fernández y Cía., S. A.	50.000.000	20.0	España
		Tequila Sauza, S. A.	180.000.000	19.1	España
		Cía. Vinícola de Ensenada, S. A.	6.000.000	23.0	Luxemburgo
		Durazuva, S. de R. L.	9.000.000	20.0	E. U. A.
		Vinificación y Destilación, S. A. de C. V.	300.000.000	23.0	España
		Extractos y Maltas, S. A.	150.000.000	5.2	España
Entre 25% y 49%	10	Tequila Cuervo, S. A.	151.000.000	25.0	n/d.
		Tequila Viuda de Romero, S. A.	15.000.000	25.0	Suiza
		Ramen Mexicana, S. A. de C. V.	15.000.000	49.0	Japón
		Derivados de Uva de Sonora, S. A.	5.000.000	45.6	España
		Destiladora de Caborca, S. A. de C. V.	12.000.000	40.0	España
		Freixenet de México, S. A.	20.000.000	48.9	España
		González Byass de México, S. A. de C. V.	18.500.000	49.0	Inglaterra
		Hennessy de México, S. A.	10.000.000	49.0	Francia
		Osborne de México, S. A. de C. V.	175.000.000	48.3	España
		Bobadilla, S. de R. L. de C. V.	1.000.000	49.0	España
Más de 49%	25	Avelino Ruiz, S. A.	10.000.000	55.0	Luxemburgo
		Kalhua, S. A.	2.464.500	99.9	Canadá
		Tequilera, S. A.	23.500.000	97.8	Inglaterra
		Seagram's de Méx., S. A. de C. V.	80.684.300	95.6	Inglaterra
		Papmex, S. A.	2.000.000	100.0	Panamá
		Suntory, S. A.	42.000.000	69.0	Japón
		Suntory de México, S. A. de C. V.	13.200.000	69.2	Japón
		Tanqueray Gordon Co. de México, S. A.	875.000	100.0	Inglaterra
		Bodegas Capellania, S. A.	6.000.000	87.0	España
		Bodegas Franco-Españolas de México, S. A.	400.000	80.0	España
		Cavas Bach, S. A.	17.500.000	87.9	España
		Cía. Mexicana Dubonet, S. A.	1.100.000	99.9	Francia
		Cinzano de México, S. A.	5.000.000	100.0	Luxemburgo
		Destiladora de Occidente, S. A. de C. V.	7.000.000	51.0	n/d .
		Industrias Condesa Mexicana, S. A.	6.000.000	100.0	Panamá
		Industrias Vinicolas Domecq, S. A. de C. V.	20.626.300	75.0	Luxemburgo
		Martini and Rossi de Mex., S. A.	32.000.000	99.9	Luxemburgo
		N. Ivandvich Salivanov, S. A. de C. V.	500.000	95.2	Panamá
		Pedro Domecq de México, S. A. de C. V.	1,100.000.000	75.0	Luxemburgo
		Vides de Guadalupe, S. A. de C. V.	10.000.000	51.0	Panamá
		Sofimar, S. A.	90.000.000	100.0	Francia
		Vinícola Escorial, S. de R. L. de C. V.	5.000	98.0	España
		Vinificación y destilación de Sonora, S. A. de C. V.	4.795.000	50.0	Luxemburgo
		Viticultores y Destiladores, S. A de C. V.	4.260.000	50.0	Luxemburgo
		Bacardí y Cía., S. A.	240.400.000	89.0	Inglaterra

FUENTE: Elaborado con información de la Dirección General de Inversiones Extranjeras y Transferencia Tecnológica, S.P.F.I.

De acuerdo a la misma fuente, si de las 42 empresas se seleccionan las que tienen un capital social mayor a 100 millones de pesos se observa, en el cuadro 15, que éstas son 8 de las cuales 3 tienen una participación menor al 25%, 2 una participación entre 25 y 49% y 3 una participación extranjera mayor de 75%. Estas últimas son: Seagram's de México, dedicada a la elaboración de whisky y vodka; Pedro Domecq de México, dedicado a la elaboración de vinos y brandies; y Bacardí y Cía., dedicada a la producción de ron.

tranjero. Esta empresa controla un porcentaje muy alto de la producción y venta de ron; la segunda empresa productora es la empresa Ron Castillo, de capital nacional con una participación mucho más baja tanto en las ventas como en la producción, mientras que en las bebidas a base de cereal (whisky, vodka, ginebra, etc.) la casi totalidad del mercado es controlado por las empresas transnacionales de origen europeo y estadounidense que establecieron filiales en este país.

Por otra parte, las empresas con participación del capital extranjero, por sus

CUADRO 15

MEXICO, EMPRESAS MAYORES SEGUN MONTO DEL CAPITAL SOCIAL

Empresa con capital social mayor a 100.000,000	Capital social	% de Particip. I.E.D.	Clases)
Tequila Cuervo, S. A.	151.000,000	25.0	2111
Tequila Sauza, S. A.	180.000,000	19.1	2111
Seagrams de México, S. A. de C. V.	180.684,300	95.6	2113/2114
Osborne de México, S. A. de C. V.	175.000,000	48.3	2114
Pedro Domecq de México	1,100.000,000	75.0	2114
Vinificación y Destilación, S. A. de C. V.	300.000,000	23.0	2114
Bacardí y Cía., S. A.	240.400,000	89	2112
Extractos y Maltas, S. A.	150.000,000	5.2	2121

FUENTE: Elaborado con información de la Dirección General de Inversiones Extranjeras S.P.F.I

Las empresas con participación del capital extranjero son líderes en las clases donde se instalan. Desarrollan diversos mecanismos de control del proceso de producción y distribución del producto estableciendo una dura competencia con las empresas locales del mismo ramo.

En el caso del ron y el aguardiente de caña, la empresa Bacardí en el año de 1980 poseía un capital social de $ 240,400.000.00 de los cuales el 89% era de origen ex-

vinculaciones con el mercado mundial, son las que monopolizan el comercio de importación y exportación de bebidas alcohólicas con lo cual su dominio del mercado es sumamente amplio.

Es decir, que las empresas con participación de capital extranjero se establecen fundamentalmente en las clases concentradas y buscan ejercer un liderazgo sobre las otras empresas menores, de capital nacional, que operan en el sector. La producción de estas firmas, salvo en el caso de las tequileras, se orienta al mercado interno, sobre el cual influyen a través del uso creciente de la publicidad.

4.2 *Las empresas de capital nacional*

Las empresas nacionales que producen bebidas alcohólicas presentan una gran heterogeneidad en cuanto a montos de capital invertido, tamaño de las plantas, escalas de producción y tecnología utilizada.

Así tenemos, por una parte, la industria del pulque, que cuenta con pequeñas empresas de capital nacional y muy baja concentración industrial, cuya tasa de crecimiento en el quinquenio 1970/75 fue negativa, —10%; la industria de la sidra que se puede caracterizar como mediana empresa industrial con una concentración levemente superior a la del pulque y una dinámica de crecimiento de 3.1%.

En el mismo caso estarían las empresas productoras de aguardiente de caña, si bien no se pudo precisar su participación real, en virtud de la carencia de información disponible.

En la industria vitivinícola actúan empresas nacionales medianas y grandes, como se mencionó anteriormente; esta clase no presenta niveles altos de concentración. Sin embargo, dado el liderazgo del capital extranjero en este sector, las empresas nacionales se ven enfrentadas a una fuerte competencia, que en muchos casos deriva en situaciones de relativa dependencia tecnológica tanto en el área de la producción como en el de la distribución respecto de las empresas extranjeras líderes.

Finalmente se encuentran las grandes empresas nacionales que controlan la industria cervecera. Esta es la clase más importante del sistema ya que en 1975 representó el 77% de la producción total de bebidas alcohólicas. La industria cervecera se caracteriza por una forma de operar muy similar a la de las grandes empresas en las que participa el capital extranjero, tanto en relación a los niveles de integración del conjunto del proceso agroindustrial, como de la tecnología utilizada en el proceso de producción y el de distribución.

De todo lo mencionado, resulta evidente que existe mayor heterogeneidad en las empresas nacionales que en las que cuentan con participación del capital extranjero. Las diferencias se refieren tanto al tamaño de las plantas, como al monto de capital invertido y la tecnología utilizada.

CONCLUSIONES

La producción de bebidas alcohólicas experimentó un gran impulso, a partir de los años sesenta, con la instalación de grandes empresas estadounidenses y europeas que buscaron en México un nuevo campo para sus actividades productivas. A partir de entonces y a lo largo de la década de los setenta se mantiene un alto ritmo expansivo, lo que da por resultado que su participación en el grupo de alimentos, bebidas y tabaco sea crecientemente significativa. La contribución de este sector, en materia fiscal, siguió un curso ascendente, pasando de un segundo lugar en el grupo mencionado, en 1970, al primero en 1978, superando al sector tabaco que hacia 1970 ocupaba ese lugar.

La producción de bebidas alcohólicas tuvo en conjunto altas tasas de crecimiento; sin embargo, dicha expansión no fue homogénea para todo el sistema. Por el contrario, se aprecia una tendencia al crecimiento de productos como el vino, el brandy, el whisky, el tequila, el ron y el vodka, elaborados por grandes empresas de capital extranjero, a costa del desplazamiento de bebidas tradicionales como el pulque, el mezcal y los aguardientes fabricados por la pequeña y mediana empresa nacional.

La cerveza, que se elabora en México desde fines del siglo pasado, no sólo mantuvo su mercado sino que incluso lo incrementó. Esta industria, que está en manos del gran capital nacional, pudo salir airosa de la competencia con las nuevas firmas que se instalaron, gracias a que han adoptado las pautas de organización empresarial de las grandes firmas transnacionales; las medianas y pequeñas, al no contar con los recursos financieros para competir en el mercado, se orientan a la producción de bebidas consumidas fundamentalmente por los sectores más populares, utilizando una tecnología tradicional de producción y explotando los resquicios que dejan en el mercado de bebidas alcohólicas las industrias cervecera, vitivinícola y de bebidas destiladas.

5. La publicidad de bebidas alcohólicas

El incremento experimentado entre 1970 y 1980 en el consumo de bebidas alcohólicas está estrechamente relacionado al crecimiento del gasto publicitario. El mercado, como se mencionó anteriormente, no es una limitante para las grandes empresas productoras de bebidas. Por el contrario, éste es un campo a donde se busca influir a través de la modificación de las pautas de consumo de la población a fa-

vor de cierto tipo de productos. En el ramo de bebidas alcohólicas la actividad publicitaria a través de los diversos medios de comunicación masiva ha aumentado notablemente en los últimos años.

En el cuadro 16 se observa que para marzo de 1979 las bebidas alcohólicas representaron el 25% de los gastos publicitarios en televisión de las principales líneas de productos anunciados. Se observa, asimismo, que ocupó el primer lugar en relación al resto, siendo sus gastos cuatro veces más al de los cigarros, casi cinco veces que el de bebidas no alcohólicas y el doble de los gastos empleados en la publicidad de dulces, chocolates y pastelillos.

CUADRO 16

GASTO PUBLICITARIO EN TELEVISION DE LAS PRINCIPALES LINEAS DE PRODUCTOS ANUNCIADOS Y PROCEDENCIA DE GASTO. MEXICO, MARZO DE 1979

Línea de producto	Gastos publicitarios (millones de $)	Participación (%)
Bebidas alcohólicas	52.3	24.8
Productos de tocador y cosméticos	36.3	17.2
Productos alimenticios	31.9	15.2
Dulces, chocolates y pastelitos	27.5	13.0
Automóviles	18.5	8.8
Jabones y detergentes	13.2	6.3
Cigarros	11.9	5.6
Bebidas no alcohólicas	11.0	5.2
Productos para el hogar	5.1	2.4
Medicinas de patente	3.2	1.5

FUENTE: Revista de Comercio Exterior —abril de 1982—. Banco Nacional de Comercio Exterior, S. A.

De las 10 marcas de bebidas alcohólicas que tuvieron el mayor porcentaje de incremento en su gasto publicitario, entre 1976 y 1979, cabe destacar que hubo tres correspondientes a cervezas (Tecate, Cervecería Modelo y Carta Blanca), 2 de whisky, 2 de brandies, 1 de ron, 1 de tequila y 1 de vino.

En 1981, de las trece marcas, que, en sus gastos publicitarios por T.V. del D.F. superaron los 50 millones de pesos, cinco fueron de cerveza, siete de brandy y una de vino. En términos de empresas, las cervezas publicitadas corresponden a las tres firmas mayores, Moctezuma, Cuauhtémoc y Modelo, el ron pertenece a la empresa Bacardí y los brandies y vinos son productos de las empresas Pedro Domecq de México, S. A. de C. V., Compañía Vinícola del Vergel, Sofimar y Bobadilla.*

Si se observa la evolución de estos gastos según tipo de bebidas alcohólicas entre 1979 y 1981, cuadro 17, se tiene que los gastos en publicidad de rones han tenido una tasa media anual de crecimiento de 106%, aperitivos 63%, vinos 57%, whiskys 54%, cerveza 41%, brandy y cognac 30% y tequila 21% En total el gasto en publicidad de bebidas alcohólicas tuvo una tasa de crecimiento del 40% entre 1979 y 1981.

Si por otra parte se toma en cuenta el peso relativo de los gastos de las distintas bebidas en relación al total se ve, en el cuadro 18, que los gastos publicitarios en cerveza, que en 1979 representaban el 46% del total, para 1981 pasan a ser el 47%, los brandys y cognacs le siguen con 34% en 1979 y 30% en 1981. Los rones duplican su participación pasando de 4% en 1979 a 8% en 1981; los aperitivos, los vinos y los whiskys también incrementan su peso relativo en tan' que las sidras y cham-

* En ese año, el 27% de los gastos en publicidad de bebidas correspondieron al brandy, de los cuales el 10.5% correspondieron a la empresa P. Domecq. La empresa Bacardí gastó 127.340,000 pesos en publicidad por televisión, es decir, el 8.3% del valor de sus ventas netas.

CUADRO 17

MEXICO. TASA MEDIA ANUAL DE CRECIMIENTO DE LOS GASTOS PUBLICITARIOS DE LAS BEBIDAS ALCOHOLICAS POR TELEVISION DEL D. F. 1979 A 1981

Tipo de bebida alcohólica	Gastos publicitarios (%) 1979 a 1981
Aperitivos, cremas y rompopes	62.8
Sidras y champagnes	—4.2
Vinos	56.5
Cervezas	41.3
Brandys y cognacs	29.8
Tequilas y cocteles	21.3
Whiskies	53.9
Ginebras y vodkas	5.3
Rones	105.7
TOTAL	39.6

FUENTE: Elaborado con información del Instituto Nacional del Consumidor.

CUADRO 18

MEXICO. DISTRIBUCION DE LA PARTICIPACION DE LOS GASTOS PUBLICITARIOS EN TV DEL D. F. POR TIPOS DE BEBIDAS ALCOHOLICAS

Tipo de bebida alcohólica	Gastos publicitarios (%)	
	1979	1981
Aperitivos, cremas y rompopes	1.2	1.7
Sidras y champagnes	1.2	0.5
Vinos	4.4	5.6
Cervezas	45.8	46.9
Brandys y cognacs	34.1	29.5
Tequilas y cocteles	4.0	3.0
Whiskies	3.0	3.6
Ginebras y vodkas	2.8	1.6
Rones	3.5	7.5
TOTAL	100.0	100.0

FUENTE: Elaborado con información del Instituto Nacional del Consumidor.

pagnes, los tequilas, las ginebras y vodkas disminuyen su participación en esos años.

En síntesis, el papel jugado por la publicidad en la expansión del mercado interno fue muy importante en la última década. Las grandes empresas buscaron, por ese medio, influir en los gastos de la población, modificando pautas de consumo en favor de los nuevos productos que estas firmas introdujeron al mercado, dada su capacidad financiera que les permitió modernizar su sistema de producción y distribución adoptando muchas de las pautas empresariales de las empresas transnacionales.

Es decir, la expansión de la producción de bebidas alcohólicas se dio en el marco de un proceso de transnacionalización y concentración de la producción. Prueba esto último la reducción del número de establecimientos industriales que acompañó al incremento en los volúmenes de producción, en estos últimos veinte años.

Otro resultado de dicha expansión fue el aumento de la dependencia tecnológica del exterior; la salida de divisas por concepto de pagos, por marcas y patentes y por compra de maquinarias se incrementó notoriamente a partir de los sesenta.

Al analizar el impacto que tuvo el desarrollo de estas industrias sobre el empleo y las remuneraciones se aprecia que los principales destinatarios de los beneficios fueron las firmas industriales. El empleo tuvo en ese período un crecimiento lento, y en algunos casos se verificó una reducción del mismo, en particular en las industrias más dinámicas en el valor agregado fue decreciente en tanto que la productividad por obrero ocupado mantuvo una tendencia ascendente a lo largo de esos años.

Finalmente, en relación al mercado y consumo de bebidas alcohólicas cabe concluir que —a excepción del tequila— el incremento de la producción se asentó en una ampliación del mercado interno gracias al uso intensivo de modernas técnicas publicitarias. Los sectores industriales con presencia del capital extranjero fueron los que tuvieron los mayores gastos publicitarios. Las firmas cerveceras —en manos del gran capital nacional— también adoptaron estas técnicas para mantener su lugar en el mercado.

Por el contrario, la mediana y pequeña empresa nacional, al no poder competir con el gran capital nacional y extranjero, se redujo a operar en los pequeños espacios residuales, apoyándose en el mercado de los sectores de menores recursos económicos y en el consumo de la población de las localidades rurales.

En el caso del tequila la situación es diferente ya que es el único producto que distribuye homogéneamente sus ventas entre el mercado interno y el externo. Sin embargo, no se puede dejar de señalar que, dado que las principales empresas productoras cuentan con alta participación de capital extranjero, el flujo de divisas que entra por concepto de exportaciones se neutraliza en gran medida por el flujo que sale por concepto de remisión de utilidades al extranjero.

Puede concluirse, entonces, que si bien estas industrias aportan beneficios en materia de recaudación fiscal al erario público, al hacer un balance de los efectos que provoca la producción de bebidas alcohólicas sobre la vida económica y social de México, se puede afirmar que han sido las empresas industriales las verdaderas beneficiarias en tanto que los trabajadores y los consumidores han recibido a cambio pocos empleos, salarios reales decrecientes y la exposición a una sistema publicitario cuyo contenido está orientado a modificar artificialmente las pautas de consumo de la población.

LOS FACTORES SOCIALES DEL ALCOHOLISMO DESDE EL PUNTO DE VISTA DE LA PSIQUIATRIA

DR. RAFAEL VELASCO FERNÁNDEZ*

¿Quién podría negar que la psiquiatría ha recibido a lo largo de su historia multitud de impugnaciones (cuando no verdaderos ataques) desde los más diversos campos del saber? La filosofía, la política, la psicología (o, por mejor decir, ciertas corrientes psicológicas) y aún la misma medicina se han ocupado de ella en diferentes momentos para poner en duda el carácter científico de sus premisas y procedimientos. El objeto de su estudio, aquello que tradicionalmente hemos llamado "enfermedad mental", se analiza con enfoques diversos, algunos de los cuales alcanzan conclusiones radicales: la patología de la mente no existe, las manifestaciones "anormales" de la conducta humana se explican mejor como meros "problemas del vivir" que encuentran su origen en las relaciones interpersonales, la cultura a la que se pertenece, los factores políticos y económicos, etc. Pero el psiquiatra que vive todos los días la experiencia de su relación directa con el fenómeno *estrictamente humano* de las manifestaciones patológicas de la vida psíquica, sabe cuál es su objetivo de trabajo, en tanto que es un médico que no puede eludir sus responsabilidades ante el sufrimiento de otros seres.

Ya que hablaremos de un enfoque psiquiátrico de los factores sociales del alcoholismo, aclaremos qué es la psiquiatría y cómo responde a los cuestionamientos que se le hacen. Se verá entonces la importancia que tiene para la mejor comprensión del alcoholismo, un punto de vista que no solamente no excluye los aspectos socioculturales, sino que intenta integrarlos en un modelo psicosomático de los trastornos de la conducta. Sin sofisticaciones innecesarias a las que a veces recurren quienes se apegan a visiones reduccionistas de la psicopatología humana, aceptemos en principio esta definición que, por lo demás, es precisamente la tradicional:

La psiquiatría es la rama de la medicina que estudia, trata y previene las enfermedades mentales. Sus objetivos son esencialmente tres: saber más acerca de las causas y la naturaleza de los desórdenes psicológicos, mejorar los métodos para su tratamiento y promover la salud mental.[1]

Una definición como ésta puede ser elaborada con más detalle, empezando por decir que la psiquiatría, en tanto que es una disciplina médica, trata y estudia los trastornos del comportamiento del hombre, de sus procesos intelectuales, sus emociones y sentimientos.[2] Los trastornos pueden referirse a la esfera social, es decir, al campo de las relaciones interpersonales; en este caso, los individuos tienen dificultades para convivir con otros seres humanos por antagonismos de los que pueden no tener total conciencia, o por agresividad abierta, verbal o física. Los trastornos del pensamiento y de la percepción se manifiestan clínicamente en formas di-

* Médico Psiquiatra y Presidente del Centro de Psiquiatría y Neurología Clínica, A. C.

versas: los errores de juicio, las ideas delirantes y los delirios estructurados, las ilusiones y alucinaciones, etc. Las emociones y sentimientos, en fin, pueden también alterarse y aparecen entonces cuadros bien conocidos: la angustia, las diferentes formas de depresión, los estados de excitación psicomotriz, las manías, etc. Hay, pues, un amplio espectro de problemas vitales que van desde la infelicidad y la insatisfacción en las relaciones interpersonales como ocurre en las diferentes formas de neurosis, hasta las más graves incapacidades para la vida de relación y las distorsiones del intercambio del individuo con su realidad, como es característico en las psicosis. De su estudio y de su tratamiento se ocupa la psiquiatría, valiéndose en muchos momentos de las otras ciencias de la conducta.

Henry Ey, destacado psiquiatra francés, sostiene un punto de vista ecléctico al margen del ya superado conflicto entre organicistas, culturalistas y psicodinamistas; acepta la existencia de la enfermedad mental entendida como un déficit de la organización progresiva del ser y un modo regresivo de la existencia. Esto implica una visión psicosomática de la psiquiatría y de la medicina en general. Si la psiquiatría estuvo impregnada hasta el siglo pasado del mecanismo de Descartes y Malebranche y del empirismo asociacionista de Locke, Condillac y Cabanis, podríamos admitir, dice Ey, que la psiquiatría contemporánea ha estado orientada por Hegel, Husserl, W. James y Bergson. Las relaciones de lo "físico" y lo "moral" de la persona humana no se pueden considerar más que dentro de la unidad viviente de una estructura orgánica, en la que la vida

es siempre psicosomática y la "vida de relación" constituye la integración del organismo dentro de la existencia propiamente humana.[3] Los factores sociales son esenciales para la formación de la personalidad, siempre interactuando con los condicionamientos orgánicos, siendo igualmente importantes en la generación de patología. Esto es algo que hoy está fuera de toda duda, de tal manera que es equivocado sostener un somaticismo anacrónico como característico de la psiquiatría. Ciertamente, hay "escuelas" o "corrientes doctrinarias", entre las cuales está la llamada "organicista" que concentra su interés en la bioquímica, la genética, la neurofisiología, etc., y que en cuanto a las terapias se interesa principalmente en los métodos fisioquímicos (electrochoque, coma insulínico) y el uso de psicofármacos, aunque no niega la utilidad de la psicoterapia y otras formas de tratamiento.

En buena medida, el campo de la psiquiatría se localiza en el fenómeno de las relaciones interpersonales. También en esto ha habido exageraciones. Véase lo que un destacado culturista, Patrick Mullahy, escribió en el prólogo de un famoso libro editado en 1957:[4] "......el punto de vista que sostenemos los autores de este volumen, es el de que ni las necesidades fijadas biológicamente ni los instintos y sus frustraciones constituyen el corazón de la enfermedad mental, sino que las relaciones interpersonales mismas integran la matriz de los desórdenes mentales funcionales; este enfoque es, en el genuino sentido del término, *radical*". La verdad es que, como lo expresó el fundador de una muy importante e influyente institución psiquiátrica, Dr. Alanson White, la psiquiatría debe ser enfocada con un eclecticismo saludable, no en el sentido de la simple mescolanza de teorías y métodos sino con la actitud de mente abierta y receptiva a las contribuciones que provengan de diversos campos, con tal de que cumplan los requisitos indispensables de la investigación científica o, al menos, de la observación clínica cuidadosa. En la psiquiatría contemporánea ésta es la actitud dominante, sobre todo en el ejercicio institucional de la especialidad. Junto al enfoque organicista ya mencionado, hay otras corrientes legítimamente interesadas en los aspectos psicológicos de la personalidad y su patología.

Aquí estarían los enfoques que se apegan con mayor ortodoxia al psicoanálisis clásico, interesados sobre todo en la vida psíquica interna y en los conflictos de carácter neurótico; y también aquellos otros que ponen el mayor énfasis en los factores interpersonales (culturales, sociales) como causas de los trastornos emocionales. Las escuelas no psicoanalíticas de psicoterapia, las conductistas, ambientalistas y otras, pertenecen a los sistemas psicológicos cuyo interés principal está en las distintas formas de psicoterapia. Ciertamente, las líneas divisorias entre unas y otras son muy claras en teoría pero poco identificables en la práctica.

El objeto de estudio de la psiquiatría, como se ve, es complejo y diferente (aunque no en lo esencial) al de las otras especialidades médicas. Una genuina actitud de modestia científica lleva al psiquiatra a poner siempre en duda los límites del fenómeno psicopatológico, lo cual no ha de interpretarse como una falta de confianza en las nociones que la especialidad le proporciona, sino como el reconocimiento de que tanto los instrumentos como el procedimiento que utiliza son sólo hasta cierto punto seguros (pero perfectibles y en continua renovación)*. Lo que hemos querido destacar es que la psiquiatría, al margen de los reduccionismos que de hecho mutilan al ser humano en vez de considerarlo como el ente biopsicosocial que realmente es, concentra su interés en las formas inadecuadas que muchos hombres utilizan para relacionarse con su medio, es decir, en los diferentes cuadros clínicos en que se traduce la patología de la mente. Cualquier cosa que produzca una consecuencia negativa en la vida del hombre es del interés del psiquiatra, lo mismo que todo aquello que contribuya a una vida más digna**. Precisamente por eso, la psiquiatría reclama para su campo el estudio de problemas como el alcoholismo y otras farmacodependencias, que son formas de patología individual que trascienden a lo social con una grave repercusión en los aspectos económicos, familiares y laborales. Como cabía esperar, la Clasificación Internacional de Enfermedades de la Organización Mundial de la Salud, localiza al alcoholismo en el capítulo de los "Desórdenes Mentales" como un rubro, el 303, del apartado "Trastornos Neuróticos y de la Personalidad", bajo la nueva y más apropiada denominación de "Síndrome de Dependencia del Alcohol".[5] Por su parte,

---

* Para una discusión más completa de este tema puede consultarse *Salud Mental, Enfermedad Mental y Alcoholismo,* del doctor Rafael Velasco Fernández. ANUIES, México, 1980.

** A estas conclusiones llegó el Comité de Educación Pública del Grupo para el Avance de la Psiquiatría de los Estados Unidos. Reporte No. 58, American Psychiatric Association, 1964.

la otra clasificación más usada, la de la American Psychiatric Association,[6] le da el número 303.9 y lo denomina "Dependencia del Alcohol", situándolo en el capítulo de los "Desórdenes Mentales debidos al uso de substancias" *(Substance Use Disorders)*.

Bastaría una rápida lectura de lo que las clasificaciones citadas exponen sobre las características del alcoholismo, los criterios para el diagnóstico, la subclasificación de las diferentes formas existentes, etc., para encontrar numerosos puntos en los que la psiquiatría aborda los aspectos sociales y socioculturales del síndrome. Por ejemplo, nada más en lo que respecta al criterio que debe seguirse para establecer el diagnóstico según la DSM III, después de caracterizar el consumo patológico de alcohol introduce estas condicionantes: "Deterioro del funcionamiento social y ocupacional debido al exceso en el beber, manifiesto por violencia mientras se está intoxicado, ausencia en el trabajo y pérdida del empleo, dificultades legales (arrestos, accidentes), dificultades con la familia y los amigos, etc." Por su parte, la Organización Mundial de la Salud ha dado el nombre genérico de "problemas relacionados con el consumo de alcohol" a las complicaciones a que da lugar el alcoholismo: *a)* las que se relacionan con el bebedor; *b)* las que afectan a su familia; y *c)* las que involucran a la sociedad en general. Es evidente que en los tres grupos es importante y en ocasiones definitivo el punto de vista de la psiquiatría, pero nos interesa señalar que en los dos últimos, el factor más destacado es la distorsión de las relaciones interpersonales provocada por el abuso del alcohol. Para el caso de los problemas que repercuten directamente en la vida familiar, señalemos los siguientes: la disarmonía de la pareja conyugal, el mal trato a los hijos, la pérdida del respeto a la figura del padre o la madre bebedores, la pobreza, la delincuencia juvenil u otras desviaciones de conducta de los hijos, el posible nacimiento de niños con problemas congénitos (síndrome del "feto alcohólico"), etc. En relación con los problemas del tercer grupo, los que involucran a la sociedad en general, podemos citar: las diversas formas en que se rompe el orden público, la conducta violenta, el daño de la propiedad, las víctimas de accidentes, el aumento en los costos de los servicios de salud, las pérdidas por el ausentismo en el trabajo, en fin: el aumento de la mortalidad general y otros muchos trastornos médico-sociales.

De acuerdo con lo que la psiquiatría aporta sobre todos estos aspectos del alcoholismo y los problemas que origina, sería inadecuado abordarlos sin tomar en cuenta, a todos los niveles, el entorno sociocultural. El individuo sólo puede vivir y desarrollar sus actividades en el marco de un medio social determinado que interactúa con sus propias características biológicas, sean éstas heredadas o adquiridas. Veamos ahora, con un poco más de detalle, aquellos aspectos de las complicaciones sociales por el exceso en el beber, sobre los que la psiquiatría ha arrojado también alguna luz coadyuvando con las otras ciencias de la conducta.

Las "complicaciones sociales" se refieren, básicamente, a la falla que un individuo demuestra para cumplir adecuadamente el papel social que la comunidad le asigna y que él acepta desempeñar. No nos referimos aquí a la "adaptación social" como una medida de salud mental o madurez emocional, sino a la capacidad que un ser humano debe mostrar para que, sin el sacrificio de sus propios principios y valores, participe en la vida social de una manera positiva. En este sentido, la incompetencia social de un alcohólico puede manifestarse en su conducta como miembro de una familia, como patrón o empleado, como buen vecino en su propio barrio y, en fin, como ciudadano que acata las disposiciones legales.[7] El resultado de tales deficiencias afecta negativamente tanto al bebedor mismo como a las personas que le rodean y, en forma menos directa, también a otros seres humanos aparentemente no ligados a él. En lo que respecta al trabajo, por ejemplo, un bebedor excesivo puede en un principio convertirse en un faltista reiterativo, al comprobar que tiene que tomar por las mañanas para evitar las serias molestias del síndrome de abstinencia; después, quizás se arriesgue a trabajar en estado de intoxicación, acabando por ser despedido una y otra vez de diferentes empleos, que por lo general son progresivamente menos remunerativos y prestigiosos. Finalmente, empezará a desempeñar el papel de un verdadero alcohólico, papel que compite con los otros pre-existentes: padre de familia, trabajador, etc. Aquí se agrega un factor que interactúa con los de orden más personal y es la respuesta que, a su vez, le muestran los demás individuos y que sólo contribuye a afirmar ese papel de alcohólico consumado (recriminaciones en el hogar, inaceptación de su presencia en el grupo de amistades, respuestas negativas ante sus solicitudes de trabajo, franco rechazo de la comunidad, estigmatización social, etc.). El desajuste resultante, por supuesto, sólo puede comprenderse en forma cabal si se conoce bien lo que debe tenerse por una adaptación social positiva, pero el hecho real es que llegado a este punto, el bebedor excesivo participa como responsable (consciente o no) del deterioro de la vida familiar y de sus relaciones interpersonales.

Un grave problema social que con frecuencia se estudia desligado del alcoholismo pero que en realidad tiene con él estrecha relación de mutua exacerbación es el de la marginación social y el hacinamiento en espacios habitacionales de condiciones casi infrahumanas. El sujeto alcohólico puede "explicar" que una de las causas de su adicción es precisamente la circunstancia vital en la cual se desenvuelve, deprimente y desalentadora, sin percatarse de que también su alcoholismo (y el de otros) contribuye a perpetuar la situación. La farmacodependencia es simplemente uno de los muchos desórdenes endémicos que concurren para agravar la marginación y que a la vez derivan de ella y se convierten en parte de este círculo vicioso. Pero resulta científicamente insostenible la idea de que la causa del alcoholismo es la pobreza, la insalubridad y la falta de ocupación remunerada.[8] Los factores que inducen a depender del alcohol son tanto orgánicos como socioculturales y psicológicos. Esta conclusión lleva a reconocer la complejidad del problema y el enfoque de la psiquiatría ha contribuido notablemente a su aceptación, pese a que aún quedan quienes buscan causas únicas, impresionados por los hallazgos parciales de una u otra disciplina.

Los problemas financieros del consumidor excesivo de bebidas alcohólicas afectan naturalmente la vida familiar y social. El mantenimiento de un hábito como éste implica un gasto considerable, pero pocas veces pensamos en las sumas adicionales que inevitablemente se destinan a cuestiones suplementarias que están directamente relacionadas con él. Para el caso de un bebedor perteneciente a la clase media, recordemos sus frecuentes desembolsos: los tragos para los amigos, los alimentos fuera del hogar, el pago de transportes, el consumo excesivo de cigarrillos, etc. Cabe decir que incluso el hombre bien acomodado puede finalmente acabar en bancarrota, sobre todo si junto a estos gastos está el desempleo, la desatención de los negocios y la negligencia frente a otras obligaciones.

Podríamos recordar aquí otras complicaciones sociales del alcoholismo, como la pérdida del hogar, la vagancia, la prostitución y el contagio de enfermedades venéreas, pero en favor de la brevedad nos referiremos sólo a la delincuencia. Aunque la relación entre el alcohol y la violencia es algo fuera de toda duda, aquél no debe ser visto como "la causa" de ésta, ya que los rasgos de personalidad tanto del ofensor como de la víctima y la circunstancia en la cual ocurren los hechos son factores nada despreciables. Esto para hablar de los casos en que hay agresión verbal o física de parte de un sujeto intoxicado, no necesariamente alcohólico. La verdad es que ambos problemas, la violencia y el consumo excesivo de bebidas alcohólicas son sólo "síntomas" o expresiones de otros desórdenes relacionados entre sí de una manera compleja. Lo que

en la práctica se puede observar es tanto al bebedor que comete su primera falta después de muchos años de verdadero alcoholismo, como al contumaz infractor de las normas y costumbres que se inicia en la dependencia del alcohol después de reiteradas acciones ilegales.

Dentro del tema de la delincuencia ligada al alcoholismo, un capítulo especial lo constituye la falta gravísima (por sus consecuencias) de conducir vehículos en estado de intoxicación. Los accidentes automovilísticos en esas circunstancias no sólo proveen a la sociedad de una alta cuota de muertes e invalidez, sino que representan un elevadísimo costo económico (gastos médicos, daños físicos, etc.). Por ello es lamentable que la sociedad en general tienda a considerar como una falta de poca importancia la de conducir en estado de ebriedad. Parece que esa actitud no se ve sólo en los países en desarrollo, a juzgar por lo que Griffith Edwards señala en una reciente publicación.[9] Por otra parte, debemos llamar la atención sobre el significado clínico que tiene el hecho de beber irresponsablemente, puesto en evidencia por la conducta de conducir un vehículo mientras se está intoxicado. Dependiendo de los antecedentes, muy bien puede traducir un estado de adicción al alcohol, o bien un síntoma de alarma ante tal posibilidad sobre todo si el hecho se ha convertido en una conducta frecuente. Las estadísticas están en favor de un diagnóstico de alcoholismo cuando una persona acostumbra conducir su vehículo mientras el alcohol alcanza niveles de 150 mg. por ciento en su sangre. Obviamente, un dato como éste no es suficiente para hacer el diagnóstico de síndrome de dependencia, pero con insistencia forma parte del cuadro cuando se trata de sujetos de las clases media y alta.

Sin exagerar, diremos que no existe una sola forma de transgresión de la ley que no se pueda relacionar en determinado momento con el problema del consumo excesivo de alcohol. Desde las faltas relativamente pequeñas como orinar en la vía pública, cometer pequeños hurtos, consumir alimentos sin tener fondos para pagarlos, etc., hasta otras mayores como las ligadas a ciertas actividades de contenido sexual: faltas a la moral pública, abuso de menores, violaciones. Algunos alcohólicos saben que alcanzando cierto grado de ebriedad están en peligro de cometer infracciones que posteriormente provocarán graves sentimientos de culpa, pero que no pueden evitar. En esta línea pueden estar, sobre todo, las acciones ilegales para conseguir dinero.

Existe una forma de comportamiento durante el estado de ebriedad que casi de necesidad lleva a la criminalidad, principalmente la que se deriva de la violencia. La psiquiatría clínica la ha descrito desde hace ya mucho tiempo, aportando conocimientos importantes para las ciencias jurídicas, en particular para el derecho penal. Vale la pena detenernos un poco en la descripción de este cuadro que no es tan excepcional como generalmente se cree, y cuyo mejor conocimiento se debe indudablemente a la observación clínica dentro de la práctica psiquiátrica de todos los días. En nuestro medio lo llamamos "ebriedad patológica", término equivalente al de *pathological intoxication* de la clasificación internacional y al más usado de la American Psychiatric Association: *Alcohol Idiosyncratic Intoxication*. El hecho esencial es un marcado cambio de la conducta, generalmente hacia la agresión, debido a la reciente ingestión de una cantidad de alcohol que normalmente es insuficiente para inducir a la intoxicación a la mayoría de las personas. Se presenta posteriormente amnesia completa para el período del estado de embriaguez, durante el cual la conducta del sujeto es totalmente diferente a la que exhibe normalmente. Por ejemplo, una persona que se conduce siempre tímidamente, puede convertirse en altamente beligerante después de un simple "trago" de bebida alcohólica. Durante el episodio puede parecer "fuera de contacto con los demás" e incapaz de controlar sus acciones, todo lo cual plantea problemas legales de difícil solución cuando se llegan a cometer actos violentos como lesiones u homicidios.

El cuadro que estamos considerando puede tener una duración de varias horas, aunque lo más frecuente es que sea breve, retornando el intoxicado a su comportamiento habitual conforme desciende el nivel de concentración del alcohol en su sangre. Es muy importante señalar que los estudios de diferentes autores mencionan como factores predisponentes ciertos trastornos orgánicos del cerebro, puestos de manifiesto principalmente en los trazos electroencefalográficos (ondas anormales en los lóbulos temporales y otros cambios). Pareciera como si los individuos que tienen alguna forma de daño cerebral (traumatismos, encefalitis, etc.) manifestaran una notable baja de la tolerancia al alcohol y una respuesta atípica a su acción sobre las células nerviosos. Comparando las cifras que se conocen sobre la prevalencia de la intoxicación patológica en la población de países desarrollados como el Reino Unido da la impresión de que el cuadro típico es más frecuente en México. Si esto fuera cierto, cabe pensar en un posible factor racial o bien en la mayor incidencia de lesiones cerebrales en nuestro medio, quizás ligadas a traumatismos y complicaciones durante el parto.

El quehacer psiquiátrico de todos los días tiene un campo de aplicación bastante más específico en el ámbito de los problemas derivados del alcoholismo que afectan a la familia. El psiquiatra, por la índole de su interés y las expectativas que se tienen sobre su participación en la atención del enfermo alcohólico, ve tal vez con mayor claridad que ningún otro profesional los efectos del alcoholismo del padre (o de la madre) sobre cada uno de los miembros de la familia. Para empezar, el interrogatorio que hace a la esposa del paciente, por ejemplo, no cubre solamente el interés ya de por sí suficiente de tener una fuente de datos independiente y tal vez más objetiva, sino también el de conocer la respuesta que un ser humano, involucrado en la vida del alcohólico por lazos afectivos y de otro tipo, da al hecho de vivir con quien ha empezado a construir su vida en torno al alcohol. Su propia reacción, positiva o negativa para la ayuda que el psiquiatra intenta prestar al paciente, positiva o negativa también para la convivencia familiar y la estabilidad matrimonial, debe ser analizada no solamente en función de la vida del alcohólico sino como la expresión existencial de alguien que necesita a su vez ayuda psicológica. Así pues, no debe verse simplemente como la persona "que va ante el doctor a hablar

de su esposo alcohólico", o que nada más proporcionará información valiosa para comprender al paciente. El psiquiatra sabe bien que si ha de contribuir a la recuperación de éste, tiene que atender a los demás miembros de la familia como seres humanos por su propio derecho, como individuos que participan en una situación vital con sus propias características innatas y adquiridas.

En lo que toca a los hijos del enfermo alcohólico, nadie está dispuesto a negar que necesitan alguna clase de ayuda. Pero en la práctica, tras anotar en la historia clínica del padre sus nombres y edades, es muy poco lo que se hace para prevenir los males que casi inevitablemente amenazan su vida emocional. De una manera general se puede decir que la presencia en el hogar de un padre dependiente del alcohol produce, por uno u otro camino, una atmósfera que tiende a bloquear los estímulos afectivos necesarios para el desarrollo psicosocial normal del niño. Lo menos que puede ocurrir es que aumente la ansiedad de los hijos a niveles patogénicos, así sea de una manera inespecífica. La expresión "niveles patogénicos" indica que de persistir la angustia, se puede llegar a la internalización de los conflictos, es decir, a las formas conocidas de neurosis que se empiezan a gestar desde la niñez. Pero aún sin recurrir a las explicaciones psicodinámicas sabemos que el niño privado de un modelo satisfactorio para su desarrollo cuando el padre (o la madre para el caso de la niña) es alcohólico, establece con las personas del sexo opuesto relaciones ambivalentes y distorsionadas. Los sentimientos de identidad, autoestima y autoafirmación pueden, de este modo, verse impedidos. Y debe señalarse un conocido y bastante bien estudiado riesgo siempre latente: el de que el propio niño desarrolle más adelante patrones de conducta que a su vez lo conduzcan hacia alguna de las formas de farmacodependencia, incluido por supuesto (con mayor probabilidad estadística), el alcoholismo. Si bien no existe información muy precisa sobre el efecto a largo plazo que se produce sobre los hijos de un matrimonio en el que uno de los cónyuges es alcohólico, de acuerdo con los resultados de algunos estudios se sabe que del 20 al 30% de los niños tendrá alguna forma de conducta francamente neurótica, sin contar otro 25 a 30% de los que desarrollarán el síndrome de dependencia del alcohol.[10] Sin embargo, debemos advertir sobre el posible error de generalizar las consecuencias negativas para los niños que crecen en el seno de una familia que organiza su vida en torno al consumo excesivo de alcohol y, sobre todo, llamar la atención sobre las explicaciones aparentemente "profundas" pero que no tienen fundamento científico acerca de un patrón único, o casi único, de comportamiento del niño por razones "psicodinámicas". La realidad es que la forma en que cada pequeño reacciona depende no sólo de su propio equipo biológico y sus rasgos de carácter, sino también del apoyo emocional que recibe de los otros miembros de su familia, de la edad que tiene o tenía al establecerse el problema del alcoholismo del padre (o de la madre), de la situación económica y sociocultural en la que se desarrolla, etc. También, desde luego, de la forma en que se conduce el padre en el hogar ya que hay conductas

muy variables del alcohólico y no todas producen efectos tan negativos.

Del mismo modo que hemos advertido sobre las posibles generalizaciones en el caso de los hijos, lo hacemos ahora en relación a la esposa del alcohólico. Con demasiada frecuencia oimos interpretaciones que en todo caso pueden corresponder a la realidad en alguna situación particular, pero que de ninguna manera se deben aceptar como la regla. Como ejemplo daremos la conocida imagen de la mujer "que en realidad no desea que su esposo supere su problema con el alcohol". Se presume que desde la decisión de casarse con quien ya tiene dificultades de ese tipo, demuestra una necesidad neurótica de enfrentar de manera nada positiva sus propios conflictos no resueltos. Sutil o abiertamente da muestras de oponerse al progreso del tratamiento: retira al enfermo del hospital prematuramente, lo alienta a beber "un poco" para que aprenda a controlarse, le hace sentir que cuando se va recuperando "se vuelve insoportable", etc.; finalmente, puede ella misma caer en estados depresivos cuando el esposo logra una etapa de sobriedad que hace vislumbrar un posible éxito final.[11] La psiquiatría clínica ha contribuido a un mejor conocimiento de las diferentes situaciones, alcanzando conclusiones que confirman la necesidad de considerar integralmente cada caso en particular. Si se quisiera hacer un esquema de la evolución más probable de la familia del alcohólico, tal vez se llegaría a una generalización sólo hasta cierto punto útil. Sería la siguiente: al principio, cuando se empieza a tener conciencia de que ya existe un problema real con la forma en que bebe el jefe de la familia, aparecen reacciones diversas en cada uno de los que conviven con él, pero en todo caso no de una manera organizada y continua; se prosigue después a una etapa en la que la familia tiende a aislarse, en parte como una estrategia de protección al propio bebedor, rehusándose a aceptar invitaciones y evitando el contacto frecuente con los amigos y las visitas a los familiares; la esposa empezará quizás a temer por su propia salud mental y la de sus hijos, evita los contactos sexuales y establece una relación caracterizada por la angustia, el temor, la ira y a veces también la culpabilidad. Si no se inicia una mejoría una vez llegados a este punto, la ruptura familiar puede ocurrir generalmente de manera violenta, o bien se pasa a nuevas etapas ya mucho más variables según las circunstancias de la vida familiar y social. Siempre cabe la posibilidad de que alguien de la familia, más frecuentemente la esposa, emprenda una búsqueda razonable de ayuda de parte del médico de la familia, el sacerdote, los grupos sociales como Alcohólicos Anónimos y Alanón, etcétera.

Como fácilmente se deduce de lo que llevamos dicho, no hacemos otra cosa que señalar algunos aspectos sociales del alcoholismo sobre los cuales la psiquiatría aporta conocimientos útiles. Hicimos referencia principalmente a los que hoy se llaman, precisamente, "problemas sociales en torno al consumo excesivo de alcohol", llamando la atención particularmente sobre la delincuencia y otras formas de comportamiento antisocial y el impacto sobre la familia. No pretendemos haber agotado estos temas y no quisiéramos tampoco dejar de abordar, aunque sólo sea para señalarlo, otro aspecto del alcoholismo al cual

la psiquiatría ha prestado innegables servicios. Se trata del amplísimo campo de la educación como acción preventiva, asunto que se inscribe decididamente en la larga lista de los que tienen carácter social. Desde los primeros años de la década de los sesentas se hace en muchos países un esfuerzo justificado por disminuir y prevenir los problemas relacionados con el consumo excesivo de alcohol, utilizando los medios masivos de comunicación con fines educativos. Es así que se iniciaron verdaderas "campañas" a las que podemos definir como el conjunto de programas, métodos y técnicas que se llevan a cabo para cambiar en el público general los niveles de conocimiento, las actitudes y la conducta en torno al uso de bebidas alcohólicas. Esta forma de educación que como hemos dicho utiliza los medios de comunicación masiva, se dirige a la población en general más que a los individuos; las comunidades representan su audiencia característica. Confluyen diversas disciplinas para organizar, aplicar y evaluar los programas, aportando cada una la experiencia obtenida y las investigaciones realizadas. La psicología social, la antropología y la medicina, ésta con el enfoque de diferentes especialidades entre las que se encuentra la psiquiatría, se integran en un esfuerzo interdisciplinario que ya ha dado frutos reconocibles. Pero vale la pena referirnos con un poco más de detalle a las tareas preventivas que se realizan desde la perspectiva de la educación.

Toda acción programada en el campo de la prevención de enfermedades tiende a cumplir ciertos objetivos y metas. Por la vía de educar al público sobre los hechos relacionados con el alcohol y su ingestión inmoderada, se espera alcanzar una meta final: el cambio de la conducta de quienes han decidido ingerir bebidas intoxicantes, sean o no verdaderos alcohólicos. Según L. M. Wallack, quien ha hecho interesantes estudios de evaluación de programas, se puede partir de la existencia de dos supuestos: a) que el incremento del conocimiento sobre todo lo relacionado con el alcohol producirá primero un cambio de actitud en las personas y después un cambio reconocible de su conducta; y b) que los medios masivos de comunicación constituyen por sí mismos un mecanismo efectivo para favorecer la cadena "conocimiento-actitud-conducta".[12] Si ambos supuestos son válidos cabe esperar el éxito de los programas, pero si sólo uno lo es (cualquiera de los dos), no existe razón válida alguna para confiar en que se alcanzará la meta deseada.

Teniendo en cuenta el poder de penetración y la amplia cobertura de la televisión, la radio y los materiales impresos, era natural que los intentos de informar sobre los hechos en torno al alcohol se encaminaran a utilizar ampliamente esos medios de comunicación. Sin embargo, atendiendo a los estudios citados y a otros que focalizan su interés en la evaluación de los programas de educación para la salud, podemos decir que los resultados en el campo del alcoholismo y el de la farmacodependencia en general, incluido el tabaquismo, no han sido tan alentadores como pudiera creerse. La realidad es que si bien se mejora el nivel de conocimiento de la gente sobre estos problemas y aún se puede apreciar un cambio positivo de la actitud hacia los mismos, no se ha comprobado que todo ello se traduzca en los cambios deseados del comportamiento individual ante el alcohol y otras drogas. Por otra parte, las expectativas son mejores cuando la educación se practica en forma directa con instructores capacitados y con la ayuda de técnicas audiovisuales a grupos pequeños, en los que la participación personal se estimula intencionalmente. Con este método, que es más costoso y exige más investigación previa y evaluación continuada, se puede hacer una selección de los grupos de la comunidad a quienes se dirigen programas que así resultan más específicos. Con técnicas especiales y contenidos y materiales seleccionados se preparan cursos, encuentros, mesas redondas, etc., dirigidos a grupos identificados previamente: profesores, padres de familia, autoridades, sacerdotes, líderes sindicales y políticos, etc. Desafortunadamente, en países con graves carencias en los servicios de salud, el establecimiento de una escala de prioridades deja estos programas educativos en niveles inferiores, de tal manera que no podemos esperar la dedicación de fondos suficientes para su implantación.

En nuestra opinión, la principal aportación que el enfoque psiquiátrico ha hecho en el terreno de la educación sobre el alcoholismo y otras farmacodependencias, consiste en haber demostrado que los esfuerzos deben dirigirse a *educar para la salud mental* y no a educar "contra las drogas". A su vez, esos esfuerzos se inscriben en el rubro más general de educación para la *salud integral,* si se acepta la tan conocida (aunque no siempre comprendida) definición de salud como "el estado de completo bienestar físico, mental y social" y no como la simple ausencia de enfermedades (O.M.S.). Esta posición se funda en la premisa de que los individuos requieren de ciertas habilidades vitales básicas para enfrentar con éxito los problemas de la vida diaria, y de que dichas capacidades se pueden desarrollar en el ser humano mediante prácticas educativas adecuadas suministradas a tiempo. Si no se logra, bien sea porque no se proporcionen los estímulos necesarios, porque existan impedimentos orgánicos atribuibles a un mal equipo biológico del individuo o porque la escena social sea altamente obstaculizante, los riesgos que se corren ante los conflictos vitales dependen más que nada de las circunstancias. En otras palabras, un enfoque como éste nos obliga a actuar preferentemente en tareas de *prevención primaria*. La sola información de las farmacodependencias, como parte de una acción educativa justificable por muchos motivos, no juega un papel determinante. Se pueden tener buenos conocimientos en asuntos como el del alcoholismo, pero si se carece de la habilidad para aplicarlos no se usarán en el sentido positivo que se desea. Vale decir que una acción preventiva basada en la educación para la salud integral y el desarrollo de las capacidades vitales que conducen a la madurez, se encuadra en un sistema que comprende el binomio "conocimiento-acción", en tanto que la tarea meramente informativa difícilmente logrará cambios significativos de la conducta.[13]

Las acciones preventivas contra el alcoholismo deben encuadrarse, pues, dentro de los programas y planes más generales de la educación para la salud. Pero de todos modos parece necesario un modelo de salud mental como parte de la salud integral. Aquí aparece otra de las aportaciones de la psiquiatría al tema de la prevención de las enfermedades mentales en general y de las farmacodependencias en particular. No diremos que la idea de salud mental a la que vamos a referirnos (con lo cual terminaremos este breve capítulo) es totalmente psiquiátrica, pero sí que ha sido extraída principalmente del campo de la psicología médica. La verdad es que si los médicos hablamos de "desorden y enfermedad", no podemos escapar a la necesidad de conceptuar "el orden y la normalidad". Y no puede decirse que sea ociosa una discusión sobre este tema. Los diferentes conceptos sobre salud mental han originado investigaciones clínicas de gran valor heurístico. Su utilidad práctica al proporcionar modelos a los programas de salud para la comunidad, trasciende además a los esquemas de tratamiento. Ninguna psicoterapia suministrada a un alcohólico, por ejemplo, puede operar si no se cuenta con un modelo de salud mental.

En 1958, Aubrey Lewis, quien había hecho una revisión exhaustiva del tema, llegó a la conclusión de que la salud mental "es un concepto obscuro e invencible". Le preocupó que la mayoría de los autores se decidieran por abandonar la idea de que un hombre es sano cuando se encuentra relativamente libre de "enfermedad manifiesta", y que se ocuparan de conceptos no mensurables usando términos que son cuantitativos: "óptimo desarrollo y felicidad del individuo", "completa madurez", "ajuste al mundo y a la relación interpersonal con un máximo de efectividad y felicidad......", etc. Un poco antes, la Organización Mundial de la Salud estableció que la salud mental "...es una condición sujeta a fluctuaciones debido a los factores biológicos y sociales que capacitan al individuo para alcanzar una síntesis satisfactoria de sus tendencias instintivas que son potencialmente conflictivas; para integrar y mantener relaciones armoniosas con los demás y para participar en los cambios constructivos en su medio físico y social". Muy parecida a esta definición es la que se da en los glosarios de psiquiatría: "la salud mental es un estado relativo y no absoluto en el cual la persona ha logrado una integración razonable de sus tendencias instintivas... su integración es aceptable para sí mismo y para su medio social como se refleja en sus relaciones interpersonales, en su nivel de satisfacción vital, en su flexibilidad y en el grado de madurez que ha alcanzado".

Tenemos que aceptar que en ambas definiciones abundan los términos, indefinidos e indefinibles, que no tienen referentes operacionales. Parece, pues, que Lewis tiene razón: tenemos a la salud mental por un mero ideal, un ideal sociobiológico al cual podemos acercarnos, pero que permanece inalcanzable, como un modelo preñado de valores éticos y no de conceptos científicos. Si esto es así, entonces el psiquiatra, que ya tiene problemas para definir las enfermedades que intenta curar, debe aceptar también la indefinición científica de lo que busca reestablecer en sus enfermos, cediendo al análisis filosófico lo que debiera ser conocido por el método de la ciencia. Ello no le impide, sin embargo, usar el procedimiento clínico para identificar los estados psicopatológicos, emplear las distintas formas de tratamien-

to que mejoran la situación de sus enfermos (farmacoterapia, psicoterapia, etc.) y aun prevenir con éxito muchas de las causas de sufrimiento mental en el hombre. Su actividad se parece, así sea sólo en este sentido, a la que realiza el físico, quien se ocupa de "la más científica de las ciencias": produce la luz y la descompone, conoce sus leyes y ha desarrollado un inmenso conocimiento sobre ese fenómeno tan importante de la física.... y sin embargo desconoce su naturaleza última y aún hoy se vale de teorías e hipótesis para definirla.

A la idea de salud mental se asocian con frecuencia enunciados que retienen el sabor de la ética, el fervor religioso, la inclinación filosófica personal, la invalidez de ciertos conceptos psicológicos, la relatividad de los juicios de valor y aun la imposición de declaraciones políticas. Casi todo ello, mezclado con algunas observaciones de valor científico, se encuentra en la siguiente lista de los datos que L. Murphy consideró importantes como componentes de la salud mental:

1. El sentimiento feliz de ser uno mismo, que depende de un buen funcionamiento fisiológico, la gratificación libidinal y la libertad.

2. La capacidad para el trabajo activo aplicado a los cambios constructivos del medio, mediante el interés, la flexibilidad, la autonomía, el afecto positivo hacia los demás, la captación objetiva de la realidad y el sentimiento de autodominio.

3. El manejo en forma integrada de los propios impulsos, las tendencias instintivas, las energías y los conflictos.

Si nos basamos en estos elementos indispensables para un concepto de salud mental, se puede intentar la integración de un "cuadro clínico de la madurez emocional". A título puramente especulativo, podría ser el siguiente:[14]

— Funcionamiento vital eficaz como unidad independiente y autónoma (se entiende por autonomía la capacidad de tomar decisiones sin la tutela o la dependencia emocional de otro).

— Interacción social adecuada, que incluye un buen ajuste sexual.

— Captación objetiva de la realidad propia y la del mundo, sin excesivas deformaciones debidas a los factores emocionales.

— Realización o intento de realización de las auténticas posibilidades personales.

— Capacidad de amar genuinamente a los demás.

— Comportamiento individual que tiende a la realización de los valores universales.

— Ausencia de la sintomatología propia de las entidades psicopatológicas clínicamente reconocibles (su presencia sería totalmente incompatible con las otras características).

El ser humano tiene derecho a permanecer libre de la enfermedad mental y a alcanzar estas condiciones que, en última instancia, caracterizan un estado de salud deseable, aunque su simple enunciado no configure un concepto científico propiamente dicho.

No es difícil deducir las relaciones que tiene un enfoque como éste, con el problema del alcoholismo. De hecho, en nuestro concepto de salud mental se identifican algunos de los aspectos sociales que desde una perspectiva psiquiátrica pueden aplicarse tanto a la prevención como al tratamiento de este grave problema médico-social. En todo caso, lo hemos incluido aquí como una propuesta para una discusión, que se ve muy necesaria en nuestro país, sobre un modelo de atención a la salud que comprenda los aspectos psicosociales.

REFERENCIAS

1. APPEL KENNETH E Y MORRIS H H, en: *Psychiatry*. Tomo 5, *The encyclopedia of mental health*. Franklin Watts, Inc, New York, 1983.

2. Group for the Advancement of Psychiatry, Report No. 58, *Medical practice and psychiatry: The impact of changing demands*. GAP, New York, NY, 1964.

3. EY HENRI: *Encyclopédie medico-chirurgicale, psychiatrie*. Tome I, 37005-A10, Editions Techniques, París, 1969.

4. MULLAHY P: *A study of interpersonal relations, new contributions to psychiatry*. Grove Press, Inc. First Evergreen Edition, 1957.

5. World Health Organization (WHO): *International classification of mental disorders*. Ninth Revision (ICD-9), 1980.

5. World Health Organization (WHO): *Intertic and statistical manual of mental disorders*. Third Edition (DSM-III), 1980.

7. EDWARDS G: *The treatment of drinking problems, a guide for the helping professions*. Grant McIntire, Medical and Scientific, London, 1982.

8. Edwards G: *op cit.*

9. Edwards G: *op cit.*

10. Edwards G: *op cit.*

11. Edwards G: *op cit.*

12. WALLACK L M: *Assesing effects of mass media campaigns: An alternative perspective*. En: *Alcohol world*. National Institute on Alcohol Abuse and Alcoholism, Volume five, fall 1980, number one, pp 17.

13. LOW K: *Core knowledge in the drug field, a basic manual for trainers*. Volume No 5 (Prevention), produced by the National Planning Commitee on Training of the Federal Provincial Working Group on Alcohol Problems, Ottawa, Canada, 1980.

14. VELASCO F R: *Salud mental, enfermedad mental y alcoholismo, conceptos básicos*. Biblioteca de la Educación Superior, ANUIES, México, 1980.

CONTRIBUCION DE LA PSIQUIATRIA COMUNITARIA PARA LA ATENCION INTEGRAL DEL ALCOHOLISMO

DR. GUILLERMO CALDERÓN NARVÁEZ*

ANTECEDENTES

Desde la época prehistórica, el hombre ha tenido que enfrentarse con diversos problemas de salud mental determinados por factores de tipo genético y bioquímico; seguramente en el transcurso de los siglos sus características han permanecido estables, y si pudiéramos trasponer la barrera cronológica, encontraríamos que el esquizofrénico del siglo XX no difiere mucho del que habitaba nuestro planeta en el paleolítico inferior.

Sin embargo, los problemas psicológicos y las precarias condiciones sociales que afectan a la humanidad en nuestros días son de tal manera diferentes que el individuo ha tenido que irse modificando bajo el efecto de los mismos, tratando de escapar, muchas veces sin éxito, de un torbellino que tiende a arrastrarlo hacia el abismo de la enfermedad mental.

Para hacer frente a estos problemas, las sociedades primitivas, que interpretaban esos trastornos como fenómenos sobrenaturales determinados especialmente bajo la influencia de los espíritus antecesores del clan, recurrían a medios mágicos que si bien en algunas ocasiones eran efectivos por la acción benéfica de la sugestión, la mayor parte de las veces resultaban totalmente inútiles, y dejaban a la comunidad ante la disyuntiva de utilizar como único

recurso la reclusión obligada del enfermo mental.

Así surgieron en todo el mundo los manicomios de triste memoria, en donde durante muchos siglos las celdas, las cadenas y otros medios de contención, degradaron al ser humano y lo llevaron hasta los estratos más bajos de la escala animal.

Durante siglos, la atención psiquiátrica fue de tipo hospitalario y carcelario, a pesar de los esfuerzos que realizaron en contra humanistas tan notables como Pinel en Francia, Tuke en Inglaterra y Chiarugi en Italia, quien en 1789 proclamó que "era un supremo deber moral y una obligación médica el tener el respeto que se merecían como personas a los enfermos privados de la razón".[1]

A principios del presente siglo la psiquiatría permanecía aislada de las otras ramas de la medicina. Los profesionales interesados en ella eran pocos y sus actividades generalmente se realizaban en viejos manicomios con métodos terapéuticos anticuados, limitados y, en ocasiones, inhumanos. No existían actividades preventivas y sus incursiones en la comunidad se efectuaban en forma esporádica, generalmente en relación con testimonios judiciales o con procesos seguidos a sus pacientes. Este aislamiento determinó lo que muchos psiquiatras contemporáneos han denominado la alienación de la psiquiatría.[2]

A principios de este siglo, Freud y sus discípulos crearon una nueva escuela que explicaba muchos de los mecanismos de

* Médico Psiquiatra y Director del Centro de Salud Mental Comunitaria "San Rafael".

los problemas psicopatológicos y ofrecía un nuevo procedimiento terapéutico: el psicoanálisis, procedimiento que demostraba ser útil en algunos casos particulares pero nunca llegó a proyectarse en la comunidad.

En 1905, C. W. Beers[3] relató sus experiencias como paciente en tres hospitales psiquiátricos y, en colaboración con un grupo de profesionistas, fundó la Sociedad para Higiene Mental de Connecticut, la que posteriormente adquirió importancia internacional. Esta Asociación identificó, por primera vez, sus metas con las del movimiento de salud pública, destacando la importancia de la prevención y el tratamiento oportuno. Después, en 1920, se fundó la Clínica de Orientación Infantil, considerada como la base para prevenir los trastornos mentales de la población y difundir las actividades esenciales en el manejo psicológico de los niños por medio de la instrucción adecuada de los padres, de los maestros y de la comunidad.

Al finalizar la Segunda Guerra Mundial, apareció un movimiento, en todos los países, llamado psiquiatría de la comunidad, el cual ha tenido la tendencia de romper el aislamiento psiquiátrico tradicional. Nuevos programas de investigación y servicio fijaron las bases de este movimiento que consideró de importancia los siguientes aspectos:[4] transformación de los hospitales psiquiátricos, creando en ellos un "ambiente terapéutico", incremento en el número de camas psiquiátricas en los hospitales generales, creación de servicios de emergencia y de internamiento parcial y organización e integración absoluta de los programas de salud mental a los de salud pública, entre los más importantes.

DEFINICIÓN DE PSIQUIATRÍA COMUNITARIA

Caplan[5] define a la psiquiatría comunitaria como el conjunto de conocimientos, teorías, métodos y procedimientos que en los campos de servicio e investigación son requeridos por los psiquiatras que participan en los programas organizados de la comunidad para la promoción de la salud mental, la prevención y el tratamiento de los trastornos mentales y la rehabilitación de pacientes psiquiátricos en una población determinada. Esto complementa, además, el conocimiento clínico y capacita al psiquiatra para diagnosticar y tratar a su paciente privado.

En forma muy sencilla, nosotros entendemos por psiquiatría comunitaria, la utilización de todos los recursos de una comunidad determinada para tratar de alcanzar el máximo de salud mental de sus propios integrantes. Para la mayor parte de los países, psiquiatría comunitaria y psiquiatra social son una misma cosa; sin embargo, para algunos investigadores son conceptos diferentes, y entienden el segundo como aquellas investigaciones relacionadas con la salud mental en el campo socioantropológico.

LA SALUD MENTAL COMUNITARIA DENTRO DEL CAMPO DE LA SALUD PÚBLICA

De acuerdo con los postulados de la medicina moderna, al integrarse la salud mental a los programas de salud pública deben fijarse como objetivos principales las actividades de tipo preventivo a todos sus niveles.

Prevención primaria

Tiene como finalidad disminuir la tasa de trastornos emocionales en la comunidad y actúa en contra de los factores sociales nocivos que pueden originar enfermedad mental, mediante una actuación efectiva y oportuna en su contra. Consecuentemente, el programa de prevención primaria debe necesariamente agrupar a miembros importantes de la comunidad tales como médicos, maestros, sacerdotes, dirigentes laborales, etc., y a instituciones tales como escuelas, iglesias, agencias sociales y, en forma muy especial, a la propia familia, así como a otras personas que desempeñen una actividad importante.

Este concepto de prevención primaria, incorporado recientemente a la psiquiatría, será efectivo solamente si sus principios son aplicados por trabajadores, de cualquier nivel, de la actividad comunitaria.

Prevención secundaria

Entendemos por prevención secundaria la identificación temprana de los procesos psicopatológicos o de los trastornos funcionales resultantes de conflictos intra o interpersonales. Esta actividad permite el tratamiento oportuno de los mismos.

Prevención terciaria

Gerald Caplan[6] ha considerado como meta de la prevención terciaria la reducción de los efectos residuales que se presentan después que los trastornos mentales han terminado. Entendemos por defecto residual a la reducción en la capacidad de un individuo para contribuir a la vida social y ocupacional de la comunidad. En esta definición queda implícito el papel crucial de los servicios de rehabilitación, los cuales permiten al expaciente funcio-

nar a su máxima capacidad lo más pronto posible después de ser dado de alta en un hospital.

La atención de poscuración de estos pacientes, que tiende a evitar recaídas y nuevos internamientos, puede realizarse en servicios de consulta externa, en hospitales, en talleres protegidos, en centros de rehabilitación o en centros comunitarios especialmente programados para permitir la vigilancia del antiguo paciente en todas las actividades que realiza en el seno mismo de la comunidad.

CENTROS COMUNITARIOS

Las actividades preventivas que corresponden a la psiquiatría comunitaria pueden impartirse desde cualquier institución que trabaje en salud pública o en salud mental, sin embargo el lugar ideal para hacerlo lo constituyen centros especialmente dedicados a este tipo de actividades, tal es el caso de los Dispensarios Psiconeurológicos de la Unión Soviética, de los Centros de Salud Mental de Francia y de los Centros de Salud Mental Comunitaria de Estados Unidos.[7]

En México, a finales de la década de los sesenta, establecimos una coordinación entre la Dirección General de Salud Mental, entonces a mi cargo, y la Dirección General de Salubridad en el Distrito Federal para crear un centro piloto con las siguientes características.

a) Instalación de una unidad de salud mental dentro de un centro de salud pública, para lograr no sólo la integración de la psiquiatría a la medicina general, sino también la utilización de las instalaciones y del personal administrativo de dichos establecimientos, evitando así la duplicación de gastos.

b) Entrenamiento del personal técnico de la institución, debido a que se considera que muchos de los problemas de salud mental pueden ser resueltos por el pediatra, el gineco-obstetra o el médico general. Sólo los casos complicados deberían referirse a la unidad especializada.

Los resultados obtenidos fueron muy satisfactorios, razón por la cual se dotó a varios de estos centros con pasantes en servicio social, medicina, psicología y trabajo social, con lo que se incrementaron los elementos técnicos en cada una de las unidades. Se trató de lograr que sus actividades se proyectaran hasta la misma comunidad, adiestrando a sus dirigentes naturales: maestros, dirigentes sindicales, orientadores religiosos, etc.

Las personas que solicitaban servicios en estos centros de salud recibían información sobre los diferentes aspectos de la higiene mental, tales como orientación, prenupcial y prenatal, al igual que la relativa a la educación psicológica de los niños y de los jóvenes. El equipo de la comunidad no se limitó, sin embargo, a estas actividades de prevención primaria, sino que adiestró también a enfermeras sanitarias para que visitaran los domicilios del área correspondiente, a fin de detectar en forma oportuna los casos incipientes de enfermedad mental. En estas condiciones, el tratamiento especializado podía rendir óptimos resultados en un tiempo mínimo, con lo cual se evitaban gastos excesivos derivados de la atención tardía de pacientes que en muchos casos requerían un largo y costoso internamiento.

En 1974 se encontraban funcionando, con este programa, dieciséis centros en el Distrito Federal, seis de los cuales trabajaban también en turno vespertino. La incorporación de antropólogos y sociólogos al equipo de la comunidad, con el fin de tratar de realizar estudios de investigación en estas áreas nos pareció básico para permitir la planeación de mejores servicios en el futuro. Cada uno de estos centros contaba con personal capacitado para resolver, en su nivel, problemas de farmacodependencia, alcoholismo, neurosis, psicosis incipientes y otros tipos de patología mental.

En los años subsecuentes la Secretaría de Salubridad y Asistencia ha incrementado el número de unidades, reforzando además el personal de estos centros con el objeto de impartir un mejor servicio a la comunidad.

EL CENTRO DE SALUD MENTAL COMUNITARIA SAN RAFAEL

El Centro de Salud Mental Comunitaria San Rafael se fundó en 1974, estableciendo una coordinación amplia entre la iniciativa privada, las instituciones oficiales y los institutos de educación superior. En su programa inicial[8] se consideró que sus objetivos serían:

1. Establecer una adecuada coordinación entre las instituciones de salud en la Delegación de Tlalpan, a la que sirve.

2. Estimular la educación de posgrado en salud mental comunitaria.

3. Efectuar programas de investigación en psiquiatría, psicología social y otras disciplinas afines a la salud mental.

4. Realizar actividades de psiquiatría y psicología orientadas hacia la comunidad.

Sus objetivos, programas y métodos de trabajo, así como los resultados obtenidos, han merecido que en el *Boletín de la Organización Panamericana de la Salud,*[9] se le considere como un centro piloto cuyas actividades podrían ser un buen modelo para otros países. Al iniciarse 1983 se encuentra coordinado con ocho universidades, dieciséis escuelas de enfermería y cuatro de trabajo social, así como con las autoridades más importantes y líderes de la comunidad de la Delegación de Tlalpan.

Entre los programas que desarrolla la comunidad, el del alcoholismo ocupa un destacado lugar y es descrito en otro de los capítulos de este libro. Por lo que se refiere al campo de la investigación, el Centro fue seleccionado por la Organización Mundial de la Salud para efectuar en México su estudio internacional "Respuestas de la comunidad a los problemas relacionados con el alcohol"; la investigación, que se llevó a cabo también en Escocia y Zambia, se realizó de septiembre de 1976, a junio de 1981, en que se terminó el informe nacional.[10] En la misma fecha la Organización Mundial de la Salud finalizó el informe internacional cuya publicación está pendiente.

EL CONSUMO DE ALCOHOL Y LA SALUD PÚBLICA

En relación con el consumo de alcohol existen dos tipos de áreas que implican problemas de salud pública; por una parte las incapacidades que pueden presentarse por su uso y por otra el síndrome de dependencia al alcohol.

Por *incapacidades* entendemos las dificultades existentes para realizar una o más actividades que, de acuerdo al sexo, edad y papel social del sujeto, son generalmente aceptadas como componentes básicos y esenciales de la vida diaria del sujeto, tales como el cuidado personal, las relaciones sociales y las actividades económicas. La incapacidad puede ser a corto plazo, a largo plazo o permanente.

Existen sujetos que, sin presentar el síndrome de dependencia al alcohol, tienen incapacidades relacionadas con el etanol, constituyen un problema médico, social, laboral, legal, económico, etc., por lo que, con fines de medicina preventiva, es necesario conocer los patrones del consumo de alcohol en la comunidad.

El concepto de *síndrome de dependencia al alcohol* incluye un grupo de fenómenos que tienden a agruparse en relación con un hecho reconocible que es el consumo del alcohol.

La Organización Mundial de la Salud en su Novena Revisión de la Clasificación Internacional de Enfermedades[12] con el número 303 define el Síndrome de Dependencia al Alcohol como: Un estado psíquico y, en ocasiones también físico, que resulta de la ingestión de alcohol y que se caracteriza por respuestas conductuales y de otro tipo que siempre incluyen una compulsión a beber alcohol en forma periódica o continua con el objeto de experimentar sus efectos psíquicos y, en algunas ocasiones, para evitar los síntomas que origina su ausencia, pudiendo o no presentarse el fenómeno de tolerancia.

De acuerdo con la opinión altamente calificada de Griffith Edwards, para hacer su diagnóstico debemos encontrar un estado conductual, un estado subjetivo y un estado psicobiológico alterados. Los síntomas no deben valorarse en forma aislada sino sólo si se presentan en forma sistemática y con cierto grado de intensidad; por otra parte es preciso juzgar al sujeto en relación con su propio contexto sociocultural.

El estado conductual alterado implica: un patrón de bebida de etanol diferente a las costumbres del propio medio, una libación más frecuente para poder asegurar el mantenimiento de niveles sanguíneos determinados y un incremento en la ingesta a pesar de la existencia de condiciones biológicas o psicosociales desfavorables.

Al estado subjetivo alterado corresponden: una pérdida del control o incapacidad para detenerse una vez que se ha ingerido alcohol (compulsión por la bebida), una apetencia intensa por el mismo (obsesión por la bebida) y una atención centrada en el hecho de beber, girando todos los intereses del sujeto en torno a esta posibilidad.

Finalmente, el estado psicobiológico alterado se manifiesta por: presencia de síntomas y signos de abstinencia, mejoría de los mismos al beber nuevamente, adaptación biológica del organismo a la droga, por lo cual el individuo necesita incrementar las dosis de etanol para obtener los mismos efectos que antes lograba con cantidades menores (tolerancia) y la posibilidad de poder volver a presentar el síndrome de dependencia si vuelve a tomar, aún después de dejar de beber por períodos más o menos largos.

Como puede verse por lo anterior, los criterios de prevención en relación con los problemas que origina el alcohol, deben de comprender no sólo a las personas que beben exageradamente, sino también a los que están presentando incapacidades por su ingestión. Por otra parte, el conocimiento de los patrones de bebida de una comunidad es indispensable en cualquier programa orientado para servirla.

ACTIVIDADES PREVENTIVAS EN RELACIÓN CON LOS PROBLEMAS RELACIONADOS CON EL ALCOHOL

Prevención primaria

En la sociedad mexicana el alcohol es indispensable en todos los niveles económicos de todas las regiones del país. Gran parte de la vida social gira alrededor del alcohol: en los bautizos, graduaciones, días de pago, quince años, bodas, ceses, nombramientos, primer trabajo, coche nuevo, renuncias, cambios de administración, presentaciones, nuevos negocios, aperturas, clausuras, reuniones familiares y de negocios, etc. En otras palabras, el alcohol ha llegado a ser de tal manera importante en la vida del mexicano, que recibir una visita, aunque sea de breve duración, y no ofrecerle "una copa" se considera una falta de educación.

Es por ello que un programa preventivo en relación con el problema debe basarse en la *educación de la comunidad*. Sensibilizar a la población con pláticas o conferencias, incluir en los textos escolares el tema del alcohol y del alcoholismo: cómo se produce, cuáles son sus efectos y qué peligros puede implicar su uso son elementos que han demostrado ser útiles en otros países.

Los sociodramas que en nuestro medio han demostrado ser muy útiles, consisten en una representación teatral con una duración de 20 minutos, para la cual se elabora un guión con base en los problemas detectados en la comunidad; este guión se prepara con la participación de los estudiantes de enfermería, quienes tienen que llevar ropa adecuada y usar un lenguaje que las personas puedan comprender fácilmente. Una vez montado el sociodrama, éste es presentado en el Centro Comunitario para que los integrantes del equipo de salud comprueben si está cubriendo el tema elegido. Ya en comunidad, se presenta en los lugares donde se ha detectado el problema: grupos de padres de escolares, mercados, calles más transitadas, etc. Una vez representado el sociodrama con el tema elegido, las expresiones de los asistentes y sus comentarios dan la pauta para hacer las adaptaciones necesarias. Entonces, el estudiante pregunta al auditorio qué es lo que harían si alguno estuviera en el lugar de determinado personaje, si está bien como se comporta, si conoce la existencia de recursos en la comunidad para dar respuesta a la problemática planteada en el sociodrama, así como también si identifica cuáles de las situaciones planteadas les resultan más significativas para la comunidad que integran. Otra pregunta se refiere a si en otras ocasiones se ha intentado dar soluciones a problemas del alcoholismo, y qué respuesta se ha obtenido, ya que los conflictos en esta área, como se sabe, son complejos en cuanto a su abordaje, así como la aceptación de ser tratados, lo que implica que no se pueden generar expectativas que no se cumplan, y menos aún dar respuestas improvisadas cuyo resultado será la persistencia del problema que se quiso resolver y, como consecuencia, el bloqueo de la comunidad en otros intentos de acción en este terreno. La experiencia del Centro San Rafael en este tipo de actividades dentro del programa de alcoholismo ha demostrado ser muy positiva.

Otro aspecto importante en los programas de prevención del alcoholismo es *la reglamentación* de la producción y venta de las bebidas. En México, aunque el Código Sanitario y otros instrumentos jurídicos han legislado al respecto, sus reglamentaciones sólo son parcialmente respetadas. Este tipo de medidas tienen por objeto limitar la disponibilidad del alcohol y en muchos países los impuestos recaudados por este concepto son utilizados para impulsar programas en contra de la bebida.

Prevención secundaria

Los programas de prevención efectuados en escuelas, fábricas, hospitales generales, delegaciones de policía, etc., permiten la detección temprana de casos de alcoholismo y, por lo tanto, la posibilidad de iniciar un tratamiento oportuno. Lamentablemente en nuestro medio suele ignorarse el problema y en los casos en que se detecta, se carece de una infraestructura adecuada para resolverlo.

Prevención terciaria

El tratamiento integral de un enfermo con problemas de alcoholismo, de acuerdo con el calificado criterio del Dr. José Antonio Elizondo, implica tres fases: una de desintoxicación, otra de motivación y una tercera de rehabilitación; el lugar adecuado para efectuarlo lo constituye un centro de rehabilitación y el control del paciente por el equipo terapéutico debe prolongarse por el tiempo que sea necesario. Considerando la importancia del problema, sería muy conveniente que las altas autoridades de salud pusieran interés en la creación de este tipo de unidades.

PATRONES DE BEBIDA EN MÉXICO

La investigación de la Organización Mundial de la Salud a que hemos hecho referencia, se describió en el tomo I de esta obra, los resultados obtenidos en relación con la tipología de la bebida se describen a continuación.

Tamaño de la muestra

En el estudio a que se hace referencia se efectuaron 646 entrevistas, 293 en una área rural y 353 en una urbana de la Delegación de Tlalpan; debido a que el problema en estudio se presenta con más frecuencia en hombres, se decidió sobremuestrear la población masculina en una proporción de 2/3 partes del tamaño de la muestra. La población en estudio fue la de 15 años en adelante.

Consumo

El sistema más elemental para clasificar la práctica de la bebida, posiblemente consista en dividir a los individuos en bebedores y abstemios. En nuestra encuesta se encontró que las dos terceras partes de los entrevistados, mayores de 18 años, eran bebedores, ya que habían bebido en los últimos doce meses. Sin embargo, en esta proporción hubo una diferencia acentuada entre los hombres y las mujeres: 85% de los hombres y sólo la mitad de las mujeres (48%) eran bebedores (tabla 1).

TABLA 1

BEBIDA Y ABSTENCION POR SEXO

	Hombres %	Mujeres %
Bebedores	85	48
Abstemios	15	52

En el estudio de hombres y mujeres bebedores, 64 eran hombres y 36 eran mujeres. En relación con el sexo y la edad, el mayor número de bebedores (91%) se encontró en el grupo de hombres de edad adulta (30-49 años).

Frecuencia del consumo de bebida

Si se define como bebedor a toda persona que ingirió alcohol en los últimos doce meses, la clasificación de bebedores y abstemios es relativa y poco útil para el estudio de los problemas que el alcohol origina. La restricción del criterio y su límite del período de consumo al último mes, resulta más demostrativa; en nuestro reporte y para este lapso se encontró un 47% en hombres y un 9% en mujeres. Sin embargo, más importante que estas cifras aisladas, se consideró el resultado del estudio de la frecuencia del consumo de bebidas, que en nuestra encuesta se investigó con la pregunta ¿Qué tan seguido consume usted una bebida que contenga alcohol?

Las respuestas a esta pregunta se agruparon dentro de cuatro categorías que correspondieron a los siguientes tipos de bebedores:

Bebedor regular: Bebe por lo menos una vez a la semana.

Bebedor intermedio: De una a tres veces al mes.

Bebedor ocasional: Menos de una vez al mes pero por lo menos una vez al año.

Abstemio: No bebió durante el último año.

En la muestra de hombres se encontraron los siguientes resultados: aproximadamente una quinta parte (22%) pertenecía al grupo de bebedores regulares; una cuarta parte, al de los intermedios; una tercera parte, al de los ocasionales y la proporción restante (19%) correspondió a los abstemios. En cambio, la frecuencia con que beben las mujeres fue considerablemente menor; el consumo regular e intermedio se presentó dentro de una minoría (9%) y el ocasional en el 40%. Es decir que el predominio de los hombres sobre las mujeres en términos de consumo, fue muy manifiesto y aumentó en aquellas categorías de consumo más frecuentes. (Tabla 2).

TABLA 2

FRECUENCIA DEL CONSUMO DE BEBIDAS

	Hombres %	Mujeres %
Bebedor regular	22	9
Bebedor intermedio	25	9
Bebedor ocasional	33	40
Abstemio	19	42

Bebedor regular: Bebe por lo menos una vez a la semana.
Bebedor intermedio: De una a tres veces al mes.
Bebedor ocasional: Menos de una vez al mes pero por lo menos una vez al año.
Abstemio: No bebió durante el último año.

Cantidad de la bebida

De los datos anteriores podemos llegar a la conclusión de que el consumo de alcohol en México no fue tan frecuente como el de otros países participantes en el proyecto, ya que en Escocia así como en los Estados Unidos y Canadá, que se incorporaron posteriormente a la investigación original, se encontró una proporción más alta de bebedores regulares, principalmente entre los hombres, con un rango que abarcó del 58 al 70%, contra 22% reportado en México.

Por otra parte las estimaciones del consumo *per capita* que se han hecho en México (7.4 litros de alcohol)* indican que aunque estas últimas cifras hacen suponer que el consumo es moderado, al distribuirlas en un menor número de libaciones, en realidad aumentan las ingestas de alcohol y los estados de intoxicación en cada ocasión.

Frecuencia de la embriaguez

Durante el último año, el 77% de las mujeres bebedoras y solamente el 29% de los hombres bebedores permanecieron sin embriagarse. La embriaguez no sólo fue más común entre los hombres sino que también lo fue la periodicidad con que se presentó, el 8% de los bebedores reportó haberse embriagado con una frecuencia de "una o más veces a la semana" y el 21% con una frecuencia de "una a tres veces al mes".

Debido a que los hombres reportaron haber bebido en ocasiones relativamente infrecuentes, estos índices de embriaguez fueron altos y sugirieron que en muchas de estas ocasiones también se llegó a la embriaguez; aproximadamente una quinta parte de los bebedores regulares (22%),

---

* Estimación obtenida del National Statistics on Alcohol Beverages en base a una población de 15 años en adelante de 30.000.000, en 1972.

una tercera parte de los intermedios (35%) y la mitad de los ocasionales (51%) presentaron un mismo índice de frecuencia de consumo y de embriaguez, es decir que cada vez que bebieron se embriagaron.

Tipología de la conducta del bebedor

La tipología sobre la frecuencia con que se bebe y la cantidad de bebida que se ingiere, que se presenta a continuación, proporciona una descripción resumida de la conducta del bebedor y será utilizada como instrumento para los análisis posteriores. Dicha tipología agrupa a los entrevistados en dos ejes: el de la frecuencia con que bebe y el de la cantidad de alcohol absoluto ingerido en la ocasión de mayor consumo durante el último mes. En el primer eje se divide a los bebedores en regulares, intermedios y ocasionales. En el segundo se les divide de acuerdo a las cantidades de alcohol que consumieron, las que se clasifican en altas, medias y bajas. Las cantidades de bebida consumidas se incluyen en las categorías de alta (más de 200 ml. de alcohol), media (100 a 200 ml.) y baja (menos de 100 ml. de alcohol) (tabla 3). En esta tipología se incluyó a los

bebedores que no reportaron una ocasión de mayor consumo durante el último mes (52%) y a las mujeres que no reportaron otro tanto durante el último año (51%).

En los resultados se encontró que la mayor parte de los hombres (45%) bebió con una frecuencia intermedia de (1 a 3 veces al mes); sin embargo esto no implica que bebiera moderadamente sino que aproximadamente una tercera parte está dentro de las categorías de alta cantidad. La ingestión de 100 o más mililitros de alcohol, aunque fue más frecuente entre los bebedores regulares (74%), también se presentó en proporción importante entre los intermedios (65%) y los ocasionales (43%). Es decir, los problemas de la bebida frecuentemente estuvieron asociados con estados de intoxicación poco frecuentes y con problemas sociales más que con estados crónicos y patológicos (tabla 4). En cambio en las mujeres la tipología más común fue baja (38%) es decir, que reportaron consumo ocasional y en cantidades bajas.

Demografía por patrones de bebida

En el presente análisis se empleó una versión abreviada de la tipología de la fre-

TABLA 3
TIPOLOGIA: FRECUENCIA-CANTIDAD DE BEBIDA

Cantidad máxima mensual*	Alta (+ 200 ml)	Media (100-200 ml)	Baja (—100 ml)
Frecuencia alta (1 o más veces a la semana)	Alta-alta	Alta-media	Alta-baja
Media (1-3 veces al mes)	Media-alta	Media-media	Media-baja
Baja (menos de una vez al mes)	Baja-alta	Baja-media	Baja-baja
Abstención	—	—	—

* En las mujeres se utilizó la cantidad de alcohol ingerido en la ocasión en que fue mayor el consumo durante el último año.

TABLA 4

TIPOLOGIA: FRECUENCIA POR CANTIDAD DE BEBIDA, EN BEBEDORES MASCULINOS

Frecuencia	Cantidad			
	Alta	Media	Baja	Total
Alta	13	10	7	31
Media	15	14	16	45
Baja	6	5	13	24
Total	34	29	37	

Entrevistados de 15 años en adelante (N-205). % basado en datos pesados.

cuencia con que se bebe y de la cantidad de bebida ingerida descritas anteriormente, con el objeto de conocer los grupos de población especialmente afectados por el consumo de bebidas alcohólicas (tabla 5).

TABLA 5

TIPOLOGIA

Clasificación	Descripción
Alta-alta	1. Bebió 100 o más ml. de alcohol por lo menos una vez al mes.
Baja-alta	2. Bebió con una frecuencia menor a una vez al mes, 100 o más ml. de alcohol.
Alta-baja	3. Bebió por lo menos una vez al mes, menos de 100 ml. de alcohol.
Baja-baja	4. Bebió con una frecuencia menor a una vez al mes, menos de 100 ml. de alcohol.
Abstención	5. No. bebió en el último año.

Edad

En la muestra de hombres, la frecuencia del consumo tendió a aumentar con la edad. En los grupos de 40-49 y 50 o más años, el consumo regular fue el más frecuente (48 y 43%; en el grupo de 30-39

años, el de "1-3 veces al mes" (38%), y en el de 21-29 años, el de "menos de una vez al mes" pero por lo "menos una vez al año" (39%). Por último en los jóvenes de 15-20 años, la abstención (43%) y el consumo ocasional (40%) fueron igualmente comunes (gráfica 1). Entre las mujeres, el consumo regular, que fue poco común, sólo se presentó entre las mujeres mayores de 29 años (gráfica 2).

Al analizar el eje de la cantidad de alcohol de la tipología de la bebida se encontró que en los hombres, el grupo más joven (15-20 años) y el de mayor edad (50 o más años) consumieron con menor frecuencia altas cantidades de alcohol (25 y 44% en comparación con un rango de 52 a 57% de los otros grupos). Por otra parte, los grupos comprendidos dentro del rango de 21-49 años reportaron más frecuentemente el consumo de altas cantidades de alcohol, circunstancia especialmente importante dentro del grupo de 30 a 49 años en el que la periodicidad del consumo también fue alta, dato tanto más significativo cuanto que este grupo corresponde a la etapa más productiva de la vida del individuo.

Nivel económico social

La correlación entre los patrones de bebida y la clase social fue más difícil de establecer, utilizándose para ello la escolaridad y el ingreso personal como indicadores de nivel económico. El patrón alto-alto (alta frecuencia y alta cantidad de consumo) fue el más común entre los grupos de escolaridad baja y media (43 y 46%) y el patrón de abstención, en el grupo de escolaridad alta (42%). En las mujeres estas diferencias no fueron marcadas. Por lo que hace el ingreso personal se encontró que en el nivel alto fue más frecuente que consumieran bebidas alcohólicas con moderación (las categorías alta-baja y baja-baja fueron más comunes). En cambio, en los niveles de ingreso bajo y medio fue mayor la frecuencia de consumo y la cantidad de alcohol ingerida (tabla 6). Entre las mujeres de bajos ingresos hubo mayor número de bebedores durante el último año que entre las de ingreso medio y alto.

TABLA 6

TIPOLOGIA DE LA BEBIDA POR INGRESO PERSONAL: HOMBRES

Tipo de bebedores	Nivel de ingreso		
	Bajo	Medio	Alto
Alta frecuencia Alta cantidad	42	49	37
Baja frecuencia Alta cantidad	2	7	12
Alta frecuencia Baja cantidad	12	17	22
Baja frecuencia Baja cantidad	8	6	21
Abstemio	35	21	8
Base	(63)	(100)	(61)

Entrevistados de 15 años en adelante.
% basado en datos pesados.

Características de las ocasiones en que se bebe

Un enfoque que ha sido muy útil en el estudio de la cantidad de alcohol consumida consiste en preguntar por la cantidad ingerida en intervalos de tiempo determinados. Por ejemplo, en un día, en una semana o en un mes, las que serían consideradas como ocasiones típicas o usuales de beber. Al mismo tiempo es importante considerar las ocasiones excepcionales atí-

picas, por ejemplo, aquéllas en que se consumió mayor cantidad de alcohol durante el último año. Estas ocasiones son interesantes porque proporcionan un panorama sobre el tipo de situaciones en que cada cultura suele propiciar un consumo excesivo de alcohol, ya que los problemas sociales frecuentemente están asociados con la ingestión de bebidas en altas cantidades o con embriaguez.

Tipos de bebida

Generalmente fue la cerveza la bebida preferida en todas las ocasiones; el consumo de bebidas destiladas fue más común en las ocasiones del último mes (51%) y el último año (69%); el pulque lo fue en las ocasiones usuales del último día (37%) o de la última semana (40%) (tabla 7).

TABLA 7

ELECCION DE BEBIDAS EN LOS DIFERENTES TIPOS DE OCASION: HOMBRES

Tipo de bebida	Ultimo día	Ultimo mes	Ultimo año
Cerveza	47	53	50
Bebidas destiladas	33	51	69
Pulque	37	21	15
Alcohol	6	5	6
Base	(126)	(205)	(304)

Entrevistados de 15 años en adelante.
% basado en datos pesados.

Cantidad de los diferentes tipos de bebida ingerida

La cerveza fue el tipo de bebida que con mayor frecuencia se ingirió en altas cantidades y en diferentes ocasiones; sin embargo, este tipo de consumo fue más común en las ocasiones del último mes (51%) y el último año (44%).

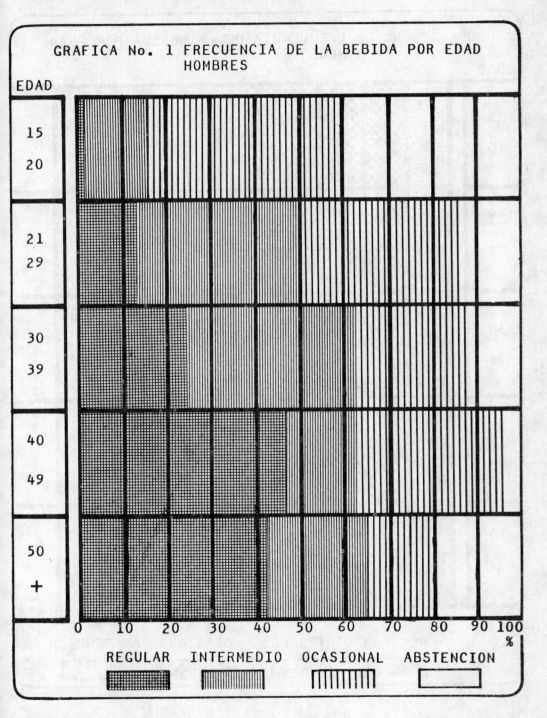

GRAFICA No. 1 FRECUENCIA DE LA BEBIDA POR EDAD HOMBRES

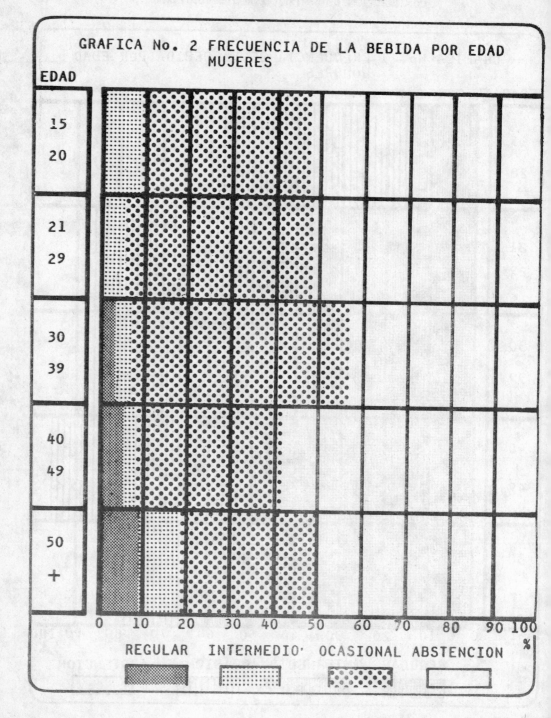

GRAFICA No. 2 FRECUENCIA DE LA BEBIDA POR EDAD MUJERES

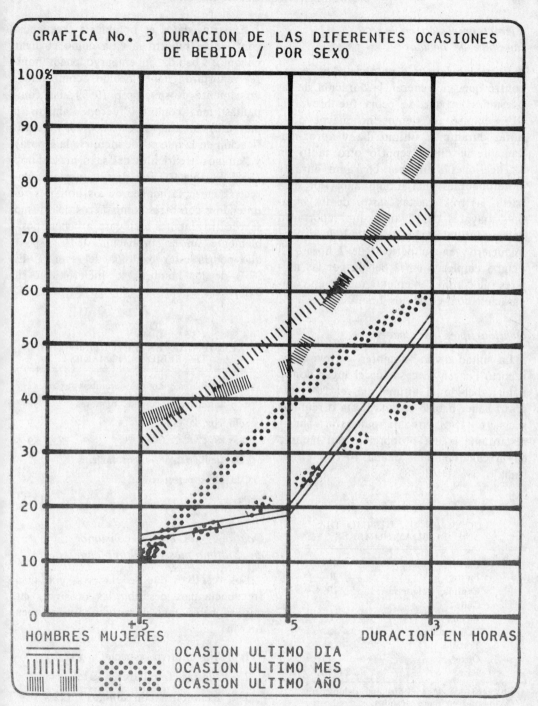

GRAFICA No. 3 DURACION DE LAS DIFERENTES OCASIONES
DE BEBIDA / POR SEXO

HOMBRES MUJERES

OCASION ULTIMO DIA
OCASION ULTIMO MES
OCASION ULTIMO AÑO

DURACION EN HORAS

Tiempo empleado en la ingestión de bebidas

Entre los hombres entrevistados se encontró que, en general, la duración de las ocasiones en que se bebía fue breve: el 81% empleó un tiempo no mayor de 3 horas durante el último día y aproximadamente la mitad reportó otro tanto en las ocasiones de mayor consumo durante el último mes y el último año. Por otra parte, las tres cuartas partes de los hombres mayores de 18 años que reportaron haber consumido más de 200 ml. de alcohol lo hicieron en un período de 7 horas. El tiempo empleado en la bebida por las mujeres fue considerablemente menor en comparación con el de los hombres.

Ocasión típica para beber

La mitad de los hombres entrevistados reportó que en su casa fue el lugar donde habían bebido el último día, el 20% reportó haber bebido en una fiesta o reunión social, el 15% en una pulquería, bar o restaurante y una proporción aun menor, en la calle, en una tienda 10% o en el trabajo 5% (tabla 8).

TABLA 8

LUGAR EN EL ULTIMO DIA DE BEBIDA: HOMBRES

Casa	49
Fiesta	20
Cantina, pulquería	10
Calle	4
Tienda	6
Restaurante	5
Trabajo	5
Otros	1
Base	(127)

Entrevistados de 15 años en adelante.
% basado en datos pesados.

En estos datos es notable la frecuencia con que se reportó la casa como el lugar en que se bebió; sin embargo pocos hombres reportaron haber bebido acompañados únicamente de su esposa (9%); las compañías más comunes fueron "amigos o parientes de ambos sexos" (42%) (clasificación en la que puede incluirse la esposa) y "amigos o parientes del sexo masculino" (35%) (tabla 9). Los datos anteriores parecen sugerir la imagen de los hombres reuniéndose con otros compañeros del mismo sexo o trayéndolos a su casa a beber, posiblemente sin la aprobación de la esposa que podría estar excluída del evento. El 37% de los hombres lo hicieron en su casa.

TABLA 9

COMPAÑIA EN EL ULTIMO DIA DE BEBIDA: HOMBRES

Con familiares y amigos de ambos sexos	42
Con familiares y amigos hombres	36
Solo con la esposa	9
Solo	9
Con familiares y amigos mujeres	2
Con otras personas	2
Base	(127)

Ocasiones de mayor consumo en el último mes y el último año

Los reactivos que se eligieron con más frecuencia para describir las ocasiones en que se bebió más durante el último mes fueron:

1. "Sin motivo especial" (32%)
2. "Fiestas familiares" (31%)
3. "Reuniones con amigos" (22%)

Estos tres tipos de ocasiones para beber, aunque también fueron los más frecuentes para las mujeres, mostraron una distribución diferente que la de los hombres. La mitad de ellos reportaron haber bebido en "una fiesta familiar o con amigos"; en la mujer, solamente disminuyen en un contexto de protección, como puede ser una reunión familiar o ceremonial. (tabla10).

TABLA 10

TIPO DE OCASION DE MAYOR CONSUMO EN EL ULTIMO MES/POR SEXO

	Hombres	Mujeres
Sin motivo especial	32	28
Fiestas de familiares	31	50
Reuniones con amigos	22	12
Fiestas del pueblo	6	
Problemas personales	2	3
Otros	7	6
Base	(206)	(32)
Se excluyen.		
Sin información	(20)	(7)

REFERENCIAS

1. MORA G: *History of psychiatry*. En: *Comprehensive textbook of psychiatry*. Williams and Wilking Co. Baltimore, 1967.
2. CALDERÓN N G: *Programa de salud mental comunitaria en México*. Bol Of Sanit Panam 75: 430, 1973.
3. BEERS D W: *A mind that found itself*. Doubleday, New York, 1939.
4. CALDERÓN N G: *Psiquiatría de la comunidad. Aportación de México*. Gaceta Médica de México 100: 535, 1970.
5. CAPLAN G: *Principles of preventive psychiatry*. Basic Books. New York, 1964.
6. CAPLAN G Y CAPLAN R B: *Development of community psychiatry concepts*. En: *Comprehensive textbook of psychiatry*. Williams and Wilkins Co. Baltimore, 1967.
7. CALDERÓN N G: *Salud mental comunitaria. Nuevo enfoque de la psiquiatría*. Editorial Trillas, México, 1981.
8. CALDERÓN N G Y RLORRIAGA H: *El centro piloto de salud mental comunitaria San Rafael*. Bol Of Sanit Panam 78: 155, 1975.
9. CALDERÓN N G: *México's San Rafael Community mental health center: Six years of progress*. Bull Pan Am Health Organ 16(1): 17, 1982.
10. CALDERÓN N G, CAMPILLO C Y SUÁREZ C: *Respuestas de la comunidad ante los problemas relacionados con el alcohol*. Instituto Mexicano de Psiquiatría, México, 1981.
11. *Community response to alcohol-related problems*. Phase I World Health Organization, Geneva, 1981.
12. *Mental disorders: Glossary and guide to their classification in accordance with the Ninth Revision of the International Classification of Diseases*. World Health Organization. Geneva, 1978.

INFLUENCIA DE LOS ASPECTOS SOCIALES EN EL TRATAMIENTO Y REHABILITACION DEL PACIENTE ALCOHOLICO

DR. JOSÉ ANTONIO ELIZONDO LÓPEZ*

INTRODUCCIÓN

En los últimos tiempos ha cambiado mucho el panorama del tratamiento y la rehabilitación de los alcohólicos. El término "alcoholismo" ya resulta insuficiente en nuestra época, pues tradicionalmente este concepto se limitaba exclusivamente a una pequeña parte de la población que había desarrollado dependencia física y psíquica al etanol y, por lo tanto, los programas de asistencia y rehabilitación para alcohólicos eran muy individualizados, limitándose casi exclusivamente a los efectos, más que a las causas. El reconocimiento de este hecho hizo cambiar la conceptualización del fenómeno, por lo que en nuestros días se han rebasado las fronteras del tradicional concepto del "alcoholismo" hablándose ahora de los problemas relacionados al consumo del alcohol y, por tanto, se incluyen dentro de esto no sólo a los que han desarrollado una conducta patológica de tipo adictivo en relación al consumo del alcohol, sino que prácticamente a toda la población consumidora que eventualmente pudiera desarrollar algún tipo de problema.

Este nuevo enfoque ha tenido una gran influencia en las políticas de organización de programas de asistencia y rehabilitación para alcohólicos, pues, tal como afirma Calderón en su *Investigación de las respuestas de la comunidad ante los problemas relacionados con el alcohol;* con este nuevo enfoque se ha encontrado que la prevalencia del consumo de alcohol y de sus consecuencias era mucho mayor de la que originalmente se había considerado. Asimismo, se cuestionó la eficacia de los servicios psiquiátricos, principalmente en lo concerniente a la hospitalización como forma única de tratamiento, porque "atendían a un sector pequeño de la población y su impacto en la comunidad también era escaso".[1]

Por otra parte, Joy Moser, del comité de expertos en problemas relacionados al consumo del alcohol, de la Organización Mundial de la Salud, dice al respecto: "Se ha afirmado que sólo una minoría de los consumidores sufren consecuencias adversas por la ingestión de bebidas alcohólicas y que las tentativas orientadas al tratamiento de los "alcohólicos" han producido muy precarios resultados en relación al gran despliegue de esfuerzos humanos y costos financieros", y continúa más adelante: "No obstante, al considerar los problemas relacionados con el alcoholismo se pretende adoptar una perspectiva mucho más extensa, que considere no solamente lo relacionado a los efectos agudos o aquéllos que a la larga incapacitan al individuo que bebe alcohol, sino también las consecuencias sociales que la bebida ocasionará tanto al individuo como a su familia, a su ambiente inmediato y a la comunidad en general".[2]

* Médico Psiquiatra y Director del Centro de Atención Integral en Problemas de Alcoholismo, A. C.

En otras palabras, el enfoque vigente en esta materia actualmente pretende seguir una sola línea de continuidad en los programas preventivos, asistenciales y de rehabilitación, por lo que resultaría un poco artificial limitarnos exclusivamente al tratamiento y a la rehabilitación, ya que los aspectos preventivos se retroalimentan mutuamente con los asistenciales y de rehabilitación. "Si la prevención —continúa Moser— se considera una acción enfocada hacia la disminución, no sólo de la incidencia sino también de la gravedad, duración y consecuencias de las incapacidades que provoca la enfermedad, queda abierto un horizonte mucho más amplio para las actividades preventivas".[2]

En México, los factores sociales han influido muy determinantemente para que el tratamiento y la rehabilitación de los alcohólicos y, lógicamente, la prevención del alcoholismo, no se hayan desarrollado más que en una forma muy incipiente, superficial y abarcando un sector muy reducido de la población. Estos factores son fundamentalmente las costumbres y tradiciones, los estereotipos y los "mitos" o creencias erróneas acerca del alcohol; por otro lado, las limitaciones económicas de las instituciones sanitarias oficiales que nunca han destinado un presupuesto adecuado para programas de prevención, tratamiento y rehabilitación del alcoholismo y, finalmente, la enorme ignorancia que a todos niveles existe en relación a los problemas generados por el consumo del alcohol, tanto a nivel de los propios bebedores, como de sus familiares o de los líderes de la comunidad encargados de promover el bienestar de la misma. Lamentablemente, esta ignorancia abarca hasta

los mismos médicos que, a través de su preparación de pregrado, como en su entrenamiento de postgrado, no han sido debidamente capacitados y sensibilizados para educar, orientar, prevenir y tratar a sus pacientes con problemas relacionados al consumo del alcohol.

En el presente capítulo, analizaremos uno a uno estos factores sociales y su repercusión en el tratamiento y la rehabilitación de los individuos afectados por el consumo del alcohol.

PREVENCIÓN, TRATAMIENTO Y REHABILITACIÓN

Ya se mencionó anteriormente que mantendremos una línea de continuidad en lo que respecta a aspectos preventivos, asistenciales y de rehabilitación en el campo del alcoholismo. Podríamos hablar de tratamientos preventivos, tratamientos asistenciales y tratamientos de rehabilitación.

Tratamientos preventivos. Debemos diferenciar entre prevención primaria y prevención secundaria. La prevención primaria es el conjunto de medidas que se toman para impedir la aparición de nuevos casos de una enfermedad. La prevención secundaria consiste en la detección precoz y el tratamiento oportuno de una enfermedad.

El Comité de expertos en problemas relacionados al consumo del alcohol de la Organización Mundial de la Salud, desde una perspectiva práctica, sugiere que los problemas relacionados con el alcohol que afectan no sólo al bebedor, sino también a su familia y a la sociedad en general, pueden contemplarse a través del modelo que utiliza la salud pública al considerar que se trata de una interacción compleja entre el agente (etanol), el huésped (bebedor) y el ambiente (físico, mental y sociocultural). Entre los problemas concernientes al individuo, se incluirá el desarrollo del "alcoholismo , o para emplear el término adoptado en la novena revisión de la Clasificación Internacional de Enfermedades de la O.M.S. (1977), "síndrome de dependencia al alcohol", coexistiendo además muchos problemas adicionales de tipo físico, mental y social que no necesariamente se relacionan con la dependencia.[2]

Al considerar las posibles repercusiones de la bebida en la familia, hay que tener presente que posiblemente existan otras causas responsables del conflicto familiar y que, de hecho, estos problemas pueden haber formado parte de los motivos que indujeron al individuo a beber en exceso. Finalmente, la comunidad se puede ver afectada en diversas formas (efectos sobre el orden público, conducta ofensiva, violencia, accidentes, disminución en la productividad, costo económico en mano de obra y servicios, etc.) por los problemas que surgen con el uso inadecuado o excesivo del alcohol. De acuerdo a lo anterior, la prevención de la enfermedad implica centrar los esfuerzos en el agente, el huésped y el ambiente e incluye la interrupción de las líneas de comunicación entre los tres.[2]

Las medidas preventivas para neutralizar al agente (etanol) van encaminadas a limitar, mediante diversas medidas, el consumo per cápita de bebidas alcohólicas. Respecto al huésped (bebedor), los esfuerzos encaminados a cambiar la conducta individual del bebedor pueden canalizarse de dos maneras: una se relaciona con la información, la educación y la motivación. La meta de esta labor consiste en cambiar los patrones de consumo existentes y las normas que lo rigen. Por otra parte, las esfuerzos orientados a cambiar la conducta individual respecto a la bebida, implican un intento de modificar las experiencias y oportunidades sociales y emocionales. Finalmente, las estrategias para neutralizar el ambiente van orientadas hacia una mejor comprensión de los factores socioculturales tales como los hábitos de bebida y las actitudes respecto al uso del alcohol y la intoxicación, las costumbres que promueven o restringen el uso excesivo de éste y las condiciones sociales generales, así como los estilos de vida que pueden influir en la naturaleza y grado de los problemas relacionados con el alcohol. En las poblaciones afectadas por cambios socioculturales y económicos. rápidos, asociados al desarrollo industrial y tecnológico, el aumento súbito de la disponibilidad de bebidas alcohólicas, ha provocado, en algunas ocasiones, un impacto masivo. Una vez comprendidos estos factores y su relación con el problema, se podrán seleccionar e implantar las medidas preventivas adecuadas.[2]

Tratamiento asistencial. Este término se refiere al conjunto de medidas que se toman para proporcionar atención médica a los individuos que han desarrollado alguna complicación, aguda o crónica, como consecuencia del abuso del alcohol. Esta ha sido el área de tratamiento más desarrollada en nuestro medio, aunque a la larga no ha demostrado ser eficaz para reducir la morbilidad de padecimientos derivados del consumo del alcohol, posiblemente debido a que dichos tratamientos son sólo de tipo sintomático, es decir, se reducen a desintoxicar al paciente o a tratarle las complicaciones digestivas, neurológicas, nutricionales, metabólicas o psiquiátricas derivadas del síndrome de dependencia al alcohol. Los servicios de emergencia de los hospitales públicos, los servicios de gastroenterología, medicina interna y neurología de los hospitales generales y los hospitales psiquiátricos son los lugares de mayor afluencia de pacientes con complicaciones médicas por consumo de alcohol. Los fenómenos más relevantes que son observados en el tratamiento asistencial es la proporción muy alta de pacientes con problemas derivados del consumo del alcohol, la alta reincidencia de éstos, el rechazo y la hostilidad que reciben por parte del personal médico y paramédico del hospital, la orientación más moralista que sanitaria que se les da a su problema de alcoholismo y el poco énfasis que se le da al padecimiento primario, por lo que casi nunca es canalizado hacia un centro que pudiera ayudarlo en su problema adictivo.

Tratamiento de rehabilitación. El alcoholismo es una enfermedad invalidante. En México existen miles de minusválidos por el consumo patológico de alcohol. Muchos de ellos pudieron haber sido ayudados oportunamente, pero carecieron de un tratamiento que les ayudara a su reinserción social. Este es el objetivo del tratamiento de rehabilitación para los alcohólicos: modificar sus hábitos de consumo y ayudarles a que mejoren sus ajustes personales, familiares, laborales y sociales para que nuevamente vuelvan a ser individuos productivos para su comunidad. O, en palabras de Velasco Fernández, quien dice al respecto: "El intento terapéutico por cambiar la conducta del alcohólico a largo plazo, de tal manera que no continúen sus actitudes autodestructivas ante el alcohol".[3] La rehabilitación del alcohólico se logra a través de modelos interdisciplinarios en los que concurren técnicas médico-psiquiátricas (farmacoterapia y psicoterapia), tratamientos psicológicos (dinámicas de grupo, psicoterapia familiar, etc.) y terapias de carácter social donde destacan fundamentalmente los grupos de autoayuda como Alcohólicos Anónimos y los grupos de familias Alanón.

TRADICIONES Y COSTUMBRES CULTURALES QUE INTERFIEREN EN LOS PROGRAMAS DE AYUDA AL ALCOHÓLICO

En las descripciones que el obispo de Chiapas, fray Bartolomé de las Casas, escribía respecto a las costumbres de los indígenas en lo referente a sus hábitos de comer y beber, decía que "....los indios eran sobrios y templados en el comer y en el beber.... común comida es la suya: legumbres, yerbas, frutas y raíces.... pero ello no impedía que muchas veces se emborracharan con chicha y otros vinos.... pero no beben por ser destemplados, sino cuando hacen convites y fiestas y ritos y religión y culto de sus ídolos....".[4]

Aunque es cierto que en la mayoría de las culturas prehispánicas era severamente castigada la embriaguez entre los individuos en edad productiva, el consumo del alcohol ha estado muy ligado a ritos religiosos y fiestas de la comunidad. Este rito justifica y hasta sublima la conducta del beber. Ya desde nuestras raíces indígenas se empieza a gestar una clara ambivalencia en relación al consumo del alcohol: en ciertos momentos, el alcohol es el fruto prohibido que, de comerse, produciría severos castigos incluso la muerte; en otras ocasiones, se podía libar libre y abundantemente y lo hacían todos sin excepción como nos refiere León Portilla en relación a la cultura náhuatl "....cuando bebían licor fermentado, o se hacía el estreno del pulque.... frente al fogón.... dejaban caer un chorro.... hacia los cuatro rumbos del universo hacían caer el chorro.... y cuando se ha hecho la libación, entonces toda la gente bebía".[4]

El choque transcultural ocasionado por la fusión de las culturas indígenas prehispánicas y española ha dejado una profunda huella en los hábitos del consumo de alcohol y esa ambivalencia ante el simbólico fluido aún persiste. El mexicano sigue siendo templado en el comer y en el beber como lo describía el padre Las Casas, durante los días de su quehacer rutinario, pero al llegar el momento del convite o la festividad del patrón del pueblo, aparece su "....vehemente inclinación a las bebidas espirituosas...." según describía Clavijero a los indígenas. Así, el mexicano bebe con el propósito de embriagarse más que para degustar el vino.

Fromm y Maccoby, en una investigación psicosocial en una comunidad campesina mexicana del Estado de Morelos, confirman lo anterior al hablar de la "vulnerabilidad cultural" que influía en sus hábitos de beber: "....aunque hay un patrón cultural para beber asociado con sucesos especiales tales como fiestas, jaripeos, bailes y bodas, no existe un patrón aceptado para la embriaguez. Casi sin excepción los aldeanos consideran la bebida como un vicio dañino. Hasta los alcohólicos aseveran que el alcohol es un gran peligro para la salud y susceptible de llevar a la violencia y enemistad entre amigos".[5]

En la investigación llevada a cabo por Calderón y colaboradores en la Delegación de Tlalpan, se investigan las razones para beber y las razones para no beber, dentro del capítulo de "Normas respecto a la bebida". Se vuelve a apreciar esa misma ambivalencia de acuerdo con algunos resultados obtenidos: por ejemplo, la respuesta que más se obtuvo, tanto en hombres como en mujeres, entre las razones para beber fue la de "beber es una buena forma de celebrar", aunque entre las razones para no beber, las más frecuentes fueron: "la bebida es mala para la salud", "puede perjudicar su trabajo" y "su familia o amigos se molestan cuando bebe". Se concluye de esta investigación que "el sistema cultural ejerce control mediante la desaprobación del consumo de alcohol para tales objetivos, en cambio se acepta el mito de que éste se ingiere debido a sus cualidades positivas dentro del contexto social (para celebrar y disfrutar de la compañía de los amigos").[1]

Ante esta posición ambivalente de la sociedad ante el alcohol, ha sido muy difícil —para los fines de prevención y rehabilitación del alcoholismo— que la gente adquiera una mentalidad "sanitaria" respecto a los problemas ocasionados por el consumo del alcohol. No se piensa en el alcohol como una droga potencialmente dañina para la salud física, mental y social del individuo, sino como en un símbolo social, un complemento de la alimentación o un elemento indispensable para ciertos ritos religiosos o sociales. Pero una vez que el individuo rebasa las "reglas sociales del juego" en relación al consumo del alcohol, se le estigmatiza, se le señala y se le "expulsa" de la sociedad. Una de las formas más frecuentes de castigo que la sociedad pide para estos transgresores es el de la reclusión psiquiátrica, concebida ésta en su forma más prepineliana, es decir, como un recurso para deshacerse de un individuo a quien su familia y la sociedad consideran como deshauciado o simplemente indeseable para volver a ella.

El darle al alcohol propiedades mágicas o poderosas, el pensar que el alcoholismo es un vicio y el exigir castigo para quien ha transgredido las normas sociales por su forma patológica de beber han sido los elementos más importantes para dificultar y obstaculizar los programas orientados hacia la prevención, tratamiento y rehabilitación de las complicaciones del consumo del alcohol.

SERVICIOS DE ATENCIÓN Y TRATAMIENTO EN MÉXICO Y OTROS PAÍSES

Otros factores importantes que han frenado el desarrollo de programas de prevención, asistencia y rehabilitación para los alcohólicos en México son, por un lado, la casi inexistencia de infraestructura institucional para poder proporcionar educación, orientación, información, tratamiento y rehabilitación, tanto a las víctimas del consumo inmoderado de alcohol como a las personas que éstos afectan y, por otro lado, la ausencia de personal capacitado y sensibilizado para trabajar en esta área.

Antes de analizar los recursos institucionales con que cuenta nuestro país, analizaremos los modelos de trabajo y las experiencias de otros países para ampliar un poco el panorama estudiado.

Roman y Gebert, en 1979, realizaron un estudio comparativo sobre la forma en que se trabaja en el campo del alcoholismo en los Estados Unidos y en la Unión Soviética.[6] Refiere que los norteamericanos han delineado dos marcos de referencia para definir el alcoholismo: el modelo médico y el modelo moral. El primero generalmente presupone que ciertos individuos desarrollan una adicción psicofisiológica al alcohol que está más allá de su control, lo que repercute en su desempeño físico, psicológico y social; compara al alcoholismo con cualquier otra enfermedad con el objeto de reforzar tanto la aceptación del tratamiento médico entre los alcohólicos, como la aceptación pública de los alcohólicos sometidos a tratamiento. Por el contrario, el modelo moral sitúa al alcoholismo en una categoría similar a la del crimen, culpando abiertamente al individuo. En la actualidad el modelo médico constituye la posición oficial del gobierno estadounidense. En cuanto al manejo y tratamiento de las personas con problemas de alcoholismo en los Estados Unidos, el florecimiento del modelo médico ha sido concomitante al de Alcohólicos Anónimos y en muchos casos existe una combinación de ambos métodos. La corriente actual favorece el internamiento del alcohólico durante un lapso entre cuatro y seis semanas, el empleo del Disulfirán y la participación de la familia en su tratamiento. Esto ha dado lugar últimamente al florecimiento de lo que podríamos llamar la "industria del tratamiento del alcohólico "constituída por aquellos grupos e individuos encargados del tratamiento y rehabilitación de alcohólicos, financiados generosamente por las instituciones gubernamentales de salud, por consorcios industriales, y comerciales, por grupos religiosos y educativos y asociaciones de beneficencia, además de los grupos Alcohólicos Anónimos, Alanón y Alateen, que se autofinancian.

En la Unión Soviética el modelo de conceptualización del alcoholismo constituiría una mezcla del modelo moral y del modelo médico prevalente en los Estados Unidos, por lo que se considera la embriaguez como causa del crimen, sin distinguir con la debida claridad entre lo que es un briago y un alcohólico. En la Unión Soviética el manejo del alcohólico depende básicamente del personal médico y se utilizan medicamentos aversivos en gran escala, empleando cada vez más la psicoterapia de grupo que puede contener algunos de los elementos utilizados por Alcohólicos Anónimos. En las ciudades soviéticas existen "estaciones de recuperación" para controlar a aquéllos que se intoxican en público. Se les aplican multas crecientes y ocasionalmente se publica su fotografía en los diarios y, por otra parte, se les presta asistencia médica. A la gran mayoría se les trata como pacientes externos, pero existen facilidades hospitalarias cercanas a las fábricas para los casos severos con el objeto de que la persona continúe trabajando mientras recibe asistencia médica. En los casos severos con deterioro de la mente, se interna permanentemente al paciente en un instituto neuropsiquiátrico.

En ambos países el uso y el abuso del alcohol generan beneficios sociales ya que en la URSS su venta genera una ganancia importante para el gobierno a través del monopolio estatal. En los Estados Unidos se obtiene un importante ingreso al erario federal y estatal a través de los diferentes tipos de impuestos. En este país estas ganancias se emplean generalmente para otros propósitos diferentes a los problemas del alcoholismo y sus consecuencias.

Respecto a la ubicación social de los problemas del alcoholismo en Estados Unidos, los voceros públicos señalan que afecta a todos los niveles sociales, étnicos y de edad; sin embargo, los estudios estadísticos indican que las clases sociales inferiores y los jóvenes son más susceptibles a los excesos alcohólicos, los cuales se acentúan más en los hombres que en las mujeres, especialmente entre los obreros.

En la URSS, la opinión oficial considera al alcoholismo como un vestigio de la estructura social prerevolucionaria e infiere que prevalece entre aquéllos que no se han identificado con las metas y valores de la sociedad soviética contemporánea, por lo que infiere que los problemas causados por alcoholismo son menores entre las clases sobresalientes.

Un folleto elaborado por el Consejo Sueco para la Información sobre el Alcohol y otras Drogas (CAN), en 1978, nos permite conocer algunas peculiaridades sobre las políticas de tratamiento y rehabilitación de los suecos que desarrollan problemas por su forma de beber.[7] En Suecia la legislación sobre elaboración y venta de bebidas alcohólicas, sobre el abuso del alcohol y sobre los problemas de alcohol y tráfico, contienen una serie de normas que han ayudado a la prevención de problemas por el abuso del alcohol y que han sido bien aceptadas por el público en general, según encuestas realizadas. Para el desarrollo de programas de prevención y tratamiento para alcohólicos, se han formado en Suecia comisiones y comités de beneficencia para estos fines. Si la investigación del comité local demuestra que la persona en cuestión abusa del alcohol, podrá, en el momento más apropiado, tratar de informar al interesado sobre los peligros del alcoholismo y utilizará en su beneficio las medidas asistenciales necesarias, las cuales presuponen la cooperación voluntaria del alcohólico.

En casos más serios, el tratamiento obligatorio puede ser posible siempre y cuando se compruebe que la persona es adicta al alcohol y representa un peligro para sí misma o para alguna otra persona, que descuida o abandona a sus dependientes, que se vuelve una carga para la comunidad, que es incapaz de valerse por sí misma, que es una molestia para sus vecinos, que ha sido convicta en tres ocasiones en los últimos dos años por ofensas menores durante la embriaguez o porque sea un vago.

En cuanto al tratamiento hospitalario, sólo se aplica a un número reducido de pacientes y es cada vez más común el que sea buscado voluntariamente por el alcohólico y sólo en raras ocasiones se hace obligatorio. El gobierno paga todos los gastos en las instituciones públicas y existen además 27 instituciones privadas con 880 camas, las cuales sólo admiten pacientes voluntarios; algunas autoridades locales proveen "casas de medio camino" que permiten a los internados continuar su trabajo habitual mientras progresan al tratamiento y la supervisión, de manera que puedan sostenerse y sostener a la familia.

Existen unas 100 casas de este tipo, con 1.500 camas. Además existen otras facilidades y servicios de tipo médico y asistencial.

Montenegro Arriagada, en su trabajo "El Problema del Alcoholismo en Chile" publicado en 1980, da un panorama de los problemas por el consumo de alcohol en aquel país y de sus programas preventivos y asistenciales.[8]

Afirma que en Chile el alcoholismo y la ingestión excesiva de alcohol representa uno de los problemas más graves de salud, que el 5% de la población mayor de 15 años presenta la enfermedad alcohólica, en tanto que alrededor de un 13 a 15% de la misma bebe excesivamente. Lo anterior significa que existen cerca de 1.200,000 bebedores problema en una población total de 10.5 millones que tiene el país. Afecta predominantemente al sexo masculino y la edad de mayor prevalencia es entre los 25 a 55 años. El alcoholismo es más frecuente en los estratos socioeconómicos más desfavorecidos. Respecto a las medidas de prevención primaria, existen disposiciones legales que regulan la comercialización, distribución y accesibilidad de las bebidas alcohólicas (patentes, impuestos, horarios de expendios, edad mínima para consumirlas en lugares públicos, etc.). La efectividad de tales disposiciones es limitada por las frecuentes infracciones y especialmente por su expendio clandestino. Funciona desde 1977 el programa de prevención primaria del alcoholismo en la comunidad escolar. Consta de dos instrumentos básicos: un texto-guía para el profesor y las inserciones programáticas en las unidades de enseñanza de los 8 años del ciclo básico. En el primero de estos instrumentos se abordan temas como efectos de las bebidas alcohólicas, etiología del alcoholismo, tipos de bebidas alcohólicas a través de la historia, magnitud del problema, alcohol y familia, etc.

Su objetivo es entregar conocimientos de tal manera que el maestro logre instruir al alumno sobre los aspectos socioculturales, biológicos y económicos del alcohol y el alcoholismo, elaborando material pedagógico adecuado a la realidad escolar en que le toca enseñar.

Con respecto a las inserciones programáticas, teóricamente se piensa que el tema del alcohol y el alcoholismo debe entregarse a lo largo del proceso educativo. Por tratarse de un problema multifacético, no se le puede considerar en una sola asignatura, sino en todas aquéllas que permitan modificar la intencionalidad pedagógica. De esta manera, el niño asimilará la información necesaria que le permitirá desarrollar una actitud crítica frente a la ingestión excesiva cuando llegue a la adolescencia.

Respecto a la prevención secundaria, los Programas del Servicio Nacional de Salud recomiendan que exista un centro de tratamiento antialcohólico integrado a los servicios de medicina general, por cada 100,000 habitantes. Además, desde 1978 existe un programa de capacitación en psiquiatría básica para los médicos generales y el equipo de salud en el que está incluido el tema del alcoholismo.

Con relación a la rehabilitación de los alcohólicos en Chile, se reconoce la importancia de la participación de la comunidad en lograr la mantención de la abstinencia del enfermo alcohólico. Esta labor la realizan los clubs de alcohólicos recuperados asociados a la Unión Rehabilitadora de Alcohólicos de Chile, cuya actividad es permanentemente estimulada a través de subvenciones gubernamentales. Existen 130 clubes, a lo largo del país, trabajando en sus labores de rehabilitación.

El panorama respecto a los servicios de prevención, asistencia y rehabilitación en México es, como ya dijimos antes, limitado y poco desarrollado. Calderón, en el capítulo de alcoholismo de su libro sobre *Salud mental comunitaria*, hace una revisión sobre estos servicios, afirmando:[9]

"En términos generales, el tratamiento del alcoholismo no se efectúa en forma muy adecuada por falta de interés tanto de los médicos tratantes como de los mismos enfermos. Los casos de alcoholismo agudo, con o sin problemas psiquiátricos, generalmente son admitidos en hospitales para enfermos mentales por unos cuantos días para su debida desintoxicación y luego se continúa su control en los servicios de consulta externa; si el problema psiquiátrico es más severo o presenta complicaciones médicas generales de importancia, su internamiento en la unidad correspondiente se prolonga por el tiempo que el caso requiera".

No existen servicios especiales de postcura; como ya ha quedado mencionado, este tipo de control se efectúa en forma no muy adecuada en los centros de consulta externa, dependiendo de la eficiencia del servicio y del criterio clínico de los médicos que lo atienden.

En México no existe el tratamiento obligatorio sino el voluntario. En los casos en que se considere indispensable el internamiento, se debe efectuar un juicio de interdicción mediante el cual, peritos oficiales, determinan si es necesario nombrarle al enfermo un tutor que podrá entonces internarlo las veces que sea necesario; cuando mejora la condición del paciente, se suprime esta condición legal.

La mayor parte de las instituciones oficiales y privadas del país dan algún tipo de atención al individuo que solicita servicio por problemas derivados del consumo del alcohol. La Secretaría de Salubridad y Asistencia, el Instituto Mexicano del Seguro Social, el Instituto de Seguridad y Servicios Sociales para los Trabajadores del Estado, los servicios médicos de algunas dependencias oficiales como el Departamento del Distrito Federal, Petróleos Mexicanos y la Secretaría de Comunicaciones tienen también servicios médicos que dan al enfermo ayuda asistencial y algún tipo de control externo. También otro tipo de organizaciones de salud como los Centros de Integración Juvenil o el Centro de Salud Mental Comunitaria San Rafael desarrollan algún tipo de acción encaminada hacia la prevención, tratamiento y rehabilitación del alcohólico; sin embargo, analizadas en conjunto estas acciones, podríamos concluir:

a) No existen políticas unificadas para los programas de prevención, tratamiento y rehabilitación que dan estas instituciones.

b) No existen criterios homogéneos respecto al concepto de la enfermedad, diagnóstico, pronóstico y estrategias terapéuticas a seguir.

c) La mayor parte de las unidades hospitalarias de estas instituciones se concretan a desintoxicar al alcohóli-

co y a tratar las complicaciones orgánicas de su alcoholismo.

d) Con mucha frecuencia, los pacientes alcohólicos no son aceptados en las unidades hospitalarias de dichas instituciones debido a la falta de sensibilización o de preparación para la valoración de estos casos por parte del personal.

e) En los hospitales psiquiátricos el porcentaje de ingresos para alcohólicos está aumentando gradualmente cada año y son el tipo de pacientes que más reingresos tienen al hospital.

f) Cuando en alguna de estas instituciones se ofrece algún tratamiento de rehabilitación, lo hacen exclusivamente a través de grupos institucionales de Alcohólicos Anónimos o Alanón.

g) Prácticamente ninguna de las instituciones mencionadas cuenta con servicios especializados integrales para rehabilitación de alcohólicos.

Desde luego, también en los últimos años se han tenido experiencias aisladas, tanto en el sector público como en el privado, de centros dedicados exclusivamente a la atención de los alcohólicos habiendo reportado buenos resultados. Tal es el caso del "Centro de Ayuda al Alcohólico y sus Familiares" (CAAF) establecido por el ahora Instituto Mexicano de Psiquiatría en el año de 1977. El CAAF se estableció en un barrio popular de la ciudad de México, con una subcultura y tradiciones bien definidas (Tepito) y se implantó un programa de atención integral del alcoholismo y de los problemas relacionados con el alcohol. El programa encontró dificultades de desarrollo debido a las características de la demanda y uso del servicio.

Turull, en una investigación de los aspectos socioculturales de las demandas de atención al centro,[10] concluye que "....las observaciones acerca de los demandantes tomados como expresión de la interacción CAAF-comunidad, señalan el tipo de problemas que obstaculizan el desarrollo del programa. Básicamente el CAAF (o en cierto modo, cualquier propuesta innovadora en el tema del alcoholismo que parta de los servicios oficiales) arrastra el lastre de la división del trabajo sanitario que cristalizó en una estructura, en la cual la salud mental, a nivel popular, quedó prácticamente asignada a agentes y agencias marginales respecto a la institución médica oficial. El CAAF, con servicios que incluyen la psicoterapia "propia" de A.A., la farmacoterapia de los servicios médicos y la orientación o psicoterapia familiar "perteneciente" a Alanón y Alateen, integra tres aspectos que en la cultura médica popular aparecen por separado. En principio, los méritos de su enfoque integral se ven empañados por lo desestructurado que resulta para la percepción tradicional: este programa no es esperable para la población en general, por lo novedoso y porque ya hay quien se encargue de esas funciones; y a los sectores marginales de la población, a' los que se intenta alcanzar, puede que en gran medida les parezca innecesario.

Son interesantes las observaciones de Turull respecto al papel predominante que los no profesionales han asumido en el campo del alcoholismo. Ya habíamos mencionado que, prácticamente, todas las instituciones de salud dependen total o parcialmente de los A.A. para sus programas de rehabilitación o de control post-hospitalario. Desde luego, los Alcohólicos Anónimos le llevan por lo menos veinte años de ventaja a la medicina, en haberse interesado plenamente en los problemas del consumo del alcohol, pero independientemente de esa ventaja cronológica, es evidente que ha habido muy poca comunicación entre los profesionales que trabajan en el campo del alcoholismo y los A.A. No sólo falta de comunicación, sino que, muy frecuentemente hay mutuo saboteo en sus respectivos campos de acción. La medicina, con sus disciplinas metodológicas y de evaluación, puede aportar y ayudar mucho a los no profesionales que tienen entusiasmo y vocación de ayuda, pero poca preparación en los aspectos estrictamente técnicos en relación al manejo de los seres humanos y, por otro lado, la experiencia de cerca de 50 años de los Alcohólicos Anónimos en el campo de la rehabilitación puede ser extraordinariamente enriquecedora para los profesionales en el campo del alcoholismo. La experiencia en los Estados Unidos, donde la complementación del profesional con el paraprofesional lleva ya muchos años, ha demostrado plenamente que esta potenciación de esfuerzos resulta óptima para el logro de objetivos de cualquier programa de tratamiento integral del paciente alcohólico.

Otra experiencia interesante de programas integrales para alcohólicos fue la del Programa de Rehabilitación de Alcohólicos del Instituto Mexicano del Seguro Social que el autor de este capítulo tuvo la oportunidad de dirigir desde 1973 en que se organizó, hasta 1979 en que, lamentablemente por razones económicas, desapareció. El Programa de Rehabilitación de

Alcohólicos del I.M.S.S. (PRA) era un modelo de prevención terciaria del alcoholismo, integrado dentro de un hospital psiquiátrico y cuyos objetivos fundamentales eran el tratamiento médico integral del alcohólico, motivarlo hacia una abstinencia permanente y someterlo a una psicoterapia de tipo reeducativo con objeto de que mejoraran sus ajustes personales, familiares, laborales y sociales. También se trabajaba con la familia del alcohólico y, en algunos casos, con personal del centro de trabajo del paciente. El personal del programa estaba integrado por un equipo de salud psiquiátrico (psiquiatra, psicóloga, trabajadora social y dos residentes de psiquiatría). Originalmente, se había diseñado para trabajar con 15 pacientes al mes; durante el último año, se tuvo un ingreso promedio mensual de 65 enfermos. El paciente se internaba durante 4 semanas y se le sometía a diversas estrategias psicoterapéuticas con objeto de motivarlo hacia la abstinencia a través de darle información sobre su enfermedad y promoverle aceptación de la misma. El programa tuvo una gran aceptación entre los médicos del Instituto, fundamentalmente por la continua demanda de atención médica por parte de los derechohabientes con problemas de consumo de alcohol. Las principales conclusiones que se obtuvieron después de 6 años de trabajo fueron las siguientes:

a)   Entre los derechohabientes del I.M.S.S., el problema del abuso del alcohol y del alcoholismo constituye uno de los que generan mayor demanda de atención médica en las clínicas y hospitales.

b)   El establecimiento de un programa de rehabilitación para alcohólicos en el Instituto era una necesidad, la que, en poco tiempo, saturó y rebasó las espectativas inicialmente planteadas.

c)   El hospital psiquiátrico del I.M.S.S., estaba corriendo el riesgo de convertirse en centro para alcohólicos, pues de un 23% de ingresos promedio al mes que se reportó el primer año de trabajo del PRA, ascendió, a un 48% en el último año en ese hospital.

d)   Al ser rebasadas las espectativas que inicialmente planteó el programa, se generaron nuevas necesidades: la de crear un verdadero programa institucional de prevención, tratamiento y rehabilitación del alcoholismo que funcionara en todas las clínicas y hospitales del Instituto.[11]

Lamentablemente, lo anterior no fue posible porque se pensó que dicho programa institucional resultaría muy oneroso, debido a la gran demanda que sobre problemas de consumo de alcohol existe entre los derechohabientes del Instituto. Inclusive, en una auditoría practicada al hospital psiquiátrico en 1979, se consideró que el Instituto pagaba costos muy altos por el hecho de que un paciente alcohólico se mantuviera hospitalizado e incapacitado durante 4 semanas para su tratamiento intrahospitalario de rehabilitación.

Lo anterior pone de relieve otro de los obstáculos para el desarrollo de programas integrales de acción contra el alcoholismo: el desequilibrio existente entre la demanda de servicios por problemas generados por el consumo de alcohol y una infraestructura de servicios incompleta e ineficaz para darles solución independientemente de las limitaciones económicas de las mismas instituciones.

Ha habido además experiencias desarrolladas fuera del sector público, como la del Centro de Atención Integral en Problemas de Alcoholismo (CAIPA) que proporciona tratamiento integral a los enfermos con síndrome de dependencia al alcohol, así como a sus familiares y a las empresas donde dichos enfermos prestan sus servicios. Esto se logra a través de un programa interdisciplinario que incluye a psiquiatras, psicólogos, trabajadoras sociales, tecnicos en rehabilitación, consultores en alcoholismo, enfermeras psiquiátricas, medicos generales, interconsultantes en gastroenterología, neurología y medicina interna, así como grupos de A.A. y de Alanón. En una primera fase, el paciente es sometido a desintoxicación, tratamiento de las complicaciones, prevención del síndrome de supresión y un estudio médico integral. En una segunda fase, en donde el enfermo permanece internado 4 semanas, recibe un tratamiento psicoterapéutico de grupo e individual de tipo interdisciplinario en el que también colaboran los grupos de A.A. y Alanón; finalmente, una vez externado el paciente, se le sigue tratando en forma externa durante 18 meses para reforzar su sobriedad y reinsertarlo a la vida productiva y a la sociedad.[12]

El Centro de Integración para Alcohólicos y Familiares, A. C. (Monte Fénix) es también un centro para rehabilitación de alcohólicos con un programa de familias bien integrado que tiene un funcionamiento muy similar al anterior.

Aunque los resultados obtenidos por estos centros de rehabilitación son estimulantes en el sentido de que una proporción importante de pacientes mejoran significativamente sus hábitos de consumo y sus ajustes familiares y sociales, tienen el inconveniente que abarcan una reducida porción de la población y que su costo es alto en relación al ingreso per cápita de la población.

Respecto a las influencias socioculturales sobre el consumo de alcohol en México y los programas de prevención primaria del alcoholismo, el Dr. Carlos Campillo, en su investigación sobre "El Consumo del Alcohol en México desde una perspectiva de Salud Pública",[13] sugiere que se tomen una serie de medidas y principios que prevengan los problemas relacionados con el alcohol. Los resume en 7 puntos que son los que se señalaron en una reunión conjunta del Instituto Mexicano de Psiquiatría y la Organización Mundial de la Salud en el año de 1981:

a) Apoyar las actividades del Consejo Nacional Antialcohólico como organismo coordinador.

b) Crear un centro que en forma continua y uniforme recopile información básica y específica sobre los diversos tópicos en materia de alcohol, como producción, comercialización, distribución, importación, etc.

c) Adoptar medidas para que el consumo de alcohol no continúe aumentando.

d) Revisar la legislación en materia de alcohol, aplicarla en aquellos casos en los cuales es ignorada y tomar en consideración los aspectos de salud pública sobre los industriales y comerciales.

e) Organizar programas educativos eficaces dirigidos a segmentos particulares de la población.

f Diseñar programas preventivos y de tratamiento.

g) Revisar los efectos de la publicidad de las bebidas alcohólicas y buscar mayor coherencia entre la publicidad y la educación.

ALGUNOS MITOS QUE OBSTACULIZAN EL TRATAMIENTO Y LA REHABILITACIÓN

Las creencias erróneas acerca del alcohol, el alcoholismo y su tratamiento han obstaculizado muy seriamente el desarrollo de programas preventivos y de rehabilitación para personas con problemas de consumo de alcohol. La razón fundamental de ello obedece a las creencias erróneas que sobre el particular tienen no solamente las clases populares, sino personas que de una u otra forma están involucradas directa o indirectamente en las áreas de responsabilidad sobre las diversas problemáticas generadas por el consumo de alcohol.

Analizaremos uno a uno estos mitos y discutiremos los perjuicios que producen estas creencias erróneas.

a) *El alcoholismo es un vicio, no una enfermedad.* Muchas personas todavía visualizan el problema de la adicción física y psíquica al etanol como un problema de moral más que de salud y, en estas condiciones, consideran que el enfermo no tiene ni fuerza de voluntad ni respeto para la sociedad, por lo que debe ser calificado como un delincuente y castigado por la sociedad. Los que piensan así se oponen a solicitar ayuda médica, psicológica o de A.A. y piensan que darle trato de enfermo al alcohólico no es más que una forma de encubrirlo y justificarlo. Muchas

líderes de la comunidad o autoridades sanitarias que piensan bajo este patrón moral se han opuesto sistemáticamente a programas de ayuda para el alcohólico. Igualmente los familiares que así piensan les han negado cualquier tipo de ayuda dando lugar a complicaciones irreversibles que convierten al bebedor problema en un parásito social. Los jefes o patrones que en los centros de trabajo comparten este modelo moral de pensamiento, generalmente despiden a sus empleados sin darles antes la oportunidad de un tratamiento.

b) *El alcohol no es una droga, sino un complemento de la alimentación y un lubricante social.* Esta forma de pensamiento es consecuencia de que a través del consuetudinario uso del alcohol desde los inicios de la humanidad, esta droga se ha domesticado y se le ve como "parte de la familia". Los que piensan así no conciben la vida sin alcohol, toleran mucho a los que se exceden en su forma de beber y ven con malos ojos a los que no beben, considerándolos como anormales. Si alguno de estos individuos desarrolla síndrome de dependencia al etanol, le será muy difícil mantenerse en abstinencia prolongada y desarrollará mecanismos de negación, racionalización y proyección para no aceptar ni su enfermedad ni su tratamiento.

c) *La cerveza y los vinos de mesa son bebidas de moderación.* También este mito es un formidable obstáculo para aquellos adictos al alcohol que necesitan la abstinencia como única condición para su rehabilitación. Muchos adictos cuando advirtieron que gradualmente están teniendo mayores problemas por su forma de beber, suspenden la ingestión de licores destilados y se dedican a beber sólo vino de mesa o cerveza; el resultado es que siguen bebiendo excesiva y descontroladamente con la consiguiente progresión de su enfermedad. En realidad, no hay bebidas de moderación, solamente bebidas con menor porcentaje de etanol, pero que generalmente son consumidas en volúmenes mucho mayores que las bebidas de mayor concentración.

d) *Lo único que te va a curar es la fuerza de voluntad.* Muchas personas piensan que es innecesario que los bebedores problema recurran a la ayuda de profesionales o paraprofesionales en el campo del alcoholismo para que les ayuden a resolver sus problemas. Piensan erróneamente que el problema del alcoholismo es leve y de pronóstico benigno y, por lo tanto, dejan progresar la enfermedad hasta que llega a niveles críticos.

e) *La familia no tiene por qué intervenir en el tratamiento del alcohólico.* Muchos familiares se avergüenzan de tener un pariente cercano alcohólico y se resisten a asistir a los programas terapéuticos para familiares que existen en los centros de tratamiento, pues argumentan que el problema no es de ellos. La experiencia clínica y las diferentes investigaciones desarrolladas en esta área han comprobado que el familiar está involucrado en las actitudes del bebedor problema y las suyas propias, y que solamente un cambio de dichas actitudes podrá ser el principio de la solución del problema. A esto se le conoce en psicoterapia familiar como "el sistema familiar alcohólico".

f) *El alcoholismo no es más que un síntoma de otros problemas emocionales.* Muchos médicos, incluso psiquiatras y psicoanalistas, todavía piensan así porque siguen usando el viejo modelo psicodinámico para comprender el alcoholismo. La evidencia actual demuestra que, independientemente de los conflictos emocionales no resueltos, una vez que el enfermo desarrolla el síndrome de dependencia al alcohol, tiene un problema adictivo, con un probable substratum etiopatogénico de tipo neurobioquímico, independientemente de sus problemas emocionales. Lo que ocurre en estos casos es que el tratamiento psicoterapéutico de los problemas emocionales no soluciona el problema adictivo.

REFERENCIAS

1. CALDERÓN G, CAMPILLO C, SUÁREZ C: *Respuestas de la comunidad ante los problemas relacionados con el alcohol.* Monografía. Instituto Mexicano de Psiquiatría. México, 1981.

2. MOSER J: *Problemas relacionados con el alcohol y estrategias de prevención.* Monografía. Organización Mundial de la Salud e Instituto Mexicano de Psiquiatría. México, 1981.

3. VELASCO R: *El tratamiento del alcoholismo es posible?* En: Velasco R. *Esa enfermedad llamada alcoholismo.* Trillas. México, 1981.

4. *Fray Bartolomé de las Casas y León Portilla,* citados por: Vasconcelos R: *El alcoholismo problema médico y social. Aspectos culturales y sociales.* Gac Méd Mex México 1980; *116:* pp 252-256.

5. FROOM E y MACCOBY M: *Alcoholismo.* En: *Sociopsicoanálisis del campesino mexicano.* Fondo de Cultura Económica. México, 1973, p 215.

6. ROMAN P, GEBERT P: *Alcohol abuse in the US and the USSR: Devergence and convergence in policy and ideology.* Social Psych *14:* 207-216, 1979.

7. *Centralförbundet för alkohol — och narkotikaupplysning.* Folleto. Stockholm, 1978.

8. MONTENEGRO H: *Estado del alcoholismo en Chile.* Cuadernos médico-sociales del Colegio Médico de Chile. *21:* 1980, pp 11-17.

9. CALDERÓN G: *Alcoholismo: Legislación y políticas gubernamentales.* En: Calderón G: *Salud mental comunitaria. Un nuevo enfoque de la psiquiatría.* Trillas. México 1981, pp 266-267.

10. TURULL F: *Aspectos socioculturales de la demanda de atención en un servicio de al-*

coholismo de la ciudad de México: El centro de ayuda al alcohólico y sus familiares. Salud Mental 5: 1982, 68-73.

11. ELIZONDO J A: Informe de seis años de actividades del Programa de Rehabilitación de Alcohólicos del Hospital Psiquiátrico del IMSS. Serie de Informes técnicos, México, 1979.

12. ELIZONDO J A: Modelo interdisciplinario para la prevención terciaria del alcoholismo. Ocho años de experiencia. Ponencia presentada en la reunión conjunta de la Societé Medico-Psychologique y la Asociación Psiquiátrica Mexicana. París, 1981.

13. CAMPILLO C: El consumo de alcohol en México desde una perspectiva de Salud Pública. Monografía. Instituto Mexicano de Psiquiatría. México, 1982.

UN MODELO DE ATENCION PARA EL ENFERMO ALCOHOLICO EN SERVICIOS INSTITUCIONALES DE SALUD MENTAL

DR. HUMBERTO RICO DÍAZ*

1. ACERCAMIENTO DIACRÓNICO DE LAS CONCEPCIONES SOBRE EL ALCOHÓLICO

El marco conceptual mediante el cual la humanidad se ha enfrentado al problema del alcoholismo ha sido muy variable, desde la completa indiferencia hacia una situación considerada como natural, a las actitudes punitivas de las conductas valoradas como inmorales. Estos cambios han sido acordes a las concepciones que el ser humano ha tenido de sí mismo y del mundo que le rodea; en consecuencia, las actividades abocadas a resolver los estragos causados por el alcoholismo han tenido estas mismas características de no ser uniformes, ni mantener una misma directriz a lo largo de la historia.

Dentro del mundo animista, la enfermedad mental fué entendida como producto del enojo de las fuerzas y espíritus que poblaban el mundo, las cuales, al ser ofendidas, descargaban su ira generando la patología. Con base en lo anterior, los tratamientos abarcaron actividades diversas, el rito, la contemplación y la ofrenda, intentaban calmar el enojo sobrenatural, camino por el cual podrían liberarse de los males producidos.

Dentro de la concepción judeo-cristiana se considera la acción de pecar producto del libre albedrío, y se da por establecido que la libertad de pensar y sentir conscien-

temente es absoluta, ignorándose las fuerzas inconscientes que propician y orientan los pensamientos y sentimientos; el alcohólico es responsable de haber elegido conscientemente el camino del mal, por lo cual el padecer una enfermedad es consecuencia de esta decisión y tiene responsabilidad absoluta de ella, mereciendo el desprecio y el repudio de la comunidad, considerados como penitencia que debería sufrir para redimir sus culpas y propiciar la gracia divina que llevaría la curación física y la salvación del alma.

Las actividades comunitarias tendientes a reducir el padecimiento quedaban limitadas a buenas intenciones de interceder mediante el rezo ante Dios y otorgar algún tipo de ayuda a manera de caridad cristiana al enfermo, en los más de los casos cuando su padecimiento se encontraba de tal grado que le impedía ganarse la vida. De esta manera surgieron organizaciones religiosas que fundaron hospitales y manicomios dedicados a la reclusión y custodia de estos enfermos portadores en su mayoría de cuadros demenciales y complicaciones somáticas en donde terminaban sus días en el olvido de la sociedad.

Como se puede apreciar en lo expuesto, el marco conceptual mediante el cual habían abordado el problema del alcoholismo, así como el de la enfermedad mental, básicamente era místico-filosófico, en el cual las premisas fundamentales consistían: en la gracia de Dios, el libre albedrío, el bien y el mal, la responsabilidad y la culpa en

* Médico Psiquiatra. Jefe del Departamento de Coordinación y Supervisión. Dirección General de Salud Mental de la S.S.A.

los cuales los enfermos alcohólicos resultaban culpables y responsables de sus padecimientos por haber decidido libremente el camino del vicio alejándose de Dios.

Este marco ideológico persistió durante siglos, lo cual impidió una mejor comprensión de la enfermedad y limitó las posibilidades terapéuticas. Esta misma posición ante las enfermedades mentales era compartida por otros campos de la medicina; felizmente para la ciencia, se lograron avances trascendentales en el conocimiento de la etiopatogenia de algunos padecimientos como los infecto-contagiosos en los cuales se logró identificar al agente causal y entender el mecanismo mediante el cual se trasmite.

Estos descubrimientos marcaron un avance importante en el conocimiento y un cambio trascendental en los marcos conceptuales. Había que buscar el agente causal de los padecimientos y hacer descripciones magistrales de la "historia natural" de las enfermedades. En la psiquiatría, el descubrimiento del *treponema pallidum*, causante de la sífilis y la parálisis general progresiva, complicación terciaria de la misma, confirmó a los estudiosos de la época la necesidad de orientar sus investigaciones hacia la búsqueda de un agente causal específico para cada una de las enfermedades mentales, con el objeto de poder determinar en ellas el tratamiento etiológico capaz de curar definitivamente el padecimiento. Así surgen las grandes instituciones hospitalarias en las cuales además de efectuar investigaciones científicas del más alto nivel, se concentran grandes cantidades de enfermos con el objeto de ser "curados" y además servir de material de estudio en estas investigaciones; la búsqueda de un agente causal

fue sustituida por la búsqueda de alteraciones bioquímicas en el metabolismo cerebral, campo en el cual se han logrado grandes avances, en el conocimiento de algunos factores presentes en los enfermos alcohólicos, pero no han sido capaces de mostrar una explicación completa para el fenómeno del alcoholismo.

Paralelamente a lo anterior, otras disciplinas lograron notables avances en el conocimiento del hombre y se aplicaron para entender el fenómeno del alcoholismo, aceptando que en el ser humano se dan fuerzas que escapan a su campo de advertencia y que éstas frecuentemente se expresan en actitudes y conductas proclives para el alcoholismo, liberándose del estigma de la culpa al ser considerado su vicio como una enfermedad, con lo cual se abren las posibilidades de ofrecer atención adecuada a estos pacientes. Otras disciplinas orientadas al estudio del hombre han contribuido haciendo énfasis en la existencia de factores extraindividuales que están presentes en la vida cotidiana y constituyen dinamismos determinantes en los procesos de salud-enfermedad.

Los organismos oficiales responsables de implantar a nivel general las medidas capaces de influir sobre la prevalencia e incidencia de estos padecimientos han sufrido una evolución semejante, aunque más lenta, en la concepción de sus programas. Así, podemos constatar que, del antiguo médico familiar que ejercía su profesión de manera aislada, básicamente dedicado a las actividades curativas y con un reducido radio de acción, se ha pasado a los grandes nosocomios dedicados a la resolución de problemática de alta especialidad, pero con reducida cobertura. Esta reorientación en los modelos de atención seguía adoleciendo de los mismos defectos que habían sido tradicionales en la medicina institucional. El enfermo alcohólico era detectado cuando su patología era de tal grado que necesariamente requería de internamiento en un hospital, y una vez solucionado su problema crítico, retornaban en las mismas condiciones psicosociales previas a su internamiento, con las consecuentes recaídas.

2.   ACCIONES INSTITUCIONALES

A partir del año de 1977, el entonces Centro Mexicano de Estudios en Farmacodependencia, C.E.M.E.F., actualmente Instituto Mexicano de Psiquiatría, y la Dirección General de Salud Mental de la Secretaría de Salubridad y Asistencia hacen el señalamiento que la enfermedad mental, la farmacodependencia y el alcoholismo son problemas generales de salud, y destacan los beneficios de no separar y duplicar las actividades preventivo-asistenciales en este campo. En el caso del alcoholismo, existen factores psicológicos, familiares, sociales, económicos y otros que deben ser evaluados acuciosamente y dentro de los programas consideran de vital importancia el incorporarlos como factores terapéuticos, de donde se desprende la necesidad de integrar equipos interdisciplinarios, que permitan ejercer actividades preventivo-asistenciales en los campos médico, psiquiátrico, psicológico y social.

Un fenómeno manifiesto en el campo de la salud mental institucional fue que los programas desarrollados para combatir el alcoholismo consistían en acciones aisladas de grupos de personas entusiastas, que centraban sus esfuerzos en la atención de enfermos alcohólicos, pero sus actividades se veían coartadas en el momento que se requería de la participación de otras unidades, que dentro del mismo sector público, no compartían su entusiasmo, situación que generó la pérdida del interés en este campo, delegando la responsabilidad del problema a grupos particulares o de autoayuda como única alternativa terapéutica.

A partir del año de 1977, se conjugan diversos factores económicos, científicos y sociales y es posible plantear a nivel institucional alternativas viables para la atención de la salud mental y el alcoholismo.

Cuestionando los modelos tradicionales se hace patente la necesidad de establecer un sistema tal que permita aprovechar al máximo los escasos recursos existentes, mediante la incorporación efectiva de los programas de salud mental a los programas generales desarrollados por la Secretaría de Salubridad y Asistencia. Con el objeto de subsanar viejas carencias se establecieron servicios de salud mental fuera de los grandes hospitales psiquiátricos, que vendrían a reforzar la atención ambulatoria y el diagnóstico temprano, evitando el nefasto círculo vicioso internamiento-externamiento-falta de control ambulatorio-recaída-reinternamiento, estableciéndose un sistema escalonado para la atención de la salud mental y el alcoholismo integrado por tres niveles de complejidad en sus actividades, de tal manera que el mayor número de acciones sean desarrolladas por los equipos de salud, los cuales cuentan con el menor número de recursos con el objeto de lograr una mayor cobertura y accesibilidad a los usuarios, con la posibilidad de recibir asesoría y apoyo del nivel inmediato superior, así como referir los casos que requieran de mayores recursos para su diagnóstico y tratamiento. El primer nivel, al estar ubicado físicamente en Centros de Salud, es el más accesible a los grupos en riesgo y permitió desarrollar con mayor efectividad las actividades preventivo-asistenciales.

El marco teórico conceptual dentro del cual se desarrolla el modelo que se plantea, puede ser descrito como médico asistencial, con características específicas que lo singularizan del tradicional; ha sido puesto en práctica de manera que permite la suma de esfuerzos de un grupo interdisciplinario de técnicos especialistas en ciencias afines que conjugan sus disciplinas para obtener una concepción integral del enfermo alcohólico y los padecimientos mentales, favoreciendo el establecimiento de medidas preventivas y terapéuticas que influyen en las diversas áreas involucradas en los procesos de salud-enfermedad.

A continuación se describen, suscintamente, las características de un modelo abocado en forma conjunta a la atención del enfermo alcohólico y la salud mental.

3. EL MODELO INSTITUCIONAL

El modelo consta de tres niveles cada uno de los cuales desarrolla actividades específicas. El primer nivel está integrado por dos instancias: el módulo de medicina familiar general, ubicado en centros de salud comunitaria, en los cuales labora un equipo constituido por un médico general, un auxiliar de enfermería y un asistente social. los que desarrollan programas de medicina preventivo-asistencial dentro de un área geográfica de su responsabilidad;

la segunda instancia de este primer nivel está constituida por los servicios de psiquiatría y salud mental ubicados en centros de salud, en los cuales existe un equipo de salud mental compuesto por médicos psiquiatras, psicólogos clínicos y trabajadores sociales psiquiátricos, además del personal de salud general que labora en dichos centros. En lo referente a la salud mental, este nivel es de vital·importancia por su gran cobertura e interacción en la comunidad; representa el primer contacto con el sistema de salud y en él se expresa todo el cúmulo de expectativas que el individuo tiene respecto a la salud y su enfermedad. Es en este primer encuentro, en donde se establecen las bases con las cuales se desarrolla la relación médico-paciente, que será repetida en las subsecuentes interacciones en los diversos niveles de atención.

Dentro de las actividades para la salud mental desarrolladas por estos módulos de medicina general de los centros comunitarios de salud, destacan las actividades de fomento y preservación de la salud mental, el diagnóstico y tratamiento y rehabilitación. Las actividades de fomento y preservación de la salud mental están encaminadas a proporcionar a la población general información científica, precisa y concreta, referente al desarrollo psicosocial normal de los individuos, con el fin de incrementar sus niveles de salud. Estas acciones son desarrolladas dentro del propio centro y en la comunidad, abarcando temas como: desarrollo psicológico normal del niño, educación y personalidad, orientación vocacional, familia y personalidad y sexualidad normal, entre otros. Las actividades intramuros son dirigidas básicamente a los familiares de los pacientes y las extramuros, a grupos en la comunidad como son: profesores, padres de familia, estudiantes, grupos deportivos, religiosos, culturales y políticos.

Las actividades de diagnóstico se orientan a la población general y a grupos específicos de la comunidad, con alto riesgo de sufrir patología, con el objeto de capacitar a los individuos en la detección de los síntomas de la enfermedad mental y el alcoholismo en sus estadios iniciales, para estar en posibilidad de incorporarlos tempranamente a los programas de tratamiento en el nivel de atención correspondiente.

Para el logro de lo anterior, se detectan en la comunidad grupos y se establece comunicación con líderes naturales y oficiales, con los cuales se organizan cursillos de información con temas como: neurosis, psicosis, alcoholismo, farmacodependencia, depresión, deficiencia mental, síndrome hiperquinético y problemas de lecto-escritura.

Los casos que son atendidos por los módulos de medicina general son manejados mediante procedimientos terapéuticos específicos como: farmacoterapia, orientación individual y familiar y técnicas de apoyo.

Cuando no se logra una mejoría significativa en las primeras semanas, los pacientes son referidos a la segunda instancia del primer nivel, ubicado en el centro de salud más cercano a su domicilio.

Dentro del primer nivel, la segunda instancia para la prevención y tratamiento de los enfermos mentales y alcohólicos está representada por los equipos de salud mental ubicados en centros de salud, en los cuales el personal técnico que los integra cuenta con una formación más amplia en el campo de la salud mental, situación que les permite desarrollar actividades con un mayor grado de complejidad para la prevención, tratamiento y rehabilitación de los casos. Dentro de éstas, las más relevantes son: asesoría técnica al personal del centro de salud comunitario, organización de grupos en riesgo para su información mediante el desarrollo de conferencias y cursillos con temas diversos, necesidades emocionales del niño y del adolescente, el paciente anciano y su problemática psicosocial, el embarazo y su repercusión psicosocial, la familia y la personalidad sana entre otros.

Las actividades tendientes a lograr un diagnóstico temprano y tratamiento oportuno se efectúan dentro y fuera de la unidad; están orientadas a la población con mayor riesgo de enfermar; tienen como objetivo proporcionar información con temas específicos de la psicopatología más frecuente a fin de que la comunidad y las familias detecten a los enfermos tempranamente y los incorporen a los programas terapéuticos y de rehabilitación. Estas acciones se dirigen a la comunidad: líderes naturales, oficiales, asociaciones de colonos, políticas, religiosas, clubes deportivos, profesores, padres de familia, estudiantes, locatarios de mercados, personal administrativo de guarderías y asilos, familiares de enfermos, médicos comunitarios de la Secretaría de Salubridad y Asistencia y privados.

El contenido de la información impartida en la comunidad, por esta segunda instancia del primer nivel, comprende un grupo de temas de mayor especificidad, entre los cuales podemos mencionar: trastornos más frecuentes de la infancia, de la lectoescritura, del lenguaje, de la conducta en la infancia y adolescencia, crisis de la adolescencia, farmacodependencia, alcoholismo, psicosis, neurosis, depresión, deficiencia mental, epilepsia, familia disfuncional y otros.

Una vez que se ha detectado un posible caso, las actividades que se realizan para lograr un diagnóstico integral son: evaluación psiquiátrica mediante entrevista e historia clínica, evaluación psicológica mediante entrevista y estudios psicológicos, evaluación psicosocial mediante entrevista y estudio psicosocial y, cuando se requiera, visita domiciliaria.

Elaborado el diagnóstico integral del enfermo, el equipo está capacitado para desarrollar actividades terapéuticas como: farmacoterapia; psicoterapia individual, de pareja, familiar y de grupo; estimulación perceptivomotora; apoyo psicopedagógico y manejo de la familia del enfermo. Una vez establecido el programa terapéutico, en forma paralela se desarrolla el subprograma de seguimiento del estado de salud del paciente, con el objeto de evitar la deserción, mediante un registro de su asistencia al programa y visitas a su medio familiar para orientación de la misma, corresponsabilizarla e involucrarla en el tratamiento del paciente; en los casos que así lo requieran se realiza la canalización al segundo y tercer niveles para su tratamiento específico y su referencia a centros especializados para su rehabilitación integral.

El segundo nivel está integrado por los servicios de salud mental ubicados en los hospitales generales; en la actualidad se encuentra en proceso de estructuración, siendo muy limitado el número de servicios en operación, están constituidos por personal especializado semejante al del primer nivel, contando además con el apoyo de todas las instalaciones y recursos de la unidad hospitalaria.

Las actividades realizadas por este nivel, básicamente, son intramuros, orientadas en las áreas de investigación, fomento y preservación de la salud mental, diagnóstico, tratamiento y rehabilitación.

Las investigaciones a realizar en este nivel son clínicas, farmacológicas y epidemiológicas. En relación a las actividades de fomento y preservación de la salud mental, está contemplado que sean dirigidas intramuros al personal de la unidad, y tendrán como objetivo informar al personal médico y paramédico de la influencia de factores psicológicos en la etiología y curso de las enfermedades atendidas en otras especialidades, con el fin de que sean consideradas adecuadamente dentro de los programas terapéuticos a desarrollar. Se abordarán mediante conferencias, grupos de discusión, cursillos y sesiones clínicas, temas de psicopatología más frecuentes en la medicina general hospitalaria (ejemplo depresión anaclítica, delirium tremens, hospitalismo) y en aquellos cuadros psicopatológicos derivados de intercurrencias psicológicas de la cirugía mutilante, correlato psicológico del enfermo crónico, diabético, tiroideo, alcohólico y otros. Aunado a lo anterior, el equipo de salud mental organiza dinámicas de grupo con familias y pacientes en alto riesgo de sufrir alteraciones mentales, como consecuencia de alteraciones somáticas.

Dentro de las funciones diagnósticas y terapéuticas, es responsabilidad del equipo desarrollar actividades de información con el personal técnico no especializado en esta área, a fin de que estén en posibilidad de detectar los casos psicopatológicos en sus estadios iniciales y de colaborar en el tratamiento, para lo cual se desarrollarán temas de psicopatología, psicofarmacología así como lineamientos generales del manejo psicológico del paciente no psiquiátrico.

El servicio de atención especializada dirige sus actividades a pacientes hospitalizados y de consulta externa durante un breve período antes de ser canalizados al primer nivel responsable del área en el cual se encuentra ubicado su domicilio, con el fin de mantener el programa terapéutico en forma continua.

Dentro de las características de este segundo nivel de atención están las de encontrarse ubicados en hospitales generales, por lo cual, además de las funciones ya enunciadas, es deseable que asignen el 5% de sus camas para el internamiento, por períodos breves, de pacientes que no pueden ser manejados en forma ambulatoria y que requieren de una atención psiquiátrica especializada en coordinación con otros especialistas, para diagnóstico o tratamiento.

Una vez resuelto el problema cardinal, el paciente deberá ser canalizado al nivel correspondiente.

El tercer nivel de atención está representado por el hospital psiquiátrico. Este nivel se ha dividido en dos instancias; la primera, representada por los hospitales para enfermos agudos; la segunda instancia para enfermos de internamiento prolongado.

En este nivel se efectúan tratamientos con alto grado de especialización, aunados a programas específicos para la rehabilitación integral del enfermo y su familia. Para ello en los hospitales dedicados a enfermos crónicos se derivan aquellos cuya patología requiera de mayor tiempo de internamiento, sin sobrepasar los 180 días.

Los lineamientos generales para referir pacientes del segundo al tercer nivel se engloban como sigue: a) enfermos cuya patología signifique un riesgo para su vida, b) enfermos cuya patología y trastornos de conducta representen un peligro para la comunidad, c) enfermos cuyo tratamiento no pueda efectuarse de manera ambulatoria, d) enfermos cuyo tratamiento no pueda realizarse en el segundo nivel, e) enfermos que requieran de estudios especiales para elaborar un diagnóstico.

El tercer nivel cuenta con la capacidad técnica necesaria para desarrollar actividades en diversos campos como son: investigación, enseñanza, diagnóstico, recursos paraclínicos, tratamientos de diversas modalidades, así como hospitalización continua, hospitalización parcial, consulta externa, rehabilitación. En estas modalidades de atención se realizan tratamientos de diversos tipos como: farmacoterapia, tratamientos físicos, psicoterapia (individual, grupal, familiar), terapias recreativas y terapia laboral.

Una vez que se ha cumplido el tratamiento correspondiente a este nivel, el enfermo debe ser remitido al primer nivel en el sector más cercano a su domicilio.

4. RESULTADOS DEL MODELO

Con base en el sistema de información psiquiátrica que opera en el modelo, se realizó una investigación de los motivos de consulta registrados en todos los servicios de psiquiatría y salud mental ubicados en centros de salud durante los años de 1977 a 1979.

Se muestra a continuación:

Diagnóstico	%
Trastornos infantiles	35
Neurosis	17
Farmacodependencia	9
Retardo mental	6
Sin trastorno mental	6
Alcoholismo	4
Psicosis	4
Otros	19
TOTAL	100

FUENTE: Sistema de información psiquiátrica. Reporte interno CEMESAM, México, 1979 (Ramón de la Fuente).

En el cuadro siguiente se muestra la frecuencia porcentual alcanzada del alcoholismo, entre los motivos de consulta, registrados en cuatro servicios localizados en la frontera con los Estados Unidos de Norteamérica y un estado del norte del país, durante el año de 1980.

Ciudad	Entidad federativa	Alcoholismo %
Tijuana	Baja California	23
Mexicali	Baja California	26
Nogales	Sonora	11
Cd. Juárez	Chihuahua	12.4
Monterrey	Nuevo León	10.4

FUENTE: Sistema de Información Psiquiátrica. Reporte interno, Dirección General de Salud Mental, SSA, México, 1980.

Si comparamos el presente cuadro con el anterior, podemos apreciar que en las ciudades fronterizas los motivos de consulta por el alcoholismo ocupan un lugar más elevado en comparación con el resto del país, situación que nos refleja dos posibilidades: por un lado, que el problema se acentúa en esta parte del país y, por otro lado, estos servicios fueron los primeros en ponerse en operación en el año de 1977 y, por lo tanto, han tenido más tiempo para acreditarse en la comunidad y ante los pacientes alcohólicos.

5. CONCLUSIONES

Como se ha podido apreciar, el modelo propuesto cuenta con una gran cantidad de ventajas en comparación con otros acercamientos al problema del alcoholismo, entre las cuales podemos mencionar que al ser un modelo médico, es relativamente sencillo que el personal de salud ya existente sea incorporado a este programa; por otro lado, al estar integrado a los programas de medicina general, se aprovecha toda la infraestructura ya existente del sector salud para incluir dentro de sus actividades las relativas a la prevención, tratamiento y rehabilitación del enfermo alcohólico; otra ventaja es la de que al realizarse las acciones en forma simultánea y en las mismas unidades físicas identificadas con anterioridad por los usuarios y la comunidad como prestadores de servicios para la salud, es más factible que los pacientes se acerquen a los programas, sin sentir el peligro de ser identificados y señalados como portadores de un determinado padecimiento.

El acercamiento descrito en el cual el enfoque al problema se realiza de manera interdisciplinaria, permite captar el padecimiento dentro de una panorámica más amplia que los modelos tradicionales reduccionistas, generando una atención de mayor calidad a la población y al enfermo alcohólico, más accesible, oportuna y a un menor costo económico y social.

Lamentablemente, la implantación a nivel nacional de un programa de tal envergadura y tan necesario, como es por todos aceptado, desde su inicio requiere vencer una diversidad de problemas entre los cuales destaca inmediatamente el económico, a pesar de ser relativamente barato, pues no requiere para su desarrollo la creación de una nueva infraestructura completa; si es necesario asignar determinados recursos financieros con el objeto de sufragar gastos como: salario al personal y material especializado de uso y consumo en los servicios; otro aspecto determinante para el desarrollo del modelo propuesto es la carencia a nivel nacional de recursos técnicos, que deseen incorporarse a dichos programas, situaciones ambas que han retardado en cierta medida el crecimiento de los programas.

Si a lo anterior aunamos la escasa preparación que dentro de la formación curricular reciben estos especialistas que desarrollan los programas en técnicas y destrezas que les faciliten el manejo y penetración en la comunidad, tendremos un factor más acerca del por qué no es atractivo el trabajo comunitario y despierta poco interés para incorporarse a él.

Si tratamos de analizar y evaluar en forma global el modelo, podemos apreciar que el diseño total no está completamente establecido, por lo que se dificulta una evaluación precisa, pero sí podemos destacar que ha sido aceptado en sus distintas facetas ampliamente por la comunidad, al ofrecerle una alternativa a la problemática por ellos detectada en el campo de la salud mental, mientras que en lo referente al alcoholismo no ha mostrado hasta el momento actual todas sus bondades y beneficios, situación que se ve reflejada en la baja incidencia como motivo de consulta. Tratando de entender el por qué de esta situación, nos encontramos ante la problemática ya descrita, y aunado a lo anterior, algunas características presentes en la población enferma, como es la coexistencia en forma simultánea de diversos marcos de referencia, para entender los procesos de salud-enfermedad; así, podemos encontrar un porcentaje importante de la población que no percibe la enfermedad como un problema de salud y por tanto no acuden a los servicios; en otras ocasiones la situación es percibida como un vicio y el sujeto es agredido y despreciado en lugar de orientarlo hacia los lugares en donde puede recibir tratamiento o es considerado como algo denigrante y bochornoso para la familia, por lo cual es ocultado ante la sociedad.

Lamentablemente esta situación de coexistencia de diversas actitudes ante el alcoholismo, no es privativo de la población general sino que frecuentemente es compartida por el personal médico y paramédico, generando las mismas conductas para los alcohólicos.

De lo antes expuesto podemos concluir que el modelo presenta características positivas que hacen viable su aplicación a nivel nacional con buenos resultados y un grado aceptable de eficacia y efectividad, pero será necesario desarrollar una serie de actividades paralelas a él, que fortalezcan sus acciones, como sería señalar ante los niveles decisivos la necesidad de asignar mayores recursos en este renglón. Otro rubro importante sería que las instituciones educativas encargadas de formar los técnicos abocados a estos programas, incluyeran dentro de sus programas académicos técnicas y habilidades que permitan una mayor interacción con la comunidad con el objeto de lograr una mejor penetración y eficacia de los programas.

Podemos terminar señalando que el problema del alcoholismo es parte integrante de la problemática a la cual se orientan los programas de salud mental, como una parte más de las actividades desarrolladas para incrementar los niveles generales de salud del país, y que esto no se puede dar si no se coordinan estrechamente con una concepción general e integradora de una nación, pues una y otra parte se influyen en forma recíproca.

REFERENCIAS

1. HERNÁNDEZ F Y MERCADE F: *Psicología, Sociología y psiquiatría.* Editorial Teïde, Barcelona, 1982.
2. DE LA FUENTE R: *Acerca de la salud mental en México.* Rev Salud Mental, México 5: 22-31, 1982.
3. PUCHEU C: *Panorama actual de la psiquiatría en México.* En: Ortiz Quezada F: *Vida y muerte del mexicano.* Ediciones Folios, México, 1982, pp 143-187.

UN MODELO DE INTERVENCION COMUNITARIA EN LA EDUCACION DEL ALCOHOLISMO

Dr. Rodolfo M. Panizza*
Lic. María Cristina Mendoza R.**

I. Generalidades

Los principales elementos que constituyen el primer nivel de aproximación desde el que actúa el Centro de Salud Mental Comunitario San Rafael en la educación pública sobre alcoholismo, son los siguientes:

1. El alcoholismo es ampliamente reconocido por su significado en salud pública, significado dado por razones de orden epidemiológico, problema nacional endémico, razones de naturaleza etiológica, compleja multicausalidad y razones originadas en la amplia gama de repercusiones psicofísicas, familiares, sociales y económicas que genera.

2. La magnitud del problema lo convierte en insoslayable dentro de las tareas de la salud mental, a diferencia de otros problemas que sólo eventualmente pueden ser motivo de su encaramiento a partir de demandas específicas de la comunidad, u otros trastornos a abordar con sectores muy seleccionados de población.

3. La educación en problemas generados por la ingesta de alcohol involucra a toda la comunidad, y las diferencias están dadas por el nivel de complejidad con el que cada sector de la comunidad participa en este proceso educativo.

4. La educación sobre el tema alcoholismo no puede ser desarrollada aisladamente, sino que debe estar integrada en simultaneidad y de modo multidisciplinario con la investigación y el servicio, para configurar la triple dimensión desde la cual debe ser encarado este complejo problema de salud pública. Este debe ser uno de los requisitos que tendrá en cuenta todo centro de salud mental comunitaria, ya que él influye en forma decisiva en la coherencia y profundidad de la actividad educativa. Es bien conocido el hecho de que la educación es orientada por la investigación, a la que estimula y controla el servicio que se brinda.

5. El programa de educación pública sobre alcoholismo, a implantar en una comunidad desde un centro de salud mental comunitaria, no debe ser desarrollado en forma aislada, sino integrando un contexto de programas que abordan desde perspectivas diferentes la salud mental, que constituyen un todo único, indivisible, con factores múltiples en permanente realimentación. Esto es fundamental tanto para el servicio de la comunidad, como para el proceso de formación de los diversos profesionales de la salud y ciencias afines, durante su período de práctica. Por otra parte el programa sobre alcoholismo, como todo programa general o específico en salud mental, dado el carácter multifactorial del problema, debe, desde su planeación y durante su ejecución, e incluso en la ins-

* Médico Neurólogo, Coordinador de Docencia e Investigación, Centro de Salud Mental Comunitaria San Rafael, Tlalpan, D. F. Miembro del Equipo de Trabajo del CEPNEC, A. C.
** Licenciada en Trabajo Social, Coordinadora de Investigación de Campo, Centro de Salud Mental Comunitaria San Rafael, Tlalpan, D. F.

tancia evaluativa, propiciar el desarrollo de acciones orientadas a integrar creativamente las ciencias biológicas, psicológicas y sociales, a través de las disciplinas en este campo.

Un centro de salud mental comunitario no dedica sólo sus esfuerzos en la dirección de un programa significativo, por lo que cada programa, como el del alcoholismo, contemplará 'a posibilidad de coordinar sus actividades con las de otros programas que se estén llevando a cabo con la finalidad de hacer frente en forma simultánea a otros procesos que afectan la salud mental y que con frecuencia se presentan asociados.

Es imprescindible que en la elaboración del programa sobre alcoholismo se desarrollen acciones que busquen mejorar al máximo los recursos humanos y materiales con los que cuenta la comunidad y la institución.

El Centro de Salud Mental Comunitaria San Rafael es una institución de referencia avanzada de la comunidad de Tlalpan para los problemas de educación en salud mental de la población que integra. La investigación y el servicio que desarrolla y brinda son actividades que emergen y complementan la principal.

La meta es modificar la realidad de la salud mental de la comunidad, incrementando la calidad de vida del individuo, la familia y la sociedad que integra.

Los objetivos son: *a)* promoción, conservación y mejoramiento de la salud mental de la población aparentemente sana; *b)* disminución de los índices de morbilidad de enfermedades mentales en la comunidad; *c)* detección precoz de enfermos y reducción de incapacidades generales por

afecciones neuropsiquiátricas; *d)* educación profesional; *e)* investigación básica y aplicada en salud mental.

Para cumplir los objetivos organiza sus actividades en programas de trabajo basados en lo que enseña la teoría, apegados a las características de la comunidad de Tlalpan, y teniendo en cuenta la experiencia teórico-práctica que acumula y sintetiza. Uno de los programas de trabajo lo constituye el alcoholismo.

Desde esta perspectiva se considera válido identificar las advertencias operacionales siguientes vinculadas a un programa de educación comunitaria sobre alcoholismo.

1. Un programa de salud mental de este tipo no debe ser impuesto, sino que se origina en una demanda espontánea o generada.

2. Este programa no debe ser desarrollado en forma aislada, o fuera de un contexto de actividades vinculadas a la salud mental que el centro impulsa en esa comunidad.

3. Debe tenerse prevista la forma de dar respuesta a las diversas demandas que van a surgir del procesamiento de ese programa.

4. Es imprescindible el conocimiento previo de los aspectos relevantes de la comunidad

5. En el programa deben participar todas las estructuras comunitarias afines.

6. La duración del programa debe ser corta y se señalarán las fechas de inicio y finalización.

7. El programa sólo podrá cerrarse con la evaluación en sus distintos niveles.

8. Las actividades de investigación generadas por la aplicación del programa

educativo deben estar precedidas por un trabajo de inserción en la comunidad.

9. Las solicitudes de servicio deben ser satisfechas en forma integral y no fragmentaria.

II. CONCEPTUALIZACIÓN Y DESCRIPCIÓN DEL MODELO

La trama del modelo de intervención comunitaria en la educación del alcoholismo que se está aplicando en Tlalpan desde el Centro de Salud Mental Comunitaria San Rafael se arma a partir de un conjunto de elementos de carácter fundamental y elementos accesorios, que le dan su singularidad. Ellos son:

A. DISPONIBILIDAD DE INFORMACIÓN QUE PERMITA UN CONOCIMIENTO TOTALIZADOR DEL TEMA

Los trabajadores de la salud responsables de desarrollar programas de alcoholismo deben cubrir a manera de primer requisito una etapa que tenga como objetivo la adquisición de conocimientos sobre alcoholismo en distinto grado de complejidad, pero suficientes como para cumplir en forma integral y homogénea las experiencias educativas que llevarán a cabo.

B. EXISTENCIA DE INFORMACIÓN Y VÍNCULOS PRIVILEGIADOS QUE PERMITAN UN CONOCIMIENTO INTEGRAL DE LA COMUNIDAD DONDE SE ACTUARÁ

Este segundo elemento del modelo posibilita satisfacer hechos tan significativos como:

1. Elaborar el contenido del programa a desarrollar apegado a las características de la población con la que se trabaja.

2. Incorporar a dicho contenido respuestas a las expectativas que sobre el tema tiene dicha comunidad.

3. Establecer simultáneamente nexos con la población a efectos de incorporarla al nivel de protagonista en el desarrollo del programa, elemento básico del aprendizaje, y promover el desarrollo de experiencias que permitan el despliegue de otras acciones orientadas al mejoramiento del nivel sanitario individual y social de la población.

4. Iniciar la recolección de información primaria que posibilite investigaciones no sólo sobre alcoholismo sino también sobre otros objetos de estudio de las ciencias de la salud y sociales.

5. Detectar el tipo de demanda de servicio que se generará a partir de la ejecución y evaluación del programa.

C. MANEJO DE UNA AMPLIA GAMA DE RECURSOS TÉCNICO-EDUCATIVOS

Los problemas relacionados a las técnicas educativas ocupan en este modelo un lugar de máxima atención. Las premisas básicas a tener presente con relación a este tópico son

1. Contenido del programa.

2. Características de la población.

3. Tipo de profesionales participantes.

4. Si la experiencia educativa será o no multidisciplinaria.

En esta área del trabajo es imprescindible conocer y disponer de recursos para la práctica de teatro guiñol, sociodrama, periódico mural, rotafolio y otros medios conocidos.

D. Realización de evaluación y sistematización de la experiencia educativa

La experiencia educativa implica un programa de evaluación a llevar a cabo en dos niveles:

1. Con los participantes de la comunidad.
2. Entre los profesionales de la salud que participaron en la experiencia.

En estas dos instancias de evaluación los miembros del Centro la impulsan y participan activamente, en la perspectiva de cubrir entre otros los siguientes objetivos:

1. Preparar el retiro de la comunidad y planear un siguiente programa alimentado con los elementos surgidos de la experiencia vivida.
2. Recuperar elementos que permitan incrementar el acervo del banco de información que tiene el Centro sobre la comunidad y que constituye uno de los instrumentos fundamentales para 'desplegar acciones programadas, no sólo en torno al problema de alcoholismo, sino de ese universo de trabajo que es la salud mental, integrado por factores interrelacionados, como ya fue explicado.

La evaluación es una de las vertientes para recuperar en forma crítica experiencias efectuadas, a la vez que contribuye a la elaboración de programas de investigación, educación y servicio en concordancia con las demandas y necesidades de esa comunidad, y los objetivos del Centro. De esta manera se evita la actividad por la actividad misma, y se anticipan formas para no reiterar insuficiencias o errores detectados, en nuevas acciones de similar contenido.

La evaluación en el modelo de intervención comunitaria que se viene exponiendo permite comprobar lo justo o no de los conceptos teóricos desde los que se está operando, y además permite "producir nuevos conceptos teóricos", evitando resecar así los contenidos del programa. Esto debe ser considerado de elevada importancia para problemas como el del alcoholismo, por su condición de tema complejo, polémico y en elaboración, en lo que tiene que ver con los aspectos educativos.

En la práctica de la educación en problemas de salud mental, y en particular sobre alcoholismo, los integrantes del equipo del Centro han observado, no con poca frecuencia, que los trabajadores de la salud incursionan en la comunidad con una dotación de conocimientos muy rica, lo que permite estructurar contenidos de programas "teóricamente muy llamativos", pero luego la experiencia se trunca pues se desjerarquiza la tarea de confrontar esos contenidos con la experiencia vivida, dicho más concretamente, se subestima lo que enseña la singularidad local o regional con motivo de la aplicación del programa en cuestión, y con ello se pierde una vez más la oportunidad de construir contenidos programáticos que den una real respuesta a las demandas y necesidades para una situación concreta. Todo eso hace que se pueda caer en el error de continuar aplicando programas con contenidos ajenos a la comunidad.

La experiencia acumulada indica que la práctica de la educación, en alcoholismo, en una comunidad, es mucho más rica que el programa previamente elaborado, ya que esta práctica contiene el programa y lo particular de su aplicación.

Este modelo de intervención con esta metodología permite acceder a síntesis de mayor nivel, y evitar que la repetición mecánica de los programas de educación desemboquen invariablemente en el desgaste y la vulgarización del contenido. El alcoholismo es uno de los temas en salud mental más propicios para la creatividad, o para resecar experiencias, otro tanto podría decirse de otros temas vinculados con la farmacodependencia.

E. DAR RESPUESTA A LAS DEMANDAS DE SERVICIO

El Centro corrobora en forma permanente el hecho de que los programas de educación constituyen el modo más adecuado no sólo para información y orientación a la comunidad sobre el problema de alcoholismo, sino para detectar en forma preliminar trastornos vinculados con éste, así como con otros aspectos de la salud mental.

Es habitual que luego de finalizado un programa educativo, se aborde a los trabajadores de la salud que lo desarrollaron (enfermeras, psicólogos, trabajadores sociales, estudiantes de medicina, etc.) para plantearles problemas relacionados con un familiar alcohólico, o de las repercusiones que un alcohólico está generando en la familia, desde maltrato a trastornos de aprendizaje en niños, hasta severos desajustes emocionales en otros miembros adultos de la familia.

En muchas circunstancias el planteo de una visita domiciliaria por parte de los miembros del equipo de salud constituye una acción bien comprendida y aceptada y altamente productiva para profundizar sobre la situación consultada en forma incidental. La visita domiciliaria abre al trabajador de la salud la posibilidad de indagar de manera más correcta sobre la extensión, naturaleza y consecuencias del problema, así como el reconocer otras alteraciones no necesariamente relacionadas con el alcoholismo, sino pertenecientes a otras áreas de la salud pública, e influir para el inicio de su resolución.

Finalmente, la visita domiciliaria puede jugar un papel determinante en decidir la demanda de atención del paciente alcohólico. Buena parte de ello se decide en la calidad de la interrelación que pueda establecer el trabajador de la salud y el tipo de información complementaria que pueda brindar.

Cuando se materializa esta demanda se debe conocer con igual nivel de competencia con qué se participó en el proceso educativo, las distintas alternativas de servicio a brindar, no sólo al alcohólico sino también a su familia. Esta capacidad de dar una orientación correcta forma parte del proceso educativo que se está llevando a cabo.

Por su parte el Centro que elabora programas de educación e investigación debe contar con recursos para brindar servicio a todos los miembros de la familia, según las diferentes demandas de atención. Asimismo el Centro contará con relaciones estrechas, a nivel de coordinación, con instituciones locales que se encarguen o complementen el servicio demandado: centros de salud, centros hospitalarios y grupo de Alcohólicos Anónimos, etcétera.

Las actividades de servicio asumidas, como los pacientes canalizados, deben ser incorporados a un plan de seguimiento por parte del equipo de salud del centro.

III. ORIGEN Y DESARROLLO DEL MODELO

Este modelo que se expone ha sido elaborado a través de 8 años de trabajo del Centro de Salud Mental Comunitario San Rafael, en la Delegación de Tlalpan.

El Centro se explica en razón de su proyección social, es decir, por las actividades que desarrolló en la comunidad.

El trabajo se cumple teniendo en cuenta el complejo enlazamiento que existe entre las características socioeconómicas, políticas y culturales generales, con las particularidades de la localidad.

Tlalpan es la delegación que cuenta con la mayor extensión territorial del Distrito Federal: 311 km², y en población ocupa el decimosegundo lugar: 337.441 habitantes. La característica de esta población es similar a la de la República Mexicana en cuanto a su significación de población joven:

0 – 19 años	55%
20 – 64 "	42%
65 y más años	3%

Una de las características más relevantes de Tlalpan es la heterogeneidad de su población:

Urbana	70%
Rural	30%

A la vez que esta población está distribuida en 122 comunidades:

Colonias	54
Fraccionamientos	31
U. Habitacionales	22
Pueblos	8
Barrios	7

El tipo de población y la distribución le dan a esta delegación una riqueza particular a la práctica de la salud mental comunitaria.

El objeto de trabajo en salud mental está constituido por el individuo, la familia y la comunidad, por el niño, el adulto y el anciano, integrados a su vida cotidiana e inmersos en la dinámica de la compleja sociedad actual.

Los instrumentos con los que actúa el Centro en salud mental conforman una amplia gama de recursos con los que él está conectado, y que incluyen:

— Representantes, autoridades e informantes claves de la comunidad.

— Instituciones de distinto nivel de complejidad funcional de la salud: consultorios, centros hospitalarios, institutos, clínicas.

— Instituciones políticas, educativas y recreativas.

El Centro desarrolla los programas educativos para la comunidad, entre los cuales el de alcoholismo ocupa un lugar privilegiado, apoyándose en los recursos humanos provenientes de las distintas escuelas de formación de profesionales de la salud y otras profesiones afines: enfermería, trabajo social, psicología, medicina, sociología, antropología, maestros, educadores.

Durante el periodo 1980-1982 la afluencia al Centro fue de 4.247 alumnos, según la siguiente distribución:

RELACION DE ALUMNOS 1980-1982

Enfermería	2,844
Psicología	653
Medicina	635
Trabajo social	99
Sociología	16
TOTAL	4,247

Con estos recursos humanos, coordinados por el equipo del Centro, se pudieron estructurar los programas educativos. Las charlas educativas impartidas a través de ellos fueron 1.609 durante el periodo 1980-1982; con una asistencia de 40.406 personas.

A través de esta práctica es que el Centro ha ido confeccionando el modelo de intervención comunitaria, que da motivo a este trabajo. De acuerdo con lo expuesto el Centro desarrolla en simultaneidad con la actividad educativa, investigación sobre problemas relacionados con alcoholismo, docencia con profesionales en práctica psiquiátrica comunitaria y acciones de servicio. Algunos ejemplos ilustrativos de ellos son:

— Equipo multidisciplinario orientado a brindar atención integral al paciente y su familia.
— Coordinación con grupos de Alcohólicos Anónimos.
— Investigación internacional, patrocinada por la Organización Mundial de la Salud sobre respuestas de la comunidad ante los problemas relacionados con el alcohol.
— Investigación sobre características,

hábitos y tipos de ingesta del alcohólico.
— Proyecto de investigación sobre bajo rendimiento escolar y presencia de un adulto alcohólico en la familia.

La descripción pormenorizada de la realización de este modelo de intervención comunitaria para la educación sobre alcoholismo desborda los alcances de este capítulo, y sería motivo de otro trabajo.

A manera de reflexión última, cabe decir que la construcción de modelos de intervención comunitaria en la educación pública de salud mental, a partir de centros de salud mental comunitaria, y particularmente de modelos para la educación sobre temas tan complejos como lo es el alcoholismo, debe encararse como un acontecimiento vivo; vale decir que exige un constante proceso de síntesis y generalización de lo que se va aprendiendo a través de la práctica. A la vez es necesario estar advertidos de que no se trata de un acontecimiento fácil, sino matizado de errores, de insuficiencias, que sólo pueden ser asimiladas si el elemento crítico está presente en forma permanente en el método de trabajo. Desde esta perspectiva es que lo vive el Centro.

ASPECTOS METODOLOGICOS EN LA INVESTIGACION EPIDEMIOLOGICA DEL ALCOHOLISMO

Dr. Enrique Ríos Espinosa*

1. Generalidades metodológicas

En la investigación epidemiológica del alcoholismo se utilizan principalmente dos métodos diferentes para conocer la magnitud de los problemas relacionados con el consumo de alcohol: los métodos indirectos y los métodos directos. A continuación se describirán estos métodos y se señalarán las dificultades que conlleva su utilización para México y otros países de latinoamérica.

a) Métodos indirectos

Uno de los métodos más utilizados para conocer la prevalencia del consumo de alcohol es la utilización del índice de consumo per cápita. Estos índices se obtienen de los datos provenientes de la producción, importación menos exportación y ventas de bebidas alcohólicas entre la población mayor de 18 años.

Sin embargo, además de que en muchos de nuestros países existen serias deficiencias en cuanto a las estadísticas de producción de bebidas alcohólicas, debemos tomar en cuenta otras dos dificultades que imposibilitan la obtención del consumo exacto per cápita de alcohol. Uno de ellos es la poca confiabilidad de las estadísticas oficiales; como por ejemplo: el censo de población que se realiza cada 10 años, y aunque ha ido mejorando su calidad en las últimas décadas, se enfrenta al problema de la gran movilidad poblacional de algunos subgrupos y a la falta de inclusión de individuos que habitan ya sea en comunidades muy dispersas o en los suburbios de las grandes ciudades.

Otra dificultad es la gran proporción de producción clandestina de alcohol, que escapa a las cifras oficiales de producción. Así, tenemos el ejemplo de Costa Rica, en donde la producción ilegal de alcohol es igual o mayor a la producción oficial.[19]

Es por esto que los índices de consumo per cápita hay que tomarlos con cautela. En México el pulque y otras variedades de bebidas fermentadas son frecuentemente consumidas, y de éstas la mayoría se producen ilegalmente. Por ello, se hace indispensable la realización de investigaciones tendientes a conocer el volumen de producción ilegal de bebidas alcohólicas ya que en la actualidad son mínimas las que se han llevado a cabo en este sentido.

Otros métodos indirectos para conocer la magnitud del problema del alcoholismo son: morbilidad y mortalidad por cirrosis hepática; alcoholismo y psicosis alcohólica; mortalidad y morbilidad por accidentes de tránsito y laborales, relacionados con alcoholismo; violaciones, homicidios y violencias relacionadas con el alcoholismo y, finalmente, ausentismo laboral.

Las tasas de mortalidad por cirrosis hepática son las más utilizadas. En México la mortalidad por esta causa ocupa el primer lugar de mortalidad entre la población de sexo masculino, de edades comprendi-

* Médico cirujano e investigador del Instituto Nacional de la Nutrición "Salvador Zubirán", en el Proyecto "Alcoholismo y Nutrición".

das entre los 40 y los 59 años. Sin embargo, este indicador presenta diversos problemas. En primer lugar, está la dificultad en precisar qué porcentaje de las cirrosis hepática son debidas al alcohol, ya que diferentes investigadores han señalado las variaciones porcentuales de cirrosis alcohólica en diferentes países, e incluso en diferentes zonas de un mismo país; esto debido principalmente a la presencia o ausencia de ciertas afecciones parasitarias o infecciones y de francas carencias proteicas en la dieta. Asimismo se encuentran tanto el problema de la capacidad diagnóstica del médico, como el de la falta de instrumentos adecuados para realizar una correcta diferenciación anatomopatológica de la cirrosis alcohólica.

La mortalidad por alcoholismo y psicosis alcohólica se encuentra deficientemente documentada en la mayoría de los países latinoamericanos ya que el diagnóstico de alcoholismo, como causa directa o indirecta de muerte, no se incluye en los certificados de defunción. Aunado a esto se sobrepone la deficiente organización estadística.

En lo relativo a ingresos hospitalarios o de consulta externa por causas asociadas al alcoholismo, está el problema de las diferentes formas en que cada hospital categoriza sus causas de morbilidad, no existiendo criterios uniformes para todo el país. Otra dificultad es el hecho de que muy frecuentemente el médico general no le da importancia al diagnóstico de alcolismo y codifica no el padecimiento real por el cual acude el paciente, sino sus complicaciones: gastritis, úlcera gastroduodenal, etc. Por otro lado quedan fuera de estas estadísticas todos los pacientes que recurren al médico privado. Como sabemos, al menos para México, todas las personas que son asistidas a través de la medicina privada no son reportadas con fines estadísticos.

Asimismo, en los países que cuentan con servicios de desintoxicación y rehabilitación de alcohólicos, las estadísticas son tomadas de tal manera que no es posible determinar el porcentaje de pacientes que se encuentran recirculando por los servicios médicos.

A pesar de que los datos sobre muertes debidas a suicidios, homicidios y violencias se encuentran disponibles en las estadísticas de diferentes países, muchas veces es difícil establecer hasta qué punto estuvo involucrado el consumo de bebidas alcohólicas, ya que este hecho generalmente no se incluye en el certificado de defunción como causa asociada.

Los accidentes de tránsito ocasionados por la ingesta de alcohol, establecen una de las principales causas de muerte para el grupo de edad comprendido entre los 14 y 25 años. Desgraciadamente los cuerpos de policía vial de muchos de nuestros países no cuentan con recursos suficientes como para determinar oportunamente la alcoholemia de un individuo, con lo que gran parte de los accidentes no se pueden considerar como consecuencia de la ebriedad del conductor o del peatón.

Las limitaciones señaladas son las que conducen a emplear métodos directos en la investigación epidemiológica.

b) *Métodos directos*

La encuesta al interior del hogar es el método preferido por la investigación epidemiológica del alcoholismo.

Este método, sin embargo, también plantea algunas dificultades para su utilización: entre ellas, el inconveniente de su alto costo. Smart y colaboradores señalan que para los Estados Unidos, cada encuesta realizada en el hogar tiene un costo aproximado de 80 a 100 dólares lo que significa que la realización de una encuesta a nivel nacional tendría un costo aproximado de 200.000 dólares.[24] Este problema se acentúa en los países latinoamericanos donde existen pocos recursos asignados para la investigación en general y, por ende, el empleo de instrumentos que impliquen tan alto costo se hace poco viable.

El padecer de alcoholismo es considerado como un estigma social en la mayor parte de la población, lo que trae como consecuencia distintas formas de ocultamiento, tanto por el afectado como por las mismas personas que lo rodean. Así, el problema que se presenta al momento de la recolección de los datos sobre prevalencia de alcoholismo es la veracidad de la información, ya que el cuestionario incluye preguntas sobre la cantidad de veces en que el sujeto se embriaga al mes, el tipo de malestares que siente luego de la ingestión alcohólica, cantidad y frecuencia de consumo de alcohol, etc. Por esto, es prácticamente inevitable la distorsión de la información por el entrevistado, que tanto puede acentuar algunos aspectos como negar otros, con el fin de velar su alcoholismo y de no reconocer que se embriaga. Esta dificultad hace necesario utilizar otro tipo de aproximación: el método de informantes, que se comentará más adelante.

Otra dificultad a la que se enfrentan los países latinoamericanos en el empleo de las encuestas en hogares, es la falta de personal adiestrado para la realización de la encuesta, así como la falta de instalaciones *ad hoc*. Asimismo existe el peligro de traspolar métodos utilizados y probados en contextos diferentes —usualmente Estados Unidos y Canadá— y aplicarlos sin una correcta adaptación a las condiciones locales del país o de alguna región en particular. Esta adecuación debe ser no sólo concerniente a una buena traducción del instrumento de investigación, sino también a la modificación del instrumento, mediante la adicción o supresión de algunos puntos del cuestionario.[5]

La correcta adecuación también incluye un estudio sobre las reacciones y actitudes de los entrevistadores y de los entrevistados con el fin de realizar la encuesta en óptimas condiciones. Así, por ejemplo, en nuestro medio, sobre todo en áreas rurales, los entrevistados son generalmente mujeres, por lo que es conveniente utilizar entrevistadoras, dado que éstas despiertan menos desconfianza que los hombres. También otro aspecto a considerar es el hecho de que la mujer puede temer represalias por parte del marido por haber aceptado la entrevista; incluso hay que tomar en cuenta que en muchas ocasiones el hogar se encuentra muy aglomerado y es difícil tener la suficiente privacía como para que el entrevistado conteste con la mayor sinceridad posible.[9]

Existen otros tipos de estrategias para estudiar el consumo de alcohol; son aplicadas en población cerrada; generalmente se llevan a cabo en escuelas, en el medio laboral, en cárceles o en centros de tratamiento. Estos métodos presentan dificultades similares a las referidas para la población abierta, además de que mucha de la información obtenida es parcial por restringirse a los grupos a los que se aplica; sin embargo, es posible efectuar una mayor profundización del problema, o evaluar a un menor costo las tendencias del fenómeno (por ejemplo, al efectuar estudios en centros de tratamiento).

Por todas estas limitaciones en la aplicación de la encuesta, tanto para población abierta como cerrada, se ha estado utilizando recientemente el método de informantes. Este método fue propuesto originalmente por Jellinek; se derivó de la antropología y fue utilizado en la década de los cincuentas por diversos países, aunque sólo se hayan comunicado resultados de Finlandia y Bélgica.[22]

El método de informantes, sugerido por Jellinek, consiste en obtener datos de informadores de la propia comunidad, que se reunen durante una o dos horas para discutir las respuestas que se han dado a preguntas relacionadas al consumo de alcohol.

Los informadores no hablan de sus hábitos personales de consumo, ni discuten el consumo de alcohol en general, sino sólo basan su información en las opiniones y versiones que recogen directamente de sus grupos, que están organizados por afinidad laboral. Cada discusión está encabezada por un informador principal, el cual dirige al grupo y utiliza un cuestionario preparado anticipadamente, anotando cada respuesta.

Este método supone ciertas ventajas sobre la encuesta en hogares; su costo es más reducido e implica un menor tiempo de ejecución; se obtiene información de mejor calidad en cuanto a veracidad, ya que no se habla a título personal sobre los hábitos de ingestión de bebidas alcohólicas sino del consumo del grupo al cual uno pertenece.

Asimismo, existe una mayor facilidad en la realización del muestreo, así como para la recopilación de los datos, ya que no se requiere de entrevistadores expertos.

A pesar de las ventajas que ofrece este método, creemos que no debe confinarse a la obtención de la misma información recolectada por la encuesta en hogares, sino plantear preguntas estratégicas que permitan una mayor profundización y acercamiento a la conceptualización que sobre el proceso de alcoholización tiene la población.

2. ESTUDIOS EPIDEMIOLÓGICOS SOBRE ALCOHOLISMO REALIZADOS A TRAVÉS DE MÉTODOS INDIRECTOS EN MÉXICO

Los estudios realizados a través de métodos indirectos pueden ser, como ya señalamos, de diversos tipos; sin embargo, los dos métodos indirectos más utilizados son los estudios de mortalidad por cirrosis hepática ocurrida en hospitales generales o en hospitales de especialidad —tanto retrospectivos como prospectivos— y aquéllos que parten del estudio de los ingresos hospitalarios con diagnóstico de alcoholismo, en hospitales psiquiátricos y en hospitales generales (también prospectivos o retrospectivos).

Además de los problemas metodológicos que implica este tipo de método existen otras dificultades como es el hecho de que los registros a los cuales se acude para obtener la información, no fueron diseñados originalmente para estudiar el alcoholismo, por lo que no se pueden ajustar a los objetivos que el investigador plantee. Este problema puede ser subsanado realizando estudios prospectivos; desgraciadamente en México aún no se han realizado.

En nuestro medio son pocos los estudios que utilizan este método, sin embargo, a continuación comentaremos algunos de los estudios que son más representativos para el caso de la cirrosis hepática; los realizados por Dajer y cols.[6] y los de Aceves Saínos y cols.[1] El primer estudio fue realizado en un hospital en el que la población que acude a los servicios se caracteriza por tener un nivel socioeconómico bajo; el segundo trabajo, por el contrario, fue realizado en la población derechohabiente del ISSSTE que posee un nivel socioeconómico medio (o alto). Para el caso de los trabajos realizados por medio de los ingresos hospitalarios están los efectuados por Lara Tapia y cols.[11-13]

En el trabajo elaborado por Dajer y cols.[6] se realiza una revisión de todos los casos de cirrosis hepática ocurridos en un lapso de 28 años (1947 a 1975) en el Instituto Nacional de la Nutrición, encontrándose 2.394 casos de cirrosis (2.85% del total de población atendida), de los cuales se seleccionaron 382 casos mediante un muestreo aleatorio simple, relacionándolos con la distribución por sexo, grupo etáreo, tiempo transcurrido entre el inicio del alcoholismo, el diagnóstico y la muerte; supervivencia desde que se estableció el diagnóstico y causa del deceso. Finalmente, se diseñaron dos cuestionarios para el estudio de los factores psiquiátricos y socioeconómicos de 70 pacientes

cirróticos de los servicios de consulta externa y de internación.

El estudio de Aceves Saínos y cols.[1] fue realizado en la población derechohabiente del ISSSTE de las unidades hospitalarias del área metropolitana del Valle de México; se seleccionaron, mediante una muestra aleatoria simple, 350 casos de cirrosis hepática ocurrida entre el 1o. de julio de 1971 y el 30 de junio de 1973. Los objetivos del estudio fueron relacionar estos casos por su distribución según sexo y edad, así como conocer el tipo de cirrosis, el tipo de bebidas consumidas y las características de la alimentación en cuanto a ingreso calórico-protéico.

La investigación de Dajer y cols. estableció el diagnóstico de cirrosis hepática mediante criterios clínicos (hepatomegalia y/o signos y síntomas de insuficiencia hepática) y de laboratorio (pruebas de funcionamiento hepático); en ocasiones se comprobó el diagnóstico histológicamente. La clasificación de cirrosis se estableció mediante los criterios adoptados por la Asociación Internacional para el Estudio del Hígado: la cirrosis alcohólica es aquélla que se manifiesta en pacientes con antecedentes de ingesta de alcohol y sin antecedentes de hepatitis. La cirrosis posthepatitis es aquélla en la que los pacientes tenían antecedentes de ictericia por hepatitis y no habían ingerido alcohol. Finalmente, la cirrosis criptogenética es aquélla en la que no se encuentra un factor etiológico en la historia clínica, así como los casos en que no se obtuvo la información adecuada.

El trabajo de Aceves y Saínos se efectuó mediante el diseño de una cédula de encuesta para recopilar información de las

historias clínicas de los enfermos cirróticos; los criterios diagnósticos están determinados por los signos clínicos (ictericia,
ascitis, edema, hepatomegalia y telangiec-
tasias); el diagnóstico histopatológico se
realizó en 102 casos pero este "fue insuficiente para dar mayor definición a la etiología, ya que en 43 estudios (42%) no se
logró precisar la clasificación histológica".[1]
La clasificación de la cirrosis se estableció
de acuerdo con el diagnóstico histopatológico: cirrosis alcoholonutricional; post-
necrótica; portal irregular, otras y no es-
pecificadas. Sin embargo, como se mencionó previamente esto sólo se estableció en
102 casos y no se obtuvo información adecuada en el 42% de éstos.

Desgraciadamente no se indica claramente cómo se llegó a la conclusión, mediante
criterios clínicos, de que la cirrosis era
debida al alcoholismo, ya que sólo se menciona que "Con base a la información clínica disponible, la etiología del proceso
cirrótico se asignó al alcoholismo en 278
pacientes (79.4%)".[1] Tampoco se establece claramente la clasificación de bebedores;
se menciona que "... en 270 pacientes
(77.1%) hubo antecedentes de alcoholismo de alto grado, identificando con este
término al alcohólico consuetudinario con
embriaguez ocasional y aquél con embriaguez constante; además de 50 enfermos
(14.3%) con alcoholismo social, o moderado, con embriaguez ocasional".[1] Para
clasificar a los tipos de bebedores, Dajer y
cols., utilizaron los criterios del Comité Nacional de Alcoholismo de Estados Unidos:
el bebedor normal es aquel que consume
entre 1 y 49 g de etanol; bebedor exagerado
el que consume entre 50 y 100 g de etanol;
bebedor inveterado el que consume más de

100 g de etanol. Todos ellos con una frecuencia que puede ser diaria, intermitente
o de fin de semana. En cuanto a los resultados encontramos que en relación a la
etiología de la cirrosis, de los 2.394 casos
revisados por Dajer, 1,250 de ellos correspondieron a cirrosis alcohólica, o sea, el
55.7% de los casos; en tanto que de los
350 casos de cirrosis estudiados por Aceves, 278 casos eran por cirrosis alcohólica,
es decir, un 79.4%. Este último dato concuerda más con el estudio de mortalidad
urbana realizado por Puffer y Griffith[23]
en América Latina, en el que se revisaron
2.051 certificados de defunción de cirrosis
hepática para 1962-64, hallaron que el
80.4% estaban asociados a alcoholismo.
Asimismo para México, Manzano[14] atribuye entre el 85 y 90% de las cirrosis
hepática a factores alcoholonutricionales.
Sin embargo, para Estados Unidos, Lel-
back[18] sostiene que la cirrosis hepática por
alcoholismo es del 30%, con respecto a
todas las formas de cirrosis.

En cuanto al sexo, Aceves encuentra que
el 70.9% de los casos eran pacientes
masculinos: es decir, existe una relación
de 2.5 hombres por una mujer; Dajer en
cambio encuentra que un 93.75% de los
pacientes con cirrosis eran del sexo masculino, o sea 15.5 hombres por cada mujer.
En relación al tiempo transcurrido entre
el inicio de la sintomatología y la realización del diagnóstico, Dajer encuentra que
en un 59.8% de los pacientes el diagnóstico
se estableció durante el primer año de sintomatología. Este es un dato importante
para estudiar el por qué en el retraso del
diagnóstico ya que la suspensión de alcohol en etapas tempranas de la cirrosis
es determinante para la supervivencia del

paciente. Asimismo en relación a las variables sociodemográficas, se señala que "la distribución del alcoholismo fue sin embargo, independiente de la ocupación y/o grado de escolaridad de los enfermos".[6] Desafortunadamente esta conclusión no queda suficientemente clara en el texto.

De estos trabajos se desprende la necesidad de efectuar tanto este tipo de estudios como prospectivos, utilizando la misma metodología, llevándolo a cabo en diferentes hospitales con la finalidad de comparar los resultados y poder emitir conclusiones con respecto a la epidemiología de la cirrosis hepática, que si bien no son extrapolables a toda la población, si permiten estudiar algún aspecto concreto de esta enfermedad.

En relación a los estudios que parten de los ingresos hospitalarios tenemos los trabajos realizados por Lara Tapia y cols.[11-13] en el Instituto de Servicios y Seguridad Social para Trabajadores del Estado. Uno de estos estudios es referido a la epidemiología de los padecimientos psiquiátricos en general, donde se incluye al alcoholismo; el otro trabajo es referido al alcoholismo y a la farmacodependencia en particular.

Los dos estudios fueron efectuados en la Clínica de Neurología y Psiquiatría "Juárez" del ISSSTE, utilizando la misma metodología, la cual consistió en seleccionar los casos mediante la revisión de los expedientes clínicos en su totalidad, en el periodo comprendido entre junio de 1973 y junio de 1975, para el caso de padecimientos psiquiátricos, para el alcoholismo y farmacodependencia, entre 1971 y 1973. Se utilizó para el diagnóstico la Clasificación Internacional de Enfermedades de la Organización Mundial de la Salud en su

publicación de 1968, y se excluyeron del estudio los reingresos al hospital, quedando sólo los pacientes atendidos por primera vez. Los casos se relacionaron con las siguientes variables: sexo, edad, diagnóstico clínico, ocupación, datos de hospitalización, condición como derechohabiente, etcétera.

En el trabajo referido a entidades psiquiátricas en general, encontramos que fueron 464 los pacientes internados por primera ocasión y, de éstos, ocupa el primer lugar el alcoholismo y las psicosis alcohólicas con 107 o sea 23.06%, seguidos de las esquizofrenias con 104 casos, 22.41%. Desgraciadamente la correlación con las otras variables estudiadas se efectuó mediante el agrupamiento de padecimientos en cuatro categorías: trastornos de la personalidad, neurosis, psicosis y trastornos orgánicos. Por esto, no es posible analizar lo correspondiente al alcoholismo; sin embargo, respecto a las ocupaciones de los alcohólicos el autor señala que "...destacan en los trastornos de la personalidad, fundamentalmente el alcoholismo, los profesores de educación física, los empleados burócratas, los desocupados (beneficiarios, padres generalmente) y los profesionistas universitarios".[11]

Al realizar la comparación entre el diagnóstico clínico en pacientes hospitalizados y ambulatorios, encontramos que en el caso de los hospitalizados, el alcoholismo patológico ocupa el segundo lugar como causa de hospitalización psiquiátrica con un 15.73% y, en los pacientes ambulatorios, ocupa el noveno lugar con un 3.42%; este dato nos habla de la poca demanda de atención por parte del alcohólico o de la poca frecuencia con que el médico general canaliza al alcohólico a los servicios especializados de psiquiatría.

Para el caso del estudio realizado sobre alcoholismo y farmacodependencia, la muestra para los tres años fue de 111 individuos de los cuales 71 eran alcohólicos y los 40 restantes farmacodependientes. Al relacionar los casos de alcoholismo con las variables estudiadas, tenemos que, en lo relativo al sexo, se encontró que el 88.73% de los casos correspondían al sexo masculino, encontrándose una relación de 7.8 hombres por una mujer, y la edad donde más se presenta la patología fue la comprendida entre los 31 y los 35 años con un 25.35% de los casos. En cuanto a la ocupación se encontró que el 85.91% eran empleados federales.

3. ESTUDIOS EPIDEMIOLÓGICOS SOBRE ALCOHOLISMO EN POBLACIÓN ABIERTA

En México, el método más utilizado para conocer la prevalencia de diversos tipos de bebedores en población abierta, así como otro tipo de fenómenos relacionados con la bebida, es el de la aplicación de la encuesta en hogares. Se han realizado encuestas de este tipo en diversas ciudades de la República Mexicana como Puebla, San Luis Potosí, Monterrey, La Paz, Baja California y Distrito Federal.[2, 7, 8, 16, 17, 21]

La mayoría de los estudios realizados han utilizado la clasificación de bebedores propuesta por Cahalan y cols.[4]

1. Abstemio: Incluye a aquellas personas que reportan no haber consumido bebidas alcohólicas en el último año.

2. Bebedores poco frecuentes: Quienes bebieron por lo menos una vez al año pero menos de una vez al mes.

3. Bebedores regulares: Personas que reportan consumo de bebidas alcohólicas por lo menos una vez al mes. A su vez estos bebedores se subdividen en consuetudinarios, moderados y leves.

3.1. Bebedores regulares consuetudinarios: Dentro de esta clasificación se encuentran las personas cuyo consumo varía entre 3 o más veces al día-diario, a 1 ó 2 veces al mes pero que beben 5 o más copas por incidente.

3.2. Bebedores regulares moderados: Abarca a las personas cuyo consumo varía entre 2 veces al día-diarios, pero que limitan el consumo a 1 ó 2 copas y aquéllas que ingieren alcohol por lo menos una vez al mes pero que toman más de tres copas por ocasión.

3.3 Bebedores regulares leves: Incluye a aquellas personas cuyo consumo varía de una vez al día-diario, a una vez al mes y que lo limitan a 1 ó 2 copas por incidente.

Este tipo de clasificación es un tanto arbitraria, ya que existen otros tipos de factores que intervienen en el desarrollo de problemas consecuentes a la ingestión de alcohol, como el estado nutricional del sujeto, su peso corporal, las normas culturales que definen al bebedor que constituye un problema, etcétera.

Sin embargo, esta clasificación es la que más se ha utilizado en México, por lo que presenta la ventaja de poderse hacer comparaciones entre los diversos estudios realizados.

En el Distrito Federal se han realizado dos trabajos tendientes específicamente a conocer la prevalencia del consumo de alcohol. Uno de ellos fue realizado en 1968 por Cabildo y cols.[2] y el otro por Medina-

Mora y cols. en 1980.[16] A pesar de que en el primer estudio se utilizó una clasificación diferente y que sólo fue hecho en una región del D. F., los objetivos para ambos estudios fueron similares, por lo que se pueden hacer comparaciones entre las metodologías utilizadas y sus resultados.

El trabajo realizado por Cabildo utilizó la clasificación adoptada en el II Seminario Latinoamericano sobre Alcoholismo efectuado en Costa Rica en 1966:

1. Alcohólicos. Persona incapaz de abstenerse o de detenerse en la ingestión de bebidas alcohólicas, por lo que las ingiere diariamente, llegando siempre, o por lo menos 2 ó 3 veces a la semana, a un estado de embriaguez, en grado de originarle dificultad o franca imposibilidad para caminar.

2. Bebedor excesivo. Ingiere diariamente o por lo menos 2 ó 3 veces a la semana, una cantidad aproximada de un cuarto de litro de bebidas destiladas, o 4 cervezas, o una botella de vino, y sólo ocasionalmente, pero más de una vez al mes, llega al grado de embriaguez arriba descrito.

3. Bebedor moderado. Es aquél que ingiere menos cantidad que el excesivo y no se embriaga más de una vez al mes.

4. Abstemio. Ingiere bebidas alcohólicas menos de 5 ocasiones al año y jamás llega a la embriaguez.

La clasificación por Medina-Mora y cols. es la propuesta por Cahalan anteriormente descrita. Ambos estudios tenían como objetivo conocer los patrones de consumo de alcohol y su distribución por subgrupos demográficos como sexo, edad, escolaridad, ocupación, estratos socioeconómicos, etc. Así como los factores asociados

con el consumo de alcohol; tipo de bebida consumida, edad y lugar de inicio, etcétera.

La encuesta se aplicó a mayores de 14 y 15 años por considerarse la población expuesta al riesgo.

Para el estudio realizado en 1968, la encuesta se realizó en una zona del D. F. en la que "...el universo era de 200,000 habitantes, de los cuales el 56% eran mayores de 15 años, que son los realmente expuestos al riesgo. Para este universo se consideró necesaria la aplicación de 550 cuestionarios".[2]

Desgraciadamente esto es todo lo que se indica sobre la metodología utilizada para la aplicación del cuestionario, no se describen las técnicas de muestreo, ni los criterios que se utilizaron para seleccionar al sujeto a quien se le iba a aplicar el cuestionario, ni el tiempo de duración del mismo.

En el estudio realizado en 1980, se efectuó un muestreo estratificado polietápico en donde las variables de estratificación fueron indicadores socioeconómicos censales. Las unidades primarias de muestreo fueron áreas geográficas, dentro de las cuales se seleccionaron las manzanas (unidades de muestreo de la 2a. etapa); en la 3a. etapa de selección las unidades muestrales fueron constituidas por los hogares y, finalmente, en la 4a. etapa se procedió a seleccionar a los individuos.

A pesar de las diferencias metodológicas de ambos estudios, tanto en lo referente a la clasificación como al tipo de cuestionario y de muestreo utilizado, los autores llegan a conclusiones muy similares. Se encontró en ambos estudios que la ingestión de bebidas alcohólicas es un fenómeno que crece con la edad, señalando que la población de mayor riesgo son los hombres en edad de 50 años en adelante.

El mayor consumo de alcohol se observa en estratos socioeconómicamente débiles, con baja escolaridad, en ocupaciones que requieren menos adiestramiento o en desempleados y emigrados del campo a la ciudad. Asimismo se señala que los problemas ocasionados por el alcohol se manifiestan en primer lugar en el hogar y posteriormente en el trabajo.

Dada la diferencia en las clasificaciones utilizadas para la definición de los patrones de consumo, la comparación directa de las conclusiones resulta extremadamente difícil; sin embargo, se puede comentar que en el estudio realizado por Cabildo se encontró que el 9.63% de la población estudiada eran bebedores excesivos y el 9.09% eran alcohólicos. Este hecho entra en contradicción con la mayoría de los trabajos realizados de este tipo en los que los porcentajes de excesivos es del doble que el de alcohólicos.

Asimismo podemos observar que en la distribución por diagnóstico en relación con la escolaridad alcanzada, en el grupo de analfabetas se encuentra que el 17.7% son alcohólicos y el 7.8% son excesivos, y en el grupo de profesionales el 4.1% son alcohólicos y no existe ni un sólo excesivo, lo cual nos revela alguna falla en la información obtenida.

En otra serie de estudios realizados en la ciudad de Puebla (De la Parra y cols. 1976),[8] en la ciudad de Monterrey (Natera y cols. 1982),[21] en la ciudad de San Luis Potosí (De la Parra y cols. 1975),[7] y en la ciudad de La Paz, Baja California (Medina-Mora y cols. 1978),[17] para cono-

cer la extensión del consumo de alcohol, en los que se perseguían los mismos objetivos y en los que se empleó la misma metodología utilizada en el estudio del Distrito Federal, podemos observar que en lo referente a los distintos tipos de bebedores se encontró que los porcentajes de bebedores regulares son muy similares en tres de las ciudades mencionadas así como en el Distrito Federal, fluctuando entre el 21% y el 26% de la población estudiada, con excepción de Monterrey en que los bebedores regulares fueron del 40%. Sin embargo, los porcentajes de bebedores regulares consuetudinarios, grupo de alto riesgo en la aparición de problemas por el consumo excesivo de bebidas alcohólicas, fluctúa entre un porcentaje bajo en Puebla y el Distrito Federal con 6.5% y 6% respectivamente, hasta 13% y 20% para la ciudad de La Paz y Monterrey, respectivamente.

PORCENTAJE DE BEBEDORES REGULARES* EN CINCO CIUDADES DE LA REPUBLICA MEXICANA

Ciudad	Consue-tudinario %	Mode-rado %	Leve %	Total %
1. Puebla	6.5	3	11.5	21
2. Distrito Federal	6	7	12	25
3. San Luis Potosí	9	3	11	24
4. La Paz	13	7	6	26
5. Monterrey	20.9	16	3.5	40.5

* Según clasificación de Cahalan y cols.

En relación a la distribución de consumo por variables demográficas se encontró que por sexo, el hombre es el que tiene un mayor consumo, aunque la proporción más grande fue en el Distrito Federal en que 12 hombres por cada mujer son bebedores consuetudinarios, y en la ciudad de

La Paz existen 3 bebedores consuetudinarios por una mujer.

Al relacionarlo con el nivel socioeconómico todos los estudios concuerdan en que el nivel más bajo es el más afectado, exceptuando la ciudad de Puebla en que el estrato medio es el que reporta mayor consumo consuetudinario con un 6.4 por ciento.

En lo referente a la escolaridad y a los grupos etáreos que mayor consumo consuetudinario reportan, los datos son discordantes ya que en el Distrito Federal y Monterrey se encontró que el grupo de mayor consumo es el de baja escolaridad y de 50 años o más, en cambio, en la ciudad de La Paz y en la de Puebla, el grupo de mayor consumo fue el que tenía estudios universitarios y edades entre los 25 y 34 años.

Algo similar ocurre en relación a la ocupación, para el Distrito Federal y para La Paz los mayores índices de consumo consuetudinario se encuentran en los empleados, y en Monterrey y Puebla, los que reportan mayor consumo son los sectores retirados.

Como podemos observar en esta serie de datos obtenidos en las diferentes ciudades de la República, únicamente se hacen correlaciones entre los diferentes tipos de bebedores y determinadas variables sociodemográficas, llegando, a lo más, a una descripción del fenómeno de la ingesta de alcohol para estas poblaciones, pero sin la posibilidad de poder realizar un análisis interpretativo sobre dicho fenómeno.

Consideramos que para poder realizar esto último, se hace necesario emprender un estudio básico de la naturaleza, características y dinámica de las creencias, actitudes, juicios y opiniones que sustenta una población determinada hacia la ingestión de bebidas alcohólicas, así como analizar la manera en que los diferentes tipos de bebedores son conceptualizados socialmente, a fin de poder ofrecer un marco interpretativo adecuado como para poder explicar la complejidad del fenómeno en su contexto particular y, en última instancia, poder ofrecer programas preventivos, encaminados a realizar un cambio de actitud por parte de la población hacia la ingesta de alcohol.

Conocemos un solo trabajo realizado en México que trata de dar cuenta de los aspectos arriba señalados: es el de Calderón y cols.[3] en el que los objetivos del estudio eran obtener información sobre los problemas relacionados con el alcohol, la naturaleza y extensión de aquéllos; estudiar los procedimientos para tratar estos problemas tanto en las instituciones formales como informales, y evaluar las respuestas de la comunidad ante estos problemas.

Para facilitar la exposición se puede decir que el estudio comprendió dos etapas. Una en la que se realizó una encuesta en las dos poblaciones estudiadas (rural y urbana); la otra en que se hizo un estudio de instituciones tanto formales como informales, en la que se utilizó una metodología de corte antropológico, mediante estudio de casos y entrevistas a pacientes. Sólo nos referiremos al estudio realizado a las poblaciones tanto urbanas como rurales. La metodología empleada fue la realización de un muestreo bietápico con dos unidades de selección: la vivienda y las personas mayores de 15 años que se iban a entrevistar. De esta manera se seleccionaron un total de 691 viviendas y 403 hombres y 224 mujeres para ambas comunidades.

En este estudio, además de analizar la información acerca de los patrones de consumo de la población, se trató de profundizar en el significado que este hecho tiene para la comunidad, analizando las propiedades, poderes y funciones que se atribuyen al uso del alcohol.

Así, a la pregunta sobre las razones que se tenían para beber, se encontró que el 50% de los hombres y un 35% de las mujeres señalaron que bebían porque era una buena forma de celebrar, el 45% de ambos sexos señalaron que porque lo hacen los amigos, 30% de las mujeres y 43% de los hombres contestaron que porque les gusta sentirse alegres y tomados, 20% aproximadamente de ambos sexos señalaron que porque cuando se sentían tensos y nerviosos les ayudaba a olvidar sus problemas.

En cuanto a las razones para no beber, el 95% de los hombres y el 90% de las mujeres respondieron que la bebida era cara, el 93% de ambos sexos dijeron que puede perjudicar su trabajo, el 80% de hombres y mujeres señalaron que hacen cosas de las que luego se arrepienten y 92% de los hombres y 80% de las mujeres que porque les da miedo volverse alcohólicas.

En relación a las actitudes que la población tiene hacia la bebida se elaboraron ocho reactivos, cuatro de los cuales tenían implicaciones positivas hacia la bebida y los otros cuatro cuantificaban las actitudes negativas; de esta manera se encontró que 28% de los hombres y 22% de las mujeres señalaron que era uno de los placeres de la vida, 65% de los hombres y 58% de las mujeres dijeron que era una forma de ser amistoso, entre el 40 y el 45% de ambos sexos dijeron que de vez en cuando hace bien emborracharse y el 43% señaló que la gente borracha es más divertida. De esto se desprende que alrededor de un 40% de la población le da connotaciones positivas al beber.

En las actitudes negativas hacia la bebida se encontró que el 92% de los hombres y el 85% de las mujeres señalaron que con la bebida la gente hace cosas que no debía, 93% de las mujeres y 80% de los hombres dijeron que saca lo peor de la gente, 75% de las mujeres y 96% de los hombres señalaron que "me avergüenzan mis parientes borrachos" y, finalmente, 83% de las mujeres y 73% de los hombres dijeron que era desagradable ver un borracho. Es así como el 80% de la población aproximadamente le da connotaciones negativas a la ingesta de alcohol.

De esta información se desprende que la población conocía las consecuencias negativas de la ingesta de alcohol y, sin embargo, como señalan los autores, en la población estudiada era frecuente el consumo de altas cantidades de alcohol.

Este antagonismo entre el conocer las consecuencias negativas del alcohol y sin embargo ingerirlo abundantemente, nos señala una serie de funciones positivas que ejerce el alcohol en el individuo y que éstas son negadas o minimizadas (ya que como vimos son muy bajos los porcentajes de personas que respondieron a las razones para beber por sus efectos psicotrópicos). Este hecho cuestiona las acciones preventivas del alcoholismo basadas en la educación para la salud ya que, como vemos, el hecho de conocer las consecuencias negativas del alcohol, no implica un cambio de actitud o de patrón cultural para con la ingesta de bebidas alcohólicas.

4. ESTUDIOS SOBRE ALCOHOLISMO EN POBLACIÓN ABIERTA EN LA QUE SE UTILIZA METODOLOGÍA DE TIPO ANTROPOLÓGICO

Este tipo de estudios se caracterizan por utilizar técnicas más cualitativas que cuantitativas, partiendo del análisis no sólo del alcoholismo sino también de la estructura en la cual se gesta dicho fenómeno, situándolo como funcional al contexto en el cual se desarrolla.

Son muy escasos los estudios epidemiológicos realizados que utilizan esta aproximación al problema en México. Conocemos dos de ellos: el realizado por Natera y cols.[20] en una comunidad semirrural, y el de Smart y cols.[24] efectuado en tres países de América en el que se incluyó a México.

En los dos primeros estudios la metodología utilizada fue la ya descrita a través de informantes. En realidad se trata del mismo estudio, sólo que en la comunicación de Natera se presentan los resultados y en el trabajo de Smart se hace una descripción más detallada sobre la metodología empleada.

El objetivo del estudio era conocer las costumbres y hábitos hacia la bebida así como la abstinencia y actitudes de tolerancia y permisividad que existen en la comunidad hacia el uso del alcohol.

Para esto se formaron 30 grupos integrados por seis miembros cada uno. Estos grupos se distribuyeron proporcionalmente de acuerdo a las principales actividades productivas de la comunidad: campesinos, profesionales y técnicos, obreros y personal de servicios, estudiantes y amas de casa.

En cuanto a los resultados sobre la frecuencia del consumo, se encontró que el 53% de los grupos opinaron que pocos hombres se emborrachan a diario. En relación a la edad de inicio del consumo se estableció que tanto los hombres como las mujeres se inician en la ingesta antes de los 15 años de edad; en lo referente al lugar de consumo el 73.3% de los grupos opinó que las mujeres beben únicamente en el hogar y el 50% opinó que los hombres sólo beben en lugares públicos; otro 30% señaló que el hombre bebe tanto en lugares públicos como en su casa. Al relacionarlo con el deporte, se encontró que el 90% de los grupos señalaron que tanto jugadores como espectadores beben alcohol después del evento. En cuanto al significado del alcohol en la población, desgraciadamente no se pudo llegar a una conclusión ya que "... las respuestas que se dieron como opciones no fueron significativas para los grupos estudiados, pues el mayor consenso se registró en otro tipo de significados que no estaban contemplados como alternativas de respuesta".[20]

Finalmente los autores concluyen que "en general, se encontró que sí existen costumbres definidas alrededor del consumo de alcohol en la comunidad, en las que están de acuerdo la mayor parte de los grupos aunque éstos pertenezcan a diferentes actividades laborales".[20]

Dada esta escasa producción, se comentará un estudio realizado en Chile por Hamel y cols.[10] sobre la venta ilegal de alcohol, ya que en este trabajo se utiliza una metodología antropológica, y Chile es uno de los países de América Latina que más abundante y sistemáticamente han estudiado este problema.

El estudio parte de una perspectiva antropológica cultural con el objeto de describir el problema de la venta ilegal de alcohol a través de los llamados "clandestinos" que eran aquellos lugares donde se venden y consumen, de manera relativamente permanente, bebidas alcohólicas sin autorización legal y/o en horarios fuera del reglamento para su venta. Esto se llevó a cabo en poblaciones obreras urbanas del área sur de Santiago.

La metodología empleada fue la entrevista no estructurada a informantes y la observación no participante. Posteriormente se realizó un estudio de caso sobre la dinámica grupal del clandestinaje, para lo cual se entrevistaron tres alcohólicos recuperados, una pobladora, dos líderes formales de la población y dos obreros bebedores excesivos. De esta manera se intentó desarrollar una tipología de los clandestinos y analizar las relaciones sociales, los patrones culturales que permiten este tipo de comercialización y los factores que los hacen funcionales en estas poblaciones.

Es así como se encontró que el factor más importante de la iniciación de un "clandestino" es el problema socioeconómico que sufren los que inician este tipo de comercio. En cuanto a las relaciones sociales de los clandestinos, los autores realizan un análisis a dos niveles: a través de las relaciones interpersonales —tanto entre los clientes y el dueño como entre los mismos asistentes—, y a través de las relaciones inter-organizaciones comunita-

rias comprendiendo éstas a las organizaciones formales como a las informales.

En las relaciones entre el cliente y el dueño, se encontró que éstas son por parte de los primeros ambivalentes ya que por un lado presentan gratitud y dependencia que se establece a partir del crédito y el préstamo de dinero que el comerciante otorga al cliente y, por otro lado, éste reconoce que en los clandestinos cuando se encuentran en estado de embriaguez le quitan el dinero, le cobran más caro y adulteran con agua el vino.

En cuanto a las relaciones sociales entre los clientes, los autores concluyen que éstas también son ambivalentes ya que "...por un lado presentan gran solidaridad en todo lo que se refiere al tomar juntos: el convidar al grupo, mantener en secreto cómo se consiguió el dinero para beber y ayudarse mutuamente, pero, coexistentemente con esta conducta parecía no haber conflicto para aprovecharse de los compañeros y sacarles el dinero mientras duermen, etc.". Así "...los lazos de amistad que se producen son formales y superficiales, determinados por el dar o recibir trago".[10]

Se estudió la red de relaciones inter-organizaciones comunitarias formales a través de la junta de vecinos, la cual estaba formada por comités encargados de la organización comunitaria y de atender los problemas de las manzanas. Una de sus responsabilidades era la de controlar y eliminar el sistema de comercialización ilegal de alcohol. Sin embargo, esto se vio imposibilitado, dado que, como lo manifiesta uno de los informantes "...al dueño del clandestino le conviene estar bien con el dirigente, porque sabe que lo va a tener de su lado y lo va a defender; entonces, le convida trago gratis y del mejor. Como tienen mejores ingresos, dan el doble del dinero para financiar las necesidades del comité e incluso de la población. Así, le callan la boca en las asambleas a los que no están de acuerdo con los clandestinos, porque muchas veces si ellos no ayudaran económicamente como lo hacen, serían pocos los adelantos de la población".[10]

El estudio de las organizaciones informales se realizó a través de los delincuentes y de los monopolios. Se encontró que dado que los clandestinos sirven de sitio de reunión para los delincuentes, éstos actúan como protectores de estos lugares ya que si por cualquier razón, el dueño se ve amenazado, el delincuente lo defiende. Se llamó monopolio a la concentración comercial que tenían determinados vendedores en la población, de tal manera que ".. .los comerciantes de alcoholes de mayor poder económico dentro de la población, controlan no solamente la venta de este producto, sino además estaban en conexión con otros comerciantes, sobre los cuales se ejercía gran influencia. Recurrían al apoyo de bandas de delincuentes que serían los directamente encargados de aplicar este control. Con éstas se podría decir que los monopolistas mantenían una relación simbiótica".[10]

5. Conclusiones

A partir de lo analizado, podemos señalar que los estudios que más se han realizado en México a través de métodos indirectos son los efectuados en centros hospitalarios. Estos suponen un sesgo de entrada ya que son efectuados en población cautiva que presenta características particulares y no puede ser representativo de la población total; sin embargo, son útiles para conocer problemas específicos como puede ser el porcentaje de cirrosis hepática ocasionada por alcoholismo o el aporte de información sobre las tendencias del problema en cuanto a demanda de servicios. Asimismo es necesario categorizar adecuadamente los casos y definir los conceptos utilizados.

Un hecho que llama la atención es el poco énfasis que se da a las variables sociodemográficas en comparación con los estudios que utilizan métodos directos en que la relación con estas variables son lo medular.

Los estudios que utilizan métodos directos, plantean la ventaja de poder extrapolar sus resultados a toda la población; sin embargo, además de los problemas ya descritos que plantea la utilización de la encuesta, se encuentra la dificultad de poder diferenciar a través de ella, entre los sistemas de actitudes de la gente y los sistemas de creencias; es decir, entre las actividades que realiza la gente en torno al alcohol y lo que dice sobre ella. Para esto se hace indispensable tener en cuenta diferentes factores:

a) El muy distinto grado de información en que se basan las respuestas de los encuestados, debido ya sea a las diferencias de intensidad afectiva o a la convicción y el interés vinculados con el juicio manifestado.

b) La ambivalencia y limitaciones de la opinión enunciada en cuanto al tipo de pregunta, horario en el que se realiza, etc.

c) La discrepancia entre la opinión enunciada y el pensamiento íntimo (que no es sólo cuestión de ocultamiento o falsedad).

d) La firmeza de la opinión expresada.

e) La intención con la que es expresada la opinión.

Así, al diseñar la encuesta y tomar en cuenta dichos factores, se pretendería atenuarlos mediante preguntas dirigidas al nivel congnitivo y otros al nivel de actitud con el fin de compararlas, contraponerlas y evaluar cuál de ellas es la más significativa para el sujeto.

Este mismo problema se presenta en el estudio efectuado con el método de informantes, en el cual no se pudo llegar a ninguna conclusión en lo referente al significado que tiene la población sobre la ingesta de alcohol, dado que las respuestas fueron muy heterogéneas. Consideramos que esto es debido a que la significación que entraña el alcohol para la gente es muy disímbola, por lo que es necesario realizar preguntas abiertas en las que se trate de profundizar mediante los porqués a estas respuestas, y de esta manera también poder atenuar las diferencias entre el nivel cognitivo y el de actitud. Asimismo en la utilización de este método es necesario una gran dedicación por parte del investigador para permanecer en el campo el tiempo suficiente para identificar qué grupos o individuos son los líderes informales y así poder configurar los grupos de personas que van a responder el cuestionario. Otro aspecto a tomar en cuenta es el hecho de que se corre el peligro de que al darle el cuestionario al líder, éste finalmente conteste las preguntas a través de su propia percepción y no sea un auténtico consenso del grupo. Asimismo se debe preveer que en los grupos formados hay líderes que pueden manipular al grupo y hegemonizar las respuestas.

En cuanto a la aproximación antropológica, podemos señalar cómo al profundizar en la venta ilegal de alcohol, se evidencia que las acciones emprendidas contra estas prácticas generalmente han ido al fracaso ya que intentan eliminar dichos locales a través de medidas represivas o de enfrentamiento directo como si fueran grupos separados y solamente unidos por el alcohol. Sin embargo, como vimos, estos locales están legitimizados en la comunidad tanto por situaciones económicas como por las redes de relaciones interpersonales.

Estas redes sociales así como otra serie de factores que ocurren en el interior de una comunidad, en particular, pueden ser descritas a través de métodos cualitativos; sin embargo, estos métodos deben ser complementados a través de métodos cuantitativos a fin de poder describir y analizar tanto los patrones de consumo de la población, como la funcionalidad que cumple el alcohol en el interior de la sociedad.

Es así como mediante la utilización de las técnicas disponibles de las distintas disciplinas, los investigadores tendrán la oportunidad de desarrollar nuevos métodos y nuevas aproximaciones para el estudio del alcoholismo.

REFERENCIAS

1. ACEVES S A, GARCÍA R H, VALLADARES O: *Epidemiología de la cirrosis en la población derechohabiente del Instituto de Seguridad y Servicios Sociales de los Trabajadores del Estado.* Sal Púb Méx 17: 453-458, 1975.
2. CABILDO H, SILVA M y JUÁREZ J M: *Encuesta sobre hábitos de ingestión de bebidas alcohólicas.* Sal Púb Méx 11: 759-769, 1969.
3. CALDERÓN G, CAMPILLO C y SUÁREZ C: *Respuestas de la comunidad ante los problemas relacionados con el alcohol.* OMS-Inst Mexicano de Psiquiatría, 1982.

4. CAHALAN Y COLS: *American drinking practices: A national study of drinking behavior and attitudes.* New Brunswick N J Rutgers Center of Studies, Monograph, No 6, 1969.

5. CAMPILLO C, MEDINA-MORA M E: *Evaluación de los problemas y de los programas de investigación sobre el uso de alcohol y drogas (especialmente solventes) en México.* Sal Púb Méx *20:* 733-743, 1978.

6. DAJER F, GUEVARA L, AROSAMENA L, SUÁREZ I, KERSHENOBICH D: *Consideraciones sobre la epidemiología de la cirrosis hepática alcohólica en México.* Rev Invest Clín *30:* 13-28, 1978.

7. DE LA PARRA C A, TERROBA G G, MEDINA-MORA M E: *Prevalencia del consumo de alcohol en la ciudad de San Luis Potosí, SLP.* Rev de Enseñanza e Investigación *12:* 236-245, 1980.

8. DE LA PARRA C A, TERROBA G G, ISOARD J, MEDINA-MORA M E Y OTROS: *Estudio epidemiológico sobre el consumo de fármacos en la ciudad de Puebla a través de encuesta en hogares 1976.* Reporte Interno del Depto de Inv Epid y Soc de ICEMEF (IMP).

9. GONZÁLEZ R, KATATSKY M: *Epidemiological research in Latin America.* En: Rutledge B y Fulton G (Eds) International Collaboration Problems and Opportunities. Toronto, Addiction Research Foundation, 1978.

10. HAMEL P Y ASUN D: *Los clandestinos: venta ilegal de alcohol en poblaciones obreras urbanas.* Acta Psiquit Psicol Amér Latin *24:* 49-51, 1978.

11. LARA T H, RAMÍREZ DE L L: *Estudio clínico epidemiológico de los padecimientos psiquiátricos en un sistema de seguridad social (ISSSTE).* Sal Púb Méx 17: 675-685, 1975.

12. LARA T H Y ESPINOSA G: *La hospitalización psiquiátrica en un sistema de seguridad social (ISSSTE).* Sal Púb Méx *18:* 901-910, 1976.

13. LARA T H Y VÉLEZ B J: *Alcoholismo y farmacodependencia en un sistema de seguridad social. Un estudio epidemiológico.* Sal Púb Méx *17:* 387-395, 1975.

14. MANZANO J: *Epidemiología y prevención de la cirrosis hepática.* Sal Púb Méx *16:* 601-605, 1974.

15. MARCONI J: *Defunciones básicas.* En: *Epidemiología del alcoholismo en América Latina.* Horwitz, Marconi, et al (Ed). Acta Fondo para la Salud Mental, Buenos Aires, Arg, 1967.

16. MEDINA-MORA M E, DE LA PARRA C A Y TERROBA G G: *El consumo de alcohol en la población del Distrito Federal.* Sal Púb Méx *22:* 281-288, 1980.

17. MEDINA-MORA M E, DE LA PARRA A Y TERROBA G: *Extensión del consumo de alcohol en la población de La Paz, B C. (Encuesta en hogares).* Cuadernos Científicos CEMESAN, 1978.

18. En: MENÉNDEZ E Y DI PARDO R: *Alcoholismo[1] características y funciones del proceso de alcoholización. Alienación enfermedad o cuestionamiento.* Cuadernos de la casa Chata No 56, Centro de Inv y Est Sup en Antrop Soc, 1982.

19. MIGUEZ H: *Consideraciones acerca de la ingesta de alcohol en Costa Rica.* INSA, diciembre, 1980.

20. NATERA G Y OROZCO C: *Opiniones sobre el consumo de alcohol en una comunidad semirrural.* Sal Púb Méx *23:* 473-482, 1981.

21. NATERA G Y TERROBA G: *Prevalencia del consumo de alcohol y variables. Demografía asociada de la ciudad de Monterrey, N. L.* Salud Mental *5:* 82-86, 1982.

22. POPHAM R E: *Jellinek's international survey on drinking customs.* Substudy No 805, Toronto Addiction Research Foundation, 1976.

23. PUPPER W Y GRIFFITH: *Características de la mortalidad urbana. Informe de la investigación de mortalidad.* OPS Publicaciones Científicas No 151, Washington, 1968.

24. SMART R, NATERA G Y ALMENDARES J: *Ensayo de un nuevo método para estudiar el consumo de alcohol y sus problemas en tres países de las Américas.* Bol Of Sanit Panam *91 (6):* 479-510, 1981.

PATOLOGIA SOCIAL DEL ALCOHOLISMO; UN PROBLEMA DE SALUD PUBLICA

Dr. Gustavo García Travesi Gómez, MSP*

El alcoholismo en casi todo el mundo es un grave y creciente problema de salud pública por su magnitud y trascendencia, y ha merecido, desde 1950, la atención de la Organización Mundial de la Salud. En el Informe final del Seminario Latinoamericano sobre Alcoholismo, que tuvo lugar en Viña del Mar, Chile, en noviembre de 1960, se subrayó que para abordar al alcoholismo dentro de programas de salud, se le debería considerar como "un trastorno crónico de la conducta", con lo cual, persistió el criterio del médico Thomas Trotes, que sostenía desde 1800, que era "una enfermedad".[1]

Más tarde la OMS amplió la definición del alcoholismo para abarcar las variaciones regionales y sociales, mencionando que "el alcoholismo es una enfermedad crónica o desorden de la conducta, caracterizado por la ingestión repetida de bebidas alcohólicas en forma que, excediendo el consumo del etílico acostumbrado al de la adaptación corriente a las costumbres sociales de la comunidad, causa perjuicios a la salud del bebedor, a sus relaciones con otras personas y a su actividad económica".[2]

Desde el punto de vista epidemiológico, según Halon[3] el alcoholismo puede ser definido como una enfermedad adquirida, crónica, progresiva y generalmente mortal, caracterizado por la ingestión compulsiva de cantidades excesivas de alcohol que conduce a los estadios más avanzados de la enfermedad y a ciertas secuelas de deterioro psicológico, físico y social.

Los investigadores y epidemiólogos de todo el mundo han tratado de dilucidar la delimitación conceptual del problema del alcoholismo. La tendencia dominante ha sido considerar que el alcoholismo es una enfermedad, con síntomas patológicos relativos a la personalidad del individuo, de tal modo que para prevenirlo y combatirlo habría que considerarlo dentro de la patología mental. Bien sabemos que deforma la personalidad, falsificando la experiencia interna y acentuando los aspectos negativos de la misma, debiéndose esto a los daños que produce el alcohol.

Recientemente, la antropología y la sociología han propuesto diferentes y novedosos enfoques sobre el alcoholismo para identificarlo en relación a costumbres, valores y sanciones dentro de un marco cultural establecido. Así algunos factores empiezan a considerarse determinantes en la dinámica de este proceso: exposición temprana al alcohol en los niños, al contenido de alcohol en las bebidas tradicionales, a la consideración de éstas como alimento y a su consumo usual en las comidas, al comportamiento de ingesta de los padres, a la importancia moral atribuible al hecho de beber, a la asociación del beber con la virilidad, a la aceptación social y religiosa de la abstinencia y la no aceptación de la intoxicación alcohólica.[4]

Sin embargo, a pesar del interés que el alcoholismo ha despertado en múltiples

* Médico Cirujano, Maestro en Salud Pública.

instituciones y diferentes profesionistas, las investigaciones desde el ángulo social y cultural son muy escasas y se refieren casi exclusivamente a las zonas urbanas, quedando muchas facetas aún obscuras en cuanto a la problemática del alcoholismo como fenómeno existencial.[5]

En cualquier país del mundo ha sido muy difícil valorar la prevalencia del alcoholismo por el diagnóstico directo de los casos, y generalmente es observado y cuantificado en forma indirecta a través de las manifestaciones atribuibles al alcohol:[6]

1. *Por los daños a la salud que ocasiona (cirrosis hepática, úlcera péptica, etc.).*

2. *Por las alteraciones de la conducta que origina:*

   — Ausentismo laboral.
   — Accidentes de tránsito.
   — Problemas legales y otros.

3. *Por las graves consecuencias sociales que determina:*

   — Desintegración familiar.
   — Disminución de la capacidad productiva o de consumo.
   — Sobrecarga económica familiar y social.

Sin embargo, en México hay datos directos o indirectos más o menos confiables, que, para nuestro propósito, son suficientes para dar una visión objetiva y clara de lo alarmante que es el problema del alcoholismo en nuestro país.

Entre 1950 y 1975 se registraron aumentos de 100 por ciento al 500 por ciento en el consumo per cápita de alcohol (en términos de 100 por ciento de etanol).[7] La tasa de mortalidad por cirrosis hepática no ha tenido modificaciones en los últimos 30 años, siendo de más de 20 por 100.000 habitantes y ha ocupado en la última década un lugar preponderante entre las diez primeras causas de muerte. Afecta a los individuos en edad productiva a partir de los 25 años. La cirrosis hepática causa muertes en tasa superior al promedio nacional en cinco entidades del centro del país: Distrito Federal, Estado de México, Hidalgo, Puebla y Tlaxcala. La tasa máxima se ha registrado en Chapulco, Pue., y fue de 208. Esta cifra es la más alta que se conoce en el mundo.[5]

Como habría de esperarse, la cirrosis y el alcoholismo son de baja incidencia hasta los 25 años de edad. Al iniciarse el proceso de socialización en el ámbito laboral (responsabilidades, deformaciones, éxitos, fracasos, frustraciones, etc.), aumentan gradualmente hasta los 45 años y, disminuyen en ambos sexos, después de los 50 años.

En un estudio presentado por el Dr. Bustamante[8] a la Academia Nacional de Medicina, se calculaba que el número de alcohólicos entre 1967 y 1971 había variado entre un millón 260 mil y un millón 600 mil, cifras obtenidas sobre la base de las defunciones por cirrosis hepática. Entre 1972 y 1975 esta cifra varió entre 1,500.000 y 1,700.000 alcohólicos.

Los datos de México en 1980-1981 sobre el alcoholismo y las bebidas alcohólicas, en general, se exponen en los puntos siguientes y provienen del Informe de Labores de la Comisión de Salubridad y Asistencia de la SSA.[7]

1. *Cifras estadísticas:*

— De 6 millones y medio de alcohólicos, el 50% tienen de 12 a 28 años.

— El 65% está en edad productiva.

— La conducta de estos enfermos neurotiza como promedio a 5 personas más (padres, hermanos, esposa(o), hijos).

— 75,000 adolescentes se agregan anualmente a las primeras etapas de la enfermedad.

— De los mexicanos de 15 a 60 años de edad, uno de cada diez es alcohólico.

— En 1981, más de 10.000 personas murieron por cirrosis hepática en nuestro país.

— Se estima que el crecimiento actual del problema es de dimensiones alarmantes.

— La tasa de mortalidad en el alcohólico es 2.5 veces la tasa normal.

— La tasa de suicidio por alcoholismo es también 2.5 veces mayor que en el resto de la población.

— Las muertes por accidentes en los alcohólicos son siete veces más altas que en la población general.

— También la tasa de morbilidad entre los alcohólicos es muy alta.

— Entre los enfermos en los hospitales generales, los identificables como alcohólicos varían entre 13 a 25 por ciento.

— La cifra de mortalidad es de cuatro veces mayor en el hombre que en la mujer; este dato es una constante casi invariable.

— El 80 por ciento de los divorcios tienen su origen en el alcoholismo.

— Recientemente, se ha calculado que el 75% de estudiantes del nivel superior consumen bebidas alcohólicas.[7]

2. *Daños a la salud:*

— La cirrosis hepática tradicionalmente ha sido considerada como medida de prevalencia del alcoholismo. Mientras que el N.I.A.A.A. de Estados Unidos[6] afirma que en ese país el 90 por ciento o más de las cirrosis está asociada con el uso excesivo de alcohol, otros autores como Williams y Davis,[8] dan cifras que oscilan entre el 33 y el 65 por ciento.

— La pancreatitis —inflamación del páncreas— es también una consecuencia conocida del uso excesivo de bebidas alcohólicas. La pancreatitis de este tipo representa más del 50 por ciento de los casos.

— La desnutrición comúnmente ocurre entre personas alcohólicas. El alcohol es una fuente importante de calorías, proporciona una fracción de los requerimientos diarios de calorías que, obviamente, son insuficientes, pero sustituyen la necesidad de ingerir proteínas, vitaminas y minerales básicos.

— Algunos tipos de cánceres en sitios específicos están asociados con el alcohol, tales como el del esófago. Tumores malignos primarios de hígado son observados frecuentemente en personas que son bebedores en exceso de alcohol, particularmente si se ha desarrollado cirrosis del hígado. El alcohol en combinación con el tabaco (que algunos estudios han mostrado sinergismo cocarcigenético) representan la causa de casi el 70 por ciento de los cánceres orales en hombres.

— Al parecer, existe una correlación entre las enfermedades cardiovasculares y el consumo de alcohol en diferentes grados. La relación entre su consumo y cardiomiopatías específicas no está perfectamente establecida. El N.I.A.A.A.[6] afirma que en la enfermedad coronaria, la tasa de mortalidad entre alcohólicos es 400 veces mayor que en los no alcohólicos. Lo anterior contrasta con autores como Bing y Weishaer, quienes dicen que aún no pueden establecerse conclusiones definitivas aunque hay evidencia de que los bebedores excesivos sufren una serie de problemas circulatorios.[9] También Hjortland y Feinleib[10] analizan las relaciones epidemiológicas de la ingesta de alcohol y las enfermedades coronarias, y las llaman "aun inconsistentes" en virtud de que la tasa más baja de muerte por enfermedad coronaria se encontró entre los que lo consuman en exceso.[10]

— Desórdenes mentales también están asociados con el consumo de alcohol excesivo. Psicosis alcohólica, manifestada en delirium tremens, alucinaciones, estados paranoicos, depresivos o psicosis maníacodepresivas. El 42 por ciento de los pacientes deprimidos refieren el abuso en la ingestión de bebidas alcohólicas.[9]

3. *Producción:*

— En México, cada minuto se producen 4.885 litros de cerveza. En 1979, se fabricaron 2.565,562.000 litros de cerveza, que permitieron clasificar a esta industria como la más fuerte después de la automotriz siderúrgica. Se ha calculado que esta industria vale 24 mil 422 millones de pesos.[7]

4. *Consumo:*

— Cada mexicano consume al año 38.4 litros de cerveza. Esta bebida compite exitosamente con el pulque ya que es símbolo de mejor posición en el trabajo y de percepción de mayor ingreso. Se anuncia profusamente, relacionándola para fomentar su consumo a las aficiones deportivas o a las ocasiones de diversión de la juventud masculina y femenina, situación prohibida por los reglamentos correspondientes.[7]

5. *Costo de anuncios:*

— En 1980 la industria de bebidas alcohólicas invirtió 1.500 millones para anunciar sus productos en televisión y radio.

Los cerveceros invirtieron 52,213.580 pesos, para anunciarse durante 55.950 segundos. Los brandis ocuparon 35.700 segundos con erogación de 33,411.600 pesos.[7]

6. *Patología laboral:*

— 15 por ciento de la fuerza productiva de México se nulifica por el alcoholismo lo cual representa una pérdida económica de más de 200.000 millones de pesos al año. Da lugar a un ausentismo laboral en día lunes, perdiéndose 1/5 días productivos a la semana.[7]

7. *Accidentes de trabajo y criminalidad:*

— 60 por ciento de los accidentes de tránsito obedecen al alcoholismo; asimismo, en estado de ebriedad se comete un elevado número de crímenes y asaltos a mano armada, uniéndose fatalmente el alcohol, el crimen y la muerte.[7]

8. *Adquisición de bebidas alcohólicas:*

— Un factor importante en el alcoholismo es la facilidad para adquirir bebidas alcohólicas —aun a menores de edad— por la abundancia de los establecimientos dedicados para su venta, su diversidad para satisfacer el gusto de los bebedores y los incentivos para beber en el hogar, con los compañeros de trabajo y en los lugares de recreación.

— Desde 1976 en todo el país había 175.382 expendios de bebidas alcohólicas, de éstas, 21.945 en el medio rural y 153.433 en el medio urbano.

— Las cantinas son en proporción de 3 a 1 en las zonas urbanas en relación a las rurales; o sea que, sobre esta proporción, hay más cantinas para menos personas en las comunidades de menos de 2.500 habitantes.[7]

— Como se habrá observado en estos puntos hay toda una gama de características, factores, variables e indicadores significativos que evidencian al alcoholismo como un problema multifacético en los que intervienen aspectos culturales, biológicos, médicos, económicos, legales, etc., por lo que se requiere necesariamente la participación de grupos multidisciplinarios para estudiar este fenómeno diseminado en todos los grupos sociales, y así encaminar acciones concretas, más que nada a la prevención del mismo.

Uno de los esfuerzos más trascendentes que ha presenciado la humanidad en el terreno de la investigación epidemiológica en los últimos años, ha sido sobre el alcohol y el alcoholismo al considerarlo como problema médico-social. Este ha sido iniciado por la OMS desde 1976.

Los primeros resultados de esta investigación fueron presentados en la Academia Nacional de Medicina, el 9 de mayo de 1979.

Se ha insistido en que los problemas relacionados con el alcoholismo afectan no sólo al bebedor como individuo, sino también a la familia y a la sociedad en general (ruptura familiar, maltratos a esposa e hijos, daño fetal, problemas de desarrollo en los hijos, abandono de la escuela o del empleo, muerte prematura; efectos en el orden jurídico, víctimas de accidentes causados por el bebedor, pérdida de la capacidad productiva, carga social, etc.).

La prevención de los problemas relacionados con el alcohol es motivo de preocupación no sólo para la salud pública y el bienestar social sino también constituye un asunto circunscrito a intereses fuertes, de tipo económico, intelectual y emocional.

A pesar del esfuerzo que se ha hecho para crear una red de ayuda (Alcohólicos Anónimos) y de otras instituciones y asociaciones que encaran estos problemas, las cifras de prevalencia no han notado una disminución importante y, en muchas ocasiones, ha sido difícil atraer a los pacientes y proporcionarles un tratamiento exitoso. En la actualidad las sociedades altamente desarrolladas tienen poco que ofrecer a las que están en proceso de desarrollo en cuanto a tratamientos efectivos y sistemas de respuestas sociales adecuadas.

Ante este dilema, deben tomarse en cuenta los resultados de las investigaciones locales. En este punto, de acuerdo a nuestra realidad, la comunidad debe participar activamente en la solución del problema del alcoholismo y velar por la seguridad física y moral de la familia del bebedor.

Los esfuerzos encaminados a cambiar la conducta individual del bebedor pueden canalizarse de dos maneras: una se relaciona con la información, la educación y la motivación. El propósito de esta labor consiste en cambiar los patrones de consumo existentes y las normas que los rigen. Esto necesariamente conlleva a un esfuerzo colegiado con la participación de diversas instituciones involucradas en el asunto. Concretamente, a la S.S.A. le corresponde, además de la legislación en todo lo referente a la producción, comercialización (propaganda, muy especialmente) y consumo de bebidas alcohólicas, cumplir con las tareas específicas de salud pública, en lo que toca a la prevención, tratamiento y rehabilitación del alcohólico y llevar a cabo programas sistemáticos y permanentes a nivel nacional incluyendo el uso ilegal de narcóticos y drogas psicotrópicas, que generalmente se aparejan a problemas del alcoholismo.[7]

Los objetivos que deben pretender alcanzarse son los siguientes:

1. Desarrollar una orientación científica sobre los efectos de estos productos en la salud del individuo, la familia y la comunidad; su relación con la salud, la productividad y la criminalidad, principalmente en las instituciones educativas, los lugares de trabajo y en los expendios de bebidas alcohólicas.

2. Educación enfocada a la prevención del alcoholismo, estimulando el desarrollo de actividades físicas, cívicas y culturales y de apoyo al mejoramiento de la nutrición.

3. Tomar en cuenta los resultados de las investigaciones en nuestro país sobre el alcohol y el alcoholismo, para la elaboración de programas específicos.

4. Modificar las costumbres de consumo del alcohol, a través de la introducción de formas de consumo moderado.

5. Orientar los programas educativos a los jóvenes y a los grupos de bajos ingresos.

6. Modificar y ampliar los programas de enseñanza universitaria y de las carreras de medicina, para que los futuros médicos intervengan directamente e informen de su participación

en el tratamiento de este problema. Así como capacitar a personal de otras disciplinas.

7. Preparar terapeutas, psicoterapeutas, trabajadoras sociales y promotores de salud especializados para la prevención y rehabilitación.

8. Sensibilizar a la familia del alcohólico sobre la necesidad de participar activamente en el tratamiento del mismo.

9. Estimular a las sociedades civiles (Alcohólicos Anónimos) con el objeto de extender y ampliar su cobertura y mejorar la calidad de los servicios que prestan.

10. Inculcar a todo ciudadano la necesidad de informar de todos los casos-problema, aun los más incipientes, para actuar de inmediato en cualquiera de los niveles preventivo, curativo y rehabilitatorio.[7]

No es sino hasta muy recientemente que se han iniciado trabajos de investigación formal en el área de la salud pública relacionados con el alcoholismo, por lo que proponemos que el interés, cada vez mayor en este sentido, se oriente a los factores que influyen en la ingesta, los patrones de consumo y las repercusiones a nivel socioeconómico que el abuso del alcohol representa y origina.

Para lograr lo anterior son muchas las acciones que deberían emprenderse. En primer término, la formación de personal de investigación en diversas disciplinas que se dedique a estudiar, de manera integral, el problema del alcoholismo, con proyectos coordinados que obedezcan a las necesidades de la población así como a los in-

tereses institucionales. De esta manera se evitaría la duplicidad de esfuerzos en aras de lograr el propósito de enfrentar este grave problema de salud pública, de una manera científica y pragmática, para disminuir las consecuencias que, en todos los órdenes, ocasiona el alcoholismo.

En nuestro país se reconoce en el Código Sanitario que el alcoholismo es un problema de salud y que corresponde a la Secretaría de Salubridad y Asistencia la labor preventiva contra el mismo.

Con la finalidad de ejercer esta facultad, en el año de 1979 se formó la Comisión de Salubridad y Asistencia, presidida por el Dip. Dr. Fernando Leyva Medina, y en representación de la S.S.A., el Dr. Federico Chávez Peón, Subsecretario de Salubridad. Esta Comisión estuvo integrada por 21 miembros, diputados de diversos partidos políticos, que se reunieron periódicamente para tratar asuntos de distinto carácter. Entre los principalmente estudiados y conducidos por la Comisión destacan las iniciativas y propuestas de ley referentes a la prevención del alcoholismo y la rehabilitación del alcohólico, que dio lugar a la creación del Consejo Nacional Antialcohólico.

A dicha Comisión de Salubridad y Asistencia, el 11 de diciembre de 1980, se turnaron para su estudio dos iniciativas de ley: una de reformas y adiciones a los Artículos 3, 7, 35, 147, 171, 230 y 247 del Código Sanitario de la República Mexicana en materia de prevención del alcoholismo y rehabilitación de alcohólicos, y otra que consideraba la creación del Instituto Nacional de Prevención Alcohólica.

Después de los estudios convenientes sobre las posibilidades de su aprobación y de reuniones con la Secretaría de Salubridad y Asistencia, se llegó a la conclusión de que lo más práctico y viable era la creación de un organismo coordinador de los sistemas antialcohólicos ya existentes, y no la creación de un Instituto que erogaría sumas excesivas y que cumpliría con el mismo objetivo, por lo que conjuntamente con las autoridades de la S.S.A., se proyectó la creación del Consejo Nacional Antialcohólico.

Así, por acuerdo común, el Secretario de Salubridad y Asistencia, con fundamento en los Artículos 14, 16 y 39 de la Ley Orgánica de la Administración Pública Federal, en varios Artículos del Código Sanitario de los Estados Unidos Mexicanos, entre los cuales figuran el 3o., 5o., 147, 148 y en los distintos Reglamentos del mismo; y en los Artículos 1o., 2o., 3o. y 5o., Fracciones XII y XIV, del Reglamento Interior de la Secretaría de Salubridad y Asistencia, y

CONSIDERANDO

— Que nuestra Constitución Política en diversos artículos como el 73 y 117, encomienda de manera expresa y reiterada al poder público la prevención del alcoholismo.
— Que uno de los problemas sociales que incide más desfavorablemente en la salud de los mexicanos, está constituido por la ingestión inmoderada de bebidas alcohólicas.
— Que el alcoholismo es una enfermedad en expansión permanente que afecta la productividad del trabajo y deteriora la integración familiar.
— Que el ejercicio cabal de las facultades que la legislación confiere a la S.S.A., en materia de educación para la salud, de rehabilitación de inválidos, de control sanitario y de la publicidad de los productos alcohólicos, contribuirá a mejorar el manejo del programa que para la sociedad representa al alcoholismo.
— Que expresamente el Código Sanitario de los Estados Unidos Mexicanos, dispone que es materia de salubridad general la campaña nacional del alcoholismo, incluyendo las medidas relacionadas con aquélla, que limiten o prohiban el consumo del alcohol.
— Que la gravedad y extensión que ha alcanzado ese problema de salud pública, hacen imperativo que participen en su atención las diversas unidades administrativas competentes de la Secretaría y distintas dependencias y Entidades Federales, Estatales y Municipales, así como personas de los sectores social y privado, y,
— Que un órgano colegiado es un medio idóneo para coordinar esfuerzos, examinar propuestas y reunir la iniciativa de las Dependencias, Unidades y personas competentes o involucradas, se dictó el siguiente:

ACUERDO

Primero: Se crea el Consejo Nacional Antialcohólico como órgano de consulta, asesoría y coordinación de la Secretaría de Salubridad y Asistencia, que estará formado por el titular, quien lo presidirá o por quien designe, y por los directores generales de Epidemiología, de Control de Alimentos, Bebidas y Medicamentos; de Comunicación Social; de Educación para la Salud, de Salud Mental y por los demás funcionarios que nombre al efecto.

El titular invitará a que se integren al Consejo o a que asistan a sus sesiones a representantes de las comisiones de estudio y dictamen del H. Congreso de la Unión relacionadas con la Salubridad, de las Secretarías de Gobernación, de Comercio, de la Secretaría de Trabajo y Previsión Social, de Educación Pública, de Patrimonio y Fomento Industrial, del Instituto Mexicano del Seguro Social, del Instituto de Seguridad y Servicios Sociales de los Trabajadores del Estado, del Sistema de Desarròllo Integral de la Familia, de la Universidad Nacional Autónoma de México y del Instituto Politécnico Nacional.

Asimismo, el titular podrá invitar a que asistan a sus sesiones a representantes de Estados y Municipios y a personas de los sectores social y privado, siempre y cuando estos últimos no tengan intereses económicos directos en la producción o comercialización de bebidas alcohólicas.

Segundo: El Consejo Nacional Antialcohólico tendrá las siguientes facultades:

I. Examinar y aprobar recomendaciones sobre la campaña de alcoholismo que lleva a cabo la Secretaría y darlas a conocer a ésta.

II. Promover la participación de otras autoridades, dependencias y entidades, así como de personas de los sectores social y privado.

III. Apoyar la formación de personal técnico en el campo de la prevención del alcoholismo y de la rehabilitación de alcohólicos.

IV. Recomendar políticas y medidas específicas tendientes a dar mayor eficacia a los planes, programas y campañas de la Secretaría y de otras autoridades, dependencias y entidades.

V. Promover reformas a la legislación aplicable a la producción, distribución, publicidad y consumo de alcohol cuando puedan afectar a la salud pública, y

VI. Estudiar y conocer todo asunto relacionado con la prevención y erradicación del alcoholismo y con la rehabilitación de los alcohólicos, que propongan sus miembros o le encomiende el Secretario del ramo.

Tercero: El Consejo Nacional Antialcohólico contará con un Secretario, nombrado y removido libremente por el titular y quien contará con las facultades que le confiere éste y el reglamento interno respectivo.

Cuarto: La organización y funcionamiento del Consejo Nacional Antialcohólico estarán sujetos al reglamento interno que expida el titular, a propuesta del propio Consejo.

Quinto: El Consejo Nacional Antialcohólico celebrará una sesión ordinaria bimestral y las extraordinarias a las que convoque el titular.

TRANSITORIOS

Primero: El presente Acuerdo entrará en vigor el día siguiente de su publicación en el *Diario Oficial* de la Federación.

Segundo: El Consejo Nacional Antialcohólico deberá instalarse dentro de los noventa días siguientes a la entrada en vigor de este Acuerdo.

Firma al calce el Secretario de Salubridad y Asistencia.

Publicado en el *Diario Oficial* el 27 de abril de 1981.

La comisión establecida por la S.S.A., en reciente entrevista con las autoridades de la Secretaría de Salubridad, inquirió sobre las actividades realizadas por el Consejo el cual ha iniciado estudios sobre el consumo de bebidas alcohólicas y ha realizado las gestiones necesarias para el cumplimiento de las disposiciones del reglamento de publicidad por la televisión que impiden los anuncios de bebidas de alto contenido alcohólico antes de las 22:00 horas.

Así, la primera acción concreta que ha realizado el Consejo es intentar impedir que exista publicidad de bebidas de alto contenido alcohólico en televisión antes de las 10 de la noche.

Al parecer la publicidad no contribuye a aumentar en consumo sino que influye en el patrón de consumo, es decir en la selección de la bebida en los ya bebedores. En los países donde la televisión es estatal y no hay publicidad de bebidas alcohólicas el índice de alcohólicos es también considerable; sin embargo, consideramos que la medida establecida es saludable.

Pensamos que las acciones del Consejo como son los estudios que se están realizando en distintos grupos socio-económicos y culturales, y la influencia que puedan tener los distintos medios de difusión para establecer las medidas adecuadas para intentar cambiar patrones de conducta y evitar que los niños y jóvenes sean víctimas de este vicio son discretas porque no es conveniente darles publicidad pero son acertadas y serán eficientes.

Así se dio solución a estas iniciativas, habiendo colaborado y estando de acuerdo con ello los representantes del grupo parlamentario que las propuso ya que los propósitos del Consejo contemplan sus motivos.

Es de esperarse que la Secretaría de Salubridad y Asistencia, dentro del marco legal que establece el Código Sanitario de los Estados Unidos Mexicanos y la Ley Orgánica de la Administración Pública Federal y como respuesta a este problema de salud pública, lleve a cabo acciones de prestación de servicios preventivos, curativos, vigilancia sanitaria, educación para la salud, formación de recursos humanos, investigación en el campo de la salud, producción de bienes para la prevención, curación y rehabilitación, ayudando de esta manera a mejorar la situación y estado de la salud de la población.

Finalmente, es de esperarse que en el documento "Hacia un Sistema Nacional de Salud" proyecto para la Integración de los Servicios de Salud de la República Mexicana, se logren estructurar las bases técnicas, administrativas y legales que permitan consolidar las acciones necesarias para elevar al rango de derecho constitucional, la salud de los mexicanos para lo cual el alcoholismo es aún un grave impedimento.

REFERENCIAS

1. BERRUECOS L: *Panorámica actual del problema del alcoholismo en México: antecedentes, acciones concretas e investigación.* (Manuscrito inédito), México, 1978.

2. BERRUECOS L: *El alcoholismo y el abuso del alcohol, como problema de salud pública, desde el punto de vista de un antropólogo social.* (Manuscrito inédito), México, 1981.

3. BERRUECOS L: *Las investigaciones sobre el alcoholismo en México: análisis diacrónico y sincrónico.* (Manuscrito inédito), México, 1982.

4. COMISIÓN DE SALUBRIDAD Y ASISTENCIA, LI LEGISLATURA (1979-1982): *Informe de labores.* LI Legislatura del Congreso de la Unión. México, 1982.

5. COORDINACIÓN DE LOS SERVICIOS DE SALUD DE LA PRESIDENCIA DE LA REPÚBLICA: *Hacia un sistema nacional de salud.* Coordinación de los Servicios de Salud, Presidencia de la República, México, 1982.

6. NATIONAL INSTITUTE ON ALCOHOL ABUSE AND ALCOHOLISM: *The public health approach to problems associated with alcohol consumption.* Alcohol, drug abuse and mental health administration, NIAAA, Rockville, Maryland, EUA, 1980.

7. SECRETARÍA DE SALUBRIDAD Y ASISTENCIA: *La Salud Pública en México: 1959-1982.* México, SSA, 1982.

8. WILLIAMS R Y DAVIS H: *Alcoholism.* Edited by Edwards G y Grant M. University Park Press, Baltimore, Maryland, EUA, 1976: p 157.

9. BING R J Y WEISHAER R G: *Cardiovascular disease in the alcoholic.* En: Clark P M S y Kricka L J: *Medical consequences of alcohol abuse.* E Horwood Ltd, NY EUA, 1980: p 172.

10. HJORTLAND M C Y FEINLEIB M: *Epidemiologic relationship of alcohol intake and coronary heart disease.* En: Avogaro A et al: *Metabolic effects of alcohol.* Elsevier N Holland Biomedical Press, Amsterdam, Holanda, 1979: p 393.

CONDICIONANTES SOCIOMEDICAS DEL TRATAMIENTO DE LOS PROBLEMAS RELACIONADOS CON EL ALCOHOL

Francisco Turull Torres**

Como tema de salud pública los problemas de consumo de alcohol figuran entre los prioritarios, pero a la vez es considerado un campo científicamente inmaduro, de etiología incierta y de definición polémica, características éstas que concurren con la falta de consenso respecto a la rehabilitación y a los modelos de tratamiento aplicables. Es pues, en función de esta situación de urgencia social y de dificultades en el área de prestación de servicios de salud, que cobran importancia los planteos acerca de los recursos necesarios o posibles con que convenga encauzar la acción de dichos servicios. En este sentido, no es suficiente discernir sobre el interrogante básico de si es posible tratar a estos pacientes, ya que al mismo siguen otras preguntas que incursionan en terrenos más ásperos y debatidos, tales como el de la demostrable efectividad del tratamiento y el de las condiciones en que el mismo pueda lograr resultados positivos.

A modo de ejemplo de las distintas posiciones asumidas al respecto, cabe contrastar el optimismo reflejado en los reportes del Departamento de Salud y Servicios Humanos de Estados Unidos (Deparment of Health and Human Services), con la cautela con que la Organización Mundial de la Salud (OMS) encara las acciones en ese nivel. Así, mientras el primero menciona el logro de un significativo progreso en el control y tratamiento del alcoholismo* y el abuso del alcohol mediante el establecimiento de una red sistemática y comprensiva de servicios especializados,[22] la OMS señala la falta de evidencia disponible para discernir el grado en que los problemas relacionados al alcohol pueden tratarse.[18] En esta controversia obviamente subyacen diferencias fundamentales de tipo conceptual y organizativo, y la misma es un buen indicador de los alcances reales de la problemática del tratamiento, ya que demuestra la existencia de serios vacíos de conocimiento a pesar de la enorme cantidad de estudios realizados, y estos vacíos no siempre pueden esperar desarrollos lineales de lo hasta ahora conocido para ser llenados. De hecho, las características de esos estudios atenúan las expectativas de operatividad que pudieran derivarse del volumen disponible. En primer lugar, por las diferencias conceptuales en torno al objeto de estudio: enfermedad (Jellinek y el enfoque psiquiátrico tradicional[12] síndrome (enfoque de la OMS),[18] síntoma (principalmente la perspectiva psicoanalítica), conducta aprendida (conductismo), desviación (funcionalismo, culturalismo), conducta delictiva (enfoque criminológico). En segundo lugar, varían también las definiciones operacionales, aún entre autores que comparten iguales conceptos, así como los procedimientos metodológicos uti-

---

* El uso del término "alcoholismo" en el presente capítulo hará referencia al nombre con que el modelo médico tradicional ha catalogado como enfermedad a determinados procesos y consecuencias observadas en individuos bebedores (básicamente los que atañen a la dependencia fisiológica).[12]

** Sociólogo del Instituto Mexicano de Psiquiatría.

lizados. Finalmente, debe tenerse presente que la gran mayoría de los estudios han sido realizados en países con sustanciales diferencias socioeconómicas y culturales, lo cual hace relativos en cierto modo los resultados, para evitar transposiciones mecánicas a nuestro medio, ya que esas diferencias afectan el hábito de beber y el carácter de las incapacidades y problemas relacionados.

El análisis del tratamiento de las incapacidades relacionadas al alcohol

En general, el énfasis de la literatura recae sobre los siguientes aspectos: metas, métodos, efectividad, recursos y las denominadas barreras u obstáculos para el tratamiento, siendo éstos los puntos de discusión que a partir de la consideración de que el alcoholismo es tratable, buscan solucionar interrogantes como el de qué se debe lograr, cómo lograrlo, cuánto o qué se logra, qué se necesita para ello y cuáles son las condiciones que afectan a los propósitos.

El tema de las metas reviste una importancia crucial, pues, por una parte, su definición deriva del enfoque conceptual sobre la naturaleza y características del consumo de alcohol y, por otra parte, prácticamente conforma la modalidad de los restantes aspectos enunciados. Tradicionalmente se ha considerado que la meta por excelencia debe ser la abstinencia (dejar absolutamente de consumir bebidas alcohólicas), misma que responde al concepto de alcoholismo en tanto enfermedad[12] y a la caracterización de la misma. Esto es, por considerársela de evolución irreversible y expresada en la pérdida del control sobre el consumo, la única manera, no de curarla

pero sí de detener su curso, es la abstinencia, ya que se sostiene que una persona dependiente al alcohol nunca puede volver a beber normalmente o en forma no problemática. Esta es la perspectiva oficial de los servicios de la NIAAA* en Estados Unidos[19, 20] y de Alcohólicos Anónimos.[1, 26]

Sin embargo, a partir de los primeros años de la década del 60 aparecieron reportes sobre pacientes adictos al alcohol que habían vuelto a un consumo normal,[6] acrecentándose los estudios de este tipo durante los años subsecuentes, interesados en la búsqueda de opciones alternativas para el establecimiento de metas.

En buena parte esto se debió a las tasas de efectividad logradas relativamente bajas, y a los altos costos de los programas de tratamiento, lo cual provocaba tanto el escepticismo del equipo de salud como el descrédito de los servicios oficiales ante la comunidad. Pero lo cierto es que se dispuso de evidencias empíricas que, si bien no lograron un grado suficiente de consenso como para uniformar criterios sobre las metas, avivaron una polémica aún hoy vigente que obligó a las partes a cuidar el rigor de las afirmaciones que en otras ocasiones fueran hechas más arbitrariamente.

Los autores que han apoyado el llamado consumo no problemático como meta del tratamiento, se encuadran básicamente en la teoría conductual del aprendizaje o en la corriente psicoanalítica. Ambas rechazan el concepto de alcoholismo como enfermedad en el sentido clásico (es decir, como entidad patológica nosológicamente

---

* National Institute on Alcohol Abuse and Alcoholism.

específica y diferenciada). La primera de ellas sostiene, en términos generales, que el problema es resultado de un proceso de aprendizaje, en el cual el alcohol produce estados placenteros fisiológica o psicológicamente inducidos, que se constituyen en una recompensa inmediata a la conducta del consumo, brindando asimismo un alivio a situaciones desagradables, tales como ansiedad, tensión y culpa.[7, 19] En tal sentido, el tratamiento es encarado como un proceso de desaprendizaje de los hábitos nocivos de consumo para que el paciente pueda retomar o aprender un patrón de consumo no problemático. A su vez el enfoque psicoanalítico tiende a concebir el problema como síntoma de una perturbación subyacente de la personalidad, misma que debe ser atendida; en este caso, centrarse en la abstinencia equivale a descuidar el problema principal, a atacar las consecuencias sin modificar las causas. Abstinencia o consumo no problemático, cualquiera de ambas posibilidades, serán una resultante del manejo que el paciente logre de su problemática subyacente.*

En una revisión de los 82 estudios realizados hasta 1978** en Estados Unidos, que reportan la recuperación de algunos pacientes a pesar de no haberse convertido en abstinentes, se señalan varios aspectos de interés: *a)* esos resultados no son eventos raros; *b)* en su mayoría, los sujetos habían sido identificados como adictos al alcohol; *c)* esos resultados de no abstinencia incluyen tanto una ingestión mínima e infrecuente, como un consumo diario de cantidades limitadas, o consumos ocasionales de cantidades excesivas pero no debilitantes de alcohol. Esto, a su vez, lleva a un par de conclusiones importantes: en primer lugar, no es posible definir como exitosa la no abstinencia simplemente en términos de cantidad de alcohol consumido; y en segundo lugar, son las *consecuencias* del consumo lo que determina si el tratamiento pueda o no ser considerado exitoso.[23]

En párrafos anteriores se puntualizaba, sin embargo, que el desacuerdo sobre las metas aún continúa. Cada posición sustenta sus argumentos en pro y en contra de la abstinencia o el consumo no problemático. Quienes rechazan esta última alternativa lo hacen desde afirmaciones a veces relativamente frágiles, como es la de apelar a la propia experiencia clínica, hasta otras de mayor consistencia, como la de plantear la posibilidad de que los casos exitosos de no abstinencia no hayan sido verdaderamente dependientes al alcohol, lo cual refiere al tema de los errores de diagnóstico y a la adecuación del uso del término alcohólico. Edwards[7] analiza el significado de dependencia y la dificultad para definirla, sosteniendo que en la práctica existen una cantidad de síntomas que reportan los individuos dependientes al alcohol, y es sonsacando los mismos al paciente, el modo en que el terapeuta puede hacer su diagnóstico. Pero aclara que el síndrome no es un fenómeno de todo o nada, es decir que sus componentes posibles no necesariamente se presentan en forma conjunta, sin que ello obste para determinar la dependencia;

* Las referencias 7, 19 y 23 dan la abundante bibliografía que se puede consultar para un análisis más detallado de lo que aquí es someramente tratado por razones de espacio. Tal bibliografía incluye estudios de ambas corrientes teóricas sustentadoras de la no abstinencia como meta válida.

** La fecha es aproximada, pues sólo consta la de publicación pero no la de realización del análisis.

ésta a su vez puede mostrarse en mayores o menores grados de severidad y avance. La caracterización del diagnóstico observa, pues, un importante grado de pragmaticidad que por una parte hace creíble la existencia de errores y confusiones en su establecimiento, así como también influye en una virtual reducción de la visualización del espectro sintomatológico hacia niveles más extremos de severidad y avance que acrediten la confianza suficiente al terapeuta para su legitimación de la dependencia. Esto es frecuente en la rutina de la detección de alcohólicos; los hipersensibles que rotulan como alcohólico (aludiéndolo como dependiente) a casi todo tipo de bebedores y los que no reconocen el problema sino ante situaciones muy extremas de pacientes que acuden a consulta con episodios de intoxicación aguda, al cabo de haber bebido durante extensos periodos de tiempo, con cuadros orgánicos patogénicamente relacionados a la ingesta.

El mismo autor[7] hace referencias a la imprecisión con que el término alcoholismo ha sido utilizado en reportes clínicos y de investigación, a veces aludiendo a la dependencia demostrada al alcohol, y otras veces incluyendo a todos los bebedores con daños asociados. Como denominación abarcativa de esos diversos usos, propone la de *bebedor problema* (todo tipo de bebedor patológico, sea o no dependiente). Si bien apela a este nombre más bien como recurso para interpretar la literatura hasta entonces existente, también ha sido tomado posteriormente para realizar investigaciones clínicas y epidemiológicas.

Hasta ahora, la búsqueda de evidencias empíricas que avalen las posiciones planteadas sobre las metas en lo que respecta estrictamente al tipo de consumo, realizada por autores de diversas corrientes teóricas, ha dado por resultado similares conclusiones: *a)* si bien el síndrome de privación del alcohol tiene bases fisiológicas, aun no se ha probado que la exposición al alcohol produzca una lesión metabólica irreversible que haga que el individuo vuelva inevitablemente a beber en forma patológica, si intenta un consumo normal; la posibilidad de tener una recaída habiendo tomado unas pocas copas puede deberse tanto a perturbaciones psicopatológicas subyacentes, a condicionamientos conductuales o a un error metabólico adquirido[7] y *b)* también se insiste en la falta de evidencia científica que demuestre la imposibilidad de que algunos sujetos alcohólicos puedan lograr resultados exitosos de tratamiento con metas de no abstinencia.[25]

Este tipo de inconvenientes, inherentes al tipo de consumo como meta única o fundamental, han sido explicados como propios de una perspectiva del alcoholismo basada en lo que se ha llamado modelo unidimensional.[28] Dicho modelo es el que deriva de considerar al alcoholismo como un atributo unitario, del cual los individuos participarían o no, según su ubicación en un continuo que va desde la ausencia de alcoholismo hasta el alcoholismo extremo. Esto es lo que ha dado por resultado el desarrollo de estudios etiológicos y clínicos basados en la comparación de grupos alcohólicos con grupos de normales, neuróticos, pacientes psiquiátricos y otros similarmente constituibles, como si la categoría alcohólico (y también las otras) fuera consistente en términos de homogeneidad-exclusión de los así designados; consecuentemente, también de ese modelo derivaron enfoques terapéuticos monolíticos, tanto en la admisión de casos como en los procedimientos encaminados a detener la enfermedad.

Según estos autores, el análisis de lo operado en función de este modelo manifiesta dos serios problemas; no da cuenta de las variaciones existentes entre los sujetos diagnosticados como alcohólicos, y constituye un obstáculo para la comprensión y tratamiento de las personas con problemas de consumo, es decir, para los bebedores problema que no son alcohólicos.

Esta serie de conclusiones plantean futuros estudios y la posibilidad de llegar a afirmaciones más contundentes sobre la situación de consumo como meta; asimismo apoyan directa o indirectamente la pertinencia de otras metas distintas a las de aquellas centradas en la ingestión. Si la etiología del alcoholismo es desconocida y el aspecto fisiológico no es el único ni el determinante[18] (es decir el beber alcohol no causa el alcoholismo), no hay bases para justificar un programa de tratamiento dirigido a la ingestión del alcohol, que encare específicamente al agente, sin atender lo que parece más sustancial, esto es, el huésped, el medio y las interrelaciones de ambos, como condicionantes más profundos de la necesidad y conducta de beber y de su modificación.

Estas profundas diferencias conceptuales respecto al consumo han promovido algunos intentos de conciliación y otros de superación. Uno de ellos ha sido el de acordar que para muchos alcohólicos debería lograrse la abstinencia, como en el caso de aquellos que presentan un daño físico irreversible, los que crónicamente fallen en el aprendizaje de un consumo controlado y quienes crean firmemente en esa meta; para otros, podría considerarse como objetivo el consumo controlado. Sin embargo, se admite que se carece de bases para determinar si en la práctica es posible distinguir a los pacientes para los cuales una meta sea más adecuada que la otra. En otro sentido, se ha propuesto apuntar a objetivos múltiples de tratamiento y, en este caso, la importancia del tipo de consumo (abstinencia o control) dependerá de la mejoría en el funcionamiento en las áreas social, psicológica y conductual; para algunos casos el hecho mismo de aliviar en algún grado los problemas de esas áreas, podría considerarse un éxito del tratamiento.

Las alternativas terapéuticas postuladas para los programas de alcoholismo han incluido a prácticamente todas las disponibles para los problemas de salud en general. Se han ensayado terapias médicas, psiquiátricas, psicológicas, psicoanalíticas y, por supuesto, las propias de los llamados grupos de autoayuda; se han recurrido a manejos interdisciplinarios, así como a manejos unilaterales y tanto a la internación del paciente como a la consulta externa. Asimismo, no han faltado las múltiples combinaciones posibles entre modelos terapéuticos y situaciones y ambientes en que las prestaciones de atención puedan ser realizadas.

En los últimos años, a pesar de los replanteos conceptuales que ampliaron o dieron flexibilidad al modelo médico centrado en la adicción, en poca medida se realizaron a través de prácticas terapéuticas efectivas. Lo central en los programas de tratamiento ha continuado siendo la desintoxicación, la rehabilitación física, la educación acerca del alcoholismo, las terapias directivas, la psicoterapia individual y grupal y Alcohólicos Anónimos, variando el énfasis según el tipo de servicios. Los cambios han correspondido más al orden de los criterios con que aplicar esos recursos, que a la aparición de nuevos recursos o descubrimientos terapéuticos. Así, por ejemplo, fueron recomendados mayores recaudos en el uso de drogas, a menudo administradas sin suficientes bases clínicas como es el caso de tranquilizantes y antidepresivos y, por otra parte, se avanzó en el manejo de la intoxicación y los síntomas de privación.[13, 19] También el enfoque de rehabilitación conductual se enriqueció con la incorporación de nuevos componentes teóricos y terapéuticos.*

Entre tal variedad de esfuerzos realizados, si bien se han reportado logros terapéuticos y se han estipulado los procedimientos que permitieron alcanzarlos, el hecho mismo de su vigente heterogeneidad sugiere un alto grado de actuación en base al método de ensayo y error, es decir, de improvización, y manifiesta las dificultades derivadas de la falta de parámetros que permitan comprender adecuadamente el problema del consumo de alcohol y actuar consecuentemente en la práctica terapéutica.

Este panorama ha sido caracterizado por la proliferación de tratamientos no específicos, por la referencia a éxitos o fracasos basada en la descripción de la experiencia clínica y por la preferencia personal del terapeuta como criterio de selección de los procedimientos terapéuticos, careciendo por contrapartida de una construcción metodológica basada en la disponibilidad de datos científicos.[20] Por otra parte, para el caso en que sí se diseñaron tratamientos específicos (o al menos específicamente orientados al tema del consumo), diversos autores concuerdan en que no se dispone de demostraciones incontrovertibles acerca del valor de cualquiera de los métodos utilizados, ya que los resultados logrados pueden deberse a factores no específicos. La situación se ve agravada porque tal afirmación incluye la ausencia de diferencias significativas entre los resultados de distintos tipos de tratamiento, la duración del mismo y el tipo de consulta (consulta externa o internamiento).[5, 7, 13 14 18 20]

Posibilidad lógica y desenvolvimiento práctico del tratamiento

De acuerdo a lo hasta ahora revisado, cabe retomar la pregunta inicial acerca de la posibilidad de tratar el alcoholismo y las condiciones en que tal tratamiento pueda ser satisfactorio.

El modelo médico unilineal, basado en la enfermedad, impulsó en varios países la implantación de programas específicos, del mismo modo en que se ha venido respondiendo en los últimos años a cada problema específico de salud con el criterio de la especialidad (especialidad del equipo de salud, de los servicios y del presupuesto); y si bien las nuevas metodologías terapéuticas, a veces se apartaron de ese modelo, no lo hicieron tanto como para salirse del ámbito de los especialistas.

---

* No es el objeto del presente artículo analizar los pormenores teóricos y clínicos de los diversos enfoques y tratamientos. El lector interesado puede profundizar los mismos en la bibliografía citada como referencia.

Las evaluaciones de esas políticas desembocaron a veces en planteos y conclusiones que retrotrajeron lo andado a los puntos iniciales, o sea a los supuestos sobre los cuales se avanzó. Por una parte, los altos costos generaron un particular interés en los estudios de efectividad, aspecto que en un principio había sido relativamente soslayado por la fuerza del optimismo. Un estudio basado en la revisión de 265 reportes sobre la evaluación de tratamientos psicológicamente orientados, revela que el promedio anual de publicación de los mismos pasó de 8 en el período 1952-1955, a más de 20 en el período 1967-1970.[9] Pero, por otra parte, las dudas llevaron a cuestionamientos que tienen implicaciones no ya al interior de la estructura de servicios, en el sentido de comparar la eficacia y efectividad de sus componentes terapéuticos para una relación costo-beneficio óptima, sino que de algún modo llamaron la atención sobre la necesidad o no de tal estructura. En esta tónica encuadran las observaciones sobre la existencia de una diferencia poco significativa entre los resultados de pacientes tratados en clínicas especializadas en alcoholismo y los tratados rutinariamente;[3] y también las referencias a la falta de conocimiento respecto a qué sucede con los alcohólicos no tratados, mismos que constituirían el verdadero fondo sobre el cual contrastar los alcances de la intervención terapéutica.[7]

Esta serie de observaciones acerca de la situación del tratamiento, que podrían tomarse como propias de una dimensión que engloba aspectos teóricos, organizativos y clínicos, planteados desde la posición de los servicios de salud, necesitan complementarse con la consideración de las características que presenta el tratamiento desde la dimensión de los usuarios de esos servicios, ya que por ser destinatarios de la acción terapéutica, constituyen el fundamento de la misma y señalan directa o indirectamente sus alcances y limitaciones. Esta dimensión ha sido considerada desde diversas perspectivas, siendo una de ellas acorde al modelo clásico de atención médica que se centra en el paciente y la enfermedad: cómo y cuándo hacer que los enfermos acudan al tratamiento, cómo lograr que sean más cooperativos, cuáles son sus antecedentes sociales, cómo mejorar el diagnóstico y el tratamiento. En esta línea, las experiencias en el campo del alcoholismo han llevado a algunas conclusiones importantes: más que el tipo de tratamiento en sí, las variables que condicionan el éxito del resultado y por lo tanto pueden ser tomadas como elementos de predicción del mismo, son la situación de estabilidad social, el nivel de deterioro de salud y la motivación y receptibilidad del consultante al momento de la admisión.[5, 18, 20]

En Estados Unidos, país en que quizás hayan proliferado más los estudios de evaluación desde un enfoque experimental, se han reportado tasas de efectividad que varían de 30 a 92%, para pacientes de estratos socioeconómicos medios, socialmente estables, y de 18% o menos, para los de estratos inferiores, socialmente inestables.[20] Estas tasas son tomadas de un amplio conjunto de estudios que no son homogéneos en cuanto a los criterios usados para constituir las muestras, para definir efectividad y para estipular el período de seguimiento en el cual la miden; de todos modos, si bien ello hace relativa la validez de esas tasas, sí ejemplifica el hecho de la diferencia entre los conjuntos sociales.

Respecto a la motivación que los sujetos con problemas de consumo de alcohol sustentaran para recuperarse y a su receptividad hacia el proceso terapéutico emprendido, todos los esfuerzos en el campo del tratamiento han sido clásicamente orientados en ese sentido. Tanto en la vertiente profesional (personal médico y psiquiátrico), como en la no profesional (Alcohólicos Anónimos) y en general los grupos de autoayuda se adoptó el criterio de "tocar fondo, como el de detección precoz de casos. Esto es, en una primera etapa se consideró que el alcoholismo era una condición que sólo podía ser tratada a partir de la desesperación del sujeto por el daño severo de su organismo y la destrucción de sus relaciones familiares y sociales; en tal situación, sin salidas visibles, su necesidad de ayuda resultaba lo suficientemente imperiosa como para aceptar la intervención terapéutica. Cuanto peor fuera el problema, mayor sería la posibilidad de atenderlo y detenerlo. Pero en este tipo de pacientes, el tratamiento resultó altamente costoso y su eficacia y efectividad grandemente limitadas.

Posteriormente se adoptó el criterio de detección precoz de casos, bajo el supuesto de que el alcoholismo, al igual que otras enfermedades, puede ser tratado mejor cuanto más temprana sea la intervención. La necesidad de lograr una mayor efectividad a bajo costo, sugirió la identificación temprana de bebedores excesivos y la intervención con programas educacionales y motivacionales. Este cambio,

que actualmente se trata de extender y profundizar, abre una brecha respecto al manejo médico tradicional y también entre profesionales y no profesionales, si aunamos a ese criterio las propuestas de metas alternativas a la abstinencia y los aspectos funcionales de la efectividad, antes comentados. En términos ideales se busca, pues, llevar a cabo un tratamiento de los problemas del consumo, en sujetos jóvenes que aún no hayan alcanzado niveles severos de deterioro emocional y orgánico, con recursos sociales suficientes y que sustenten una buena motivación para desear el abandono o la regulación del consumo de alcohol. Pero paradójicamente, en pacientes próximos a este modelo, un estudio comparativo de distintas modalidades terapéuticas indicó que la provisión de consejos inequívocos para dejar de beber puede brindar resultados positivos similares a los que pueda proporcionar la aplicación de acciones terapéuticas elaboradas y costosas;[17] además, la revisión de reportes acerca del fenómeno de la recuperación espontánea en alcohólicos, sugiere que las razones para que ello ocurra, incluyen cambios favorables en trabajo, familia y residencia.[22] La paradoja se debe, al parecer, a que ante tales exigencias para la efectividad de tratamientos especializados, los mismos pierden sentido pues lo que logran no difiere demasiado de lo alcanzado por otros medios.

Sin embargo, el criterio de la intervención temprana aparece como lo más factible, si con ello no se implican expectativas ilusorias de prevención y organizaciones complejas de tratamiento centradas en el consumo de alcohol. En la medida en que el alcoholismo no es una enfermedad ni es en sí una condición de desarrollo lineal e irreversible, que como problema admite una amplia gama de matices en los individuos bebedores y que cualquier episodio de intoxicación o consumo excesivo puede aparear problemas de salud o sociales, la intervención temprana no significa necesariamente que se esté previniendo algo que a posteriori se vaya a manifestar en un proceso creciente, y esta modalidad no sustituye a otras acciones más adecuadas para prevenir la incidencia del alcoholismo, sino que parece constituir prácticamente la única opción en el nivel del tratamiento; la OMS, por ejemplo, plantea la posibilidad de pasar a mecanismos simples de extensión, basados en consejos, información y medidas sencillas de manejo, y con mayores recaudos menciona que, aunque no hay pruebas consistentes sino que se trata de una suposición muy difundida, tal vez esas medidas logren mayor efectividad si son aplicadas tempranamente en la vida del bebedor.[18] Ciertamente la cuestión crítica en esta perspectiva es la de desarrollar técnicas que permitan esa detección en pacientes de los servicios de salud, en general, y en grupos de población que puedan encontrarse en riesgo especial. La forma usual que adoptan estos intentos consiste en identificar indicadores psicosociales y biomédicos que sean lo suficientemente sensibles como para equipar a médicos y demás profesionales con un instrumento idóneo para la detección de estos problemas, pues la mayoría de las secuelas del consumo son inespecíficas y puede que su manifestación suceda al cabo de muchos años de ingesta excesiva. Sin embargo, los instrumentos diseñados adolecen del defecto de detectar abuso de alcohol en las etapas más severas, cuando los problemas médicos y psicosociales son más evidentes. Para la detección temprana existe una serie de dificultades que aún quedan por resolver: los cambios fisiológicos, bioquímicos, patológicos y morfológicos que produce el consumo excesivo pueden ser también producidos por diversos problemas de salud no relacionados al alcohol, y aún los indicadores más específicos valen sólo para una pequeña proporción de alcohólicos; además, la severidad de muchas de las secuelas está relacionada al consumo total en la vida del bebedor.[11, 21] En cuanto a la dimensión psicosocial, los instrumentos contienen extensos listados de conductas, efectos y factores predisponentes o correlacionados al consumo, asumidos como válidos en base a las diversas experiencias empíricas con pacientes dependientes o bebedores-problema; estos indicadores, condicionados por variables sociales, culturales y económicas, necesitan pruebas y ajustes para su confiabilidad y validez en distintos ambientes y grupos sociales.

La implantación de la intervención temprana debe contemplar, por otra parte, el hecho de que los pacientes tienden a no relacionar sus problemas de salud y de funcionamiento psicosocial a su consumo de alcohol, por lo cual debe ser indagado al respecto en vez de esperar que lo mencione espontáneamente; y la tendencia de los médicos es ignorar o evitar ese tipo de relaciones entre problemas y consumo. El factor motivación continúa siendo esencial en el tratamiento, y no sólo por lo que toca a los pacientes, sino también para el equipo de salud, en el sentido de su posición a encarar terapéuticamente a estos consultantes.

*Situación actual del tratamiento
de los problemas de consumo
de alcohol en México*

En el panorama actual de la atención
de estos problemas se pueden identificar
cuatro modalidades generales de intervención, en un espectro que abarca organismos oficiales e iniciativas de personas,
grupos u otras instituciones que específica
o colateralmente se interesan en este problema.

En lo que respecta a las instituciones
oficiales, se realizan acciones de tratamiento de dos tipos. Por una parte, en base a
la estructura de servicios preexistentes, se
resuelven las manifestaciones fundamentalmente orgánicas mediante consultas a servicios de urgencia, de medicina general o
especialistas, en hospitales generales y clínicas del sistema de seguridad social y de
la asistencia pública. En este tipo de atención, de hecho no se realizan tratamientos
específicos del alcoholismo, sino que se
tratan las repercusiones parciales de la
ingesta, en el marco de la atención de
problemas de salud en general. Por otra
parte, a partir del concepto de enfermedad, se generaron algunos servicios específicamente dedicados al tratamiento y
rehabilitación del alcohólico. Sus programas, desarrollados a veces por el área de
la psiquiatría y otras por equipos multidisciplinarios, han incluido, según el caso,
desintoxicación, tratamiento médico y psiquiátrico y orientación de la naturaleza y
efectos del daño, manejados en consulta
externa; esta modalidad ha sido llevada a
cabo básicamente por la S.S.A., en centros
de salud y en el hospital psiquiátrico.

Un tercer tipo de intervención es la
desarrollada en el sector privado por unos
pocos centros e institutos especializados
en el tratamiento del alcoholismo, que
operan sin coordinación con las instituciones oficiales. Algunos programas constan
de servicios de desintoxicación, internamiento y terapias médicas y psicológicas,
con variaciones en la extensión del proceso terapéutico; otros manejan a los pacientes con métodos aversivos y terapias directivas. Los servicios no especializados de
este sector actúan en forma más o menos
similar a sus homólogos oficiales.

Finalmente las tradicionales instituciones y grupos no médicos, fundamentalmente Alcohólicos Anónimos con sus colaterales (ALANON, ALATEEN, AA 24
Horas, etc.), constituyen una fuente de
ayuda de gran valor, a la que puede agre-
garse la función de los sacerdotes, quienes
con su aval religioso se han convertido en
agentes de persuasión en base al mecanismo de las llamadas juras (promesas, a menudo por escrito, para dejar de beber durante determinado período o definitivamente).

Estas podrían considerarse las principales alternativas con que se encara el problema del alcohol en materia de tratamiento, panorama que obviamente no puede
tomarse como una capacidad de respuesta
articulada y exhaustiva. Sin pormenorizar
en el caso de los servicios particulares, que
con frecuencia se conducen con una gran
dosis de improvisación, en las instituciones
públicas de salud se observan serias dificultades, entre las que resaltan no sólo
las carencias cuantitativas o de cobertura,
en lo que ha sido estimado de 4 a 10%
de alcohólicos con atención médica (sin
que esto implique continuidad en la atención),[3, 16] sino también las carencias cua-

litativas, manifestadas en un doble sentido: una notoria vigencia de la consideración del alcoholismo como vicio o irresponsabilidad, que provoca el rechazo del personal médico y paramédico, con lo cual se reduce la respuesta institucional mencionada en primer lugar (la de los servicios generales), mientras que en los servicios específicos la atención se centra casi exclusivamente en el aspecto de la dependencia del alcohol, cuando éste es sólo uno entre la amplia gama de problemas relacionados a su consumo. Por otro lado la captación de casos, lejos de ser precoz, alcanza casi exclusivamente a pacientes con severos y complejos problemas de salud que sólo logran o buscan una remisión sintomática, siendo norma la deserción al cabo de una o pocas consultas, cuando el tratamiento intenta profundizar en la problemática presentada.

En tales términos, los esfuerzos realizados tienen un impacto limitado y la necesidad manifiesta de reforzar las actividades de tratamiento no pueden plantearse solamente a nivel de extensión de cobertura, sino que conlleva a fijar una política de intervención que articule acciones y homologue criterios. El modelo de la red de servicios especializados costó a Estados Unidos alrededor de un billón de dólares en el período 1972-1982, para el establecimiento y apoyo de programas de tratamiento del alcoholismo,[15] y provocó en algunos analistas la reconsideración de lo realizado y lo logrado, hasta el punto de preguntarse si no era el momento de revertir hacia la deshospitalización de los alcohólicos.[14] En México, por contrapartida, el sujeto con problemas de consumo de alcohol está prácticamente liberado al azar, con situaciones de ayuda fragmentaria, intuitiva y semicausal, en la gran mayoría de los casos.

Condicionantes extramédicas: ¿barreras o componentes del tratamiento?

Cabe preguntarse si el diseño e implantación de políticas de atención son posibles, sin el peligro de caer en patrones de organización de servicios que luego limiten seriamente su operatividad. Desde el punto de vista médico se ha definido el tratamiento antialcohólico, se ha admitido la necesidad de estudios que profundicen el tema y también se han señalado condiciones para su efectividad que correspondan a aspectos psicosociales. Sin embargo, la acepción dada a estos aspectos a menudo oscurece la comprensión de su real significado, relegándolos a planos secundarios respecto a lo que se supone como línea rectora de la terapéutica. Tal es el caso, al denominar "condicionantes extra-tratamiento"[20] a la motivación del paciente y a su extracción social, y de considerarlos barreras al tratamiento como si el tratamiento fuera una entelequia independiente de las personas tratadas. Paradójicamente, decir que el tratamiento es posible porque así lo demuestra su aplicación a pacientes de clase media, en los que los factores socioambientales influyen menos negativamente, es en realidad afirmar que se ha logrado un tratamiento para la clase media. Es decir, los condicionantes extramédicos, más que obstáculos o barreras son en verdad componentes reales de la situación de crisis que se pretende arreglar a través de la intervención. Estos factores sociales y psicológicos juegan un papel que excede cualitativamente al de aspectos

ambientales correlacionados a la enfermedad, como generalmente se los interpreta,
reduciéndolos en su capacidad explicativa
al nivel de factores de riesgo.[26] Independientemente de los múltiples y complejos
modos en que lo social condiciona a los
fenómenos de salud y a las formas de
afrontarlos, en este punto interesa detenerse en su relación con las actitudes y conductas de la comunidad respecto a la
atención de los problemas de consumo de
alcohol, con el objeto de ilustrar el papel
de lo social y la necesidad de tenerlo presente en el análisis de políticas de salud.

De acuerdo a las evidencias citadas, para
saber en qué medida y de qué manera pueden tratarse los problemas de consumo,
debe preguntarse cuál es el tipo de paciente; desde una perspectiva sociocultural, esta pregunta involucra tanto a la extracción social en sí, como a los valores y
normas que el paciente sustenta en función de ella, ya que los mismos mediatiza-
rán tanto la relación entre el uso del alcohol y los problemas a él vinculados,
como la relación entre dichos problemas y
la ayuda buscada para su solución. Desde
el ámbito de la sociología médica se ha
encarado profusamente este tema, señalán-
dose que las medidas terapéuticas y preventivas tomadas por individuos o grupos,
se relacionan con los valores, conocimientos y creencias que regulan su conducta
acerca de la salud y la enfermedad, considerada ésta en términos de dolencia.[4, 10]
Esto configura un modelo de cultura médica que a su vez tiene como base empí-
rica relevante el aprendizaje logrado a través de canales de información, así como
el tipo y frecuencia de contactos que se

tengan con los diversos tipos de agentes de
salud.[2]

Recientemente se llevaron a cabo estudios en este sentido, en un servicio especializado en la atención de problemas de
consumo de alcohol,* que partieron de la
necesidad de incorporar al análisis de los
condicionantes de la intervención, las situaciones de hecho que los destinatarios de
la misma establecen, con relativa independencia de lo que desde la lógica del equipo
de salud pueda considerarse necesario o
deseable. El servicio está ubicado en el primer cuadro del Distrito Federal y consta
de un equipo de salud multidisciplinario
que brinda atención gratuita, orientada a
una población de bajos niveles socioeconómicos, en la que se estimaban altos niveles de consumo de alcohol. Sin embargo,
la afluencia al servicio no era la que
numéricamente se esperaba y tampoco el
comportamiento de los consultantes se
ajustaba a la extensión y composición del
proceso que se debía sostener para que el
tratamiento fuera efectivo, ya que del total de pacientes admitidos, alrededor de la
tercera parte sólo resolvía urgencias médicas, casi otro tanto abandonaba el servicio
al cabo de una sola consulta con Trabajo
Social y el resto era el que iniciaba el proceso integral de tratamiento; en promedio,
la cantidad de consultas realizadas antes de
dejar el servicio por quienes no presentaban urgencias en la admisión, fue de 2 a
Trabajo Social y 3 a Psiquiatría.

---

* Centro de Ayuda al Alcohólico y su familia.
CAAP, programa piloto del Departamento de Investigaciones Clínicas del Instituto Mexicano de
Psiquiatría. Lo que sigue está tomado de los reportes de dichos estudios, donde se detallan datos, procedimientos e interpretaciones,[27, 29] por lo que se
evitará mencionar la referencia cada vez que
se cite alguno de ellos.

El uso de este servicio correspondía a una población caracterizada casi exclusivamente por hombres, en el periodo de edad más productivo, ocupados en oficios diversos o comercio ambulante, e ingresos del orden del salario mínimo o menores. En cuanto a la escolaridad predominaban los estudios de primaria, completos o no; alrededor de la mitad eran casados o de unión libre y una cuarta parte, separados; la mitad aproximadamente se domiciliaba en un radio de 30 cuadras alrededor del servicio y el resto en otras colonias del Distrito Federal. Por otra parte, el nivel de deterioro era grave, no sólo en el sentido médico, sino también en el de las repercusiones familiares y laborales.

A la situación así planteada de demanda y uso del servicio, se observó que subyacían condicionantes que no podrían ser explicados únicamente en base a los criterios de accesibilidad económica y geográfica, dada la localización del servicio y su carácter gratuito; mucho más relevante resultó ser la dimensión ideológica, explorada a partir del concepto de cultura médica. Un primer dato significativo, a partir del cual se pueden organizar los conceptos y conductas de esta población, es el hecho de que la decisión de demanda no estaba fundamentada en el conocimiento de las características del servicio, sino en la confianza que el remitido tuviera en quien lo había enviado al Centro; personas que ya lo habían probado (otros pacientes) o que eran miembros de Alcohólicos Anónimos. Es decir, los esfuerzos de difusión del programa entre la comunidad y a través de carteles y volantes redituó en una mínima parte de la captación total de casos y, dentro de ella, las instituciones médicas

aportaron sólo el 5% (esto estimula interrogantes acerca de si los servicios médicos no detectan adecuadamente los casos, o sí lo hacen y los derivan, pero no constituyen una fuente suficiente para promover decisiones de tratamiento).

Al comparar la cultura médica de los demandantes con la del CAAF, es decir, su estructura de servicios y sus criterios asistenciales, se observó lo que podría llamarse una convergencia teórica al considerar el alcoholismo como problema de salud biopsíquica. Sin embargo, esa convergencia resultó independiente de la decisión de consulta (por el desconocimiento mencionado de las particularidades del Centro) y, por consiguiente, de las expectativas acerca del servicio, pues se demandaba básicamente una atención propia de medicina general. La explicación de este aparente desajuste entre teoría y práctica remite a las bases empíricas de ese modelo médico sustentado por los pacientes. Salvo poco menos de una quinta parte, el resto de los consultantes tenía experiencias previas de tratamiento o ayuda de diversa índole, siendo Alcohólicos Anónimos y los servicios de salud los agentes más significativos en el condicionamiento de sus conceptos acerca de la intervención. De ellos derivaban la abstención y la ayuda emocional y física como metas de tratamiento, pero con una jerarquización que diferenciaba, sustancialmente, a las dos primeras de la última, y que limitaba la ayuda física al plano de la remisión sintomática. Estas metas se traducían en la elección del agente y en las expectativas acerca de lo que debían recibir, tomadas éstas como criterios de efectividad de la consulta a dicho agente.

Lo que se vio es, pues, una asignación diferencial de papeles terapéuticos en la que Alcohólicos Anónimos era el protagonista principal, al hacerse cargo de los aspectos psicológicos asociados con o subyacentes al consumo de alcohol, y los servicios de salud cumplían una tarea complementaria pero totalmente subsidiaria de la anterior. Es decir, la hegemonía de Alcohólicos Anónimos como ideología y método, y las prácticas usuales de los servicios de salud eran los determinantes fundamentales de la demanda al Centro, cuyo único aporte a la decisión de consulta había sido la imagen de "buena atención"

Esto refleja, en gran medida, la composición actual de la respuesta a los problemas del alcohol pero, por otra parte, también indica una predisposición de los afectados para asumir el problema en su carácter integral, dando lugar a una intervención que no se reduzca al aspecto físico. La posibilidad de aprovechar esa limitada convergencia se analizó a través de un estudio piloto con desertores del Centro, pues el hecho de que el programa no fuera esperado no tenía por qué conducir mecánicamente a que todos los consultantes lo abandonaran, ya que durante el proceso asistencial el paciente modifica de algún modo su actitud inicial.*

En este estudio se observó que en la relación equipo-paciente no había dificultades significativas que pudieran promover conductas para evitarla, y que el aspecto orgánico del daño y la terapia médica, esperada inicialmente, cedían su exclusividad ante la propuesta del equipo, con lo cual se lleva a cabo en el paciente un proceso de asimilación y valorización positivas de la política de atención integral. Sin embargo, esta percepción positiva, avalada por la recomendación que del Centro hacían otros pacientes, no anulaba el hecho de que estos usuarios eran precisamente desertores. Además, ciertos aspectos de su asistencia antes de la deserción muestran los alcances cuantitativos de esa aceptación del tratamiento: la mitad de ellos sólo estuvieron un máximo de 8 días en contacto con el Centro y tuvieron una entrevista con el psiquiatra o dos o tres entrevistas con el equipo en general.

En principio, alrededor de la mitad de los encuestados presentaba una situación de abstinencia al momento de la entrevista, pero con grandes variaciones de tiempo y con la particularidad de que tal situación no coincidía exactamente (salvo en pocos casos) con el proceso en el servicio. Por el contrario, la mayoría sostenía una abstinencia prolongada e iniciada mucho antes de la consulta y otros la comenzaron después de haber recaído por lo menos una vez, luego de dejar el Centro**.

Además, dentro de la muestra, esta situación era independiente de los períodos de seguimiento y contacto con el servicio y de las entrevistas realizadas, y al comparar abstemios con bebedores no se veía que al aumentar tiempo y consultas aumentaran los abstemios. Tampoco era relevante la situación de convivencia conyugal y la ocupación. La única variable mani-

---

* La muestra estaba compuesta por exconsultantes que habían abandonado el servicio al cabo de una consulta a Psiquiatría y una a Trabajo Social como mínimo.

** Debido a que se carecía de mediciones pretratamiento, se ignora si en algún caso hubo disminución o control del consumo. A ello se debe que se dicotomizaran las categorías en abstinentes y no abstinentes.

fiestamente relacionada con la abstención prolongada era la asistencia a Alcohólicos Anónimos. En estos usuarios el servicio no había logrado la abstención en términos exclusivos, pero, en cambio, sí había resultado efectivo en el papel y significado que los usuarios le adscribieron. Es decir, en gran medida, de acuerdo con las tasas de éxito esperadas para pacientes con estas características socioeconómicas y estos niveles de deterioro, el Centro había sido buen complemento de otros esfuerzos concurrentes, ya sea evitando recaídas o promoviendo y consolidando la voluntad de rehabilitación en algunos o simplemente resolviendo episodios de emergencia en otros.

De todos modos, parecería que ese servicio no estaba en desventaja respecto a otras instituciones en el logro autosuficiente de la recuperación de los problemas relacionados al alcohol. Así lo indica la necesidad de consulta de esos usuarios, miembros de Alcohólicos Anónimos, y el deseo, al menos verbalizado, de reintegrarse al Centro, tanto por parte de ellos como de quienes no eran miembros. En este sentido, el dejar de beber, en sí mismo, no satisface por completo la necesidad y el criterio de recuperación, y la ingerencia de Alcohólicos Anónimos en el aspecto psicológico de la rehabilitación no muestra incompatibilidad con las acciones del equipo en este plano. Con ello se relativizaría el carácter primario o secundario de los papeles adscritos a Alcohólicos Anónimos y a los servicios médicos, siempre y cuando éstos ajustaran su respuesta a niveles más comprensivos y menos rígidos de tratamiento. Las características generales de este patrón de uso del servicio, sugie-

ren que el enfoque asistencial debe flexibilizarse para una atención basada en un proceso largo, intermitente e interrecurrente. Es decir, un proceso en el cual probablemente se iniciarán múltiples episodios de consultas, distanciados en el tiempo y con combinaciones de agentes terapéuticos, en lugar de sostener un esquema clásico de tratamiento que pretenda una continuidad ininterrumpida desde el inicio hasta el alta, y que persiga objetivos rígidos de efectividad.

Conclusiones

La gravedad de las repercusiones y alcances del consumo de alcohol y la gran complejidad que lo caracteriza como fenómeno, hace necesario establecer mecanismos de respuesta social que exceden a los acostumbrados para otros tipos de problemas de salud. Su afrontamiento requiere de una disposición teórica y práctica que apunte a la revisión de conceptos y supuestos (sobre todo, esto último) que hasta ahora han predominado sin lograr dar cuenta debida de sus objetivos. La índole socioeconómica y cultural del problema contrasta con las respuestas limitadas al tratamiento de una enfermedad y a la prevención mediante reglamentaciones que no alcanzan a afectar al papel económico e ideológico que desempeña el alcohol.

En el nivel del tratamiento, los sesgos clásicos en la prestación de servicios han logrado establecer, en mayor o menor medida, de acuerdo a los países, procedimientos terapéuticos que tuvieron un reducido éxito tanto en la captación de bebedores-problema, como en su manejo, y se carece de evidencias claras respecto a cuál fue el motivo de ese éxito y de por qué se lo considera así. Lo conocido sugiere que lo que se logre en la solución de estos problemas de alcohol depende de los recursos psicológicos y sociales del paciente y que su uso de los servicios o agentes de ayuda se rige por una ideología que no se ajusta cuantitativa y cualitativamente al proceso terapéutico estipulado por los clínicos. Existe una diferencia entre la necesidad médicamente definida y la necesidad percibida y definida por el lego, y es en el análisis de esta relación por donde se vislumbra la posibilidad de operar eficazmente a nivel de tratamiento; por allí transita también la búsqueda de esos indicadores que permitan la intervención temprana, así como constituye una base adecuada para los replanteos acerca de las metas y métodos de la intervención. De todos modos los esfuerzos que se hagan en este nivel para el control de los problemas de alcohol serán en gran medida superfluos si no se acompañan con acciones efectivas de prevención.

REFERENCIAS

1. ALCOHÓLICOS ANÓNIMOS: *Libro grande*. Recopilación de la bibliografía de AA. Central Mexicana de los Servicios Generales de AA, A C. México, 1977.

2. BOLTANSKI L: *Los usos sociales del cuerpo*. Periferia, Buenos Aires, 1975.

3. BRUUN K Y QUART J: *Stud. alcohol*. 24, 280, 1963 (citado en Edwards op cit).

4. COE R: *Sociología de la medicina*. Alianza Universidad, Madrid, 1979.

5. CUTTING J: *Alcohol dependence and alcohol-related disabilities*. En: Granville-Grossman: Recent advances in clinical psychiatry. Churchill Livingstone, 1979.

6. DAVIES D L: *Normal drinking in recovered alcohol addicts*. Quart J Stud Alcohol, *23:* 94-104, 1962.

7. EDWARDS G: *The meaning and treatment of alcohol dependence*. En: Silverstone T y Barraclough B: *Contemporary psychiatry*. Selected Reviews from the British Journal of Hospital Medicine. Headley Brothers Ltd, Kent, 1975.

8. ELORRIAGA M M Y PÉREZ A C: *El alcoholismo como problema de salud comunitaria*. En: Guerra G A J: *El alcoholismo en México*. Fondo de Cultura Económica, Archivo del Fondo 73, México, 1977.

9. EMRICK CH D:*A review of psychologically oriented treatment of alcoholism* (I). Quart J Stud Alc, *35:* 523-549, 1974.

10. FIELD D: *The social definition of illness*. En: Tuckett D (Ed): *An introduction to medical sociology*. Tavistock Publications Ltd, Londres, 1976.

11. HOLT S, SKINNER H A, ISRAEL Y: *Early identification of alcohol abuse. II. Clinical and laboratory indicators*. CMA *124:* 1279-1299, 1981.

12. JELLINEK E M: *The disease concept of alcoholism*. Hillhouse Press, New Brunswick, 1960.

13. MANSELL P E: *Ten years of change in alcoholism treatment and delibery systems*. Am J Psych *134:* 261-266, 1977.

14. MOORE R A: *Ten years of inpatient programs for alcoholic patients*. Am J Psychiatry *134:* 542-545, 1977.

15. NATIONAL INSTITUTE ON ALCOHOL ABUSE AND ALCOHOLISM: *Information and feature service*. Rockville, M D, *104:* p 2, 1983.

16. OLIVA H: En: Velasco Fernández R et al: *Alcoholismo (Mesa Redonda)*. Rev. Fac Med UNAM, *19:* 6-27, 1976.

17. ORFORD J Y EDWARDS G: *Alcoholism. A comparison of treatment and advice, with a study of the influence of marriage*. Oxford University Press, Londres, 1977 (citado en OMS, op cit).

18. ORGANIZACIÓN MUNDIAL DE LA SALUD: *Problemas relacionados con el consumo de alcohol*. Informe de un Comité de Expertos de la OMS. Serie de informes técnicos 650. Ginebra, 1980.

19. SECRETARY OF HEALTH, EDUCATION AND WELFARE: *Third special report to the US*. Congress on alcohol and health, Washington, 1978.

20. SECRETARY OF HEALTH AND HUMAN SERVICE: *Fourth special report to the US*. Congress on alcohol and health. EU, Washington, 1981.

21. SKINNER H A, HOLT S E ISRAEL Y: *Early identification of alcohol abuse: I. Critical issues and psychosocial indicators for a composite index*. CMA J *124:* 1141-1151, 1981.

22. SMART R G: *Spontaneous recovery in alcoholics: a review and analysis of the available research*. Drug and Alcohol Dependence *1:* 277-285, 1976.

23 SOBELL M B: *Goals in the treatment of alcohol problems*. Am J Drug Alcoh Ab *5:* 283-291, 1978.

24. TOURNIER R E: *Alcoholics anonymous as treatment and as ideology.* Stud Alcoh *40:* 230-239, 1979.

25. TURULL TORRES F: *Aspectos socioculturales de la demanda de atención en un servicio de alcoholismo de la ciudad de México.* Salud Mental. Año 5, Vol 5, No 2, 1982, p 66-73.

26. TURULL TORRES F: *Consideraciones acerca de los enfoques de la problemática del consumo de alcohol.* En: Corona R et al: *Variables socioeconómicas asociadas al consumo de licores.* UNAM-SSA, 1982 (en prensa).

27. TURULL TORRES F: *El tratamiento de las incapacidades relacionadas con el consumo de alcohol: características de la demanda y uso de servicios.* Memorias I Reunión sobre Investigación y Enseñanza, Instituto Mexicano de Psiquiatría, 1982.

28. WANBERG K W Y KNAPP J: *A multidimensional model for the research and treatment of alcoholism.* Inter J Addict *5:* 69-98, 1970.

EL PUNTO DE VISTA DE LA ANTROPOLOGIA RESPECTO AL CONSUMO DE ALCOHOL

DR. LUIS ALBERTO VARGAS*

El consumo de alcohol es un tema que ha despertado el interés de los antropólogos. La antropología es una disciplina científica cuyo centro de interés es la interrelación entre los factores biológicos y los sociales que son el fundamento de la actividad humana. En efecto, el hombre se distingue de otros primates por su vida social, que es posible gracias a la existencia de la cultura, entendida como los patrones de comportamiento adquiridos y transmitidos por medio de símbolos y artefactos. El hombre se comporta dentro de los límites que le permite su biología y dentro de los que le impone su cultura. El alcohol es un producto que ha sido utilizado por el hombre desde hace milenios. Tiene efectos farmacológicos claros, pero el más importante es deprimir al sistema nervioso y alterar la conducta. Es en este sentido que al antropólogo le interesa el alcohol. Representa la oportunidad de estudiar al hombre bajo el estímulo de un producto que altera su biología y por lo tanto su comportamiento, pero dentro del marco de su cultura. Ello permite analizar la interrelación entre la biología y la cultura y observar cómo ante un mismo efecto los seres humanos y sus comunidades se comportan de manera diferente.

Para poder entender la forma en que el antropólogo estudia e interpreta el fenómeno humano, debemos explicar algunos aspectos fundamentales de lo que es y lo que hace la antropología.

LA ANTROPOLOGÍA

La antropología ha sido definida sucintamente como la ciencia del hombre; lo que la distingue de las demás ciencias humanas es el concepto que tiene del hombre. Para la antropología el hombre es un primate que ha evolucionado en los últimos millones de años gracias a una serie de presiones ambientales que han favorecido varias tendencias biológicas básicas: *a*) el aumento del volumen y complejidad del cerebro en relación con el tamaño corporal, *b*) la adopción de la postura erecta y la posibilidad de usar las manos en algo diferente a la locomoción, *c*) la disminución de la duración del crecimiento dentro del vientre materno, a expensas de un tiempo prolongado de contacto con la familia que favorece la socialización, *d*) la pérdida de la importancia de los elementos anatómicos relacionados con la masticación que ha redundado en una gracilización de la cara. El conjunto de estas cuatro tendencias ha sido fundamental para que el hombre viva en sociedad y haya desarrollado la cultura, que es el medio extrabiológico que le permite adaptarse a las situaciones cambiantes de la naturaleza.

La cultura ha sido llamada también la herencia no biológica del hombre. Con el paso del tiempo, los hombres han aprendido una serie de habilidades y conoci-

* Médico Cirujano y Antropólogo. Investigador Titular y Secretario Académico del Instituto de Investigaciones Antropológicas de la Universidad Nacional Autónoma de México.

mientos que transmiten de persona a persona y de generación a generación y que le permiten comunicarse y enfrentarse al ambiente. El lenguaje es el vehículo indispensable para la transmisión de la cultura, ya que facilita no solamente la comunicación de hechos, sino también la de ideas abstractas y sentimientos por medio de un complejo sistema de símbolos.

La antropología concibe al hombre formado por tres componentes distintos, pero indisolublemente unidos: el biológico, el psicológico y el sociocultural. Cada hombre y por lo tanto cada sociedad se encuentra viviendo dentro de un determinado medio ambiente, que la antropología divide para su estudio en tres componentes, que en la realidad son también inseparables: el físico, el biológico y el humano. Este último está formado por los demás seres humanos con los que se convive directamente, de manera física o indirectamente, a través de su herencia cultural. Un elemento importante en la visión antropológica de lo humano es que la relación hombre-medio ambiente se presenta con variabilidad en el tiempo y el espacio, es decir, es una relación dinámica.

Para poder estudiar al hombre con este enfoque, la antropología se ha dividido en cuatro especialidades: a) la antropología física, que analiza los aspectos biológicos del género homo, en el marco de la variabilidad en el tiempo y el espacio, así como en su adaptación al medio ambiente, b) la arqueología, que estudia la cultura humana por medio de sus restos materiales, c) la etnología, que estudia a las sociedades vivas y su cultura y d) la lingüística antropológica que analiza a los lenguajes humanos en su estructura y dinámica y como elementos transmisores de la cultura.

Con estos conceptos fundamentales en mente podemos revisar algunos enfoques antropológicos usados al estudiar las relaciones entre el hombre y el alcohol.

LA BIOLOGÍA HUMANA Y EL CONSUMO DE ALCOHOL

Uno de los hechos más notables del hombre visto desde el punto de vista biológico es su variabilidad. La especie humana está formada por individuos, que son ejemplares únicos, por su composición genética.

La variabilidad biológica humana puede ser analizada en tres niveles distintos: a) el que ocurre en un mismo individuo en el curso del tiempo, como son los procesos de crecimiento o los ciclos biológicos, b) el que ocurre entre individuos de una misma población biológica, como son las diferencias dentro de un conglomerado humano, entre las que se pueden citar las que son debidas al dimorfismo sexual, c) el que se aprecia al comparar poblaciones humanas diferentes.

Algunos autores han propuesto que existe una gama de variabilidad en la susceptibilidad de distintas personas a los efectos del alcohol.

La posibilidad de que el alcoholismo sea debido a la existencia de genes que hagan que este producto sea metabolizado de una manera especial por algunos individuos, se ha manejado desde hace varios años. Algunos de los primeros trabajos que mostraron una posibilidad de que ello fuera así, fueron hechos por genetistas chilenos (Cruz Coke y Varela, 1969). Encontraron que existía una fuerte asociación entre la presencia de cirrosis hepática y ceguera a los colores o discromatopsia. Al continuar su estudio encontraron que también existía una asociación entre las discromatopsias y el alcoholismo. Pudieron identificar una posible asociación de los rasgos con el cromosoma x, pero no ha sido posible hacer una demostración clara de que exista un factor genético determinante en el alcoholismo.

A pesar de ello, se continúan haciendo estudios tratando de encontrar evidencia epidemiológica de que pueda existir un elemento genético. Para ello se analiza la incidencia de alcoholismo en familias. Como es casi imposible separar los factores de herencia biológica que pudieran estar causando la adicción a este producto, de los factores sociales que empujan a su consumo dentro de una familia, estos estudios han tropezado con problemas. Para sortearlos se han hecho algunas investigaciones con gemelos y otras en que se estudia a personas que han sido adoptadas, para tratar de separar la influencia de la herencia biológica de los factores sociales. Hasta ahora los resultados han podido mostrar la posibilidad de influencia genética en ciertas formas de alcoholismo en sujetos del sexo masculino, que además realizan actos criminales (Anónimo, 1980 y Saunders 1982).

La realidad es que hasta ahora la posibilidad de que haya una predisposición genética para el consumo de alcohol se encuentra lejos de haber sido demostrada.

Otro camino en que la antropología biológica ha tratado de esclarecer las ligas entre lo biológico y el consumo de alcohol es por medio del estudio de la constitución física de los pacientes alcohólicos (Damon, 1963). La constitución física es una manera sintética de expresar la forma y proporciones del cuerpo humano. Existe una buena cantidad de estudios en que se han encontrado asociaciones entre la constitución física y algunas enfermedades. Ello ha permitido suponer la existencia de factores genéticos que tienen que ver con la forma corporal y el padecimiento en cuestión. El trabajo al que hacemos referencia trató de encontrar asociaciones entre la constitución física y el consumo de alcohol en tres grupos muy diferentes de norteamericanos. No encontró ninguna prueba concluyente que permitiera demostrar la existencia de dicha asociación.

De lo anterior podemos concluir que hasta ahora no se ha encontrado prueba de que los factores biológicos se encuentren asociados a la posibilidad de la existencia de alcoholismo. Lo que no ha sido bien estudiado es la variabilidad de la tolerancia personal a los efectos del alcohol sobre el cuerpo. Se sabe que algunos individuos toleran grandes cantidades de alcohol sin manifestar sus efectos. No se sabe si ello se debe a diferentes velocidades en la absorción del alcohol en el tubo digestivo, a una velocidad diferente del metabolismo del alcohol en el hígado, a una menor sensibilidad del sistema nervioso a este producto o a alguna otra razón.

También es observación común que los efectos del alcohol varían de individuo a individuo. A algunos les produce alegría, a otros depresión. No es claro si ello se debe exclusivamente a factores de orden psicológico o si pudiera existir una base biológica para explicar tales diferencias.

Finalmente queda mucho por aclarar sobre la susceptibilidad individual a los efectos del alcohol sobre el organismo en general. Se ha estudiado relativamente poco si existen o no variaciones biológicas en la relación entre consumo de alcohol y cirrosis hepática.

Conocer la asociación entre la mortalidad y el consumo de alcohol es un tema de interés para la antropología, ya que es un ejemplo de la influencia de un factor externo sobre un aspecto demográfico de la humanidad. Además ilustra sobre la variabilidad del efecto de este producto en distintos grupos humanos. Los resultados más destacados en este terreno han sido hechos en Suecia (Peterson y col., 1980), Yugoslavia (Kozararevic y col., 1980), Hawaii (Blackwelder y col., 1980) y Londres (Marmot y col., 1981).

Se encontró que el alcohol afecta de manera clara la mortalidad de los grupos humanos. Causa mortalidad prematura por efecto directo e indirecto, como es en el caso de accidentes en estado de embriaguez. Lo más interesante es que la mortalidad es mayor entre aquellos que consumen más alcohol, pero es menor que en el resto de la población entre los que beben muy pequeñas cantidades de alcohol. Esta cantidad es tan baja como un trago al día, ya que cantidades mayores sí afectan negativamente a la mortalidad. Tal vez ello no se debe a un efecto del alcohol como tal, sino a que las personas que beben una cerveza o un vaso de vino o un coctel al día son quienes tienen un estilo de vida más relajado, con menos tensiones que la mayoría. Es probable que quien tiene tiempo de comer al medio día o en la noche con calma, en su casa y puede beber un trago en esos momentos sea una persona que dispone de tiempo libre, que no se encuentra agobiada por el trabajo o que no sufra tantas presiones emocionales como aquel que bebe varias veces al día.

Estos trabajos sobre mortalidad y consumo de alcohol son un buen ejemplo de la compleja asociación que suele existir en la esfera biológica humana. Muestran que un factor, aparentemente tan simple como el consumo de alcohol, tiene modalidades distintas de expresarse, de acuerdo con la cantidad que se consuma o las enfermedades con las que se le busca asociación. Biológicamente la farmacología del alcohol muestra que este producto tiene distintos efectos sobre diferentes componentes del organismo. Es muy probable que además existan grados de suceptibilidad individual que aún no han sido demostrados.

LA ANTROPOLOGÍA CULTURAL Y EL CONOCIMIENTO SOBRE EL CONSUMO DE ALCOHOL

Los estudios arqueológicos han contribuido a nuestros conocimientos sobre el consumo de alcohol en los pueblos antiguos. Desgraciadamente este no es el caso de México. Lo que sabemos sobre la forma en que el alcohol era bebido en tiempos prehispánicos se apoya fundamentalmente en investigaciones históricas y etnohistóricas. En otro artículo de esta serie de libros (Román Celis, 1982) se analizan algunos de los aspectos históricos sobre la producción y consumo de bebidas alcohólicas en México. Es suficiente añadir que las presentaciones artísticas de individuos bebiendo o de borrachos son escasas y difíciles de interpretar. De las más conocidas son los murales de los bebedores en Cholula. Está por hacerse una evaluación de los materiales arqueológicos para tratar de fundamentar una historia del consumo de alcohol en la época prehispánica. Se podrían utilizar algunos indicadores como son las famosas "copas pulqueras" que son tan frecuentes en algunos sitios del Post Clásico. Es poco probable que se pueda señalar con exactitud el inicio de la producción de bebidas como el pulque, ya que para su elaboración se utilizan materiales perecederos como la madera. Tal vez el estudio químico de sedimentos en piezas de cerámica pueda esclarecer este asunto.

En cambio, los estudios sobre los factores culturales que influyen en el consumo de alcohol en el México indígena y mestizo son relativamente abundantes. A ellos dedicaremos las siguientes páginas.

Cabe señalar que existen numerosos estudios antropológicos sobre las modalidades culturales del consumo de alcohol en el mundo. Se ha mostrado que existen pueblos, como los Hopi de los Estados Unidos, que en el pasado tuvieron una abstinencia total del alcohol, aunque le conocieron. En cambio, se dice que los Kofyar del norte de Nigeria solamente trabajan, beben y hablan en torno de la cerveza. Este pueblo gira alrededor de la cerveza de igual manera que otros pueblos africanos giran alrededor del ganado en su pensamiento y acción. Sin embargo, en este grupo no existen problemas serios de alcoholismo, ya que la cerveza se consume constantemente, pero en cantidades moderadas, sin buscarse la ebriedad. Se le considera como un alimento básico y la toman mujeres y hombres de todas las edades. Se busca su efecto

placentero, pero no se abusa de ella (Mc C. Netting, 1966). Como contraste, en la sociedad tradicional del Japón, se bebe dentro de la religión conocida como shintoísmo, aunque dentro del budismo el alcohol se encuentra prohibido. En la primera religión se bebe como parte de algunas ceremonias religiosas o civiles. Se busca el fortalecer lazos sociales o emocionales. El contacto con occidente ha cambiado estos patrones y hoy quien se emborracha siente culpa en vez de vergüenza y el consumo de alcohol fuera de su marco restringido ha desaparecido para hacerse una práctica común (Sargent, 1968). Entre los Buganda, de Uganda en Africa, se han descrito dos patrones para beber, asociados con dos productos diferentes: el Mwenge y el Nguli. El primero está firmemente arraigado en la cultura local y es una bebida fermentada. La consumen niños y adultos y se usa para muchas ceremonias civiles y religiosas. Se le consume en lugares privados en los que hay hospitalidad y buena conducta, su uso fomenta el baile y el coqueteo. El Nguli se suele beber a solas, al tratarse de una bebida destilada su efecto es mayor y es causante de agresión, falta de control sexual y actividades antisociales. Su uso es común entre los jóvenes. Las dos bebidas tienen sus circunstancias adecuadas para beberlas y resuelven problemas diferentes, pero culturalmente se encuentran bien separadas. En esta misma región se ha comprobado que la población marginada que se encuentra en proceso de incorporación al mundo occidental es la que busca bebidas de más alta graduación alcohólica (Robbins, 1977, y Robbins y Pollnac, 1969).

Con estos datos que muestran unos cuantos aspectos de la gama de variabilidad cultural en relación con el consumo de alcohol, se puede analizar la situación en México.

CULTURA Y ALCOHOL EN MÉXICO

La variabilidad en el consumo de alcohol en México es grande. Va desde los patrones que se observan en las regiones indígenas hasta los de los grupos urbanos que siguen las normas de la cultura occidental en su modalidad más cosmopolita y que son influidos por la moda internacional que llega a afectar las bebidas que consumen.

Los tarahumaras

El primer ejemplo que mencionaremos es el de los tarahumaras, grupo indígena que vive en las sierras de Chihuahua. Su consumo de alcohol ha sido bien descrito (Kennedy, 1963).

El tesgüino es la bebida que suelen consumir los tarahumaras más tradicionales. Se prepara con maíz germinado que se deja fermentar con la semilla de un zacate conocido como basiáhuari. Como sucede con las bebidas fermentadas, se debe consumir en un plazo corto, ya que no se puede conservar, al descomponerse con facilidad.

Uno de los hechos que ha llamado la atención a los visitantes de la región de los tarahumaras es el efecto que tiene la bebida alcohólica sobre este grupo. Se ha llegado a afirmar que son tan tímidos que solamente bajo el efecto del alcohol son capaces de establecer relaciones sociales. En realidad lo que sucede es que el tesgüino se encuentra fuertemente arraigado en su cultura y solamente una estrecha convivencia permite descubrir su valor y papel social. El tesgüino se suele beber solamente en grupo y casi siempre con un motivo justificado, como es una ceremonia religiosa, un acontecimiento civil o una actividad de trabajo colectivo. Para realizar una "tesgüinada" de trabajo se requiere que la persona interesada fabrique la bebida e invite a sus vecinos a consumirla, mientras realizan una faena común, como suele ser una de las muchas tareas agrícolas. Cuando alguno de los vecinos requiere del apoyo de otros realizará la misma operación. De esta manera se logra unir esfuerzos y una gran cohesión social. Los niños no suelen participar de estos acontecimientos, sino hacia los 14 años. Por esta razón es frecuente encontrar a los menores de edad solos en las casas, mientras los padres han salido a beber.

El tesgüino es parte importante de las ceremonias religiosas y para beberlo en cualquier ocasión se utiliza un ritual. El primer trago se dedica a los dioses y se arrojan pequeñas cantidades de la bebida hacia los cuatro puntos cardinales. Cada olla que se prepara es ofrecida a alguna persona principal que se encuentre ahí. Este sirve a los demás, de acuerdo a su orden jerárquico. Pero su papel más importante es social. El círculo social en que se mueve un individuo está regido por aquéllos con los que comparte el tesgüino y desde luego con ellos realiza sus actividades económicas de producción y distribución. Estos círculos son la base de la organización social entre los tarahumaras.

La forma y el momento en que se fabrica tesgüino son un indicador del nivel social y económico de un individuo. Justo antes de la cosecha, en los momentos en que casi todos tiénen poco que comer, solamente los muy ricos pueden sacrificar maíz suficiente para la "tesgüinada". El número de invitados es también reflejo de la importancia de un individuo. No ser invitado a un acto de este tipo puede ser considerado como una forma de marginación y por lo tanto es utilizado para el control social.

La "tesgüinada" es también ocasión de otras dos actividades: impartir justicia y dar salida a la sexualidad. Se aprovecha la reunión de los adultos para juzgar las faltas sociales, que son solucionadas mediante sermones y opiniones formales de las autoridades mientras se bebe. También es el momento en que, bajo el influjo del alcohol, se pueden tener relaciones sexuales fuera del matrimonio. Las mujeres coquetean con los hombres que les gustan, lo que es inadmisible en otra circunstancia. Se aprovecha la ebriedad de la pareja para relacionarse con otra persona. En esta situación se considera que no existe culpa, ya que bajo la influencia del alcohol la responsabilidad se atenúa. Finalmente no debe olvidarse que este grupo de tarahumaras viven muy aislados. Sus labores en el campo y la casa son solitarias. Las "tesgüinadas" son las ocasiones más importantes para reunirse con los demás, de divertirse y rehacer intereses y ligas sociales. Pero no todo es positivo en la relación hombre-alcohol. Es frecuente que algunas personas vayan más allá de lo socialmente aceptable y que resulten dañadas sus relaciones interpersonales después de una fiesta. Otros pueden sufrir accidentes y morir por estar demasiado borrachos. Las fiestas tienen un alto costo económico y en ocasiones no es compensado al dejar de realizarse el trabajo que se tenía planeado como motivo de la reunión.

Lo que no puede dejar de percibirse es el papel tan importante que el tesgüino juega en la cultura tarahumara. Está firmemente integrado al modo de vida y a las instituciones sociales. Cumple diversidad de funciones, aunque implica peligros, pero debe ser entendido como el resultado de muchos años de contacto de un pueblo con una forma de vivir.

Los indígenas de Chiapas y Guatemala

Los indígenas de Chiapas han sido estudiados por numerosos antropólogos. Sus patrones de ingestión de alcohol han sido objeto de particular atención.

De la Fuente (1955) señala que se ha calificado de "culturas alcohólicas" a las de estos grupos. Ello se debe a que con excepción de los sujetos que han adoptado el cristianismo, la mayoría de los indígenas ". . . ingiere cantidades considerables de bebidas alcohólicas: que los hombres, como grupo beben más que las mujeres; que beber es en ambos grupos no sólo un acto siempre social, sino también ceremonial; que es escaso el número de bebedores solitarios, y que el licor no sólo forma parte indispensable de todo contacto social, sino que es el medio o vehículo de contacto". Esta afirmación no es exagerada y se encuentra bien cimentada en estudios etnográficos (Bunzel, 1940 y Pozas, 1959).

El inicio en el consumo de alcohol se hace en etapas muy tempranas de la vida. Los padres suelen dar "probadas" de chicha o aguardiente a los niños de pecho. A los niños mayores se les da el alcohol en recipientes y es frecuente ver que algunos de ellos se embriagan. Pero es hasta la juventud, momento en que se comienza a ocupar cargos civiles o religiosos en que realmente se inicia el consumo sistemático de bebidas alcohólicas.

El alcohol es parte integral de todo tipo de actos sociales, sean seculares o religiosos. El nacimiento, el matrimonio, la enfermedad, la muerte, las fiestas religiosas, el encontrar a alguien en un camino, el solicitar justicia, el participar en una transacción comercial, pedir un favor y cualquier otra actividad es formalizada mediante la bebida. Las personas de mayor jerarquía social son las que más alcohol consumen, ya que los asuntos en que intervienen así lo determinan. En este sentido, la ebriedad es aprobada por todos, lo que no sucede con aquéllos que se embriagan sin tener una razón social para hacerlo. Las críticas son particularmente serias cuando el consumo de alcohol afecta la estabilidad social, económica o familiar de un individuo.

Pozas afirma que el consumo de alcohol entre los chamulas tiene base en la inseguridad individual más que en la búsqueda de prestigio. Cada persona sabe que bebiendo con los demás forma parte de su grupo y se liga a su sociedad.

Por su parte, De la Fuente encuentra algunas características propias del consumo de alcohol entre estos grupos. Señala que los indígenas logran conservar su destreza, precisión y equilibrio aunque se encuentren en grados avanzados de intoxicación alcohólica. Es relativamente escaso el número de accidentes que se presentan aunque las personas hayan bebido mucho. Son capaces de caminar por lugares peligrosos,

de subirse a árboles o manejar sus machetes aunque se encuentren muy ebrios. Desde luego que llega un momento en que este control se pierde. En cambio, contrasta que con relativamente poca ingestión de alcohol se embriagan. Atribuye esto a que la cantidad de alcohol que mantienen permanentemente en su cuerpo hace que cualquier nuevo ingreso de este producto a su sangre tenga efectos rápidos. También se encuentra que los indígenas se quejan poco de los efectos posteriores al consumo de alcohol, conocidos comunmente como cruda. Varios autores han señalado que con frecuencia los indígenas se embriagan a un grado tal que pierden la conciencia de lo que hacen, pero pueden realizar actividades sumamente complicadas con gran responsabilidad, aunque al día siguiente no recuerden lo que hicieron la víspera.

Como contraste a la integración que el alcohol tiene en la vida de este grupo de Chiapas, destaca lo encontrado por Bunzel entre los indígenas quichés de Chichicastenango, Guatemala. A pesar de que pertenecen también al grupo maya, tienen distintos patrones de consumo de alcohol que el de los indígenas de Chiapas.

En este sitio se bebe solamente en los días de mercado y en las fiestas civiles y sobre todo en las religiosas. Durante las fiestas, se observa primero el ritual cristiano, pero después los mayordomos que han organizado el agasajo se retiran a los lugares donde se guarda a los santos. Ahí se instala una marimba y se comienza a beber chicha o aguardiente. Existe una buena cantidad de comportamiento sexual, que suele inhibirse si no hay alcohol de por medio. Las parejas bailan. En ocasiones se reúnen un hombre y dos mujeres o dos hombres y una mujer, que pueden llegar a salir al exterior a tener relaciones sexuales. Esta situación causa gran sentido de culpabilidad, ya que es contraria a las normas sociales imperantes.

En este grupo también existe un ceremonial para consumir el alcohol. Los jóvenes suelen ofrecer la bebida a los de mayor edad, quienes contestan con una bendición. En cambio, cuando se bebe sin relación a actividades religiosas, el patrón es diferente. Existe una atmósfera cargada de mayor tensión. Puede aparecer agresión y conducta antisocial. La violencia física puede llevar al homicidio.

Esta situación contrasta con la encontrada entre los indígenas de Chiapas, en que las manifestaciones sociales de la embriaguez se encuentran reguladas por la sociedad y de hecho contribuyen a la cohesión de ésta.

Los campesinos mestizos mexicanos

Contrariamente a lo que sucede con la mayor parte de los estudios etnográficos en grupos indígenas, en que suele mencionarse el consumo de alcohol como un aspecto importante de la cultura, son relativamente escasos los trabajos en comunidades mestizas del campo mexicano.

Uno de los estudios fue hecho en Tecospa, cerca de Milpa Alta y en Tepepan, en Tlalpan, las dos comunidades del Distrito Federal (Madsen y Madsen, 1969). En la época en que se hizo el estudio, Tecospa era mucho más indígena que Tepepan, se hablaba náhuatl y la bebida más consumida era el pulque.

El pulque continuaba siendo considerado una bebida sagrada, relacionada con los más profundos valores culturales. Al momento de hacer el estudio todavía existía un ceremonial antes de beberlo. Se ofrecían los primeros tragos a los de mayor edad y se hacían brindis con las primeras jícaras que se vaciaban. Se solía beber en un contexto social, en grupo y en ocasión de algún acontecimiento civil o religioso. Bebían los hombres y las mujeres. Era frecuente que se diera a probar el pulque a los niños. La embriaguez era comprendida en los hombres, pero no era tolerada en las mujeres. Como sucede en otros grupos mexicanos, el papel del alcohol era importante en la cohesión social.

En Tepepan la situación es diferente. Se bebe para obtener seguridad personal y afirmar el lugar en la sociedad. El consumo de alcohol está íntimamente ligado con el machismo y con la idea de que la conducta agresiva y violenta es la adecuada para los hombres. La superioridad sexual y social se demuestra bebiendo. Pero como sucede en muchos lugares, el consumo de alcohol es visto en forma ambivalente. Cuando una persona se intoxica y su conducta es antisocial, es mal vista. El estar borracho es una situación de peligro ante las agresiones del ambiente y de los demás. El consumo frecuente de alcohol, sobre todo si se llega a la ebriedad, es un signo de debilidad. Por otra parte, el alcohólico es visto como una víctima del destino y por lo tanto, como una persona que no es responsable de sus problemas.

Otro estudio interesante fue hecho entre campesinos del estado de Morelos (Maccoby, 1965). El autor partió de la idea de que el consumo de alcohol era un obstáculo importante para el progreso social y económico de las comunidades rurales mexicanas. Calculó que el 18% de los adultos eran alcohólicos, pero al hacer un cuidadoso estudio de campo descubrió que el 14.4% de los hombres mayores de 16 años eran alcohólicos, 13% eran bebedores excesivos, 47% bebedores moderados y 16.3% eran abstemios. La mayoría estuvo de acuerdo en que el consumo de alcohol era perjudicial, pero reconocieron que ése era uno de los pocos medios que había a su alcance para divertirse y brindarse momentos de alegría. Un hecho interesante es que entre los abstemios había muchos que habían roto con los patrones tradicionales de la aldea y se habían incorporado a nuevas actividades como el deporte. Al ofrecer la posibilidad de ir al cine, los que acudieron, fueron en su mayoría abstemios, quedando en último lugar los alcohólicos.

Entre los rasgos psicológicos que se encontraron entre este grupo de campesinos morelenses alcohólicos, destaca su receptividad, dentro de la clasificación del carácter propuesta por Fromm. Esto va aunado a manifestaciones de narcisismo y sadismo, fruto de su inseguridad. Otro elemento importante es su fijación y dependencia de la figura materna.

De acuerdo con el estudio señalado, no es posible elucidar si el alcohol conduce a la pobreza o si existe una estructura psicológica que lleva tanto a la pobreza como al excesivo consumo de alcohol.

Las relaciones entre el consumo de alcohol y la situación económica han sido estudiadas recientemente en Temascalcingo, Estado de México (De Walt, 1979). El problema que se planteó es saber si el alcohol inhibía el cambio sociocultural. En esta región, el consumo de alcohol no está ritualizado ni vinculado a actividades religiosas. Se bebe pulque, pero también cerveza y productos destilados comerciales. Los patrones de consumo son muy variables. Una de las conclusiones más importantes de este estudio es que la relación entre el consumo de alcohol y el cambio sociocultural es muy compleja. Por ejemplo, se encontró que los bebedores habituales eran más propensos a innovar en lo relativo al uso de tractores, pero no en lo referente a la ganadería. El autor considera que el alcohol es una variante importante en el estudio de los procesos de modernización, pero que debe ser incluida siempre dentro de un modelo de multiplicidad de variables, ya que no es posible considerarlo de manera aislada.

Finalmente señalaremos que en fecha reciente se ha acrecentado el interés de conocer más sobre el consumo de alcohol en el medio rural. Uno de los trabajos que explora nuevas facetas en este campo es el que analiza la opinión de habitantes de una comunidad semirrural del sur del Distrito Federal (Natera y Orozco, 1981). Para ello utilizaron un cuestionario de opinión sobre distintos aspectos relacionados con el consumo de alcohol en su comunidad. El cuestionario fue llenado por 154 informantes, que representaban la variabilidad social de la comunidad. Se encontró que la mayoría piensa que se emborrachan más los hombres que las mujeres, sobre todo los fines de semana. Se bebe más pulque que cerveza y por último se beben destilados. El pulque tiene gran importancia en esta comunidad y se consume como parte de las comidas. La mayoría percibe el consumo de alcohol como un problema de la comunidad y piensa que lo importante es aprender a beber con moderación. Este tipo de estudios tiene la ventaja de recoger el sentir de la comunidad, aunque los datos no sean rigurosamente exactos. Permiten planear acciones, de acuerdo con lo percibido por la gente.

El medio urbano

Este volumen es una contribución al conocimiento del consumo de alcohol en el medio urbano, ya que son hasta ahora muy escasos los trabajos que al respecto se han publicado. El interés de hacerlos era patente y varias dependencias oficiales y privadas se han dedicado a ello.

Por esta razón solamente haremos mención de algunos hallazgos de un trabajo previo. Villamil y Sotomayor (1980), plantean un modelo socio-ecológico para estudiar el problema del consumo de alcohol en México. Utilizaron los datos de una encuesta hecha por el Instituto Mexicano del Seguro Social en 1969 y 1970 en 27 unidades médicas del Distrito Federal, abarcando 91,628 familias. Estas familias pudieron ser estratificadas de acuerdo a una serie de indicadores sociales y económicos. La conclusión más importante es que el consumo de alcohol y la aparición de alcoholismo es más frecuente conforme peores son las condiciones socio-económicas. En este trabajo se proporcionan valiosos datos y reflexiones sobre la complejidad que representa el consumo de alcohol en México.

Finalmente y como corroboración de los datos de los trabajos anteriores, presentaremos los resultados de una investigación hecha entre estudiantes universitarios mexicano-americanos, en Texas (Trotter, 1982).

El estudio se hizo en una universidad cercana a la frontera con México, a la que acuden estudiantes de familias de origen estadounidense y mexicano. La muestra estudiada es representativa de la distribución por sexos y orígenes de los alumnos. Se estudiaron las respuestas de 518 alumnos.

Destaca el hecho de que los alumnos de origen mexicano y los de origen estadounidense del sexo masculino beben aproximadamente la misma cantidad, con la misma frecuencia y el mismo tipo de bebidas. Las diferencias importantes fueron las circunstancias para beber. Los mexicanos señalaron con más frecuencia beber en casa de amigos que los norteamericanos, esto va aunado al hecho de que también beben menos en su propia casa. Las mujeres de origen mexicano mostraron patrones muy diferentes a los de los hombres y a los de las mujeres norteamericanas. En primer lugar bebían menos y con menor frecuencia, pero además lo hacían en lugares socialmente aceptados, como son los clubes nocturnos o bares, a donde iban casi siempre en compañía de hombres. Nunca bebían en casa. El consumo de alcohol entre las mujeres de origen mexicano parece depender de sus relaciones con el sexo opuesto, ya que se hace principalmente en ocasión de invitaciones a salir fuera de casa, por parte de amigos, novios, compañeros o de su propia familia. El autor afirma que la cultura de origen mexicano ofrece un ambiente protector para las mujeres en relación al alcohol. Esto no sucede con las mujeres norteamericanas.

Conclusiones

De los ejemplos anteriores se puede desprender que el consumo de alcohol no es un fenómeno simple, sino que tiene facetas muy complejas: Por una parte se debe profundizar en el análisis de la variabilidad biológica en relación a los efectos del alcohol sobre el organismo. La mayoría de los estudios hechos por los médicos buscan el efecto patológico de este producto sobre diversas partes del organismo. Otros estudios se enfocan a la búsqueda de indicadores bioquímicos del grado de daño que el alcohol ha producido sobre el organismo. En cambio son muy escasos los trabajos acerca de las relaciones entre genética y consumo de alcohol o sobre la susceptibilidad individual al consumo de alcohol. Afortunadamente cada día se encuentran más estudios prospectivos sobre la mortalidad y morbilidad relacionadas con el consumo de alcohol, que han permitido hallazgos tan interesantes como el efecto protector que parece ofrecer el consumo de cantidades muy moderadas de alcohol. Es deseable que en México se hagan más estudios epidemiológicos en este terreno.

En el aspecto cultural es bastante lo que se sabe sobre las modalidades de la ingestión de alcohol en comunidades indígenas. Llama la atención la forma en que el consumo de este producto se encuentra firmemente integrado a la cultura y cargado de componentes emocionales, religiosos y de cohesión social. En otros trabajos dentro de este volumen se destacan estos aspectos. Contrasta la relativamente pobre información sobre el consumo en las regiones campesinas mestizas y en las ciudades. La mayoría de los estudios urbanos se refieren a la ciudad de México o las zonas cercanas, pero hace falta conocer la variabilidad en el resto del país. Se carece de información precisa sobre los patrones de consumo entre distintos estratos sociales y mucho de lo que se sabe es meramente anecdótico, pero no ha sido sistematizado.

A pesar de lo anterior se pueden vislumbrar algunos aspectos importantes para ser tomados en cuenta en las campañas de prevención del consumo excesivo del alcohol. Resulta claro que el consumo de este producto no se puede erradicar, ya que está firmemente arraigado en la cultura nacional debido a una serie muy compleja de causas, que van desde la propaganda comercial hasta su uso en rituales de tipo religioso. Por lo tanto, a lo que se puede aspirar es a que se aprenda a beber con moderación, reconociendo los efectos del alcohol sobre el organismo y motivando a que se midan y calculen los riesgos de beber. Ello puede lograrse de manera muy limitada a través de la legislación, pero de una manera mucho más efectiva a través de la educación para la salud. Este es el reto que tenemos ante nosotros. Para vencerlo tenemos que conocer mejor la interrelación entre el hombre y el alcohol y el conocimiento con criterio antropológico es un camino para lograrlo.

REFERENCIAS

1. ANÓNIMO: *Alcoholism; an inherited disease?* British medical journal. *281:* 1301-1302, 1980.
2. BLACKWELDER W C, YANO K, RHOADS G G, KAGAN A, GORDON T Y PALESCH Y: *Alcohol and mortality.* American Journal of Medicine, *68:* 164-169, 1980.
3. BUNZEL R: *The role of alcoholism in two Central American cultures.* Psychiatry *3:* 361-387, 1940.
4. CRUZ-COKE R Y VARELA A: *Factores genéticos en el alcoholismo.* Archivos de Biología y Medicina Experimentales, Supl *3:* 246-251, Chile, 1969.
5. DAMON A: *Constitution and alcohol consumption: physique.* Journal of Chronic Diseases, *16:* 1237-1250, 1963.

6. DE LA FUENTE J: *Alcoholismo y sociedad.* Mecanoescrito, 14 p, México, 1955.

7. DE WALT B R: *Drinking behavior, economic status, and adaptative strategies of modernization in a highland Mexican community.* American Ethnologist *6:* 510-530, 1979.

8. KENNEDY J G: *Tesgüino complex: the role of beer in Tarahumara culture.* American Anthropologist *65:* 620-640, 1963.

9. KOZARAREVIC D, MCGEE D, VOJVODIC N, RACIC Z, DAWBER T Y GORDON T: *Frequency of alcohol consmumption and morbidity and mortality: the Yugoslavia cardiovascular disease study.* The Lancet *1:* 613-616, 1982.

10. MACCOBY M: *El alcoholismo en una comunidad campesina.* Rev de Psicoanálisis, psiquiatría y psicología *1:* 38-64, 1965.

11. MADSEN W Y MADSEN C: *The cultural structure of mexican drinking behavior.* Quarterly Journal of Studies on Alcohol *30:* 701-718, 1969.

12. MARIMOT M G, ROSE G, SHIPLEY M J Y THOMAS J B:*Alcohol and mortality: a U shaped curve.* The Lancet *1:* 580-583, 1981.

13. MC. C NETTING R: *Beer as a locus of value among the West African Kofyar.* American Anthropologist *66:* 375-384, 1966.

14. NATERA G Y OROZCO C: *Opiniones sobre el consumo de alcohol en una comunidad semirrural.* Salud Pública de México *28:* 473-482, 1981.

15. PETERSON B, KRISTENSON H, STERNBY H N, TRELL E, FEX G Y HOOD B: *Alcohol consumption and premature death in middle-aged men.* British Medical Journal *280:* 1403-1406, 1980.

16. POZAS R: *Chamula, un pueblo indio de los Altos de Chiapas.* Instituto Nacional Indigenista, p 72-76 (Memorias del Instituto Nacional Indigenista Vol VIII), México, 1959.

17. ROBBINS M C: *Problem drinking and the integration of alcohol in rural Buganda.* Medical Anthropology *1:* 1-24, 1977.

18. ROBBINS M C Y POLLNAC B R: *Drinking patterns and acculturation in rural Buganda.* American Anthropologist *71:* 276-284, 1969.

19. ROMÁN C C: *El vino: alegría de los dioses y perdición de los hombres.* En: Valentín Molina Piñero y Luis Sánchez Medal: *El alcoholismo en México I, patología.* Fundación de Investigaciones Sociales, A C, p 3-24, México, 1982.

20. SAUNDERS J B, *Alcoholism: new evidence for a genetic contribution.* British Medical Journal *284:* 1137-1138, 1982.

21. SANGENT M J: *Changes in japanese drinking patterns.* Quarterly Journal of Studies on Alcohol *28:* 709-722.

22. TROTTER II, R T: *Ethnic and sexual patterns of alcohol use: anglo and mexican american college attitudes.* Adolescence *17:* 305-325, 1982.

23. VILLAMIL P R Y SOTOMAYOR G J: *El alcoholismo en el Distrito Federal: un enfoque socio-ecológico.* México, programa de investigación de la Escuela Nacional de Estudics Profesionales Acatlán, UNAM, 167 p (serie de Intercambio), 1980.

LA ANTROPOLOGIA MEDICA Y EL ALCOHOLISMO

ANTROP. M.S.P. JORGE MIRANDA PELAYO*

En este trabajo se intentará·establecer la vinculación que la Antropología Médica ha tenido con el alcoholismo. Se parte de una somera visión de la antropología general (que concibe al alcoholismo como un componente más de la cultura), dado que ésta constituyó la base sobre la cual habría de desarrollarse más tarde el campo de la antropología médica; mediante este enfoque es posible viajar desde la descripción hasta la interpretación y de la teoría antropológica a su acción aplicada en el campo médico.

Desde su origen, como disciplina científica, la antropología general ha centrado su atención en el hombre desde una perspectiva integral, es decir, biológica y cultural, pasada y presente. Acentúa el principio de que la vida es un *continum,* hecho que le impone ser una de las áreas del conocimiento más especializada y, al mismo tiempo, una de las más amplias.[1]

El antropólogo físico se ha interesado por conocer el origen y evolución del hombre, los factores de la herencia, el crecimiento y desarrollo, la somatología y biotipología, la craneología, paleodemografía y la sistemática social, todas ellas desde una visión teórica, pero también, la de su utilización y enseñanza como lo muestran sus aplicaciones en la fisiología, la genética, la criminología, la medicina y salud pública, la promoción de la salud, los servicios armados y, más recientemente, en los centros que desarrollan programas de higiene y seguridad en el trabajo[2].

El antropólogo cultural, por su parte, estudia el todo o un determinado cuerpo de costumbres y símbolos; así, los aspectos económicos y tecnológicos, las instituciones sociales, el arte, folklore, lenguaje, etc., considerándolos como un sistema funcional que desarrolla un pueblo determinado frente a un ambiente físico y social concreto. De hecho, toma como punto de atracción epistémica a la cultura que no es más que una manera de pensar, sentir, creer;[3] la memoria social del hombre al través de su devenir.

Cuando la antropología cultural emplea sus conceptos teóricos y metodología de investigación en programas destinados a resolver problemas sociales, económicos y tecnológicos contemporáneos, se habla de antropología aplicada.[4]

La antropología, metodológicamente, aborda el fenómeno del alcoholismo de diversas maneras: según Murdock,[5] en su guía para la clasificación de datos culturales, incluye, para describir, este componente: las clases de bebidas alcohólicas usadas (cerveza, vino, licores); técnicas de preparación (fermentar, destilar); aparatos (alambiques); consumo (consumidores, cantidad, ocasiones); etiqueta especial; deseo de bebidas alcohólicas; embriaguez y conducta de los embriagados; creencias y prácticas asociadas; control social y legal.

Respecto a la producción de bebidas considera su industrialización, técnicas, equipo especial, organización y reglamentación.

En el apartado de establecimientos de bebidas: expendios, servicios, clientela y equipo especial.

---

* Antropólogo Social. Maestro en Salud Pública. Subdirector de Promoción Social, D.I.F.

En el apartado del alcoholismo y afición a los estimulantes: frecuencia de uso excesivo o crónico de alcohol; problemas sociales resultantes (pobreza, delincuencia, desintegración familiar); cuidado y tratamiento de los alcohólicos (descuido, medidas restrictivas, cura); instituciones especiales para el tratamiento y la curación.

El Instituto Real de Antropología de la Gran Bretaña e Irlanda[6] preparó un modelo para el trabajo de campo que contiene diversos apartados sobre el alcoholismo: vida social del individuo (rutina diaria y emocional, costumbres y etiqueta); alimentos (tradiciones y rituales); bebidas preparadas (tipos, procedimientos de elaboración, rituales); estimulantes.

Se asocian a cada uno de estos capítulos una serie de preguntas que podrían constituir tópicos por investigar: Las bebidas preparadas, ¿se toman solas o con las comidas?, ¿son los hombres o las mujeres quienes las preparan?, ¿las preparan en la ocasión en que van a beberse o de antemano?, ¿se toman en ocasiones ceremoniales?, ¿existen ceremonias relacionadas con la bebida?, ¿se emplean determinados recipientes para ciertas bebidas? ¿se dice que tienen propiedades alimenticias, medicinales, estimulantes o narcóticas?, el uso de alguna bebida, o su consumo en exceso ¿se considera vergonzoso o causa pérdida de prestigio?, ¿existen ritos relacionados con bebidas o sobre la costumbre de beber?

Otra forma de acercarse al tema, desde el ángulo antropológico, bien pudiera ser el que se refiere a las repercusiones del alcoholismo en familias de comunidades indígenas, como las que se mencionan para las de la sierra norte de Puebla, Méx. " ..los hijos de los indígenas de la comunidad crecen viendo a sus padres y abuelos, hermanos mayores y tíos, beber todo el tiempo: llegan así a entender que a través de este particular proceso de endoculturización o aprendizaje, el beber es parte de las normas sociales del grupo. Se piensa que el beber no es dañino si se hace con moderación. El alcohol permite una interacción más abierta entre los que lo ingieren al desinhibirse los sujetos que se reunen socialmente a intercambiar sus problemas, creencias y experiencias; pero también, el alcohol puede llevar a la revancha y al castigo".[7]

Algunos trabajos más han descrito las formas cómo la bebida se integra a la cultura y a la organización social, como es el caso de los indios tarahumaras del norte de México "...la institucionalización de la bebida tiene una importancia funcional primaria y una influencia profunda en la historia...",[8] o como en el caso de los indígenas de Chiapas: "...el alcohol forma a tal grado parte de las manifestaciones religiosas de los Tzotziles, que se le considera como sagrado y abstenerse de él significa menospreciar la tradición Tzotzil y ofender a los ancestros".* El uso del alcohol está tan integrado a los aspectos religiosos y laicos de la cultura Tzotzil, que llega a constituir una norma de conducta.

Ruth Bunzel,[9] en estudios etnográficos de ciertas poblaciones indígenas de México y Guatemala, estableció que la intoxicación alcohólica desempeña un papel significativo en las culturas desde el punto de vista sociológico y psicológico.**

---

* Véase: Holland, William R. *Medicina en los Altos de Chiapas.* INI, Col. de Antropología Social No. 2, 38-38, 1063.

** Para conocer fenómenos similares, revisar: *La Población Indígena,* de Carlos Basauri, SEP,

Otros trabajos han señalado la relación entre el alcoholismo y grado de desnutrición así como de sus efectos directos o colaterales cubriendo un buen espacio en la investigación antropológica.[10-11]

Julio de la Fuente[12] llegó a establecer que el consumo excesivo de bebidas alcohólicas, con los factores que a él se asocian, es reconocido como factor concurrente de la desorganización social.

La disminución de la expectativa de vida, el pauperismo, el incremento de accidentes de clase diversa, la acentuación de la inmoralidad sexual, la delincuencia y el crimen son considerados como otras tantas formas de desorganización social, en las cuales el alcoholismo juega un papel determinante, diversamente asociado a otros factores, llegando incluso a condicionar los fenómenos sociales negativos que se dan en Chiapas.

Algo semejante ocurre en las comunidades urbanas aunque, como se sabe, no dejan de tener características distintivas, como es el caso de los estudios que refieren los trasfondos sociales, económicos y culturales que sirven para explicar causas y efectos del alcoholismo, incidencias y prevalencia, hábitos y costumbres entre consumidores, etcétera.[13-14]

En diversos estratos sociales el alcoholismo también ha sido estudiado, principalmente como una enfermedad: "...si en los países desarrollados el alcoholismo constituye, sin duda alguna, uno de los grandes problemas sociales, es todavía mayor en los países en desarrollo como el nuestro, en donde el desempleo, la carestía de la

vida y la desnutrición, se conjugan provocando empobrecimiento, divorcios y ausentismo laboral."[15]

No menos importantes son las investigaciones cuya intención es valorar las implicaciones que el alcoholismo tiene en los comportamientos socio-demográficos, las desviaciones sociales, la migración y aculturación, la personalidad, las estrechas relaciones que se dan entre los factores socioculturales de los bebedores y los patrones de consumo.

Todo este bagaje de conocimientos alcanzado por la antropología aplicada respecto al alcoholismo, conformaron un sustrato para uno de los capítulos de estudio de la antropología médica, una rama especializada que articula y da cohesión a los conocimientos antropológicos en materia de salud.

La antropología médica hace una considerable aportación al investigar la relación médico-paciente. Su terreno no está centrado en la cuestión del sentido y esencia, sólo de la enfermedad, sino del hombre enfermo en cuanto tal.

Según Foster y Anderson,[16] la antropología médica es una disciplina biocultural que se ocupa tanto de los aspectos biológicos como socioculturales de la conducta humana y, en particular, de los modos en que ambos actúan y han interactuado al través de la historia humana para influir en los estados de salud y enfermedad.

Existen otros autores que dan a la antropología médica un carácter más pragmático como es el caso de L. Saunders,[17] W. Caudill[18] o Reverte,[19] cuando la definen: "...como el estudio de los males, enfermedades y lesiones sufridas por el hombre desde que existe, incluyendo las

Méx., 1940; *La Etnografía de México*, de Lucio Mendieta y Núñez, UNAM, Méx., 1958; publicaciones etnográficas y etnológicas de los Institutos Nacional Indigenista e Indigenista Interamericano.

técnicas de cómo se ha enfrentado al problema del dolor, la enfermedad o el sufrimiento, quiénes se han dedicado al arte o técnica de curar, los medios que han empleado para mitigarlo, para prevenir o curar la enfermedad, las enfermedades que ha padecido la humanidad y su evolución y las técnicas utilizadas para actuar contra los factores de riesgo".

Cabe destacar que a pesar de estos enfoques, por lo menos en las últimas cuatro décadas existen autores que aún pretenden restringir la antropología médica a un mero conocimiento sobre la medicina tradicional, incluso intercultural, limitando drásticamente su campo de estudio. Ello se debe, sin duda, a que el estudio de la medicina tradicional constituyó, por un buen tiempo, uno de los más fructíferos campos de investigación de la antropología médica, particularmente las prácticas de los hechiceros y las farmacologías nativas: "...en todas las sociedades primitivas, la preservación de la salud y la curación de las enfermedades se hallan entretejidas en toda una urdimbre cultural, incluyendo costumbres sociales, religión, magia, herbolaria y cirugía".[20]

La antropología médica ha estudiado el alcoholismo desde la perspectiva histórica de manera amplia: entre los antiguos aztecas y en los pueblos que cayeron bajo su influencia, las bebidas embriagantes eran ingeridas como parte del culto religioso. Las Casas se refirió a las libaciones de los indígenas entre quienes se hicieron estudios en los términos siguientes:

"En los días (de la fiesta) tenían grandes banquetes en los cuales comían mucha carne de ave y de monte y bebían diferentes vinos; y los que tal hacían eran principalmente el primer señor y el primer sacerdote y otros grandes señores, un día en la casa de uno y otro día en la casa de otro. Bailaban y saltaban ante los ídolos y les daban a beber el mejor vino que tenían, humedeciendo sus labios y rostros con él. Y los que se tenían por más devotos llevaban vasijas y botas de vino para beber copiosamente y lo hacían sin más razón que el celo religioso, creyendo que esa clase de sacrificio era más agradable a sus dioses que cualquier otro acto común de devoción; y por tal razón los que primero se intoxicaban eran el señor o rey y otros importantes señores, y entre ellos habían algunos que no bebían hasta intoxicarse, para poder gobernar al pueblo y el país mientras el monarca estaba ebrio en sus devociones..."[21]

La libación persiste como forma de culto. Esta es parte del ritual y los participantes más venerables demuestran su devoción ingiriendo grandes cantidades de aguardiente. Se bebe en las casas de los mayordomos, frente a las imágenes de los santos, y ello es parte esencial del culto; es obligación de los mayordomos proporcionar aguardiente y servicio a todos los que llegan. En los ritos personales se vierte aguardiente sobre el altar y los participantes beben; después de beber invitan a los dioses: motivo de insulto y ofensa sería el hecho de no tomar parte en las libaciones. Incluso en el templo, cuando el sacerdote está viendo hacia otra parte, se vierte aguardiente entre las candelas y sobre los pétalos de rosa, mientras la botella circula entre los presentes. Todo ello honra una antigua tradición.

En cambio, las libaciones de carácter secular son, en gran parte, un producto de las condiciones modernas. El Códice Mendoza, que narra en escritura jeroglífica la vida diaria de los aztecas, describe las duras penas con que se castigaba la borrachera, la cual, de acuerdo con la severidad de las leyes de aquel pueblo, merecía la pena capital. De tales castigos sólo se libraban los hombres y mujeres de más de setenta años. Las libaciones, excepto como forma de venerar a los dioses, eran una prerrogativa de la edad avanzada.

La introducción de bebidas alcohólicas destiladas, más fuertes que las aborígenes, y la derogación de las antiguas reglas tribales tuvieron un efecto desmoralizador. Más aún, los españoles pronto reconocieron y aprovecharon el alcohol como instrumento de imperialismo. Los indígenas no sentían necesidad ni deseo de hacerse de muchas de las pertenencias materiales de los invasores. En cambio el alcohol era una cosa que los españoles poseían y los indígenas deseaban vehementemente, y por la cual contraerían deudas y se venderían como esclavos junto con sus hijos. El alcoholismo indígena constituye parte esencial de la estructura económica total de los países latinoamericanos.

El alcohol es parte básica de la cultura indígena en todos los poblados, y lo es hasta el punto de que los indígenas tienen la impresión de que su vida social se dislocaría sin él. No obstante, su papel no es idéntico en todas partes. Entre las cosas que difieren están el patrón de bebida, la conducta típica en estado de ebriedad y, en cuanto concierne al individuo, el significado y la etiología del alcoholismo.

Se ingiere alcohol los días de mercado y en las numerosas fiestas, grandes o pequeñas Tal consumo es uno de los rasgos más conspicuos de los acontecimientos mencionados. Los indígenas dicen que la vida en las montañas, en el hogar, es "triste" y que sólo el pueblo es "alegre".

La diaria rutina de sembrar, cosechar, moler y tejer en el aislamiento de las parcelas, en las montañas, es interrumpida por el mercado semanal y el ciclo anual de fiestas, cuando se congregan millares de personas en el pueblo, para vivir una vida social intensa.

Los patrones arriba señalados constituyen remanentes culturales que se identifican con los nuevos rasgos y patrones, no sólo de indígenas, sino de campesinos y grupos marginados del campo y las ciudades que resultan relevantes desde el punto de vista de salud.

Otro ángulo de interés desarrollado por la antropología médica respecto al alcoholismo se refiere al análisis de los trasfondos culturales que tiene la bebida en relación con la salud y la enfermedad, más aún, se ve de qué manera afecta a los bebedores colateralmente dejando estigma hereditario o en sus hábitos nutricionales.

La prevención, diagnóstico y tratamiento de las enfermedades en la medicina popular, como sabemos, es generalmente ritual y ceremonial y por ello significa el empleo de licor, básicamente de aguardiente.

La investigación de la causa de una enfermedad por medio de la "pulseada" obliga a dar al curandero una o dos botellas, las que consume en unión de personas presentes. Se sabe de algunos municipios en los que el curandero da al licor un carácter de inductor hacia un estado de trance semejante al chamamístico, que le permite el diagnóstico y una curación "acertadas".

En muchos rituales, el licor es ofrenda apropiada que se hace a los santos y deidades cuya buena voluntad se busca o cuya ira se apacigua, o es el elemento aplacador de los seres o espíritus perniciosos a los cuales exorciza.

Para curar ciertas enfermedades, se rocía aguardiente sobre el enfermo, o se expone a éste a los vapores de aguardiente derramado sobre piedras calientes.

En otros casos cuando los males afectan a los niños y que se atribuyen a las riñas entre los padres y al mal trato a la esposa, son neutralizadas por el curandero haciendo que los padres se den mutuamente botellas de aguardiente o compartirlo.[22]

El reconocimiento de los modales o etiquetas al beber más-menos secularizados y su nueva connotación respecto a conceptos y creencias sobre salud y enfermedad empiezan a ser considerados por la antropología médica a la que interesa si se alcanza una mayor alcoholización como resultado del fracaso de la aculturación.

Como programa del Instituto Indigenista, a partir de 1981 se estudia el fenómeno del alcoholismo indígena en diversos albergues SEP-INI de la República Mexicana.

En su notable estudio etnográfico, Pozas[23] establece la relación que tiene el alcoholismo con la organización social de los chamulas.

Son importantes los trabajos sobre la participación de la comunidad en la lucha contra el alcoholismo y los efectos mentales del usuario consuetudinario de alcohol.[24-26]

Investigaciones epidemiológicas realizadas por instituciones asistenciales sobre la incidencia del consumo de alcohol, constituyen otra área examinada no sólo por la antropología, sino por otras ciencias sociales y de la salud.[27]

Los problemas de alcoholismo entre la población universitaria abren un campo fundamental de la investigación de la antropología médica, dado que permiten conocer no sólo los factores de incidencia, sino además, los de tratamiento v acción preventiva.[28]

Devereux[29] analizó el papel que juega el alcohol en la cultura mohave. Bales[30] hizo notar la existencia de diferentes tipos de estructura social como factores terapéuticos en la adicción al alcohol.

Los factores sociales y culturales del alcoholismo, así como los patrones de ingestión en distintos grupos de individuos, fueron tratados por Pittman y Snyder.[31]

Mediante un estudio comparativo transcultural, Horton[32] llegó a destacar la función del alcohol en diversas sociedades. Hace énfasis en el fenómeno de la ansiedad, la inseguridad en cuanto a su existencia, los castigos sociales y la aparición de un mayor *stress*.

Por su parte Field[33] establece que la ingestión excesiva de alcohol en comunidades relativamente pequeñas, suele ser un factor decisivo en la desintegración más que aquéllos que se derivan de las ansiedades sociales.

Honigmann[34] pone de manifiesto la influencia que tienen los trasfondos culturales en las conductas del bebedor, destacando que los diferentes estilos de vida son, en última instancia, los que condicionan las ingestas alcohólicas.

Pawlak[35] determina el impacto que el alcohol tiene física y psicológicamente en la población; también, su influencia como variable condicionante en las tendencias suicidas.

Se ha llegado a demostrar por otra parte, que el alcohol está relacionado con la mortalidad por enfermedades cardiovasculares y renales, especialmente en grupos de población como son los empleados de los bares.

Por lo que se refiere a la cirrosis hepática, diversas investigaciones han denotado que se presentan en la edad media de la vida y que es más frecuente en los hombres que en las mujeres; ambas distribuciones se relacionan con hábitos de vida particulares para cada grupo, ya que la cirrosis es una de las enfermedades producidas por malos hábitos dietéticos. Los datos estadísticos no confirman ninguna de las teorías sobre la etiología de la cirrosis, más bien indican que la prevalencia de la cirrosis es mayor en los alcohólicos crónicos, hasta siete veces más frecuentes, que en los no alcohólicos; que los factores sexo y raza también intervienen al igual que el estado económico social de la población. Un elemento que se ha encontrado importante es la ocupación, especialmente en relación al uso de sustancias tóxicas en las industrias. Por lo anterior se considera que, además de las alteraciones nerviosas, existen causas de naturaleza cultural que por sí solas pudieran determinar el hábito inmoderado tanto en los grupos económicamente favorecidos como en las clases pobres.[36]

Resultan alentadores los esfuerzos para determinar prospectivamente el comportamiento que algunas enfermedades psicosomáticas y crónicodegenerativas tendrán en los próximos años; es significativo el estudio sobre los procesos de cambio sociocultural que se presentarán, a la luz del conocimiento de los patrones de morbilidad esperados.[37]

Las interrelaciones de la medicina en la estructura social, en la que se contempla la modificación de patrones culturales sobre el alcoholismo, cerrará este breve panorama.[38-40]

COMENTARIO

Ha quedado evidenciado que la antropología ha considerado como área de interés el estudio del alcoholismo; sin embargo, se quieren hacer algunas reflexiones que permitan, a corto plazo, nuevas y más vigorosas orientaciones teórico-metodológicas a fin de ir consolidando tan importante y compleja problemática social y entre éstas:

1. Integrar los diversos conocimientos sociales, culturales y económicos con los biológicos que se tienen sobre el alcolismo, con el objeto de establecer, mediante un análisis dialéctico, las correlaciones subyacentes respecto al proceso salud enfermedad en los niveles rural-urbano y áreas emergentes, para detectar los procesos de cambio.

2. Desarrollar una especie de "inventario" de las diversas investigaciones realizadas y en proceso, tomando en cuenta las escuelas y teorías del pensamiento de las ciencias de la salud y conforme criterios temáticos, geográficos, espaciales y de manera particular, poblacionales. Las investigaciones sobre hábitos de beber deben averiguar también el porqué de la existencia de tales hábitos; además, el papel que los trabajadores de salud habrán de cumplir

para el tratamiento y readaptación del alcohólico.

3. Promover el interés entre las nuevas generaciones sobre el estudio del tema.

4. Difundir en diversos foros y publicaciones lo que se sabe del problema y lo que hace falta, así como de las alternativas viables de solución relativas a la dirección de la terapia social.

5. Intensificar el desarrollo de programas de salud pública para propiciar los cambios de actitud y de conducta favorable a la salud individual y colectiva frente al alcoholismo, como un problema típicamente interdisciplinario e interinstitucional.

REFERENCIAS

1. HERSKOVITS M J: *El hombre y sus obras.* Ed Fondo de Cultura Económica, 15-19, Méx 1964.
2. COMAS J: *Manual de antropología física.* UNAM, México 1966, 36-55.
3. KLUCKHOHN C: *Antropología.* Ed Fondo de Cultura Económica, Méx 1962, 32-33.
4. FOSTER G M: *Antropología aplicada.* Ed Fondo de Cultura Económica. Méx. 1974, 7-13.
5. MURDOCK G: *Guía para la clasificación de datos culturales.* Unión Panamericana, Washington, DC 1954, 36-38 y 162-163.
6. INSTITUTO REAL DE ANTROPOLOGÍA DE LA GRAN BRETAÑA E IRLANDA: *Manual de campo del antropólogo.* Ed Comunidad, Méx 1971, 92, 257, 262, 263.
7. BERRUECOS L: *Algunas consideraciones acerca de las repercusiones del alcoholismo en las familias de una comunidad indígena de la Sierra del Norte de Puebla, Méx.* APM, impreso, 6-7, 1978.
8. KENNEDY J: *Tesgüino complex: The role of beer in tarahumara culture.* Amer Anthrop 65: 620-628, 1963.
9. BUNZEL R: *El rol del alcoholismo en dos culturas centroamericanas.* Bol Inst Ind Guatemalteco 3: 22-43, 1957.
10. BONFIL B G: *Diagnóstico sobre el hambre en Sudzal, Yucatán.* INAH, Méx 1962, 14-22, 53-73.
11. DUBOIS C: *Actitudes hacia los alimentos y el hombre en ALOR" En: Language, culture and personality.* Menasha, Wisconsin 1941, 272-281.
12. DE LA FUENTE J: *Human nature and the study of society. The papers of Robert Redfield.* University of Chicago Press 1962; *1:* 43-57.
13. LOMNITZ L A: *Cómo sobreviven los marginados.* Siglo XXI, Méx 1975, 71-100
14. LEWIS O: *Los hijos de Sánchez.* Ed J Mortiz, Méx 1981, 175-190.
15. BERRUECOS L: *El alcoholismo como enfermedad social.* Scc Mex Salud Pública, Acapulco, Méx 1982. Impreso: 1.
16. FOSTER G Y ANDERSON B G: *Medical Anthropology.* John Wiley & Sons, N York 1978. 1-10.
17. SAUNDERS L: *Cultural differences and medical Care.* Russell Sage Foundation, N York 1954, 38-40.
18. CAUDILL W: *Applied anthropology in medicine.* En: *Anthropology today.* Univ cf Chicago Press 1953, 12-16.
19. REVERTE J M: *Antropología médica.* Editorial Rueda, Madrid 1981, 18.
20. MARTI I F: *Medical anthropology.* M D Medical Newsmagazine *1:* 31-139, 1961.
21. O'GORMAN E: *Apologética historia.* UNAM, México, 1966, p 468.
22. DE LA FUENTE J: (Ibid).
23. POZAS A R: *La organización social de Chamula.* Mecanoscrito, México 1957, p 160.
24. IBARRA G: *Participación de la comunidad en la lucha contra el alcoholismo.* En I Convención Nal de Salud, SSA Méx. Memoria T-IV-199-216, 1974.
25. CALDERÓN G: *Principales problemas de salud mental en México.* En I Convención Nal de Salud, SSA, Méx. Memoria T-IV, 133, 141, 1974.
26. DALLAL E: *Familia y salud mental.* En la I Convención Nal de Salud, SSA, Méx. Memoria T-IV, 133-141, 1974.
27. BELSASSO G: *Investigación sobre drogas realizada en México.* En I Convención Nal de Salud, SSA, Méx. Memoria, T-IV 243-252, 1974.
28. UNAM: *Manual de Salud del Estudiante Universitario.* III Problemas del Alcoholismo, México, 1982, p 24-41.
29. DEVEREUX G: *The function of alcohol in mohave society.* Quart S Stud ALC *9:* 207, 1940.
30. BALES F: *Types of social structure as factors in cures.* For alcohol addiction. App Anthrop *1:* 1-3, 1942.
31. PITTMAN D J Y SNYDER C R (Eds): *Society, culture and drinking patterns.* Wiley and Sons, New York 1962.
32. HORTON D: *The functions of alcohol in primitive societies: a cross cultural study.* Quart J Stud Alc *4:* 199-320 1943.
33. FIED P: *A new cross — Cultural study of drunkness.* En: *Society, culture and drinking patterns.* Ed by Pittman D y Snyder C, N York, 1962.

34. HONIGMANN J: *Personality in culture*. Harper and Row Publishers, N York, 1967.

35. PAWLAK V: *Conscientious guide to drug abuse*. A "Do it Now" Publication, Phoenix, Driz, 1973.

36. SAN MARTÍN H: *Salud y enfermedad*. La Prensa Médica Mexicana, pp 450, 458 y 460, 1975.

37. SARTORIUS N: *Las enfermedades psicosomáticas y cronicodegenerativas y su control para el año 2000*. En XXXIV Reunión Anual de la Soc Mex de Salud Pública, Méx. Memoria, 451-459, 1980.

38. ADAMS R y RUBEL A J: *Sickness and social relations*. En Handbook of Latin American Studies 6: 333-356, 1968.

39. COMAS J: *Medicina y antropología*. Rev Fac Med, Méx 11: 69-75, 1968.

40. LEWIS O: *Medicine and politics in a Mexican village*. Anthropological Essays, Random House, 1970.

ASPECTOS SOCIALES Y CULTURALES DEL ALCOHOLISMO EN ZONAS MARGINADAS DEL DISTRITO FEDERAL

Dr. Salvador González Gutiérrez*

INTRODUCCIÓN

Efectuar un análisis de los aspectos sociales y culturales del alcoholismo en zonas marginadas del Distrito Federal debería ser una acción que se encomendara a un equipo multidisciplinario de profesionales de las ciencias sociales. Sin embargo, en este escrito nos proponemos efectuar dicho análisis desde el punto de vista de la psiquiatría y la psicología social, disciplinas del campo de la salud en donde participa un equipo de profesionales como el psiquiatra, el psicólogo, el trabajador social y la enfermera psiquiátrica. Los datos que se presentan son el resultado de ocho años de trabajo constante y en contacto directo con zonas marginadas del sur del Distrito Federal.

De todos es conocido que la concentración de las actividades económicas, educativas, administrativas y políticas en el Distrito Federal, junto con el estancamiento de las áreas de agricultura y la presión demográfica sobre las grandes ciudades de la República Mexicana, son tan sólo algunos factores que favorecen la migración interna, elemento innegable de la formación de zonas marginadas en nuestro país.

Es especial, y de acuerdo a lo que Orlandina de Oliveira[1] plantea, desde la década de los cuarenta se registra una intensa migración al Distrito Federal, misma que ha provocado la redistribución en el espacio de la población y su concentración en la ciudad de México, contribuyendo en gran parte al crecimiento de la población total y al de la económicamente activa.

La gran mayoría de estos migrantes internos acuden a vivir en zonas carentes de adecuada urbanización, con escasos servicios públicos y nulos recursos sanitario-asistenciales, creando, en no pocas ocasiones, las llamadas "comunidades marginadas".

DEFINICIÓN DE TÉRMINOS

Marginalidad. El concepto de "marginalidad", aun a la fecha, es difícil de definir con claridad. Uno de los primeros intentos, lo ubica al tratar de referir las características de personalidad que se presentaban en los judíos o italianos a su llegada a los Estados Unidos de Norteamérica. Park,[2] Stonequist y Adorno y Frenkel[3] refieren que dichos inmigrantes padecían una especie de choque cultural cuando trataban de integrarse y adaptarse a la sociedad americana. El proceso de choque cultural creaba en los judíos e italianos lo que dio en llamarse la "personalidad marginal".

En la década de los cuarenta, aparece el término de "zonas marginadas" que se acuñó para describir algunos lugares de países latinoamericanos, asociándolos a problemas de subdesarrollo, y caracterizaba a las zonas que aparecían en la peri-

* Médico Psiquiatra. Investigador del CEPNEC, A. C. Director del Centro de Salud Comunitaria San Rafael, A. C.

feria de las ciudades que carecían de todo tipo de servicios, y sus habitantes, por lo tanto, vivían en condiciones muy precarias; sus moradores eran en una gran mayoría personas que provenían del medio rural, carentes de empleo calificado, subempleados y con un índice de alfabetización bajo. Ejemplos de dichas zonas son las Barriadas de Lima, las Favelas de Río de Janeiro, las Villas Miseria en Argentina y las ciudades perdidas de México. William Mangin,[4] cuando se refiere a estas regiones, dice que "...son sectores de población segregados, en áreas no incorporadas al sistema de servicios urbanos, que habitan en viviendas improvisadas y sobre terrenos ocupados ilegalmente...", "marginalidad" que empezó a hacerse notar como una falta de participación en el sistema económico-social de la producción, con un sistema regulador de consumo en bienes y servicios muy particular, así como en la participación política formal e informal que siempre es muy pobre.

No podemos dejar de mencionar en el análisis conceptual de "marginalidad" los trabajos efectuados por Lewis,[5] en México, que la ha identificado con la "cultura de la pobreza". Este autor propone una lista de más de sesenta características de comportamiento que junto con el factor cuantitativo del nivel de ingresos permitirían definir dicha "cultura de la pobreza".

Con el tiempo se ha demostrado que este concepto no es privativo de zonas periurbanas, sino que también es posible encontrar zonas con estas características en medios rurales, lo que motivó que diversos especialistas de las ciencias sociales se interesaran también en el concepto de "marginalidad", lo que dio como conse-

cuencia, por su magnitud, que se le considerara como propio de los países en vías de desarrollo.[6]

A la fecha, sabemos que el concepto de "marginalidad" rebasa los aspectos puramente ecológicos y engloba tanto aspectos sociales como económicos. Por la interacción de estos tres factores se han derivado una serie de dificultades teóricas; por ejemplo, se ha equiparado a la "marginalidad" con la pobreza, entendida como cultura y no como condición puramente económica como lo planteaba Lewis en 1962.

Lessa[7] refiere que "...la situación marginal se caracteriza por la participación en actividades económicas no relevantes al funcionamiento del sistema..." con lo que analiza sólo el factor económico como causa de "marginalidad"; en esta misma línea de trabajo, González Casanova[6] considera a los marginados como aquellos habitantes del medio rural que no se logran integrar o beneficiar del desarrollo económico de la nación a que pertenecen.

Desde un punto de vista eminentemente sociológico, Desal[8] conceptualiza a la "marginalidad" como una falta de participación en los bienes y servicios que ofrece la comunidad en su conjunto, mencionando que el grupo marginal presenta altas tasas de desempleo, bajos niveles de alfabetización, falta de vivienda, carencia de atención sanitario-asistencial y concluye planteando que las personas de estas comunidades tienen una franca apatía para la participación colectiva y limitada participación interna.

Lagarriga[9] define a la "marginalidad" como la condición en la que se encuentran distintos sectores dentro de los grupos sociales cuando manifiestan en sus prácticas, sean de tipo económico, de. orden demográfico, de carácter ideológico, de naturaleza política o de índole social; primero, un distanciamiento respecto a las prácticas de igúal carácter de otros grupos de la sociedad que tienen un papel dominante y, segundo, cuando en forma paralela se observa de parte de la población en general una tendencia a adoptar los patrones de este último grupo.

El análisis conceptual del término "marginalidad" permite identificar algunos de sus posibles factores causales:

1. Factores de orden económico-social que se refieren a características estructurales del sistema que determinan la imposibilidad de una absorción de la totalidad de la población dentro de la economía del país, específicamente: desempleo, subempleo, desocupación disfrazada.

2. Factores político-sociales que, en general, se refieren a la distribución del poder en la sociedad; a la interdependencia entre lo político y lo económico; sistema de clases sociales y participación, así como discriminaciones de tipo étnico-cultural.

3. Factores de orden cultural, en el sentido antropológico, de la coexistencia de grupos étnicos distintos.

4. Factores de orden psicosocial; en este caso la "marginalidad" resulta de una incapacidad de adaptación o de un retraso en la adopción de pautas modernas, incapacidad y retraso que pueden resultar, ya sea de orígenes culturales divergentes o contrarios a los valores básicos que originaron históricamente la sociedad moderna, o de la persistencia de factores tradicionales en ciertos sectores de la población.

5. Factores demográficos. La elevada tasa de natalidad y decreciente mortalidad como factor que impide la absorción de la población a la economía.

Hasta aquí algunas definiciones teóricas acerca del concepto de "marginalidad". Sin embargo, para ubicar con mayor claridad a los lectores de este artículo, se exponen algunas de las características de lo que se ha definido como zona marginada en el D. F.

Son zonas de reciente creación (promedio de 10 a 12 años de haberse creado) con porcentaje alto de migrantes (74.69%),[10] con índice de población de 6.2 personas por familia, con alto índice de hacinamiento y promiscuidad, con deficiente saneamiento ambiental, carentes muchas de ellas de drenaje y alcantarillado, agua en tomas públicas o bien entregada por medio de pipas, con limitados servicios públicos generales como mercados, teléfonos, correo, telégrafo y centros recreativos y educativos. La población económicamente activa se compone de obreros, empleados y comerciantes diversos; el número de profesionales no rebasa el 2% y existe una gran cantidad de subempleados y actividades artesanales, notándose un porcentaje alto de desempleados. El nivel de escolaridad es de primaria incompleta, los ingresos por familia son bajos e insuficientes, notándose como características de personalidad el que son suspicaces y desconfiados y poco colaboradores en actividades comunitarias, lo que limita las posibilidades de desarrollo comunal. Existen líderes natos en la comunidad que en múltiples ocasiones son "utilizados" por los diversos partidos políticos que les ofrecen condiciones que en pocas ocasiones les cumplen, con lo que se acrecienta la desconfianza.

Alcoholismo. En este artículo solamente se mencionará una definición más, extraída de las zonas marginadas por medio de una encuesta específica que permitió establecer un programa con tendencias preventivas en la Delegación de Tlalpan:[11] "El alcoholismo es un proceso complejo que en múltiples ocasiones es el resultado de la pobre educación existente, de problemas familiares, sociales; consecuencia de la desocupación, de la falta de recursos económicos y de la sociedad de consumo en que vivimos, así como de la indiscriminada promoción que los medios de comunicación masiva efectúan a las diversas bebidas alcohólicas".

El contacto con la comunidad nos ha permitido valorar que el uso y el abuso del alcohol en muchos casos es tomado con sarcasmo y, en otros, con un gran espíritu crítico; dos conceptos, uno sobre lo que es la borrachera y otro acerca de lo que es el alcohol, es frecuente encontrarlos en forma de posters y colocados a la vista de negocios y en el hogar, por lo que conviene transcribirlos textualmente:

Borrachera. Es la deshonra de la patria. La degeneración de la raza. El mayor obstáculo del progreso. La causa de los crímenes, enfermedades y miserias. El principal agente de la locura. El acelerador de la muerte. La desgracia de la familia. La causante de riñas y vergüenzas. La que da a padres, hijos raquíticos y torpes. La que llena los manicomios de locos, los hospitales de enfermos, las cárceles de malhechores, el mundo de miseria y el infierno de condenados.

Se ve en la anterior definición que se acepta con juicio crítico una gran cantidad de repercusiones del abuso en la ingesta de bebidas alcohólicas a pesar de la cual el índice de alcoholismo cada día se incrementa más.

Por otra parte, la concepción que se tiene acerca del alcohol como droga, ha sido difundida inclusive a través de un laboratorio de análisis clínicos, y a la letra dice:

Su Majestad el Alcohol

¿Me conoces?...
Soy el príncipe de todas las alegrías, el compañero de todos los goces mundanos, el mensajero de la muerte; el príncipe que gobierna al mundo.

Yo estoy presente en todas partes; en todas las ceremonias, ninguna reunión tiene lugar sin mi presencia; fabrico adulterios, hago nacer en los corazones pensamientos negros y criminales; a jóvenes y adultos los hago inmorales y los contemplo satisfecho; soy el padre de la corrupción y de la desgracia, enveneno la raza, mancho los hogares, traigo el envilecimiento y la depravación, la locura, el crimen, el suicidio.

Yo acabo con la familia, degenerando y extinguiendo por completo la raza, ocasionando los conflictos, crímenes y desgracias en los hogares; hago nacer a los niños raquíticos, retardados, torpes; a los jóvenes hago perder la vergüenza, la dignidad, el honor, la educación y la religión; pongo un velo sobre los ojos y la conciencia, haciendo parecer el crimen como venganza, la abyección como pasatiempo, el adulterio o inmoralidad como entretenimiento.

Yo soy causante de las enfermedades y desgracias más asquerosas y viles, dolorosas e incurables: tuberculosis, cáncer, sífilis, úlceras, tumores, cirrosis y muchas otras; aspiro convertir el mundo en un hospital, en un manicomio y en presidios.

Yo nazco en todas partes; las regiones de Laponia, de la Siberia, los ardoroSos valles de Egipto e Italia; yo tengo mi origen en el trigo, el arroz, el maíz, la cebada, el jugo de uva, el jugo de caña, el maguey...

Mi patria es la Tierra; mis esclavos los hombres; el que me envía, el diablo.

Yo soy vuestro Rey.

Yo soy su *Majestad el Alcohol.*

Cada día se acepta más que los factores sociales y culturales de una población están ampliamente involucrados tanto en la causa como en las repercusiones del uso y abuso del alcohol. Algunos de ellos fueron ya expuestos por Velasco Fernández[12] y de estos vale la pena recordar lo que Bales[13] refiere después de efectuar estudios culturales y transculturales. Este investigador plantea tres posibles formas en las que la organización social influye en la aparición de casos de alcoholismo: el grado en el cual una cultura opera sobre los individuos para producir agudas necesidades de adaptación a sus tensiones internas; las actitudes que la propia comunidad propicia entre sus miembros hacia el consumo del alcohol y la medida en la que provee medios substitutivos para la satisfacción de necesidades. Las conclusiones que Bales plantea tienen, en mayor o menor grado, concordancia con lo que se aprecia en las zonas marginadas del Distrito Federal y su tesis de que una sociedad que produce tensiones internas, como la culpa y la agresión contenida, la insatisfacción social y sexual, así como la aceptación de que el alcohol puede re-

ducir tales tensiones son factores que favorecen un alto porcentaje de alcohólicos: ésta es, también, una tesis aceptada para las zonas marginadas.

Otro de los factores socioculturales estudiados radica en los diferentes conceptos que sobre alcoholismo existen, ya que se ha visto que el concepto que se utiliza en determinada comunidad puede variar de un lugar a otro y esto obliga a desarrollar programas, tanto de atención como de prevención y rehabilitación, de acuerdo a cada zona en especial.

A nivel universal, han sido analizadas también las ideas con respecto al valor y a las funciones simbólicas del alcohol, su uso en rituales o en eventos sociales públicos y familiares así como su participación en los medios laborales; algunos de éstos se analizan en cuanto a zonas marginadas.

Cambio sociocultural. La Organización Mundial de la Salud (OMS), a través del Comité de Expertos en Problemas Relacionados con el Consumo de Alcohol,[14] plantea la necesidad de estar al tanto de los cambios en las tendencias socioculturales de un grupo o sociedad en particular, ya que esto permitirá detectar los grupos de mayor riesgo. Menciona[15] que la introducción de bebidas alcohólicas casi siempre forma parte de un primer enfrentamiento con una cultura distinta. Se sabe que, en principio, el alcohol se consume para establecer relaciones amistosas, de negocios o a nivel social, para favorecer la integración a un determinado grupo, pero puede llegar a convertirse en un arma poderosa que someta a los miembros de una comunidad.

En la actualidad, el problema es más complejo por la rápida marcha de los procesos de·modernización, lo que facilita la producción y distribución del alcohol en grandes cantidades. Lo anterior, aunado al poder adquisitivo, simplifica la obtención de bebidas alcohólicas y puede favorecer el consumo exagerado. Un resultado de este cambio es la substitución progresiva de las bebidas de tradición por otro tipo de mayor grado de industrialización. Así también se ha notado un cambio importante en los hábitos y modelos de consumo.

En México, Silva Martínez, conocido maestro en Salud Pública, menciona que, desde la Independencia hasta nuestros días, el alcohol es indispensable para todos nuestros grupos sociales, en todos los niveles socioeconómicos y en todas las regiones del país. Gran parte de la vida social gira alrededor del alcohol.

Estereotipos. La imagen del hombre en una gran parte del territorio nacional se configura a partir del momento en que un adolescente es capaz de fumar, tener relaciones sexuales y poder tomar algunas copas de vino. El alcohol, para un extenso grupo social, es un componente de la masculinidad y del estado adulto, y es bastante difícil luchar contra esa imagen, ya que tal estereotipo es fabricado y mantenido en mensajes ocultos y disfrazados de los comerciantes que anuncian las bebidas y el tabaco. El machista de generaciones anteriores persiste en la actualidad gracias, entre otras cosas, a la propaganda: el caballo ha sido substituido por el coche y de ahí que expresiones de antaño como "a mí nadie me gana", cobran fuerzas de caballaje de explosión: el arrancón trepidante del coche o la motocicleta, y la arrancada polvorienta del caballo cobran nueva semejanza.

Por lo que se refiere a la muerte, el machista de esta época tiene la misma actitud; hay que probar a cada rato, en las cosas más triviales, que se es valiente, que no se teme a morir, que la vida no vale nada. El chiste es afirmarse a como dé lugar. Los atuendos, el paisaje, el lenguaje y los modos han cambiado; pero una observación no muy profunda deja ver con claridad los mecanismos mentales que crearon hace decenas de años al machista. Lo anterior es, indudablemente, una representación actual de aquellas actitudes pasadas. Es importante hacer mención que el machista rara vez se configura solo, casi siempre requiere de la mujer, que admira y da validez a las modas de ese atávico modo de vida, pero no actúa y no aparece lo que representa un signo de su pasividad.

Creencias erróneas acerca del alcohol. Existen muchas creencias erróneas acerca del alcohol, las cuales, por sí solas, pueden explicar en algunos casos el abuso de bebidas embriagantes.

"El alcohol es bueno para combatir el frío": si bien es cierto que cada ml. de etanol produce 7.1 calorías, esto no quiere decir que substituye a ningún abrigo; al contrario, puesto que el etanol dilata los capilares, la pérdida de calor es mayor. Lo que puede al principio dar la sensación de calor, precisamente cuando es mayor la pérdida de éste. Por otra parte, el etanol es un depresor del sistema nervioso central, lo que determina que los centros nerviosos termorreguladores se perturben en su funcionamiento cuando la intoxicación es importante. Los cuadros clínicos de las neumonías que se presentan con una alta incidencia en personas alcohólicas, es una prueba de ello.

"El alcohol es un afrodisíaco": esta creencia popular está basada en el hecho mencionado por Shakespeare en el sentido de que el alcohol destruye las inhibiciones, pero también disminuye e incluso inhibe la ejecución, aumenta, es cierto, el deseo, pero por el efecto depresor general, tiende a entorpecer los actos fisiológicos.

"La cerveza, bebida de moderación, no embriaga": lo que pasa es que hay necesidad de tomar más cerveza.

"El alcohol, en pequeña cantidad, mejora la capacidad de conducir automóviles": si estos sujetos supieran que con tan solo 0.7 c.c. de alcohol absoluto en sangre por Kg. de peso, se modifican enormemente las percepciones y las respuestas reflejas, quizás no lo dirían. Como prueba de ello, están los datos que en 1970 el mismo Silva Martínez encontró en un grupo de personas que habían tenido un accidente de tránsito; de 981 casos, 212 fueron reportados con aliento alcohólico sin datos de embriaguez. Es conveniente insistir en que el alcohol es un depresor del SNC y su aparente estimulación en las etapas iniciales de la intoxicación no mejora y sí reduce la coordinación visomotora, la autocrítica, el estado de alerta y el sentido de responsabilidad.

"Yo sólo tomo determinada bebida, nunca cambio porque entonces es más fuerte el efecto": esto no es cierto, ya que el causante de los síntomas de la embriaguez es el etanol, independientemente de la mezcla con que distintas bebidas se hagan.

"El etanol es un tónico": creencia habitual en nuestro medio rural, especialmente cuando la mujer está embarazada o amamanta al niño recién nacido, pero está demostrado que nunca podrán suplir a una alimentación regulada y balanceada.

"El alcohol contribuye a estrechar lazos de amistad": la cantidad de riñas acompañadas de diferente grado de alcoholización demuestra que esta creencia es falsa.

No podemos dejar de mencionar tres aspectos que influyen directamente en el alcoholismo:

La miseria que es el común denominador de las causas sociales que facilitan el alcoholismo crónico, y las altas tasas de muerte por cirrosis hepática en nuestro medio, ya que el efecto del etanol es mucho más acentuado en las personas hipoalimentadas y con bajos contenidos de vitaminas. En las zonas marginadas aumentan los casos de alcoholismo y cirrosis.

El urbanismo en cuanto comporta el trasplante del campo a las ciudades de individuos escasamente instruidos y poco precavidos, a menudo obligados a adaptarse a condiciones misérrimas y a buscar consuelo a sus decepciones en cantinas y pulquerías; los bares son para personas de otras posiciones sociales y con menor movilidad. La emigración hacia el exterior también puede favorecer el alcoholismo ya que el emigrante puede verse atraído por el alcohol para sentir menos nostalgia y soledad.

El industrialismo. Nuestros obreros continuamente acuden al finalizar el día a tomarse una copa para liberar las tensiones de un pesado y monótono día de labores. En esta situación es notoria la diferencia en cuanto a que en las zonas rurales, los hábitos de ingesta de bebidas son más acentuados los fines de semana.

Intencionalmente he dejado para finalizar lo referente a la *ignorancia,* la cual considero que es el heraldo del alcoholismo, pero no sólo la ignorancia genérica que impide encontrar mejores medios de recreación en la lectura, la cultura y las relaciones interpersonales entre los hombres y los pueblos, así como en el deporte y la convivencia familiar, sino también a la ignorancia específica que la mayoría de nosotros tiene de los efectos del alcohol. Esta no comprende solamente los prejuicios de nuestra gente inculta, que piensa que darle pulque a los niños favorece su desarrollo por tener una importante cantidad de proteínas, sino también a nuestra gente con un nivel cultural alto como a veces pasa con los especialistas del campo de la salud, que no tienen una idea clara sobre las dosis de bebida cotidiana para determinar una intoxicación crónica. Esta ignorancia a su vez es favorecida por los medios de comunicación masiva que son utilizados por el juego de intereses económicos, legítimos e importantes en sí mismos, que reflejan la economía general de nuestro país, en donde la producción, distribución y venta de bebidas alcohólicas significa percepciones cuantiosas.

En las zonas marginadas del Distrito Federal es factible detectar la influencia de los cambios socioculturales en la aparición de casos de alcoholismo; cuando está en proceso de formación una zona de estas características es frecuente encontrar lugares de reunión en donde se expenden bebidas alcohólicas, muchas veces incluso antes de que se creen escuelas, mercados o iglesias; los tendajones (pequeños puestos de madera y lámina), los "toreos" y las cervecerías son de los primeros recursos con los que se cuenta en estas comunidades. La formación de una zona marginada puede quedar establecida de la noche a la mañana, ya que la mayoría de sus pobladores son sujetos que son invitados a invadir predios, con la motivación de que algún día serán de ellos. La mayoría, migrantes internos, aceptan los cambios de hábitos y modos de ingesta de bebidas alcohólicas que la nueva comunidad les exige, pero sin embargo, el proceso de aculturación y la adaptación a sus nuevas condiciones de vida favorece estos cambios

En un estudio efectuado por el Centro de Salud Mental Comunitaria "San Rafael"[16], en 578 domicilios de 9 colonias con características de ser marginales, se encontraron datos que nos plantean hábitos de consumo peculiares: se obtuvieron un total de 145 casos que representan un 25%, y de ellos el 71% refiere tomar bebidas alcohólicas por convivir con los amigos durante las fiestas y los fines de semana, el 21% lo hace por el gusto de tomar y el 8% por sentir que esto le da más seguridad y los hace sentirse más confiados. Un 44% de ellos toma en tiendas y pulquerías, 28% en fiestas sociales, 14% en su propia casa y otro 14% en cualquier lugar. Llama la atención de este estudio el hecho de que 28% de estos tomadores acepta como medida de tratamiento el juramento, otro 28% nunca ha pensado en controlarse, 22% ha acudido con médicos particulares, 14% con médicos de dependencias oficiales y el restante 8%, con curanderos; del total de la población sólo el 42% ha tenido contacto con Alcohólicos Anónimos.

Factores sociodemográficos como el sexo, la edad de inicio en la ingesta de bebidas, la clase social y los factores ocupacionales son condiciones que son indispensables de ser analizadas. Se han acumulado datos en nuestro medio que indican que la proporción de gente joven que bebe está aumentando, de que las cantidades y frecuencia del consumo están elevándose y de que la edad de inicio de la bebida está disminuyendo. El consumo excesivo comienza a edad temprana, dura más y posiblemente alcance proporciones mayores que en los grupos que comenzaron a beber más tarde. En el pasado, el hablar de 18 años como mayoría de edad era lo que planteaba la posibilidad de ingerir bebidas alcohólicas; sin embargo, en la actualidad, desde épocas más precoces, los 12 ó 13 años, ya que se aparecian francas dependencias en estas zonas marginadas.

En cuanto al sexo, no cabe la menor duda que el más afectado en cuanto a la ingesta de bebidas es el masculino, con una proporción en estas zonas de 7 u 8 hombres por una mujer; en las zonas rurales llegan a ser de 20 por una mujer. Los factores que han marcado estas proporciones aun están obscuros, pero se acepta que en la actualidad hay una creciente tendencia de la mujer a ser más independiente y con mayor autonomía y autosuficiencia, situaciones que podrían ser determinantes.

La clase social que predomina en estas zonas es de clase media baja a baja, y es obvio que esta limitante económica favorece la ingesta de bebidas de bajo costo pero de alto contenido etílico, así como las bebidas con más elementos de tipo tóxico como el pulque que llega a tener como impurezas alcohol metílico, tan nocivo para la salud.

En este apartado relacionado con la economía de los marginados es necesario recalcar que aún con los notorios incrementos en el costo de las bebidas, no disminuye la venta de las mismas, lo que nos permite inferir que a pesar de la situación, los bebedores no disminuyen su ingesta habitual, lo que va en contra de la economía familiar.

Múltiples estudios indican que existen ciertas ocupaciones que favorecen la ingestión de bebidas embriagantes, tales como los empleados de la construcción, obreros y subocupados, por lo que en estas zonas marginadas es posible hablar de un mayor número de casos del síndrome de dependencia al alcohol.

REFERENCIAS

1. OLIVEIRA O DE: *Migración ymano de obra en la ciudad de México: 1930-1970.* Centro de Estudios Sociológicos. El Colegio de México, 1976.
2. PARK R: *Human migration and the marginal man.* Amer J Sociol *33:* 881-893, 1928.
3. ADORNO T W Y FRENKEL E: *The authoritarian personality.* Harper and Row Publishers, New York, 1950, p 759.
4. MANGIN W: *Latin american squatter settlements: a problem and a solution.* Lat Amer Res Rev *11:* 65-98, 1967.
5. LEWIS O: *Antropología de la pobreza.* Fondo de Cultura Económica. México, 1962.
   LEWIS O: *La vida.* Ed Joaquín Mortiz, México, 1969.
6. GONZÁLEZ C P: *Sociedad plural y desarrollo: el caso de México en la industrialización en América Latina.* FCE, México, 1965, p 262-273.
7. LESSA C: *Marginalidad y proceso de marginalización.* (Mimeo), CENDES. Caracas, 1969.
8. DESAL C: *Marginalidad en América Latina: un ensayo de diagnóstico.* Ed Herder, Santiago de Chile, 1969.
9. LAGARRIGA I: *Otomies del norte del Estado de México.* Biblioteca Enciclopédica del Es-

tado de México. Mario Colín, México 1978, *16:*

10. GONZÁLEZ G S: *Simposio sobre relaciones campo-ciudad.* Instituto de Geografía, UN AM, México 1978, 225-231.

11. GONZÁLEZ G S: *Programa de prevención de alcoholismo en zonas marginadas y rurales del Centro de Salud Mental Comunitaria San Rafael.* (Inédito), 1979.

12. VELASCO F R: *El alcoholismo en México, T I: Patología.* Fundación de Investigaciones Sociales, AC, México 1982, 33-38.

13. BALES R:*Culture differences in rates of alcoholism.* J Stud Alc 6: 480, 1946.

14. SILVA M M: *El alcoholismo en México.* Ed por Guerra G A J, FCE, México 1977, 68-82.

15. MOSER J: *Problemas relacionados con el alcohol y estrategias preventivas.* OMS Comité de Expertos en Problemas Relacionados al Consumo de Alcohol, Ginebra, 20-26 de noviembre, 1979: 90-115.

16. GONZÁLEZ G S: *Estudio epidemiológico sobre alcoholismo en zonas marginadas del sur del D F.* México, 1978 (inédito).

LA INGESTION DE ALCOHOL COMO FACTOR DE COHESION O DISOLUCION SOCIAL

Larissa Lomnitz*

INTRODUCCIÒN

Todas las culturas definen la forma socialmente aceptada de ingerir alcohol. También definen los efectos aceptables o inaceptables que el alcohol puede producir entre los miembros de la sociedad que comparten una determinada cultura. Dicho en otra forma, el patrón de ingestión de alcohol representa un aspecto intrínseco de la cultura, junto con la lengua, el sistema de parentesco y otras categorías culturales básicas.

Lo anterior significa que existe en todas las culturas una verdadera gramática de ingestión de alcohol. Queremos decir que se dan en las culturas ciertas reglas que consisten en especificar los tipos de bebidas y las ocasiones en que se beben, los individuos que pueden o deben participar en su ingestión, la cantidad a ingerir, los intervalos entre ingestiones y los efectos esperados. Los miembros de cada cultura aprenden a utilizar el alcohol de la misma manera como interiorizan el resto de su comportamiento social. Aprenden un conjunto de reglas y, al seguirlas, aprenden también a compartir esta gramática cultural.

¿Porqué es importante, desde el punto de vista de la cultura, controlar y reglamentar el aspecto de la ingestión de alcohol?

Communitas

Se sabe que cada sociedad debe adquirir la capacidad de garantizar la convivencia entre sus miembros: debe defender su *estructura*. Por otra parte, según Turner[9] "...es importante que dicha estructura pueda también romperse de vez en cuando, para dar paso a momentos comunitarios más libres y más desinhibidos". Turner ha llamado "momentos de *communitas*" a estas ocasiones en que el individuo se siente parte de un todo y logra compartir vivencias emocionales con el resto del grupo indiferenciadamente. Estos momentos de liberación anti-estructurales deben existir precisamente para que pueda mantenerse la estructura social.

Los momentos de *communitas* se dan generalmente en los rituales sociales. Paradójicamente, el ritual que es estructura, repetición, reglamentación de espacios, tiempos y papeles sociales, suele contener simultáneamente elementos de *communitas* o sea de antiestructura. El uso del alcohol en estos rituales sirve precisamente, al igual que otras sustancias modificadoras de la conciencia, para contrarrestar las inhibiciones impuestas por la estructura social y sus reglas sobre los individuos, permitiéndoles así relajarse y vivir la comunidad.

Evidentemente, la sociedad no puede permitir que los momentos de *communitas* se generalicen hasta dominar la vida social: sería la confusión y la anarquía. Es necesario incluso controlar sus manifestaciones, su duración y los espacios físicos y sociales donde es aceptable beber. No cabe duda, por otra parte, que la ingestión de alcohol (controlada por la sociedad)

* Antropóloga Social. Investigadora del IIMAS, UNAM.

puede representar un poderoso elemento de cohesión social. El alcohol es utilizado para generar sentimientos de *communitas* en 'que se comparten sentimientos y poderosas vivencias, fundiendo su identidad con la identidad colectiva. Es claro que se hablará de abuso del alcohol cuando su ingestión provoca actos antisociales en que el individuo rompe o infringe las reglas de su estructura social.

Aspectos culturales del alcohol

¿Por qué decimos que el patrón de ingestión de alcohol representa un elemento básico de la cultura?

En primer lugar, porque el patrón de ingestión de alcohol sirve para marcar roles sociales, el status individual y social, la pertenencia a grupos sociales. Veamos: cada sociedad define quién, cuándo y con quién puede beber o no un individuo. Existen en muchas culturas, por ejemplo, diferencias marcadas en el patrón de ingestión de alcohol de las mujeres en comparación con los hombres. Emborracharse suele ser parte del papel masculino en las sociedades latinoamericanas; pero el mismo comportamiento en una mujer, o en un grupo de mujeres, podrá producir repugnancia y rechazo social.

En un estudio de una barriada de la ciudad de México, la autora encontró, al igual que entre los mapuches migrantes en Santiago de Chile, que el grupo de "cuates" o "amigos del alma constituye una de las instituciones esenciales de solidaridad social entre hombres. Los miembros de este "grupito" son aquellos con quienes el individuo puede emborracharse y compartir vivencias o confidencias, lo que presupone un nivel de confianza interpersonal considerable. A la vez, esta confianza se confirma y se reafirma a través del acto de compartir una borrachera, una experiencia de embriaguez.

El "cuatismo", o sea la posibilidad de pertenecer a un grupo de amigos íntimos, implica directamente la obligación de beber juntos en ciertos momentos rituales. El hecho de abstenerse de beber es mirado con desconfianza, ya que implica la intención de mantener la mente clara mientras los demás se abandonan a los efectos del alcohol: el individuo que así actúa "puede estar tramando algo", o bien quiere sentirse superior a los demás.[3, 6]

Por otra parte, la regularidad con que se realizan estas sesiones de embriaguez colectiva significan un gasto considerable de dinero en relación a las entradas del individuo. Las reglas sociales ordenan que el individuo que lleve una mayor suma de dinero, "dispare" alcohol a sus amigos hasta emparejarse con ellos. Esta costumbre inhibe el ahorro personal y mantiene el grupo a un nivel de pobreza igualitario, impidiendo que se generen diferencias socioeconómicas entre sus integrantes. La desigualdad socioeconómica inhibiría efectivamente la posibilidad de los intercambios recíprocos de ayuda mutua, los cuales representan la base del sistema de seguridad social que permite la supervivencia del individuo y del grupo en ciertos estratos sociales de América Latina.[6]

Los marginados

A través del estudio de una población marginada que realizó la autora, se trató de contestar la pregunta de cómo lograba sobrevivir este sector de la sociedad en situaciones de inseguridad crónica, de bajos ingresos y falta de estabilidad de. empleo. Este grupo carecía de seguridad social tal como se conoce en los países industrializados.[6]

Se encontró que el sector marginado utiliza las instituciones tradicionales del parentesco, de la amistad y de las relaciones entre vecinos para estructurar unas redes sociales muy efectivas, basadas en un constante flujo de intercambio de bienes y servicios. Es una forma de seguridad social. Los parientes, vecinos y amigos se prestan mutuamente dinero, comida, herramientas, ropa, se entrenan mutuamente y comparten trabajos; cuidan mutuamente a sus enfermos; participan económica, social y emocionalmente en los rituales; y se ayudan en muchas otras formas.

Para que pueda darse este tipo de intercambio recíproco, es necesario que los individuos involucrados en las redes tengan la *confianza* de hacerlo. Esta confianza dependerá de su relación social mutua, la cual deberá ser igualitaria, ya que cada socio de la relación pone los mismos tipos de recursos a la disposición del otro en diferentes momentos. Por este motivo se requiere que se mantenga un mismo nivel económico entre los miembros de la red de intercambio. Desde el punto de vista de la función social de las redes como mecanismos de solidaridad y de ayuda mutua, el progreso individual a través del ahorro es percibido como un factor negativo; en cambio, el cuatismo masculino fomenta la solidaridad y redistribuye los ingresos a través de la ingestión de alcohol.

Vale la pena anotar qué mecanismos similares de redistribución económica, a través de fiestas, se han documentado ampliamente en la literatura mesoamericana

rural. Los "cargos" son fiestas comunales campesinas en que la comunidad elige a sus mayordomos entre los hombres más ricos del pueblo. El mayordomo goza de un alto prestigio social en la medida en que logre organizar una fiesta exitosa: mucha comida, música, bebida, fuegos artificiales, etc. Frecuentemente los "cargos" dejan al mayordomo totalmente arruinado, con lo que se evita el desarrollo de diferencias socioeconómicas en la comunidad.[1]

Sexo y edad

Las diferencias sexuales en la ingestión de alcohol representan una parte importante de las culturas. Por ejemplo, entre los mapuches del sur de Chile se acostumbraba antiguamente que la mujer bebiera al igual que el hombre. Una vez que terminaran de servir la comida y de atender a sus deberes domésticos, las mujeres se asociaban libremente con la compañía de los hombres para beber con ellos.[3-5] Los españoles, acostumbrados a ver en la bebida una forma de comportamiento masculino, se espantaban al ver que las mujeres se emborrachaban y las consideraban inmorales. A medida que los indígenas fueron aceptando la religión católica, también se modificó el patrón femenino de ingestión de alcohol; sin embargo, en las comunidades mapuches más remotas la mujer aún bebe. A medida que la comunidad entra en contacto con la cultura nacional chilena se advierte que las mujeres, sobre todo ancianas, beben a escondidas. Finalmente, en la ciudad o en las zonas cercanas a las misiones, se sanciona rigurosamente la bebida entre las mujeres pero se mantiene la ingestión de alcohol como rasgo distintivo masculino.

Asimismo, cada cultura posee normas en cuanto a la edad en que es lícito beber alcohol. Los antiguos aztecas castigaban severamente a los adultos que bebieran fuera de las ocasiones rituales, exceptuando a los ancianos a quienes se permitía beber y emborracharse a discreción.[8] En otras palabras, se exigía el control de sus facultades al hombre durante el período productivo de su vida; en cambio, los ancianos, al no tener ya responsabilidades, podían entregarse libremente a la embriaguez. Hay culturas que prohiben tajantemente que los niños prueben el alcohol, aun en las fiestas; otras no tienen tales prohibiciones. Entre los mapuches, por ejemplo, a los niños pequeños se les da vino mezclado con harina tostada como alimento, para hacerlos fuertes. Durante las fiestas y borracheras colectivas, los niños circulan libres y frecuentemente se emborrachan sin incurrir en castigos especialmente severos; más bien se toma con humor.

El paso de la niñez a la adolescencia se marca mediante una primera borrachera con amigos, señal de hombría.[3] Esta costumbre existe al igual entre los mapuches y el México urbano, donde los papás suelen irse a beber con sus hijos cuando éstos llegan a la pubertad, iniciando así una relación de hombre a hombre con ellos.

Tiempo y espacio

Cada cultura define los momentos en que es lícito ingerir alcohol, así como los lugares apropiados para ello. Normalmente no bebemos en un oficina pública o durante una ceremonia religiosa. En las culturas mediterráneas se acostumbra beber vino con la comida o la cena, pero no en el desayuno. También se bebe en los ritos funerarios, lo que no es aceptable en otras culturas europeas.

Se bebe en cantinas y restaurantes pero no en tiendas o escuelas. En muchas culturas, el alcohol es ofrecido en ritual de hospitalidad y se prescribe el tipo de bebida y la parte de la casa en que se ofrece. Frecuentemente se brinda; en general todas las culturas prescriben ocasiones en el tiempo y en el espacio donde se acostumbra beber formal o informalmente, de acuerdo a categorías de papel y de status social.

Clase social identidad étnica

La ingestión de alcohol marca también, en las sociedades complejas, diferencias de clase, de status y de etnicidad. En la mayoría de los países latinoamericanos existe una clara diferencia entre el patrón de beber del campesino y el de algunos sectores de las clases populares urbanas, por una parte, y el de las clases medias y altas por el otro. El patrón popular suele parecerse al patrón prehispánico: se ingieren grandes cantidades de alcohol en los rituales sociales, que pueden durar varios días o hasta que el individuo se cae de borracho. Las bebidas populares suelen ser de graduación moderada: chichas, pulques, cervezas y vinos. En cambio, las clases altas urbanas, en países como Chile o Argentina, beben vino diariamente con los alimentos pero excepcionalmente hasta la embriaguez. Esto último sería beber "como indio" y causaría censura o repugnancia. Normalmente no consumen bebidas populares como chicha o pulque sino bebidas destiladas, según la posición social. Un cognac o un champagne servirán para marcar ocasiones importantes, y el tipo de bebidas importadas que se ofrecen a las visitas denotará el nivel económico de los anfitriones.

El alcohol sirve para marcar diferencias ideológicas: el tequila es "lo nuestro" al igual que el ron, mientras que el whisky importado es cosmopolita y hasta trasnacional. Así la ingestión de alcohol puede servir para marcar distinciones de clase y de postura nacional.

Hay también grupos étnicos en las sociedades complejas que marcan sus diferencias a través del alcohol. Así, los judíos de Europa Oriental rechazan la borrachera por considerarla propia de la población no judía, según el texto de una conocida canción popular. En cambio, los irlandeses de Estados Unidos son conocidos como borrachos dentro y fuera de su propia comunidad. Son bebedores de whisky; los italianos de Estados Unidos, en cambio, beben vino normalmente en las comidas pero raras veces se emborrachan. Cada cultura considera normal y correcto su propio patrón de ingestión de alcohol y siente repulsión por el ajeno.

Continuidad y cambio

El patrón de ingestión de alcohol es un subsistema cultural que comparte un lenguaje simbólico, una gramática de comportamiento social. Pero los sistemas simbólicos tienden a perpetuarse, puesto que cada generación transmite su idioma y el resto de su cultura a la siguiente. Esto garantiza la continuidad de la cultura.

Por otra parte, se van produciendo cambios por la evolución interna de la cultura: su desarrollo tecnológico, demográfico e ideológico. También hay factores externos de cambio: conquistas, difusión. Normalmente la cultura absorbe los cambios y los asimila, asegurando así su propia continuidad. Las lenguas, por ejemplo, modifican su vocabulario reteniendo su estructura sintáctica y fonética. El español varía de país en país y aun en diferentes regiones, pueblos, familias e individuos; sin embargo, lo reconocemos como español desde Madrid hasta la Patagonia. Eventualmente, algunas variaciones se incorporan al idioma generalmente aceptado, o bien, si son profundas, conducen a la formación de lenguas nuevas de la misma manera como el español se formó del latín.

Los patrones de ingestión de alcohol son también sistemas simbólicos, que han ido cambiando junto con las sociedades. En un estudio realizado por la autora, abarcando 300 años de historia de los mapuches desde antes de la llegada de los españoles hasta 1960, se hallaron cambios sistemáticos en la forma de beber. Originalmente, la ingestión de alcohol siempre se asociaba a eventos sociales y rituales: comidas familiares, rituales locales y ritos regionales como las grandes asambleas de guerra, y los eventos del ciclo familiar y agrícola (nacimientos, matrimonios, funerales, cosechas).

No se concebía que una persona pudiera beber sola, por gusto, ya que la ingestión de alcohol constituía un acto social por excelencia.

Se bebían licores fermentados de baja graduación alcohólica: chichas. Cada tipo de evento iba asociado con una variedad de chicha (según la fruta o el cereal que servían para su elaboración), y con una cantidad prescrita. Había rituales especiales, no cotidianos, en que se comía, se bailaba, se charlaba, se jugaba y se bebía durante varios días hasta la inconciencia.

La mujer bebía algo menos que el hombre, pero en la misma forma. También bebían los niños. Aparentemente, la función del alcohol era fomentar la cohesión social al nivel de los diferentes grupos y niveles de agrupación tales como familias extensas, linajes, clanes locales, regiones, tribus y federaciones. Existían rituales o festividades a cada nivel. Los españoles manifestaron sentir repugnancia por las borracheras rituales de los indígenas: sin embargo, las bebidas de jugos fermentados aparentemente no tenían efectos desastrosos para la salud.

A la llegada de los españoles, junto con los mercados, se introdujeron nuevos tipos de bebidas alcohólicas. Pasadas las primeras derrotas militares y sus efectos desmoralizantes, la población fue diezmada por epidemias. La crisis social se reflejó en la ingestión de alcohol. Los indios aparecían borrachos en las calles de las ciudades y su patrón de ingestión ritual se desorganizó.

La población mapuche se replegó al sur del país manteniendo su identidad como una "república" no conquistada. La rendición final de la Araucania ocurrió hasta 1886, bajo la república. Así, hubo un período de convivencia de más de 150 años. Los fuertes españoles de la Araucania fueron convirtiéndose en ciudades fronterizas, mientras la población mapuche conservaba su propia organización social y cultural. Durante las largas épocas de paz, los mercaderes españoles penetraban en la Araucania cambiando rifles, azúcar y ron por cabezas de ganado. Se introdujeron así los licores destilados como elemento de prestigio junto al azúcar, las herramientas de acero y las armas de fuego. Se creó un complejo comercial para el intercambio de mercado: los indios tejieron cobijas de lana durante el invierno, las que trocaban por ganado en la Argentina en primavera, y arriaban el ganado hasta los fuertes chilenos donde lo vendían por monedas de plata.

En los fuertes ya no se bebía en la antigua forma ritual sino en la forma predicada por el intercambio de mercado. Se compraba alcohol en una cantina. La desacralización del patrón de ingestión de alcohol y el uso de licores fuertes produjeron un efecto desorganizador en la cultura: indios borrachos tendidos en las calles. Un alto porcentaje de los ingresos de los indígenas era invertido en alcohol, produciéndose una dependencia cada vez mayor. Los colonos, españoles primero y alemanes después, se aprovechaban durante el siglo XIX de esta dependencia para adquirir tierras a cambio de alcohol, hasta producir el desmoronamiento de la sociedad mapuche y su eventual rendición en 1886. El general chileno, victorioso, informó al presidente de la República que la rendición de la Araucania únicamente había costado "mucha fiesta y mucho mosto"

Los indígenas fueron integrados a reservaciones. Con una población inicial de 30.000 al momento de la rendición, su número hoy se estima en más de un millón. Comenzó entonces un período de reconstrucción y revitalización de la cultura mapuche, que se reflejó en el patrón de ingestión de alcohol. Vuelve el patrón ritual y social de beber y se ritualiza incluso el acto de beber en la ciudad. Hoy el mapuche que va al pueblo para comprar y vender termina su día de mercado en la cantina, pero no se emborracha solo: busca a un amigo o socio. Esto ha producido una interacción social entre miembros de diferentes reservaciones, generalmente parientes o amigos, que así refuerzan sus lazos de solidaridad regional e intercambian información personal, política y social.

En 1968, la autora encontró el patrón de ingestión de alcohol en la reservación extraordinariamente parecido al descrito por Pineda y Bascuñan hacia 1540.[7] El beber era un rito social. El patrón femenino había cambiado; pero el masculino se mantenía igual al original. El bebedor solitario era considerado como aberrante.

En los migrantes mapuches a la ciudad se observó claramente el cambio en el patrón de ingestión de alcohol.[3] Al principio los migrantes bebían como mapuches, varios días seguidos hasta acabar el dinero que necesitaban para alojarse y comer. Aparecían entonces los bebedores solitarios, hasta que los mapuches se disciplinaban a la cultura urbana y se integraban al proletariado urbano. Aprendían a beber únicamente los días de raya, sobre todo los sábados por la tarde después del partido de futbol. Aparecían los círculos de amigos bebedores como una variante social, y las mujeres dejaban de beber.

Al fin se mantuvo la regla de beber en grupo, de beber como rasgo de masculinidad, y para mantener su solidaridad e identidad social como mapuches a través de la participación en sus rituales. A través de 300 años de historia, los momentos de crisis producen efectos desorganizado-res (beber solo y emborracharse con bebidas fuertes), pero una vez pasada la crisis el patrón vuelve a ritualizarse y "mapuchizarse" aunque pueden incorporarse algunos cambios. Hasta hoy se mantiene la costumbre de beber en ciertos rituales, que marcan la diferencia entre el campesino chileno y el mapuche, tales como el "guillatún" y los festejos funerales.

En general el mapuche nunca bebe solo. Sí bebe como un rasgo de masculinidad. La reciente aparición del protestantismo entre los mapuches ha introducido una nueva variante: el abstemio. Se trata de una de las pocas salidas socialmente aceptables a la obligación de beber en grupos de amigos. Los principales cambios en el patrón de ingestión de alcohol se refieren al tipo de licor, al hecho de comprar la bebida en el mercado, a la costumbre de beber en los pueblos y a la modificación del patrón femenino.

Conclusiones

La ingestión de alcohol puede interpretarse como factor de cohesión o de disolución social, según las circunstancias históricas. Todo el patrón es definido por la cultura, incluso el efecto esperado que producirá el alcohol en el organismo. Por ejemplo, la reacción del individuo dependerá de si se consideran lícitos o no ciertos comportamientos tales como la agresión, las actitudes ridículas o violentas, o la desinhibición sexual. Habrá buenos o malos bebedores según los patrones de cada cultura.

Un mismo acto de beber podrá implicar una comunión que refuerza la cohesión social de los miembros de una cultura, o podrá significar lo contrario. En las barriadas de Santiago y de la ciudad de México, el consumo colectivo del alcohol se usa para reforzar la confianza entre individuos que participan en una red de reciprocidad, impidiendo la estratificación económica y manteniendo abiertos sus canales de ayuda mutua que son los que garantizan la supervivencia de la comunidad. Sin embargo, los individuos más pobres y desprestigiados son los borrachos solitarios y viciosos. El grupo define en qué momento un individuo se vuelve vicioso: generalmente es el punto en que el abuso del alcohol amenaza la supervivencia de la familia o del grupo social.

También en los rituales y las ocasiones de *communitas* hay limitaciones al comportamiento permitido; por ejemplo la violencia física que llega al asesinato o a las transgresiones sexuales. El uso del alcohol es un arma de doble filo, puesto que promueve y amenaza la sociabilidad. Por lo tanto, las ocasiones de *communitas* son controladas por la estructura.

El alcoholismo es consecuencia de la secularización y desritualización del patrón de ingestión de alcohol. Convertido en mercancía y utilizado como un medio de escape a ciertas situaciones políticas o sociales, el alcohol promueve la disolución y desorganización de la sociedad. El alcoholismo debe verse entonces como un reflejo de las enfermedades de una sociedad, más que como su causa.

REFERENCIAS

1. CARRASCO P: *The civil religious hierarchy in Mesoamerican community: prehispanic background and colonial development.* Amer Anthrop *63:* 484-497, 1961.
2. FARON L: *Hawks of the sun.* Univ Pittsburgh Press, Pittsburgh, 1964.
3. LOMNITZ L: *Patterns of alcohol consumption among the mapuche.* Human Organ 28: 287-296, 1969.
4. LOMNITZ L: *Influencia de los cambios políticos y económicos en la ingestión del alcohol: el caso mapuche.* Amer Indig 23: 133-150, 1973.
5. LOMNITZ L: *Alcohol, and culture: the historical evolution of drinking patterns among the mapuche.* En: Everett J M: *Cross cultural approaches to the study of alcohol.* Mouton Publ: Waddel & D Heath: The Hague-Paris, 1976, p 177-198.
6. LOMNITZ L: *Cómo sobreviven los marginados.* Siglo XXI, México, 1975.
7. PINEDA Y BASCUÑAN: *El cautiverio feliz.* Zig-Zag,Santiago, 1948.
8. SOUSTELE J: *La vida cotidiana de los aztecas.* FCE, México, 1956.
9. TURNER V: *The ritual process: Structure and anti-structure.* Cornell University Press, Ithaca, NY, 1977.

LA CONCEPCION DE PROBLEMAS ASOCIADOS
AL CONSUMO DE ALCOHOL EN LA HISTORIA DE MEXICO

MA. DEL PILAR VELASCO MUÑOZ-LEDO*

INTRODUCCIÓN

En México, desde hace muchos años han sido reconocidos diversos problemas asociados al consumo inmoderado de bebidas alcohólicas. La ingestión de alcohol ha sido analizada desde diversas perspectivas teórico-metodológicas, que han dado por resultado enfoques cualitativamente distintos y, por consiguiente, acciones diferenciales para su control.

La conducta del beber, aparentemente simple, requiere, para su estudio, de una multiplicidad de dimensiones. Como problema multifacético y multicausal, el alcoholismo (y el consumo inmoderado de bebidas alcohólicas) se ha enmarcado dentro del campo de estudio de la salud mental y, más recientemente, de los profesionales de las ciencias sociales, al reconocerse el hecho de que los problemas asociados al consumo rebasa el campo de la salud individual del bebedor, afectando de múltiples maneras todas las esferas de su vida familiar y social.

De la concepción diferencial que se ha tenido del tema en distintos lugares y diferentes períodos de la historia, se ha derivado una serie, también diferencial, de estudios, acciones, sanciones jurídicas y sociales, etc. Al mismo tiempo, y como consecuencia, los recursos destinados a la atención de esta problemática han variado, en función del enfoque empleado en el análisis.

En este capítulo expondremos algunas de las consideraciones más importantes en torno al análisis de ciertos diferenciales históricos del problema del consumo de alcohol en nuestro país. Cabe mencionar que se trata de la presentación de una parte de las conclusiones de un proyecto de investigación más amplio, desarrollado por diversos especialistas**.

Como método aproximativo, hemos dividido el trabajo en dos partes fundamentales. En la primera, serán tratados algunos de los problemas asociados al consumo de alcohol en México; se incluyen aspectos relacionados con la definición, las variables analizadas y algunas cifras estadísticas. En la segunda, se presentan parte de las acciones que han sido implantadas en nuestro país para abordar el alcoholismo y el consumo inmoderado de bebidas alcohólicas. Finalmente, incluimos una sección de consideraciones generales sobre los aspectos analizados en el trabajo.

1. Evolución histórica del concepto de alcoholismo en México

Con el objeto de analizar los diferentes enfoques empleados en México para estudiar los problemas asociados al consumo

* Socióloga. Maestra en Demografía. Jefe del Departamento de Eventos Especiales de la Dirección General de Asuntos del Personal Académico de la UNAM. Investigadora del CEPNEC, A. C.

** "Proyecto sobre las variables que inciden en el consumo de licores (bebidas alcohólicas de alta graduación)", desarrollado mediante convenio entre la Secretaría de Salubridad y Asistencia (SSA) y el Instituto de Investigaciones Sociales de la UNAM (IISUNAM), y en el que participaron diversos especialistas.

de alcohol, se hace necesaria una revisión histórica que permita descubrir los elementos que caracterizan el análisis de los problemas vinculados a la ingestión anormal de alcohol a través del tiempo.

Existe un número limitado de trabajos que abordan los antecedentes históricos del consumo de bebidas alcohólicas en nuestro país. Entre éstos, debe hacerse mención especial de los elaborados por Gruzinski y Calderón sobre diversos aspectos de la ingestión de alcohol entre los pueblos prehispánicos, y de la investigación llevada a cabo por Guedea, quien analiza algunos elementos del alcoholismo durante la época colonial, en la ciudad de México.

Gruzinski,[1] por ejemplo, analiza el control y la represión respecto al consumo de alcohol y la sexualidad entre los mexicas, en el contexto de la brusca aculturación que desarticula a la comunidad, al mismo tiempo que muestra cómo esa aculturación atrapa a la sociedad azteca entre las creencias ancestrales y la alternativa cristiana. Si bien no se trata de un estudio específico sobre alcoholismo, de este trabajo es posible desprender algunos elementos útiles para caracterizar el contexto en el que se desarrolla la ingestión de alcohol.

Calderón,[2] por su parte, hace referencia a la historia del descubrimiento del pulque (octli), enfatizando la trascendencia mítico-religiosa del mismo en la religión mesoamericana, citando algunas de las deidades directamente vinculadas a la bebida y a la embriaguez.

Ante los problemas ocasionados por la ingestión excesiva de bebidas embriagantes, los pueblos prehispánicos dictaron severas leyes para restringir su consumo. Sin embargo, de la información disponible no puede desprenderse la evidencia de un verdadero problema de alcoholismo entre estas civilizaciones, puesto que el consumo de bebidas alcohólicas era limitado, asociado a rituales y ceremoniales de carácter religioso.

De acuerdo con los trabajos analizados, puede afirmarse que es hasta el siglo XVIII cuando, en la ciudad de México y en el país en general, comienzan a evidenciarse algunos de los problemas ocasionados por la ingestión excesiva de alcohol. Guedea[3] analiza una serie de documentos de la época, en los que se muestra el empeño de las autoridades por sujetar a los habitantes de la ciudad a un estricto control, y la preocupación por frenar y regular la producción, circulación y consumo de bebidas embriagantes, que dificultaba y entorpecía la tarea de gobernar.

Aunque sería indispensable una investigación histórica mucho más exhaustiva para comprobarlo, quizá una de las primeras manifestaciones de la problemática del alcoholismo puede ser encontrada en el escrito que los habitantes de los barrios de Santa Cruz y la Palma dirigen al virrey, en el que se hace referencia a los desórdenes provocados por quienes frecuentaban las tepacherías y vinaterías.[4]

Trabajos posteriores como los de Oliva,[5] Valenzuela,[6] Carbajal[7] y el Partido Socialista Fronterizo de Tamaulipas,[8] nos muestran la honda preocupación de ciudadanos y autoridades por las consecuencias sociales de la ingestión inmoderada de bebidas alcohólicas. En todos estos documentos encontramos referencias a la magnitud del problema, así como a las consecuencias sociales, económicas, políticas y orgánicas.

Si en la época prehispánica el alcoholismo no representaba un problema social grave, durante la etapa colonial —y en años posteriores— encontramos ya una preocupación creciente por sus consecuencias. Al ser suprimidas las sanciones y los controles establecidos por los aztecas, y al cambiar el sentido que esta civilización imprimía al consumo de alcohol, éste se incrementa notablemente y ninguna de las medidas adoptadas desde entonces ha sido suficiente para controlarlo.

A partir de la época colonial, la concepción del alcoholismo y del consumo inmoderado de bebidas alcohólicas ha variado considerablemente y, podríamos decir, que existen tantas definiciones como especialistas interesados en el problema. Durante la etapa virreinal (y aún a principios de este siglo) se habla del alcoholismo como de un vicio degradante, y no es sino hasta años recientes en que empieza a concebírsele como una enfermedad.

De los principales trabajos elaborados a principios de este siglo, destinados al análisis de las consecuencias de la ingestión inmoderada de alcohol, es posible extraer conclusiones generales sobre la concepción de la problemática que aquí nos ocupa. Oliva,[5] por ejemplo, destina su análisis a las consecuencias sociales y físicas del alcoholismo, enfatizando estas últimas. Así, detalla cuidadosamente los daños provocados por el alcohol en los diferentes sistemas (aparatos digestivo, urinario, circulatorio, nervioso y respiratorio) y señala los diferentes períodos de intoxicación alcohólica. El alcoholismo es concebido aquí como un conjunto de trastornos anatómicos y funcionales que tienen consecuencias orgánicas (meramente individuales) y sociales.

Valenzuela,[6] por su parte, da a conocer algunas particularidades del alcoholismo, en tanto que el problema afecta a los intereses sociales, "la paz y el porvenir de las familias". Al recoger las experiencias de un conjunto de alcohólicos, el autor concibe este problema como enfermedad, pero en múltiples ocasiones señala al alcoholismo como "vicio pernicioso". El autor elabora una clasificación de los bebedores excesivos, de acuerdo a ciertas características específicas (fundamentalmente las motivaciones para la ingestión), de la siguiente manera:

a) Alcohólicos por gusto.

b) Alcohólicos por convicción (alcohólicos razonados que obran con toda premeditación).

c) Alcohólicos supernumerarios o de buena fe (aquéllos que no son viciosos con toda intención).

d) Alcohólicos cortesanos (los que se preocupan de muchas ceremonias relacionadas con el consumo, "lo concerniente a los vicios")

El trabajo del Partido Socialista Fronterizo de Tamaulipas[8] expone diversas consideraciones de carácter médico y social, tales como el daño a distintos órganos (corazón, hígado, riñones, estómago, cerebro, etc.), las estadísticas de crímenes y delitos relacionados con la ingestión de bebidas alcohólicas, etc. Aunque no se trata de una investigación propiamente dicha, maneja aspectos médicos (intoxicación de las facultades mentales, cirrosis atrófica del hígado, problemas de los centros nerviosos, etc.), legislativos, sociales y económicos (violencia, delincuencia juvenil, suicidios, aspectos de la economía familiar, etc.) y, fundamentalmente, los relacionados con la reglamentación.

A partir de entonces, numerosos trabajos han sido elaborados en torno a diversos aspectos del consumo de alcohol, pero es necesario destacar que, aún dentro de aquéllos que parten de definiciones en las que la ingestión inmoderada es considerada como enfermedad, encontramos diferencias sustanciales que van desde la explicación y la concepción meramente orgánica, hasta las que introducen categorías de carácter sociológico.

Recientemente, sin embargo, han predominado las definiciones que intentan vincular lo individual y orgánico con las características socioeconómicas de la comunidad. Ahora, se está de acuerdo en que lo social constituye lo predominante y, al mismo tiempo, lo más complejo de la problemática del alcoholismo. Variables tales como la cantidad de alcohol ingerida, la frecuencia de la ingestión, el grado de dependencia física o psicológica, etc., son criterios demasiado estáticos para ser suficientes en cuanto a la proposición de parámetros universalmente válidos. De ahí que, en la actualidad, se resalte la actitud del sujeto alrededor de la bebida, tomando en cuenta que uno de los factores de conducta básicos es la búsqueda de un cambio de la situación específica en la que se vive.

A partir de éste y de otros criterios y enfoques; diversas investigaciones llevadas a cabo proponen alternativas de definición del alcoholismo, clasificaciones del bebedor, causas y consecuencias de la ingestión excesiva, etc. Sin embargo, metodológicamente resulta difícil establecer un

índice de consumo debido a que, entre otras cosas, los datos disponibles que se refieren a cifras de producción, venta y consumo por familia, etc., están sujetos a notables distorsiones, como la falsedad en la declaración de los impuestos, la fabricación clandestina, la irregularidad de los diagnósticos, el temor a las sanciones sociales, etc.

La magnitud del problema resulta, entonces, difícil de medir, aunque existen en nuestro país investigaciones valiosas que nos permiten aproximarnos a cifras sobre la prevalencia y la incidencia del fenómeno en la actualidad. Turull[9] ha elaborado un cuadro que resume los principales resultados de algunas de las más importantes investigaciones llevadas a cabo en México, el que muestra la diversidad de criterios empleados en la definición del alcohólico, dando por resultado estimaciones diferentes. Aunque no comprende las definiciones empleadas en cada trabajo particular, hemos transcrito aquí el cuadro, con el objeto de facilitar el análisis de las cifras resultantes (tabla 1).

Se puede observar que existen diversos criterios para concebir al alcoholismo y a la ingestión excesiva de bebidas embriagantes; aparece claramente que las estimaciones varían de acuerdo a la población de la que se trate y al método empleado para medir el consumo inmoderado. Sin embargo, resulta de gran utilidad para conocer, entre otros aspectos, el tipo de estudios que son llevados a cabo en nuestro país y los resultados obtenidos.

Así como en el cuadro aparecen clasificaciones tales como "alcohólico", "uso consuetudinario del alcohol" y "alta frecuencia de la ingestión", existen otras cla-

TABLA 1

PREVALENCIA DEL ALCOHOLISMO

RELACION DE ALGUNOS ESTUDIOS REALIZADOS EN MEXICO, SEGUN FECHA, TECNICA EMPLEADA, POBLACION Y RESULTADOS OBTENIDOS

Fuente	Año	Técnica empleada	Población y lugar	Tasa de alcoholismo
Cabildo A., y cols.	1958	Encuestas	Población abierta mayor de 15 años. Distrito Federal	8.5 por mil
Dirección General de Salud Mental, S. S. A.	1960	Encuestas	Población abierta mayor de 15 años. Muestra nacional	9.8 por mil
Macoby, M.	1965	Encuestas	Población abierta mayor de 15 años. Comunidad rural	14.0 y 13.0 de bebedores excesivos
Cabildo A. y cols.	1967	Encuestas	Burócratas mayores de 15 años	12.3 por mil
Cabildo A. y cols.	1968	Encuestas	Mayores de 15 años. D. F.	9.0 y 10.0 excesivos
Ibarra y cols.	1971	Form. de Jellinek*	Ambos sexos, mayores de 20 años. Muestra nacional	5.7% a 7.0%
Medina Mora y cols.	1974	Encuesta de hogares	Población mayor de 14 años. Distrito Federal	6.0% uso coensuetudinario**
Medina Mora y cols.	1974	Idem	Idem, La Paz, B. C.	13.0% Idem
De la Parra y cols.	1975	Idem	Idem, San Luis Potosí, S. L. P.	9.0% Idem
Natera y cols.	1975	Idem	Idem, Monterrey, N. L.	21.0% Idem
De la Parra y cols.	1976	Idem	Idem, Puebla, Pue.	7.0% Idem
Terroba y cols.	1978	Idem	Idem, Mexicali, B. C	19.0% Idem
OMS-IMP (Calderón, G.; Campillo, C. y Suárez, C.	1978	Encuestas	Población abierta. Hombres mayores de 15 años. Zona rural y urbana de la Delegación de Tlalpan. Distrito Federal	13.0% ***

* Fórmula de Jellinek: número de alcohólicos $= \dfrac{P \cdot R}{K}$

Donde: P = Proporción de defunciones por cirrosis hepática atribuidas al alcoholismo.
R = Razón de todos los alcohólicos a los alcohólicos con complicaciones.
K = % de alcohólicos con complicaciones que mueren por cirrosis hepática.

Existen serios problemas para determinar los valores requeridos, debido a la calidad de los registros y de valoración del parámetro P, por las variaciones entre los países desarrollados y los subdesarrollados, en lo que respecta a la mortalidad. Las variaciones podrían atribuirse también al estado nutricional, que puede dar como resultado un cierto número de defunciones por etiología no alcohólica y diversos tipos de complicaciones. La confiabilidad de la fórmula ha sido puesto en duda recientemente, incluso por el mismo autor, y se ha llegado a la conclusión de que el número de alcohólicos es mayor al arrojado mediante este método de estimación.

** Uso consuetudinario. Se trata de personas que reportan beber todos los días, o bien que consumen alcohol con una frecuencia mínima de dos veces por mes, pero que toman de 5 a 6 copas en cada ocasión.

*** Alta frecuencia (una o más veces a la semana) y alta cantidad (más de 200 ml. de alcohol en cada ocasión).

FUENTE: TURULL TORRES, FRANCISCO: Instituto Mexicano de Psiquiatría, 1982. Datos proporcionados por el propio investigador.

sificaciones interesantes e igualmente importantes. La Asociación Psiquiátrica Mexicana emplea los siguientes criterios:

Ingestión excesiva de alcohol, de carácter episódico.

Ingestión excesiva, de carácter intermitente.

Adicción al alcohol.

Autores como Velasco Fernández[10] hablan de alcoholismo intermitente (caracterizado por la incapacidad de detenerse una vez que se ha iniciado la ingestión de alcohol, y que cursa con períodos variables de abstinencia) y alcoholismo inveterado (caracterizado por la pérdida de la libertad para abstenerse de ingerir alcohol, por lo que tiene que hacerse cotidianamente).

Autores de diversos países (que han influido en las concepciones que actualmente existen en nuestro país) introducen los conceptos de alcoholismo agudo, crónico, neurótico, complicado, alcoholomanía, etc. (Perrin, Jellinek y otros); incluso las tipologías diseñadas para el análisis de otras farmacodependencias han sido empleadas para el caso del alcoholismo (como sucede con Glenn).[10, 11]

Vemos, entonces, que existen diversos criterios para definir al alcoholismo y al bebedor excesivo, lo que repercute de manera directa sobre los resultados de las mediciones que se intenten. Al respecto, es importante señalar que las tipologías desarrolladas, en su mayor parte, toman como criterios fundamentales, elementos de orden médico, orgánico o biológico (manifestaciones de carácter individual), dejando de lado una gran variedad de factores sociales, económicos y culturales, que permitirían a los investigadores de las ciencias sociales analizar la problemática desde otra perspectiva.

Si el problema de la definición y la clasificación resulta importante y difícil, lo es más aún el de la investigación sobre las causas que motivan la ingestión inmoderada de bebidas alcohólicas. En este campo los estudios son menos numerosos y, aunque la mayoría de los autores coinciden en señalar la existencia de factores de orden biológico y socioeconómico, no hemos encontrado aún trabajos destinados a su clasificación, interpretación y análisis. La gran mayoría de las veces se confunden las causas y los efectos, mostrando una línea divisoria difícil de distinguir.

Entre los factores que se encuentran vinculados al tipo de bebida, cantidad y frecuencia, se sitúan la edad, el sexo, el grupo étnico de pertenencia, la afiliación religiosa, el nivel de instrucción, el estrato socioeconómico, la ocupación, el grado de urbanización, la publicidad, etc., y otros factores de conducta tales como las experiencias de la infancia, los contactos con bebedores y no bebedores, etc.[10, 12]

Algunos autores han querido encontrar una causa única explicativa del problema, pero sabemos actualmente, por diversos trabajos, que el alcoholismo es un problema de muchas facetas y de tipo multicausal, y que existe toda una gama de factores predisponentes y desencadenantes del mismo.[10]

En definitiva, mientras mayor cantidad de estudios se acumulan, con mayor claridad se observa la existencia de una gran variedad de problemas en torno a la bebida, diversos tipos de personalidades que los sufren y gran variedad de razones para comenzar a beber y para continuar haciéndolo hasta alcanzar niveles peligrosos.

Desde los estudios de Valenzuela,[6] en 1900, se habla de la ambición y de la decepción como factores causales del alcoholismo, y se clasifica a los alcohólicos de acuerdo a las motivaciones para beber. En la actualidad, los factores influyentes y las teorías respectivas que se valen de ellos, pueden ser agrupados en forma útil, aunque no exhaustiva.

De entre los factores fisiológicos se destaca, generalmente, la concomitancia que los defectos genéticos, fisiológicos, metabólicos y nutricionales tienen con factores psicológicos y culturales. Se sabe que los factores genéticos juegan un papel muy importante, pero que es necesaria la conjunción de otros elementos para alcanzar un valor patogénico.[10]

Muchos autores no han podido ponerse de acuerdo en cuanto a la explicación de los factores psicológicos que se han analizado en torno al origen del alcoholismo. Sin embargo, se ha señalado que, entre las características psicológicas y psicopatológicas de orden clínico, las más comunes y predominantes entre los alcohólicos se refieren a las neurosis, a la incapacidad de relacionarse con los demás, a la inmadurez sexual y emocional, al aislamiento, la dependencia, el mal manejo de las frustraciones y sentimientos de perversidad e indignidad, la privación emocional de la infancia y la pérdida de la autoestima.[10]

En cuanto a los factores socioculturales que intervienen en la génesis del alcoholismo, cabe señalar que participan aspectos muy importantes, tales como la familia, su constitución, el tipo de relaciones interpersonales al interior y exterior del núcleo familiar, los procesos de enculturación y socialización, el tipo de bebidas, las creencias y costumbres relacionadas con el consumo, la visión que las comunidades tienen del problema y de los individuos que lo sufren, las reglas del beber social, las sanciones, la disponibilidad y la accesibilidad, etc. Hay incluso autores que señalan que una de las causas del alcoholismo puede ser encontrada en el papel que desempeña el alcohol dentro de las comunidades. Estudios específicos en comunidades rurales han llegado a encontrar también una relación entre el alcoholismo y los bajos índices de productividad, bajos ingresos familiares, índices elevados de emigración, etc., aunque estas condiciones no se encuentran presentes en otros casos de alcoholismo.[12]

Otro grupo de trabajos, más numeroso, se destina al análisis de los efectos del alcoholismo en la sociedad; se estudian estadísticas de suicidios, homicidios, muertes violentas, divorcios, ausentismo laboral, etc., en relación al consumo de alcohol, pero aun en estos casos, la información no es del todo confiable, llegando incluso a ser contradictoria, dependiendo de las fuentes a las que se recurra.

Curiosamente, son numerosas las declaraciones de funcionarios de diversas dependencias sobre aspectos relacionados con el alcoholismo. Médicos del IMSS, del ISSSTE, del Servicio Médico Forense, de la SSA, de hospitales psiquiátricos privados y oficiales, funcionarios del IMCE, etc., proporcionan estadísticas cuyas fuentes se desconocen, pero que son capaces de crear desconcierto y confusión entre el público en general y entre los estudiantes de la problemática.[21]

Existen estudios sobre las pérdidas económicas relacionadas con la ingestión de alcohol,[10] sobre la mortalidad por cirrosis hepática y asociada a otras causas —directa o indirectamente vinculadas al alcohol— (suicidios, homicidios, hechos violentos, etc.),[22] sobre divorcios,[13] etc. Esto es la parte relativa a los efectos sociales, culturales, políticos, económicos, etc., de la ingestión inmoderada que es, junto con los aspectos médicos, la más analizada en nuestro país. Sin embargo, las carencias son mayores en lo que se refiere a la explicación del fenómeno y sus causas. Convendría recordar que se ha llamado la atención sobre algunos aspectos sociodemográficos básicos, en la información del bebedor, sus hábitos de ingestión, en la opinión que del transgresor se tiene, etc., y que, por tanto, es necesario también analizar si el uso de alcohol es socialmente problemático o culturalmente integrado a los patrones de la comunidad.

Hay autores que afirman que, en cuanto a los aspectos psicológicos, mirar a la patología solamente a nivel individual es reducir el problema: es la sociedad y los individuos que la integran, los que generan el alcoholismo. Así, resulta indispensable analizarlo desde el punto de vista socioestructural, enfatizando en el sistema normativo en el que los alcohólicos se encuentran inmersos, y las reglas sociales que actúan como mecanismos para canalizar el comportamiento. Los problemas de la ingestión que aparecen dentro del contexto social no deben ser vistos como síntomas privados del bebedor, sino como reflejo de la estructura social en la que se vive.[14]

Resulta evidente, pues, la necesidad de explicar el alcoholismo desde diferentes puntos de vista, con un enfoque multidisciplinario, que permita analizar el problema en forma global. En general, los autores coinciden en atribuir gran importancia a los aspectos sociales y culturales, pero se limitan a mencionar su influencia, sin analizarla detalladamente y sin explicarla a profundidad. Pareciera ser, a primera vista, que los esfuerzos deben ser encaminados hacia el conocimiento de las causas, dejando de lado otros aspectos ya conocidos, pues las estrategias de acción sólo podrán ser definidas en la medida en que se conozca más sobre su etiología.

2. *Respuestas sociales frente al consumo de alcohol en México: una revisión histórica*

Los efectos nocivos de la intoxicación alcohólica y del alcoholismo han sido identificados desde hace muchos años, y han sido variadas las acciones que se han implantado para su control en nuestro país, en función de los conceptos empleados en el análisis de la problemática.

Entre los aztecas, por ejemplo, el consumo de pulque se encontraba vinculado a aspectos mítico-religiosos, y parece ser que no existía un problema serio de alcoholismo. Sin embargo, reconocidos los efectos dañinos de la alcoholización, fueron dictadas severas leyes para restringir su consumo. Desde los simples "consejos" que el emperador acostumbraba dar inmediatamente después de la coronación, las sanciones abarcaban el repudio social y el castigo físico (corte de pelo, encarcelamientos, destierro, pena de muerte, etc.).[2]

Entre la antigua civilización azteca fueron, pues, detectados los problemas ocasionados por la ingestión excesiva de bebidas embriagantes y se hicieron intentos por controlar su consumo. Los ancianos eran los únicos miembros de la comunidad a los cuales se les permitía beber sin restricción,[2] demostrando así la existencia de un espíritu "muy primitivo" de justicia, que permitía los placeres de la bebida sólo a aquéllos cuya vida productiva había concluido, y no representaban una carga para la sociedad.

Con la llegada de los españoles, las sanciones impuestas por los mexicanos fueron suprimidas por "inhumanas", y se determinó un aumento considerable del alcoholismo entre los indígenas.

Las primeras referencias que tenemos de conflictos provocados por la ingestión excesiva de bebidas alcohólicas se remontan a los siglos XVII, XVIII y XIX. El estudio de Guedea,[3] repasa una serie de disposiciones legales relativas a la producción y venta de bebidas alcohólicas. La autora muestra la preocupación de las autoridades por regular el consumo de alcohol, que dificultaba la tarea de gobernar y controlar a la población. Analiza el número de expendios de bebidas embriagantes y los impuestos derivados de la producción de éstas, y aunque es posible que las reglamentaciones al respecto hayan aparecido antes (sería necesario un análisis histórico minucioso que permitiera comprobarlo), la primera referencia que tenemos se relaciona con los lugares de venta del alcohol, durante el año 1619.[3]

Mediante el análisis de ciertas disposiciones legales de la época*, podemos clasificar las reglamentaciones encontradas en tres categorías fundamentales, a saber:

a) Las que se relacionan con los lugares de venta (en los años 1619, 1671, 1766, 1773, 1778, 1782 y 1784).

b) Las referidas a la producción, fundamentalmente a la del pulque (en 1671, 1724, 1752, 1776 y 1795).

c) Las relacionadas con el consumo (en 1631, 1748 y 1775).

En todas estas reglamentaciones hay referencias al valor nutritivo del pulque y se menciona la práctica de añadir, en su producción, una serie de productos nocivos para la salud. En adición, se habla de la necesidad de controlar los desórdenes provocados por la ingestión excesiva y se reglamenta sobre los "cadáveres de los borrachos" encontrados en la vía pública.

Ninguna de estas medidas, ni de las adoptadas posteriormente, han sido suficientes para restringir el consumo de alcohol y reducir los índices de alcoholismo en la población, pero reflejan la preocupación creciente que este tipo de problemas causaba a las autoridades y a la población en general. Es necesario mencionar que las autoridades de la época percibían al "nivel educativo" como la causa principal del alcoholismo, a pesar de lo cual, era concebido éste como un problema multicausal, de consecuencias variadas y negativas, cuya solución no respondía a la toma de decisiones aisladas (según se desprende de las disposiciones y "bandos" de esta etapa del desarrollo histórico de México).

Esta opinión acerca de la educación prevaleció durante largo tiempo y, aún en la actualidad se considera indispensable elevar los niveles de instrucción de la población, para disminuir las tasas de alcoholismo, mediante la difusión general de sus efectos físicos y sociales.

---

* Remitimos al lector al Tomo III de esta colección que aparecerá próximamente (N. del E.)

El trabajo de Valenzuela[6], del año de 1900, trata diversos aspectos del consumo de bebidas alcohólicas. Se trata de un trabajo anecdótico que recoge las experiencias de alcohólicos de la época, en el que se hace hincapié en la educación como medio para disminuir la ingestión, y en la necesidad de abrir nuevos establecimientos para el tratamiento de los alcohólicos (se observa, desde entonces, una gran carencia de servicios hospitalarios y de consulta externa para enfermos mentales y, especialmente, para alcohólicos).

En cuanto a la profilaxis, el mismo autor —reflejando la opinión de la época— señala que las verdaderas causas que hay que atacar se encuentran en la predisposición individual, y que la base para la curación del alcoholismo es el aislamiento, acompañado de una medicación apropiada. Señala, además, que existe una gran cantidad de intereses que se encuentran presentes en la producción y distribución de las bebidas alcohólicas, y la imposibilidad de controlarlos, siendo poco factible la "persecución" a productores y consumidores.

Trabajos posteriores muestran una gran preocupación por abatir los índices de alcoholismo. Olivia escribió —en el año de 1911— un folleto de divulgación sobre algunos aspectos de esta problemática, destinado a estudiantes y maestros de escuelas secundarias y primarias del estado de Jalisco[5]. Aunque no proporciona cifras estadísticas, menciona una gran cantidad de consecuencias físicas y sociales del alcoholismo. Al analizar los errores en torno a la utilidad del alcohol, señala el autor que no se trata de un alimento, de un fortificante o de un elemento que ayude a la prevención de enfermedades (como entonces se creía).

Al tratar los elementos vinculados a la prevención, señala que la profilaxis debe estar encaminada hacia la cantidad ingerida, más que hacia la calidad de las bebidas. Menciona también a la educación como un elemento importante en el intento por abatir los niveles de alcoholismo del país.

Otro ejemplo de la preocupación gubernamental por los problemas asociados al consumo de alcohol lo constituye la "Contribución del Partido Socialista Fronterizo de Tamaulipas"[32]. En el folleto publicado se hace referencia al movimiento encabezado por el entonces presidente de la República, Emilio Portes Gil. El Acuerdo Presidencial del 14 de mayo de 1929 constituye, quizás, una de las primeras acciones oficiales sistemáticas en contra del alcoholismo; por primera vez se crea un Comité Nacional de Lucha contra el Alcoholismo y se organizan acciones destinadas a la educación, a la reglamentación de la producción, venta y consumo de bebidas embriagantes, al fomento de la investigación sobre el tema, y se implantan políticas de mejoramiento de la vivienda, de ahorro obrero, de seguridad social, etc.

Justificando la necesidad de publicar un folleto que divulgue los problemas provocados por el alcoholismo, se transcribe en el texto el acuerdo presidencial citado, y se exponen diversas consideraciones de carácter médico y social.

A pesar de que en algunas partes del trabajo se concibe al alcoholismo como un vicio degradante, el trabajo tiene el gran mérito de proponer una acción integral de distintos sectores gubernamentales que, tomando en consideración aspectos sociales, económicos y médicos, tiene por objeto elevar las condiciones materiales de vida, como uno de los medios para disminuir los niveles de alcoholismo de la población.

Desde entonces a la fecha, han sido elaborados distintos programas de acción contra el alcoholismo y se ha dictado toda una gama de severas leyes y reglamentaciones en torno a la producción, venta y consumo de bebidas alcohólicas. Al respecto, es interesante recordar aquí algunas de las disposiciones más sobresalientes, haciéndose necesario señalar que todas ellas responden a la concepción que de la problemática se ha tenido en los diferentes períodos en los que han sido dictadas.

Desde el acuerdo presidencial citado aparece, aunque no de manera explícita, la consideración de que el alcoholismo constituye un problema de índole social, una enfermedad cuya etiología responde no sólo a factores orgánicos (propiamente individuales), sino también a factores eminentemente sociales. Así, la respuesta a tal concepción incluyó medidas que tendieron hacia el mejoramiento de la vivienda, el fomento del ahorro, programas de empleo, nutrición e instrucción, etc.

Posteriormente, en el Código Sanitario de 1959, se incluyeron cláusulas destinadas a la prohibición de la apertura de nuevos expendios de bebidas alcohólicas. El Reglamento Sanitario al respecto, publicado en el *Diario Oficial* del 6 de junio de 1963, estipula métodos de manufactura y establece cuáles son las operaciones lícitas e ilícitas relativas al alcohol.

Durante el año de 1972, y por Decreto Presidencial, fue creado el Centro Mexicano de Estudios en Farmacodependencia (CEMEF) mismo que, posteriormente, se convertiría en el Centro Mexicano de Estudios en Salud Mental (CEMESAM) y, más recientemente, en el Instituto Mexicano de Psiquiatría (IMP), nombre que ostenta en la actualidad. Este organismo fue el encargado, oficialmente, de llevar a cabo diversas investigaciones en el campo de los problemas relacionados con el consumo de alcohol, aunque otras instituciones e investigadores hicieron valiosas contribuciones científicas.

En los últimos años —fundamentalmente entre 1973 y 1976— fueron llevadas a cabo varias revisiones al Código Mexicano de Salud. En 1976 se estableció que el alcoholismo es una enfermedad, y que corresponde al Sector de Salud Pública llevar a cabo campañas en su contra, incluyendo medidas relevantes para limitar o prohibir el consumo de alcohol. El artículo 248 especifica las medidas que el gobierno debe implantar para combatir el alcoholismo en la República, y la fracción III del artículo tercero se destinó a la "Campaña General contra el alcoholismo y la producción, venta y consumo de sustancias que envenenan al individuo y degeneran la especie humana".

A partir de entonces, la Secretaría de Salubridad y Asistencia está autorizada para realizar un programa nacional, continuo y sistemático, en relación al alcohol y al uso ilegal de narcóticos y drogas psicotrópicas. Un programa de este tipo debería incluir, entre otros, aspectos tales como el control de la publicidad; el desarrollo de la orientación científica para los efectos de estos productos en la salud del individuo, la familia y la comunidad, y su relación con la productividad decreciente y la criminalidad; la educación, enfocada hacia la prevención del uso de dichas sustancias; la formación de recursos humanos capacitados para la atención (tratamiento y rehabilitación) y difusión de programas de prevención, la estimulación de las investigaciones que contribuyan a una comprensión global de la problemática; etc.

También entre 1976 y 1977, el Dr. Velasco Fernández, entonces Director General de Salud Mental de la SSA, elaboró el proyecto de un "Programa de acción contra el alcoholismo y el abuso del alcohol". Dicha propuesta fue analizada por las autoridades competentes y, a pesar de haber sido aprobada, pocas fueron las medidas adoptadas. En este marco, la propia Dirección de Salud Mental de la SSA y la Universidad Autónoma Metropolitana (Unidad Xochimilco) establecieron un convenio de colaboración mediante el cual fue creado el Centro de Documentación sobre Alcoholismo y Abuso del Alcohol (CDAAA). Durante su corta existencia el CDAAA reunió gran cantidad de importantes materiales sobre el tema, pero el cambio de autoridades cesaron sus funciones y su acervo pasó a formar parte del Centro de Información y Documentación del ahora Instituto Mexicano de Psiquiatría.

De acuerdo con el mismo Código Sanitario, las bebidas alcohólicas pueden ser vendidas únicamente en establecimientos legalizados y éstos no deben ubicarse cerca de escuelas, centros de trabajo, centros deportivos y lugares de reuniones para jóvenes; las actividades de los nuevos establecimientos en los que se consumen bebidas alcohólicas cuyo contenido sea superior al 5%, se autorizan únicamente en las localidades consideradas turísticas. Sin embargo, las disposiciones que establecen el horario de ventas de bebidas dependen de las características del área del país de la que se trate.

En cuanto a la venta, es necesario decir también que ésta está prohibida para los menores de 18 años, a quienes no se les puede dar servicio en bares, centros nocturnos o pulquerías, ni se les puede emplear en esos lugares de trabajo.

Por el momento no existen medidas legales que limiten la propaganda de bebidas alcohólicas, pero se sabe de algunas reglamentaciones que pretenden controlar los contenidos. Así, únicamente está permitido dar información sobre sus técnicas de producción, pero no deben ser mencionados los efectos que produce; el consumo de alcohol no debe ser asociado a la buena salud, los deportes, la familia o la vida laboral; debe advertirse, además, que el consumo de bebidas embriagantes es nocivo y que debe evitarse la ingestión entre niños y adolescentes.

El consumo de alcohol les está prohibido a los choferes y transportistas de camiones pesados, durante las horas de trabajo; los choferes de transportes públicos tienen prohibida la ingestión dentro de las 12 horas anteriores a la jornada laboral y, en el caso de los pilotos aéreos —y de su tripulación— se estipula la abstinencia durante las 24 horas previas.

Otro de los aspectos legales que aquí nos interesa, se relaciona con la prohibición de la producción doméstica de bebidas alcohólicas; sin embargo, las medidas para hacer cumplir estas disposiciones son laxas y se sabe que tal producción es considerable en algunas áreas del país.[12]

A pesar de que todas las medidas mencionadas son potencialmente válidas en cuanto a la prevención de las consecuencias indeseables del consumo de alcohol, se desconoce hasta qué punto son realmente cumplidas y en qué medida han alcanzado su objetivo.

Los esfuerzos en relación a la educación sobre los problemas del alcohol no han sido suficientemente realizados, dado que no existe una organización nacional de programas escolares. Se cuenta con información limitada sobre el tema en el programa de entrenamiento de salud mental, medicina, psicología y enfermería, pero se carece de él, por completo, en las disciplinas sociales.

Así pues, aunque existe un gran interés en torno a la problemática que hoy nos ocupa, y aunque las reglamentaciones respecto a la producción, venta y consumo de bebidas alcohólicas son numerosas, los programas y campañas implantadas han tenido alcances limitados debido, entre otras cosas, a la falta de coordinación, sistematización y continuidad de las acciones puestas en práctica.

Cuando se habla de la respuesta que el gobierno mexicano ha dado a la problemática de la ingestión anormal de alcohol, deben ser tomados en cuenta otros aspectos, también importantes, y vinculados de manera indirecta, tales como la disponibilidad de servicios médicos (número de hospitales y de camas, especialistas, enfermeras, etc., por habitante), el acceso a los servicios educativos, los programas de nutrición y vivienda, etc. Hasta hace algunos años no se contaba con organismos nacionales o locales que estuvieran involucrados en la prevención de las incapa-

cidades relacionadas con el alcohol, aunque sí con diversas instituciones dedicadas al tratamiento y la rehabilitación.

Recientemente fue creado el Consejo Nacional Antialcohólico, organismo encargado de la elaboración de estrategias relacionadas con la prevención, el tratamiento y la rehabilitación de los individuos que sufren este padecimiento. Aunque se trata, indudablemente, de una acción de grandes posibilidades, carece de una sección especial destinada a la investigación, renglón fundamental en nuestro país, dada la carencia de estudios epidemiológicos serios respecto a la incidencia y la prevalencia del alcoholismo.

Así pues, en cuanto a los aspectos preventivos, puede afirmarse que es realmente poco lo que se hace. Las acciones han sido encaminadas en mayor medida al tratamiento, y sólo hasta fechas recientes se ha hecho uso de la televisión y de otros medios de comunicación, con el objeto de informar a la población sobre los efectos nocivos de la ingestión excesiva de bebidas alcohólicas.

Específicamente en lo que se refiere al tratamiento y la rehabilitación, Turull[15] identifica los principales tipos de respuestas institucionales (abarcando organismos oficialmente designados, iniciativas de personas, grupos y otras instancias que, específica o colateralmente, se interesan en el tema). De acuerdo con el autor, destacan los siguientes:

1. Consultas de medicina general o de especialistas, que resuelven las manifestaciones fundamentalmente orgánicas, a través de la SSA, el IMSS, el ISSSTE, etc. En episodios agudos, se

desintoxica en servicios de urgencia, pero generalmente sólo se atienden las repercusiones parciales de la ingestión.

2. De acuerdo con la concepción del alcoholismo como enfermedad, fueron creados algunos servicios de rehabilitación y tratamiento de los alcohólicos (SSA, Centros de Salud Mental y Centro de Prevención del Alcoholismo). Ciertos hospitales psiquiátricos (como el Fray Bernardino Alvarez, de la SSA) destinan algún pabellón al tratamiento del alcohólico.

3. Sector privado, que comprende centros e institutos dedicados al tratamiento del alcoholismo.

4. Fuera del ámbito médico, algunos lugares de trabajo brindan servicios asistenciales (por ejemplo, un instituto de este tipo que desempeña sus funciones en PEMEX).

5. Alcohólicos Anónimos —y sus colaterales Al-Arón y Al-Átín— junto con Alcohólicos en Rehabilitación y la Asociación Mexicana de Alcohólicos. También los sacerdotes son, en general, las fuentes más recurridas por los sectores populares.

Estas pueden ser consideradas las principales alternativas que se enfrentan, hoy en día, al problema del alcoholismo, en materia de tratamiento. Obviamente este panorama no puede ser considerado como una capacidad de servicio estructurada y exhaustiva; existen enormes dificultades, tanto a nivel de la oferta de servicios, como al de la demanda y uso de los mismos. En cuanto a la oferta, destacan las carencias cuantitativas (o de cobertura) y las cualitativas, entre las que es necesa-

rio mencionar la vigencia de la concepción del alcoholismo como vicio o irresponsabilidad, que provoca el rechazo del personal médico y paramédico. Además, debemos citar el enfoque que ha persistido en los servicios especializados de atención, que se centra casi exclusivamente en el aspecto de la dependencia al alcohol, siendo éste sólo uno, entre la amplia gama de problemas relacionados con el consumo.

En lo que respecta a la demanda y uso de servicios se observa que, generalmente, la captación de los casos es tardía y, en la mayor parte de los casos, se trata de pacientes con severos problemas de salud, que sólo logran o buscan una remisión sintomática, siendo normal la deserción al cabo de una o unas cuantas consultas.

En tales términos, los esfuerzos realizados tienen un alcance limitado e implican considerables costos. La necesidad manifiesta de reforzar las actividades en materia de tratamiento conlleva, necesariamente, a la fijación de una política asistencial que articule y homologue criterios .

Se observa que, hasta el momento, las acciones han encarado, preponderantemente al individuo bebedor, pero aún falta una evaluación comparativa que establezca la efectividad diferencial. De ello puede depender la decisión de multiplicar formas asistenciales simples, o de fomentar el tratamiento en equipos multidisciplinarios y la capacitación de especialistas.

El hablar en términos de "problemas relacionados al consumo de alcohol" amplía el foco de atención hacia las consecuencias para la familia y la comunidad y, con ello, se sugieren espacios de tratamiento tales como el núcleo familiar y el ámbito laboral, ambas instituciones significativas, no sólo respecto a los efectos del alcohol, sino también para la motivación hacia el cambio de conducta del bebedor, la detección precoz y la labor preventiva para casos potenciales.

Sin embargo, aún queda mucho por hacer en materia de investigación, prevención, tratamiento y rehabilitación, y cabe señalar que resulta sumamente complejo elaborar respuestas prácticas y viables, por la necesidad de atender no sólo a las formas de percibir y satisfacer las necesidades que sustenta la población en general, sino las relativas a cada uno de los sectores en particular.

CONSIDERACIONES FINALES

Se ha realizado una somera revisión de los aspectos vinculados al consumo de alcohol en México y de las respuestas de las autoridades competentes a través de la historia. Queda pendiente, sin embargo, señalar algunos puntos de interés a considerar en el desarrollo de las futuras acciones por realizar en torno a esta problemática.

La producción de investigaciones en torno al consumo de bebidas alcohólicas se ha visto incrementada notablemente en los últimos años, aunque ha sido motivo de preocupación desde tiempos remotos. Sin embargo, existen aún serias carencias en lo relativo al estudio de las causas que generan el alcoholismo y que coadyuvan a su desarrollo, los efectos en la estructura familiar y social; la evaluación de las distintas formas de tratamiento y de diversas políticas de prevención. En cambio, son numerosos los estudios sobre el tratamiento en sí mismo; sobre los temas de carácter esencialmente médico y sobre algunas de las consecuencias más notables.

Los estudios que tratan los aspectos socioeconómicos y culturales vinculados a la ingestión excesiva de bebidas alcohólicas son, generalmente, de carácter descriptivo y abordan temas tales como la familia, el divorcio, la delincuencia, etc., la mayor parte de las veces, en forma aislada del contexto general. Los autores han encaminado sus esfuerzos hacia la descripción de gran cantidad de factores asociados, a veces tratados como causas, pero la mayoría de las veces entendidos como efectos. De hecho no existe una línea divisoria clara entre ambos enfoques, y algunos de los elementos considerados pueden ser entendidos desde ambas perspectivas[16]

Es necesario recordar que existen elementos sociales y culturales que definen la forma en que deben ingerirse las bebidas alcohólicas, por lo que el análisis de estos factores contribuirá a la elaboración de explicaciones sobre el porqué de la ingestión inmoderada. Este tipo de estudios podrían ser enmarcados en el ámbito de las investigaciones epidemiológicas, aún escasas en nuestro país.[16]

Así pues, el trabajo que resta por hacer es enorme, y una cosa está clara: el tratamiento médico, por sí solo, poco puede hacer por los individuos que padecen esta enfermedad; y las políticas aisladas —que sólo contemplan ésta u otra parte de la problemática— tendrán alcances limitados, mientras no se enmarquen en el contexto social general. Así, una política sanitaria adecuada tendrá que contemplar numerosos aspectos vinculados con la mejoría de la calidad de vida (vivienda, nutrición, empleo, instrucción, etc.) para lograr avances sustanciales en lo que respecta a la incidencia del alcoholismo.

REFERENCIAS

1. GRUZINSKI S: *La mere devorante: alcoolisme, sexualité et déculturation chez les mexicas (1500-1550).* En: *Cahiers des Amériques Latines.* No 20, París, 1979-1980.

2. CALDERÓN N G: *Consideraciones acerca del alcoholismo entre los pueblos prehispánicos de México.* En: *Revista del Instituto Nacional de Neurología.* 2(3), p 5-13, México, julio de 1968.

3. GUEDEA V: *México en 1812: control político y bebidas prohibidas.* En: *Estudios de historia moderna y contemporánea de México.* Instituto de Investigaciones Históricas, UNAM Vol VIII, México, 1980.

4. *Expediente promovido por los vecinos y vecinas de Santa Cruz y La Palma, sobre los desórdenes en las vinaterías y tepacherías de sus barrios.* En Guedea, V *op cit.*

5. OLIVA A: *Alcoholismo y tabaquismo. Sus peligros.* Imprenta El Regional, Alhóndiga, Guadalajara, 1911.

6. VALENZUELA J: *Secretos del alcoholismo.* Librería de la Viuda de Ch Bouret, México, 1900.

7. CARBAJAL A: *Estudio sobre el pulque.* Oficina Tipográfica de la Secretaría de Fomento, México, 1901.

8. PARTIDO SOCIALISTA FRONTERIZO: *Cruzaaa contra el alcoholismo.* Talleres Gráficos de la Secretaría de Agricultura y Fomento, Tamaulipas, 1929.

9. TURULL T F: *Datos* proporcionados por el propio investigador del Instituto Mexicano de Psiquiatría, México, 1982.

10. VELASCO F R: *Esa enfermedad llamada alcoholismo.* Ed Trillas, México, 1982 y *Salud mental, enfermedad mental y alcoholismo.* Ed Trillas, México 1981, y varios artículos más.

11. BERRUECOS L: *La función de la antropología en las investigaciones sobre farmacodependencia.* CEMEF Informa, año II, Vol II, No 3, p 11, México, marzo de 1974.

12. BERRUECOS L Y VELASCO M L P:*Lástima que mohuintia quema y no papá; patrones de ingestión de alcohol en una comunidad indígena de la Sierra Norte de Puebla, México.* CEMESAM, Reportes Especiales, México, 1977.

13. VALLES J: *Alcoholismo: el alcohólico y su familia.* Costa Amic, Ed México, 1973.

14. HONNIGMANN J Y I: *Personality in culture.* Harper and Row Publishers, New York, 1967.

15. TURULL T F: *Programas de tratamiento en México.* Reunión OMS-IMP, México, 1981.

16. VELASCO M-L P: *Reseña bibliográfica sobre problemas relacionados con el consumo de bebidas alcohólicas en México.* En: Corona R y cols: *Variables que inciden en el consumo de licores (bebidas alcohólicas de alta graduación).* Reporte de Investigación IISUNAM-SSA, México, 1982.

EL CONSUMO DE ALCOHOL EN LOS MENORES INFRACTORES

INTRODUCCIÓN

Uno de los problemas más graves que afecta a nuestro núcleo social son la farmacodependencia y el alcoholismo: éstos se manifiestan en todos los niveles socioeconómicos, aun cuando la clase más afectada sea la marginada.

México posee, como todas las grandes ciudades, cinturones de pobreza donde se ponen en juego una serie de fuerzas culturales y familiares que desencadenan factores que propician la distribución, uso y predisposición del individuo a la adicción al alcohol o a las drogas.

Los núcleos familiares en esta zona se caracterizan por una ausencia o mal ejemplo de los padres; el padre abandona a sus hijos o, aún estando presente, refleja en éstos sus carencias a través de la falta de comunicación, malos tratos, dependencia alcohólica, desempleo, etc., la madre se muestra ambivalente, pasiva y dependiente en la reproducción de patrones generales de conducta y, por otra parte, se tiene que enfrentar a resolver graves conflictos como la manutención y educación de los hijos.

Dentro de la clase media se vive una crisis económica y social que repercute en el ámbito familiar; el poder adquisitivo cada vez más bajo y el derecho de pertenencia de clase provocan un choque existencial en los jóvenes, empujándolos en su adicción a las drogas como catalizador de clase y reafirmador de sus valores.

Dentro de la clase alta existen otros tipos de carencias que no son materiales, sino afectivas, como la falta de comunicación y de atención directa, manifestándose en el adolescente aparentemente seguro y respaldado por su poder económico, aun cuando internamente se siente incomprendido y minimizados sus valores morales, dando como resultado un adolescente desafiante y atrevido que encuentra atractiva su adicción a las drogas y al alcohol.

Existe cierto grado de correlación en cuanto al tipo y uso de fármacos de acuerdo al nivel socioeconómico, encontrando que el cemento, thiner, tintura para zapatos, etc., son consumidos por las clases sociales marginadas: la marihuana y el alcohol, son comunes en la clase media baja y media, debido a que requieren algunos recursos materiales; y la cocaína y la heroína totalmente inaccesibles a las otras clases, son productos utilizados por la élite.

ORIGEN PSICOLÓGICO DEL ALCOHOLISMO

Los estudios acerca de la familia y los parientes del alcohólico reafirman que es común en estas personas el haber perdido a temprana edad a un familiar por muerte; asimismo, un factor importante en estos pacientes es que, cuando eran niños, sufrieron la privación de ambos padres siendo cuidados en un hogar sustituto o en una institución.

* Abogada Titular de la Subjefatura de Bienestar y Desarrollo Familiar del Instituto Mexicano del Seguro Social y Ex Procuradora de la Juventud del Consejo Nacional de Recursos para la Atención de la Juventud.

Las familias grandes con padres viejos y mayor cantidad de hombres, genera dicha patología, como es la iniciación del hábito de tomar en exceso a edad temprana. El alcoholismo es más común en los hombres que en las mujeres, en quienes se reconoce la existencia de la adicción a una edad promedio de casi 10 años menor que en las mujeres. En conclusión, los factores genéticos, la constitución del individuo y las experiencias emocionales del niño en sus transacciones familiares son factores predisponentes al alcoholismo.

Las experiencias posteriores de privación de apoyo emocional pueden actuar para precipitar períodos de embriaguez o para hacer que el sujeto vuelva a tomar cuando ya había renunciado al hábito.

Efectos fisiológicos

Aunque el alcohol afecta a todas las células del cuerpo, su efecto más notable se aprecia en las células del cerebro y se manifiestan por lo tanto en la conducta; estas tendencias se deben a que causan inhibición en el sujeto, así éste evita las formas de conducta que en general producen miedo o angustia.

Cuando la intoxicación es intensa, se alteran todas las funciones cognoscitivas, perceptuales y de juicio; en ocasiones, la ingestión tiende a ceder y provoca sueño, aun cuando sus efectos varían de acuerdo al individuo.

Generalmente el alcohólico no lleva una dieta adecuada y nutritiva, pudiendo llegar al alcoholismo crónico sufriendo la aparición de psicosis como el *delirium tremens*.

Dentro de los problemas de conducta antisocial que presentan los adolescentes, ninguno más destructivo a nivel individual y colectivo que la farmacodependencia y el alcoholismo.

El problema es multifactorial en su origen y desarrollo; por lo mismo, su estudio serio y las soluciones deberán ser encontradas con la participación de las ciencias médicas, de la conducta, sociales y políticas.

Consideraciones generales

El alcoholismo es un síndrome que consiste en dos fases: problema de la bebida y dependencia del alcohol. El problema de la bebida es el empleo del alcohol, a menudo para el alivio de la tensión o la resolución de problemas emocionales. La dependencia del alcohol constituye una verdadera toxicomanía. La dependencia de otras drogas, barbitúricos, sedantes-hipnóticos, tranquilizantes menores, etc. es muy común; puede ocurrir en un intento para controlar la ansiedad generada por el abuso intenso del alcohol o en la creencia equivocada de que el control mediante otros agentes farmacológicos detendrá el abuso del alcohol. La depresión suele presentarse y debe evaluarse en forma cuidadosa.

De unos años a la fecha, los jóvenes han ido perdiendo interés en el consumo de drogas psicodislépticas y han vuelto sus ojos al alcohol, el cual es potencialmente más agresor. Según un estudio realizado en la Universidad Nacional Autónoma de México, el consumo inmoderado del alcohol entre los jóvenes es un problema más importante que el abuso de otras drogas.

El alcoholismo es un fenómeno que abarca todas las facetas de la existencia humana y constituye básicamente un problema social, pero desde el punto de vista de su etiología, sus complicaciones y su manejo terapéutico básico deben ser comprendidos como un problema médico-psiquiátrico.

POBLACIÓN ESTUDIADA

La investigación se realizó en la ciudad de México, visitando cuatro Escuelas de Orientación para Menores Infractores: Escuela Orientación para Varones Sn. Fernando, Escuela Orientación para Varones Contreras, Escuela Orientación para Mujeres Congreso, Escuela Orientación para Mujeres Coyoacán; dos Centros de Jóvenes Alcohólicos Anónimos: Centro de A. A. Baja California, Centro de A. A. Protasio Tagle y el Reclusorio Preventivo Número Dos.

Datos generales de las Escuelas de Orientación para Menores Infractores.

Las escuelas orientación están constituidas por niños y adolescentes cuya edad fluctúa entre los 8 y 15 años, su nivel socioeconómico es bajo.

Las escuelas constan de diversos talleres para actividades como: carpintería, textiles, imprenta y hortalizas.

El nivel escolar corresponde a primaria y el personal docente es especializado en menores infractores.

Existe un Consejo Técnico Interdisciplinario que se integra con tres psicólogos, dos psiquiatras, un odontólogo y dos médicos generales.

Datos generales de los Centros de Jóvenes Alcohólicos Anónimos.

En centros gratuitos se realiza atención y tratamiento en donde los pacientes pueden estar en forma permanente o acudir periódicamente; se trabaja de manera grupal y todos los asistentes y dirigentes son alcohólicos.

Datos generales del Reclusorio Preventivo Número Dos.

Está constituido por una población flotante de 80 personas aproximadamente, integrada por sujetos castigados por delitos como: vagancia, malvivencia, escándalo en vía pública y prostitución. Dada su estancia tan corta en el Reclusorio, no se practica ninguna actividad de tipo readaptativo, salvo conferencias de orientación para la salud impartida por externos dentro de la institución.

a) Escuela Orientación para Varones Contreras, población: 90 sujetos.

b) Escuela Orientación para Varones San Fernando, población: 60 sujetos.

ANÁLISIS DE LOS RESULTADOS

Se estableció un cuadro comparativo entre menores infractores que ingieren alcohol con menores infractores que utilizan otras drogas, se obtuvieron los siguientes datos:

Sujetos que ingieren alcohol consuetudinariamente	9 %
Sujetos que ingieren alcohol ocasionalmente	10 %
Sujetos que no ingieren alcohol	81.3%
Sujetos que utilizan drogas consuetudinariamente	51.3%
Sujetos que utilizan drogas ocasionalmente	3.3%
Sujetos que no utilizan drogas	45.3%

c) Escuela Orientación Mujeres Congreso, población total: 60 sujetos.

ALTERNATIVAS MÉDICAS

Por lo anterior y tomando como base que la farmacodependencia y en especial el alcohol y los inhalantes son un problema multifactorial, sería inapropiado decir que la ciencia médica tiene la solución a este problema; sin embargo, el médico apoyado en otras disciplinas podría ser la punta de lanza tanto en el tratamiento como en la prevención; viendo este fenómeno como un problema médico social, y por el curriculum académico del médico, éste, a través de la promoción de la salud, sería el más indicado para iniciar la probable solución al problema, ya que de hecho es la primera persona que puede hacer el diagnóstico de la enfermedad y puede orientar y tratar al farmacodependiente para su restablecimiento o detención de dicha enfermedad.

Dentro de las medidas preventivas, la más importante sería la promoción de la salud, en la cual la colaboración de padres y maestros sería fundamental, ya que son los que están más en contacto con la población más susceptible para caer en este problema; la promoción de la salud sería a través de una campaña permanente con orientaciones enfocadas a señalar las consecuencias que puede ocasionar todo problema de farmacodependencia tanto de índole físico, como social y económico.

Otras formas de promoción de la salud serían: atención al desarrollo de la personalidad, facilitar medios de recreación, generación de fuentes de trabajo, mejoramiento del nivel socioeconómico y exámenes periódicos; en estos medios el médico sería, en algunos casos, mediador para lograrlos y otros medios serían los propios de su profesión.

Como alternativa específica, en esta etapa de prevención primaria, estaría la regulación y cumplimiento de las normas para el expendio de bebidas alcohólicas y agentes tóxicos, ya que en la realidad podemos asegurar que el no cumplimiento de esto y la desmedida publicidad a través de los medios masivos de comunicación actúan como factores predisponentes para que se dé este problema de farmacodependencia.

Pasando a la prevención secundaria, lo más importante es el que a través de difundir a la población en general, los signos característicos del farmacodependiente, se puedan detectar tempranamente a los individuos que se inician en el problema.

El médico juega uno de los papeles más importantes en esta etapa, ya que por lo general el farmacodependiente llegará a ésta en períodos de intoxicación aguda, y dependiendo de la gravedad de esta intoxicación, determinará la conducta a seguir.

Apoyado en la historia clínica que se haga del paciente, se determinarán las medidas a seguir, para su readaptación a la vida productiva, haciendo énfasis en el manejo conjunto con otras disciplinas (terapia individual o de grupo), con lo que se podría convencer al paciente sobre la conveniencia de abandonar el hábito y así mismo evitar las complicaciones psíquicas y orgánicas.

En el nivel terciario de prevención, el médico juega también un papel importante en la readaptación del farmacodependiente, ya que él debe crear conciencia en la sociedad de lo importante que sería utilizar al rehabilitado para la reincorporación de éste a la sociedad, aunado a esto, puesto que el individuo farmacodependiente está en período de rehabilitación, es necesario que continúe con su psicoterapia.

Conclusiones

Como podemos ver, es de vital importancia la prevención primaria, ya que, de hecho, esto constituye la base primordial para tratar de solucionar el problema de farmacodependencia y este nivel está al alcance de los recursos humanos y materiales con que cuenta actualmente la medicina institucionalizada y sólo quedaría el hecho de que la regulación y cumplimiento de las normas para el expendio de bebidas alcohólicas y de los inhalantes fueran cumplidos.

Y decimos que se cuenta con los medios necesarios, puesto que, hoy en día, se está dando mucha importancia a la medicina preventiva y dentro de este terreno existe un campo poco explotado que es el de la educación para la salud; medio idóneo para llegar a las comunidades marginadas.

Por consiguiente se ve que la prevención primaria es la más importante y la que menos costos acarrea, ya que los dos niveles de prevención siguientes traen consigo mayores pérdidas económicas por la improductividad de los farmacodependientes, causada por los daños propios de la enfermedad y el alto costo de su manejo.

Alternativas psicosociales

1. La posibilidad de restringir la venta de productos como el cemento industrial, etc. en tiendas de autoservicio.

2. Que se regulen los mensajes que transmiten los medios de comunicación en los que se maneja implícita o explícitamente el uso de solventes comerciales para su uso doméstico.

3. Que se evite la incitación de ingestión de alcohol a los jóvenes.

4. Que a través de los medios de comunicación, se oriente o eduque a la familia de una forma más adecuada, haciendo hincapié principalmente en factores afectivos que favorezcan la dinámica familiar.

5. Que se dé mayor difusión a los centros recreativos y se les facilite el acceso a los jóvenes por medio de reducción o anulación de cuotas.

6. Crear conciencia a nivel gubernamental en la problemática de los jóvenes a fin de apoyar y participar en programas de prevención.

7. Que los padres se responsabilicen de la situación social actual estableciendo comunicación y acercamiento con sus hijos.

Alternativas legales

1. Que se proponga a las instituciones gubernamentales se dediquen a la prestación de servicios médicos y de salud, ya sea por la creación de una institución o por destinar alguna de sus áreas específicamente a la hospitalización de pacientes farmacodependientes crónicos, ya que lo existente en este aspecto es mínimo; así sucede que en un momento dado no hay donde tratar a un gran número de menores o jóvenes drogadictos crónicos. Ellos también merecen una oportunidad para tratar de salvarse y si no existen lugares apropiados para los mismos, esta oportunidad se les está negando y se está contribuyendo a crear una mayor problemática social, ya que en ocasiones permanecen en su casa, afectando con su conducta a

los demás miembros de su familia y hundiéndose más en la droga, creando problemas de violencia también en la población en general.

REGLAMENTO SOBRE ESTUPEFACIENTES Y SUBSTANCIAS PSICOTRÓPICAS

Artículo 1o. Este reglamento rige en todo el territorio nacional; tiene por objeto proveer, en la esfera administrativa, a la observancia del Código Sanitario de los Estados Unidos Mexicanos en materia de estupefacientes, substancias psicotrópicas y medidas de control de la farmacodependencia. Su aplicación corresponde a la Secretaría de Salubridad y Asistencia.

Artículo 77. La Secretaría de Salubridad y Asistencia formulará y ejecutará el programa nacional de prevención contra el uso indebido de estupefacientes o substancias psicotrópicas, con la participación de la Secretaría de Educación Pública.

Artículo 79. Corresponde a la Secretaría de Salubridad y Asistencia, de acuerdo con lo establecido por el artículo 141 del Código Sanitario de los Estados Unidos Mexicanos, dictar las medidas relativas al control de la farmacodependencia.

Artículo 80. Para los efectos de este reglamento se considera farmacodependiente a todo individuo que sin fin terapéutico tenga el hábito o la necesidad de consumir algún estupefaciente o substancia psicotrópica.

Artículo 87. La Secretaría de Salubridad y Asistencia procederá a la localización de las personas farmacodependientes

de que tenga conocimiento y les proporcionará atención médica.

Artículo 88. Para el control de farmacodependencia, corresponde a la Secretaría de Salubridad y Asistencia:

I. Expedir normas generales de tratamiento;

II. Proporcionar atención médica a enfermos farmacodependientes en términos de ley;

III. Asesorar en tratamientos de esta índole, cuando así se lo soliciten, y

IV. Crear, promover e incrementar los establecimientos o servicios para la atención médica en esta área.

2. Que las campañas preventivas sobre aspectos de farmacodependencia las realicen constantemente las instituciones correspondientes, ya que ésta es la única forma de evitar que este problema siga afectando a los jóvenes tan gravemente; el hecho de crearles conciencia de que se exponen a graves daños físicos es de suma importancia. Estas campañas deberán ser muy bien manejadas en su mensaje para que no tengan resultados contraproducentes.

Es importante señalar que existen preceptos que dan indicaciones sobre algunos de estos aspectos como: *Código Sanitario.*

Artículo 3o. En los términos de este Código es materia de salubridad general:

X. La campaña nacional contra el alcoholismo, incluyendo las medidas relacionadas con aquélla, que limiten o prohiban el consumo de alcohol.

XI. La formulación y ejecución de programas que limiten o prohiban la producción, venta y consumo de estupefacientes, psicotrópicos y otras substancias que intoxiquen al individuo o dañen la especie humana.

3. Que sean cumplidos los preceptos ya existentes en lo que se refiere al problema del alcoholismo y efectivamente la publicidad de bebidas alcohólicas sea regulada, horarios especiales y se evite asimismo en transmisiones de carácter deportivo.

En este sentido se anotan algunos preceptos al respecto.

Código sanitario

Artículo 245. Los establecimientos a que se refiere el artículo anterior, no podrán funcionar en proximidad de escuelas, centros de trabajo, centros deportivos u otros centros de reunión para niños y jóvenes.

Artículo 247. La propaganda y publicidad sobre bebidas alcohólicas se limitará a dar información sobre las características de estos productos, calidad y técnicas de su elaboración y no a los efectos que produzcan en el hombre debido a su contenido alcohólico; además no deberán inducir a su consumo por razones de salud o asociarlos con actividades deportivas, del hogar o del trabajo, ni utilizar en ella a personajes infantiles o adolescentes o dirigirla a ellos.

Artículo 248. Los órganos de difusión comercial, al realizar la propaganda y publicidad de bebidas alcohólicas, deberán combinarla o alternarla en los términos que determine el reglamento respectivo, con mensajes de educación para la salud y de mejoramiento de la nutrición popular, así como con aquellos mensajes formativos que tiendan a mejorar la salud mental de la colectividad y a disminuir las causas del alcoholismo.

4. Se obligue por ley a los fabricantes de sustancias tóxicas (cemento, tinturas, etc.) que se utilizan como inhalantes por personas drogadictas, a que se expidan para su venta con olor desagradable; esto es factible ya que todas las industrias que elaboran estos productos bien pueden costear las investigaciones de laboratorio que se requieren para lograr este efecto.

Instituciones que se dedican a la atención diagnóstica y tratamiento de jóvenes con problemas de farmacodependencia y alcoholismo

1. *Centro Comunitario "La Familia Enseñante"*

Cofinanciado por el Instituto Mexicano de Psiquiatría y la Facultad de Psicología de la UNAM.

Horario: Lunes a viernes de 9:00 a 18:00 horas.

Edad: Preferentemente de 14 a 18 años. Consulta Externa.

Su técnica básicamente es el análisis conductal aplicada (estímulos aversivos) que intentan rehabilitar y reintegrar al niño farmacodependiente a su familia y comunidad.

Dirección: Sur 73-A número 410, Col. Sinatel.

Teléfono: 672-86-84.

2. *Centro Comunitario "Clínica San Rafael".*

Creado hace 8 años, con ayuda del Hospital Psiquitárico San Rafael, ofreció el local para que este Centro se estableciera. Esta dirigido básicamente a la comunidad de Tlalpan en el aspecto preventivo y uno de sus puntos principales es la farmacodependencia.

Horario: de lunes a viernes de 8:00 a.m. a 6:00 p.m.

Edad: Desde lactantes hasta 90 años.

Consulta: Externa y comunitaria.

El tipo de servicio es psicoterapia individual, grupal y familiar y el costo va de $1.500 a 750.00 dependiendo del estudio socioeconómico. Así también se imparte atención médica en general.

Dirección: Av. Insurgentes Sur número 4177, Tlalpan 22, D. F.

Teléfono: 573-42-66.

3. *Centros de Integración Juvenil.*

Son los centros dedicados a la prevención, rehabilitación y tratamiento de adolescentes y sus familias en relación con la farmacodependencia.

Los servicios que presentan son: orientación a padres de familia, cursos de capacitación, conferencias, pláticas, etc. El tratamiento de psicoterapia individual, grupal, familiar, de pareja.

Horario: lunes a viernes de 8:00 a.m. a 8:00 p.m.

Edad: Adolescentes preferentemente, aunque también se atienden niños y adultos.

Consulta: Externa a pacientes funcionales (sin presentar crisis de intoxicación aguda).

Costo: Hasta 1982, $50.00 por sesión.

Dirección: José Ma. Olloqui, número 48, México 12, D. F.

Teléfono: 534-34-34.

4. *Centro de Orientación para Adolescentes* (C.O.R.A.).

El C.O.R.A., inicia sus actividades en 1978 siendo su objetivo básico la prevención, orientación e investigación; su personal está compuesto por médicos, maestros, psicólogos, antropólogos y trabajadores sociales.

Se atiende a personas con problemas de farmacodependencia. El tipo de servicio es psicoterapia individual y de grupo, consulta médica, educación para la vida familiar y algunos cursos culturales.

Horario: lunes a viernes de 8:00 a.m. a 6:00 p.m.

Edad de 11 a 22 años.

Consulta: Externa.

C.O.R.A. Ixtapalapa.

Dirección: Aldama y Ayuntamiento 1er. piso.

Teléfono: 582-63-21.

5. *Instituto Médico Antialcohólico.*

Es una institución dedicada especialmente a la atención de personas con problemas de alcoholismo.

No hay límite en cuanto a edad del paciente.

Horario: las 24 horas.

Debe presentarse el paciente y una persona responsable. Hay servicio de internamiento y desintoxicación durante el cual el paciente no podrá ser visitado.

Las terapias son individual, familiar y grupal.

Cuando el paciente es dado de alta se le atiende en consulta externa.

Dirección: Av. Parque de Chapultepec, esquina con Parque Montebello, Frac. El Parque, Naucalpan, Edo. de México.

Teléfono: 576-22-11.

6. Alcohólicos Anónimos.

Se trabaja en comunidad, hombres y mujeres que comparten el mismo problema; su objetivo es resolver su problema y ayudar a otros a rehabilitarse del alcoholismo.

No hay requisitos, sólo tener este problema, no tiene costo.

Dirección: Baja California número 354.

Teléfono: 277-17-56.

7. Hospital Psiquiátrico "Fray Bernardino Alvarez".

Esta institución psiquiátrica atiende casos de farmacodependientes en estado agudo y crónico, previa valoración psiquiátrica se ofrece el servicio de internamiento.

Uno de los requisitos es que el enfermo acuda por su propia voluntad y acompañado de algún responsable.

También existe el servicio de consulta externa, citando a los pacientes a terapia y se apoyan con el uso de fármacos.

Su atención básicamente es psiquiátrica.

Dirección: Calzada de San Buenaventura S/N esquina con Niño de Jesús, Tlalpan, D. F.

Teléfono: 573-15-00 extensión 130 y 573-17-98.

8. Hospitales Psiquiátricos Campestres.

Atiende casos de pacientes crónicos.

LA INGESTION DE BEBIDAS ALCOHOLICAS EN UNA MUESTRA DE ESTUDIANTES UNIVERSITARIOS

Leticia E. Casillas Cuervo*

INTRODUCCIÓN

Sin duda el alcohol es el fármaco más difundido entre la humanidad. Hoy representa un grave problema de salud pública, cuya atención requiere de constantes estudios epidemiológicos para conocer sus cambiantes modalidades de presentación. Es sabido que el hábito de consumo de alcohol se instala en la juventud y que una vez presente es difícil de eliminar. Por lo tanto, entre más se sepa sobre las características que tiene su consumo entre los jóvenes, mayor es la posibilidad de planear acciones concretas que permitan su control. Por esta razón, la Dirección General de Servicios Médicos de la Universidad Nacional Autónoma de México se ha interesado en hacer estudios sobre las características del consumo de alcohol entre los estudiantes universitarios.

LOS EFECTOS DEL ALCOHOL Y LOS JÓVENES

Para entender la atracción que el alcohol tiene para los jóvenes es necesario revisar los aspectos fundamentales de la farmacología de este producto. El alcohol es un depresor del sistema nervioso. Su acción es la de producir desinhibiciones que se manifiestan por una conducta liberada de las restricciones sociales, lo que se acompaña de una sensación de bienestar y euforia.

El joven tiende a ser introvertido y tímido. Necesita afirmar su personalidad ante sí mismo y ante el mundo. El alcohol le brinda un camino para lograrlo. Pero el alcohol no es solamente un fármaco como los demás, sino que es un producto socialmente aceptado, recomendado y cuyo uso es considerado normal. No se le asocia al estigma social que tienen otras drogas que afectan al sistema nervioso, siempre que se le consuma en el momento y la cantidad aceptadas por la sociedad. Tiene además la ventaja de encontrarse con facilidad y a precio accesible. Por lo tanto es casi siempre el primer psicofármaco que consume el hombre en su vida.

Las fiestas juveniles son vistas como la mejor ocasión para consumir el alcohol. Su uso facilita el establecimiento de relaciones sociales, permite que individuos de sexo opuesto se comuniquen y fomenta la expresión de sentimientos que de otra manera permanecerían ocultos. De este efecto promotor del alcohol para las relaciones humanas al del alcoholismo como enfermedad hay un largo camino.

Lo que interesa saber es cómo, cuándo y por qué de los contactos entre los jóvenes y el alcohol. En las investigaciones hechas en la Dirección General de Servicios Médicos de la UNAM no se pretendió dilucidar si los estudiantes eran o

* Médica y Antropóloga, Jefa de la Oficina de Antropología Médica del Departamento de Estudios Sociomédicos. Dirección General de Servicios Médicos de la UNAM.

La autora agradece la colaboración especial del Sr. Dr. Lázaro Benavides Vázquez, M.P.H., Director General de los Servicios Médicos de la UNAM, sin cuya ayuda este trabajo no hubiese sido posible.

no alcohólicos, o si dependían del alcohol para algunos momentos de su vida. Sencillamente se buscó conocer algunos de los aspectos relevantes de su consumo.

Para entender debidamente los hallazgos de esta encuesta, es conveniente mostrar lo que se ha encontrado entre otros jóvenes en distintos países.

EL CICLO DE VIDA Y EL CONSUMO DE ALCOHOL

El ciclo de vida está formado por las etapas biológicas y sociales que recorre un ser humano desde su concepción hasta su muerte. Las relaciones entre el hombre y el alcohol no son las mismas en cada etapa del ciclo de vida. En casi todas las sociedades humanas se considera que el alcohol no es adecuado para los niños. Sin embargo, en algunos lugares de México se acostumbra proporcionar a los menores pequeñas cantidades de alcohol como parte de su dieta. Tal es el caso del pulque que es incorporado a la alimentación de algunos niños desde etapas muy tempranas de su existencia, cuando la madre le da una "probadita" con la punta de su dedo. En otros grupos sociales no es mal visto que los niños tomen bebidas alcohólicas de baja graduación, como el rompope o la cerveza, en ocasiones especiales como son las fiestas o reuniones sociales.

En la vida adulta es cuando beber alcohol es visto como normal en la mayor parte de las sociedades, independientemente de las causas que haya para consumirlo. En la nuestra se bebe casi siempre por razones recreativas, de socialización o como parte de un escape de la realidad. En otras, el alcohol puede ser ingerido como parte de un ritual religioso, como

componente de las obligaciones sociales o en otros contextos. En términos generales es mejor aceptado que beban los hombres que las mujeres y existen sociedades en que ellas lo tienen rigurosamente prohibido.

La juventud es la época de la vida en que existe más preocupación social respecto al consumo de alcohol. En todo el mundo se observa una tendencia a que los jóvenes beban más. La Organización Mundial de la Salud (W.H.O.,1980) ha destacado el que cada día beben más jóvenes y en ellos el incremento mayor se encuentra en las mujeres. Estos han sido los principales motivos para que el organismo internacional inicie una campaña sobre los efectos nocivos del consumo de alcohol.

Durante muchos años se había sospechado que el alcohol podía dañar al ser humano desde que se encontraba en el vientre de su madre. Hoy éste es un hecho comprobado. Se ha identificado un complejo de signos y síntomas clínicos que se agrupan bajo el nombre de síndrome alcohólico fetal. Este hallazgo ha servido para mostrar que el alcohol puede ser dañino desde los momentos más tempranos de la vida humana. El síndrome consiste en (Smith, 1979) una serie de alteraciones de la morfología de la cara, acompañadas de retardo del crecimiento físico y del desarrollo mental. Se ha encontrado que cuanto mayor es la cantidad de alcohol que bebe una embarazada es más grande la posibilidad y la intensidad de presentación del síndrome. No es posible decir si existe un límite de seguridad para la ingestión de bebidas alcohólicas durante el embarazo. Esta situación ha causado alarma no solamente por el hecho mismo de su existencia sino porque se auna a la mayor frecuencia de consumo de alcohol entre las jóvenes.

Finalmente cabe señalar que el problema de consumo de alcohol por los jóvenes no parece limitarse ya a ser un hecho esporádico, que podría ser considerado propio de la edad. Más bien se piensa que el consumo es tan importante y dañino como el que se asociaba a edades mayores. El consumo de alcohol es ya un problema grave en la juventud y tiene efectos patológicos directos sobre el individuo, efectos indirectos, como los derivados en los accidentes causados por ebriedad y finalmente tiene ya un alto costo social.

No es sencillo cuantificar la magnitud del consumo de alcohol entre los jóvenes. Son pocos países los que lo han logrado por medio de estudios bien controlados. Daremos algunos ejemplos.

En Estados Unidos los informes oficiales (Richmond, 1979) indican que el 80% de los adolescentes entre los 12 a 17 años han estado expuestos al alcohol y el 3% lo bebe a diario. De 1966 a 1979 la cantidad de estudiantes de enseñanza media que se emborracharon al menos una vez al mes, se duplicó. Entre los hombres que estudian el *high school* el 80% bebe al menos una vez al mes y el 6% lo hace a diario.

Para el mismo año de 1979 (Schmidt y Hankoff) se consideró que el consumo de alcohol entre los jóvenes norteamericanos había llegado a una meseta estable.

En la Gran Bretaña (Moss y Beresford Davies, 1967) se realizó uno de los estudios más cuidadosos sobre la prevalencia de problemas relacionados con el alcohol en el condado de Cambridgeshire durante los años de 1961 a 1964. Aunque estos datos hoy son ya viejos, no deja de ser interesante señalar algunos resultados, por provenir de un estudio epidemiológico bien planeado. Ahí se encontró que el consumo de alcohol se iniciaba hacia los 15 años, aumentando paulatinamente hasta la edad adulta media, para declinar en edades mayores. Los hombres beben cuatro veces más que las mujeres. Desgraciadamente no se cuenta con datos que actualicen los resultados de este estudio en años recientes.

Por lo que respecta al tercer mundo existe relativamente poca información sobre los consumos reales de alcohol. Se cuenta, en cambio, con buena información indirecta. Smith (1982) proporciona algunas cifras interesantes sobre la producción de bebidas alcohólicas entre 1960 y 1972. Para la región del mundo que se llama Centro y Sudamérica, en esos años la producción de vino pasó de 2.421 a 3.042, la de cerveza de 4.091 a 5.036 y la de destilados de 198 a 321, siendo todas las cifras en millones de litros.

LOS ESTUDIANTES Y EL ALCOHOL

Del amplio grupo de los jóvenes, se ha puesto atención especial en los estudiantes. Ello se debe a dos razones. La primera es que los estudiantes de nivel medio y superior forman un grupo selecto. De ellos se esperan los cambios que mejorarán las condiciones de vida en sus países, representan además una importante inversión social, cuyos resultados se espera poder ver a plazo relativamente corto. Además son un grupo controlable para los investigadores interesados en estos problemas. Como deben acudir a sus escuelas, existe la oportunidad de estudiarles sin mayores problemas de tiempo o desplazamiento.

Estas razones explican la existencia de una gran cantidad de estudios sobre consumo de alcohol en varias partes del mundo en alumnos de escuelas medias y superiores. Para poder situar los hallazgos del estudio que realizamos en la Universidad Nacional Autónoma de México, proporcionaremos algunos datos obtenidos en grupos semejantes en otros lugares del mundo.

Los estudiantes de la Universidad de Hong Kong

Bard y Peacock (1975) hicieron un estudio longitudinal de los hábitos tabáquico y alcohólico de 922 estudiantes chinos de la Universidad de Hong Kong.

El estudio se realizó en 1971. La Universidad tiene alrededor de 4.000 estudiantes de licenciatura, siendo la proporción de hombres-mujeres de 3 a 1. Se aplicó un cuestionario a la totalidad de los estudiantes de primer ingreso, el que se repitió los cuatro años siguientes. Se preguntó si consumían bebidas alcohólicas y se catalogó a cada individuo de acuerdo a tres posibilidades: no bebedores, bebedores ocasionales y bebedores regulares. Esta última categoría abarcó a aquéllos que lo hacían a diario. Los resultados de los estudiantes se compararon con los obtenidos en una muestra de trabajadores de la misma Universidad.

Los resultados más interesantes de este trabajo consistieron en que los estudiantes bebían menos a su ingreso a la Universidad que los trabajadores de la misma edad. Se encontró que los estudiantes ten-dieron a beber más que los trabajadores conforme pasó el tiempo. Bebieron con mayor frecuencia los estudiantes que vivían en los dormitorios de la Universidad, comparados con aquéllos que lo hacían en sus casas. Como es frecuente en este tipo de investigaciones, se encontró que las mujeres bebieron considerablemente menos que los hombres.

Los autores concluyen que la juventud china de Honk Kong proviene de familias relativamente rígidas que controlan sus hábitos. Al ingresar a la universidad, los jóvenes experimentan con el alcohol al sentirse libres del control familiar y un porcentaje cercano al 25% adopta la costumbre de beber alcohol durante su paso por la universidad.

Los estudiantes de Barcelona

Los hábitos de consumo de cafeína, alcohol, tabaco y otras drogas han sido estudiados entre alumnos de la Universidad Autónoma de Barcelona, en 1974 (Laporte, Cami, Gutiérrez y Laporte, 1977). Aplicaron cuestionarios que llenaron en forma anónima 515 hombres y 293 mujeres estudiantes de todos los años de la escuela de medicina.

Los hombres consumían en promedio 8.8 litros de alcohol absoluto por año, mientras que las mujeres bebían 4.1 litros en promedio. Ambas cifras son más bajas que el promedio calculado para los adultos españoles en general que es de 12 litros. El consumo de alcohol aumentó paralelamente a los años de estudio en la Universidad.

Los estudiantes de Reading en Gran Bretaña

Investigadores de la Universidad de la ciudad de Reading en Inglaterra (Brown y Gunn, 1977) se han interesado en conocer el consumo de alcohol de los estudiantes. Utilizaron un cuestionario aplicado a una muestra del 10% de los alumnos que vivían en las residencias universitarias. La muestra se obtuvo al azar. Contestaron 183 hombres y 138 mujeres. Resultó que solamente 7 hombres y 9 mujeres afirmaron que no bebían. Al 70% de los hombres se les calificó de bebedores habituales, ya que consumían alcohol más de tres veces por semana: el equivalente entre las mujeres fue del 26%; el 17% de los hombres y el 34% de las mujeres se calificaron de bebedores sociales y el 10% de los dos sexos señalaron que únicamente beben los fines de semana.

En cuanto a los hábitos de consumo, se encontró que las mujeres beben considerablemente menos que los hombres en las reuniones sociales en que se consume alcohol. La mayor parte de los estudiantes beben los fines de semana. Pocos beben solos, pero aproximadamente uno de cada 50 hombres y una de cada 10 mujeres tienen ocasiones en que beben varios días sin descanso. La mayor parte de las veces se trata de ocasiones festivas como son los cumpleaños o el final de la temporada de exámenes. La ebriedad se presenta en un grupo pequeño, pero las mujeres se emborrachan con mayor frecuencia que los hombres. Por el contrario, los hombres padecen cruda en mayor número de ocasiones que las mujeres.

La gran mayoría de los estudiantes bebían desde antes de ingresar a la universidad, pero un número considerable de ellos señaló que bebía más desde su ingreso a la universidad. La bebida más socorrida era la cerveza entre los hombres, pero las mujeres beben una mayor variedad de productos.

Los estudiantes de Canadá

Un grupo de psiquiatras canadienses (Lamontagne, Tétreault y Boyer, 1979), preocupados por el consumo de alcohol en su país, estudió los hábitos de consumo de un grupo de 1.654 estudiantes de nivel medio superior del este de Montreal. De la muestra estudiada, 735 fueron hombres y 919 mujeres. El 25.3% de los hombres y el 33% de las mujeres reportaron no ser consumidores de alcohol. El 60.1% de los hombres y 63.8% de las mujeres consumían alcohol, pero no fueron considerados como alcohólicos. En cambio 14.6% de los hombres y 3.2% de las mujeres se consideraron alcohólicos de acuerdo con los criterios de que consumieran alcohol en forma periódica (presentar ebriedad cuando menos 4 veces al año), utilización habitual excesiva de alcohol y dependencia del alcohol. El presentar cuando menos alguna de las tres características anteriores hizo que la persona fuera calificada como alcohólica.

Entre las características que destacaron de los que fueron diagnosticados como alcohólicos se cuenta el que consumían mayor cantidad de alcohol en el curso del año, bebían en tragos de mayor tamaño y con mayor frecuencia utilizaban mezcladores para preparar sus bebidas. Un hallazgo de interés es que las motivaciones para beber eran significativamente distintas entre los dos grupos. Los alcohólicos procuraban el alcohol para huir de la realidad, buscar la calma, buscar una nueva personalidad y suprimir problemas. Las razones entre los no alcohólicos eran tener sensación de bienestar, imitar a los amigos y curiosidad. Los alcohólicos faltaron más a clase y acudieron a menos actividades de esparcimiento que los otros dos grupos.

Los estudiantes de los Estados Unidos

Los Estados Unidos son tal vez el país en que mayor cantidad de estudios se han hecho sobre el consumo de alcohol en general y de los jóvenes en particular. Destacaremos algunos de los trabajos más importantes.

El consumo de alcohol entre la juventud que acude a las universidades y las escuelas de nivel medio superior es tan alto y tiene patrones tan particulares que ha sido objeto de estudios detallados. Las conclusiones generales de los estudios hechos son: a) las mujeres consumen menos alcohol que los hombres, b) el consumo de alcohol está asociado positivamente con el nivel socioeconómico, c) existe asociación positiva con el número de años escolares cursados, d) se encuentra asociación con la religiosidad de cada individuo, e) existe asociación positiva con el hábito de tomar alcohol de los padres, f) a edades tempranas es más común entre los judíos, seguidos por los católicos y por último por protestantes y g) se asocia positivamente con el hábito de tomar con amigos (Schroth, 1979).

Engs (1977) también ha recopilado información de varias universidades norteamericanas y encuentra que para los hombres el consumo de alcohol existía en cifras porcentuales que variaban desde 95 hasta 68%. La cifra se mantiene semejante entre los años que van de 1960 a 1970. Lo que se aprecia es un aumento en la cantidad de mujeres que beben. Para corroborar lo anterior, esta autora aplicó un cuestionario a 1.128 estudiantes de 13 universidades de diferentes regiones de Estados Unidos. Una tercera parte del grupo era abstemia. El 79% bebía alcohol al menos una vez al año y 57% lo hacían con una frecuencia mayor a una vez al mes. Las bebidas más populares eran cerveza, vino y destilados. Al analizar los datos por sexo, se encontró una tendencia al aumento entre los hombres, pero este patrón es más acentuado entre las mujeres. Los hombres beben más cerveza y las mujeres prefieren los destilados. Se corroboró también que la frecuencia e intensidad de consumo de alcohol aumenta con los años pasados en la universidad.

Un estudio de importancia fue el hecho para evaluar el número de alumnos de secundaria que en un año se iniciaban en el hábito de beber alcohol (Margulies, Kessler y Kandel, 1977). Se estudiaron 1.936 estudiantes que en una primera encuesta afirmaron no haber bebido productos destilados. Al año el 30% de ellos ya había probado este tipo de productos. Se encontró que los factores que más influyen para que este grupo se iniciara en la bebida era: una actitud de aprobación de los padres hacia el consumo de alcohol y tener amigos que beben. Estos dos factores tienen mayor importancia en el caso de las mujeres.

El alcohol y los jóvenes en México

A pesar de que se sabe que México es uno de los países con mayores tasas de consumo de alcohol, son relativamente escasos los estudios sobre la situación que presentan los jóvenes. Uno de los intentos más serios es la encuesta patrocinada por la Organización Mundial de la Salud que se llevó a cabo en México, Escocia y Zambia (Calderón y Suárez, 1980 y Calderón, 1980).

El Departamento de Investigaciones Sociales del Centro Mexicano de Estudios en Salud Mental ahora Instituto Mexicano de Psiquiatría, se han interesado en el consumo de alcohol en México y han publicado resultados de las encuestas realizadas.

En un estudio epidemiológico realizado en el Distrito Federal (Medina Mora, de la Parra y Terroba, 1980) se recabó información que puede considerarse válida para esta entidad política. Se encontró que el 61% de la población mayor de 14 años consume alcohol cuando menos una vez al año, el 25% lo consume regularmente y el 6% lo hace consuetudinariamente; el 2.8% de la población bebe a diario. Las bebidas más consumidas son la cerveza, los destilados, el vino y el pulque. La proporción de hombres es doce veces mayor que la de mujeres. Para esta muestra, el porcentaje mayor de abstemios se encuentra en el grupo de edad entre los 14 y 17 años, al que también corresponde la menor frecuencia de bebedores consuetudinarios. También se encontró que conforme aumenta la edad, se incrementa la frecuencia con que se bebe a diario o casi a diario. Los estudiantes fueron el grupo que reportó menor consumo de alcohol, después del de las amas de casa. Es importante hacer notar que el 37% de los bebedores habituales iniciaron el consumo de alcohol antes de los 18 años.

Para contar con datos comparativos sobre lo que ocurre en México, se ideó una investigación que evaluara el consumo de alcohol en grupos similares de México y Canadá. Se diseñaron muestras que abarcaran estudiantes del nivel medio del Distrito Federal y de la provincia de Ontario (Castro, Valencia y Smart, 1979). La muestra fue de 4.687 canadienses y 4.059 mexicanos. Resultó que el consumo de todo tipo de estupefacientes era más frecuente entre los canadienses. El alcohol lo consumían 35.6% de los mexicanos y 81.9% de los canadienses. Desglosado por sexos resultó que entre los hombres el 19.8% de los mexicanos reportó consumir alcohol, contra el 79.5% de los canadienses. En cuanto a las mujeres, el consumo fue referido por 16.4% de las mexicanas y 74.3% de las canadienses.

Un tema que ha preocupado a los investigadores mexicanos es el referente a los problemas que perciben los usuarios respecto a su consumo de alcohol (Castro y Valencia, 1979). Para ello se hizo un estudio en el Distrito Federal y zona metropolitana en que se indagaron los problemas que eran percibidos por un grupo de escolares de 14 a 18 años, como causados por el alcohol. El grupo comprendió 4.059 estudiantes de 74 escuelas. De ese grupo el 59.05% consumía alcohol y el 12.3% de la muestra reportó tener problemas asociados a su consumo. Del total de los que hicieron esta afirmación, el 79.5% señaló su deseo de beber menos, 16% había consultado a profesionales para dejar de beber y 15.6% había tenido problemas legales derivados del consumo del alcohol, consistentes en detenciones por la policía. Los problemas se presentaron con mayor frecuencia entre los hombres.

Como puede constatarse, los estudios en México se han referido sobre todo a adultos o estudiantes del nivel medio. Por esta razón, la Dirección General de Servicios Médicos de la UNAM se propuso realizar una investigación epidemiológica entre los estudiantes universitarios.

LA ENCUESTA ENTRE ESTUDIANTES DE LA UNAM

La encuesta sobre consumo de alcohol entre los estudiantes universitarios se realizó durante los meses de abril a julio de 1980. Se hizo el estudio en la Ciudad Universitaria, en que la encuesta fue aplicada por personal de la Dirección General de Servicios Médicos a estudiantes de medicina, ciencias, contaduría y administración, química, ingeniería, arquitectura y economía, durante su examen de primer ingreso. Se abarcó a los turnos matutino y vespertino.

La misma encuesta fue aplicada por personal del Departamento de Servicios Médicos de la Facultad de Estudios Profesionales de Cuautitlán a una muestra aleatoria de la totalidad de las carreras de químico farmacología, química, ingeniería química, ingeniería agrícola, ingeniería mecánica, medicina veterinaria, contaduría y administración.

La encuesta era contestada por los mismos alumnos y evaluada por computadora. Para ello se hicieron algunas abiertas y cerradas que exploraban aspectos básicos sobre el consumo de alcohol y tabaco. En este trabajo nos referiremos únicamente a los resultados relacionados con el consumo de alcohol. Los resultados completos

de la encuesta han aparecido en otras publicaciones (Casillas y Benavides, 1980 y 1981). De los resultados de la encuesta se ha obtenido material para llevar a cabo una semana sobre problemas del alcoholismo entre los universitarios, de la que se obtuvo un manual de educación para la salud (Dirección General de Servicios Médicos UNAM, 1982). La investigación original fue planeada y coordinada por la autora del presente artículo y el Dr. Lázaro Benavides, Director General de la DGSM.

El primer objetivo de la encuesta fue el que cada alumno se autocalificara dentro de una de las tres siguientes categorías: a) no bebedores, que comprende a aquéllos que no tienen costumbre de beber alcohol regularmente. En esta pregunta se aclaraba que por bebida alcohólica se entendía cualquiera que contuviera alcohol etílico, desde el rompope, la cerveza o el tepache, hasta el ron, la ginebra, el brandy o las bebidas destiladas, b) bebedores ocasionales, que se definieron como aquéllos que consumían alcohol con una fercuencia mayor a una vez por mes, aunque fuera en ocasiones especiales como fiestas o comidas sociales, c) bebedores habituales, que eran aquéllos que bebían alcohol varias veces al mes, cada semana, varias veces por semana o diario.

En vista de la dificultad de evaluar la existencia de alcoholismo, no se intentó hacer el diagnóstico de este padecimiento.

La encuesta fue contestada por 3.647 estudiantes de la Ciudad Universitaria, de los que 2.541 fueron hombres y 1.106 mujeres. En la Facultad de Estudios Profesionales de Cuautitlán respondieron 446 mujeres y 1.432 hombres, lo que da un total de 1.878 cuestionarios. Las cifras totales resultaron de 3.973 hombres y 1.552 mujeres o sea un universo de 5.225 individuos.

La clasificación en los tres grupos de bebedores en que se dividió la muestra, aparece en el cuadro 1. Este cuadro como los siguientes ha sido tomado de una publicación anterior (Casillas y Benavides,

hombres. El porcentaje de bebedores habituales vuelve a mostrar diferencias importantes por sexo: 11.9% de las mujeres y 32.5% de los hombres. En cambio en los mismos cuadros 2 y 3 se puede apreciar que los resultados obtenidos en Ciudad Universitaria y en Cuautitlán casi no difieren. Por esta razón en los siguientes cuadros se agruparon los resultados de los

CUADRO 1

PROPORCION DE CONSUMIDORES DE ALCOHOL, ENCUESTA UNIVERSITARIA UNAM, 1980, DATOS POR SEXO Y POR PLANTEL ESTUDIADO

Consumo de alcohol	Población total	Cuautitlán	Mujeres C.U.	Total	Cuautitlán	Hombres C.U.	Total
	n=5,525	n=446	n=1,106	n=1,552	n=1,432	n=2,541	n=3,973
No bebedores	27.6	42.8	'41.4	41.8	21.4	22.5	22.4
Bebedores ocasionales	45.6	44.8	46.8	46.3	43.9	46.2	45.4
Bebedores habituales	26.7	12.3	11.7	12.9	34.6	31.3	32.5

FUENTE: Encuesta directa.

1981). La proporción de hombres y mujeres no bebedores es notablemente diferente: se calificó así al 41.8% de las mujeres contra el 22.4% de los hombres. En cambio la proporción de los bebedores ocasionales fue muy semejante en los dos sexos, 46.3% para las mujeres y 45.4% para los

CUADRO 2

FACTORES QUE LIMITAN LA INGESTION DE ALCOHOL ENTRE LOS ESTUDIANTES NO BEBEDORES

ENCUESTA UNIVERSITARIA U.N.A.M.
1980

		Sexo	
	Totales %	Femenino %	Masculino %
No les gusta	78.4	83.0	74.4
Les causa daño	9.2	7.0	10.5
Otra razón	8.1	6.5	9.6
Razones filosóficas o religiosas	3.2	2.2	3.6
Razones económicas	1.1	1.3	1.8

CUADRO 3

EDAD DE INICIO DE LA INGESTION DE ALCOHOL ENTRE ESTUDIANTES BEBEDORES OCASIONALES

ENCUESTA UNIVERSITARIA U.N.A.M.
1980

		Sexo	
Edad	Totales %	Femenino %	Masculino %
Entre 16 y 18 años	35.7	41.5	33.3
Entre 19 y 21 años	31.6	27.9	33.1
No respondieron	18.2	17.4	18.5
Después de 21 años	6.0	4.2	6.7
Entre 14 y 15 años	4.6	4.3	4.8
Antes de los 10 años	1.9	2.8	1.6
Entre 11 y 13 años	1.7	1.8	1.7

dos campos. En cuanto a la distribución por sexos, se corrobora lo encontrado en otros países, en el sentido de que las mujeres beben menos frecuentemente y en menor cantidad que los hombres. Tal vez los resultados de esta encuesta difieren en que la proporción de mujeres que beben es menor de lo encontrado en la mayoría de los países. Este fenómeno ha sido también encontrado entre los mexicano-americanos que viven en el sur de Texas (Trotter, 1982). Es posible que la actitud represora y protectora de la sociedad mexicana hacia la mujer tenga que ver con este hallazgo. En México una mujer que bebe es reprobada socialmente.

Uno de los aspectos que interesa en las campañas de prevención del alcoholismo es saber por qué ante los mismos estímulos y elementos sociales que invitan a consumir alcohol, algunos individuos son abstemios y otros no. Por esta razón se preguntó a los no bebedores sobre la razón que tenían para ello. Los resultados aparecen en el cuadro 2. Destaca que la razón principal es que el alcohol no les gusta, siendo este motivo un poco más frecuente entre las mujeres. La siguiente causa en importancia fue el sentir que el alcohol hace daño, seguida por un grupo en que se incluyeron otras razones y causas filosóficas o religiosas. La última razón aducida fue el costo del alcohol. Esto resulta de interés, ya que se ha considerado que la religión y el precio del alcohol pueden ser uno de los frenos importantes para que la gente no beba. De acuerdo con estos resultados, las razones son más de índole subjetiva, que son mucho más difíciles de fomentar en campañas educativas.

En la encuesta se pretendió también encontrar si existían diferencias que explicaran las razones o circunstancias para que unas personas beban moderadamente y otras lo hagan con exceso. Por esta razón se comparan ahora resultados obtenidos entre los bebedores ocasionales y los habituales.

CUADRO 4

EDAD DE LOS ESTUDIANTES BEBEDORES HABITUALES AL INICIAR EL CONSUMO DE BEBIDAS ALCOHOLICAS
ENCUESTA UNIVERSITARIA U.N.A.M.
1980

| | | Sexo | |
| | Totales | Femenino | Masculino |
Edad	%	%	%
Entre 19 y 21 años	37.3	23.8	39.2'
Entre 16 y 18 años	29.2	30.2	29.9
Después de 21 años	10.2	14.2	9.7
Entre 14 y 15 años	9.8	7.6	10.2
No respondieron	6.7	16.2	5.4
Entre 11 y 13 años	3.1	4.8	2.9
Antes de los 10 años	2.7	3.2	2.6

En los cuadros 3 y 4 aparecen las edades en que se iniciaron en el consumo de alcohol los hombres y mujeres bebedores ocasionales y los habituales. Cabe destacar que las mujeres bebedores habituales parecen iniciar el hábito más temprano que los demás. Es notable también el que haya alumnos que se hayan iniciado en el consumo de alcohol desde antes de los 10 años.

Interesó comparar los motivos que los dos grupos de bebedores señalaban para consumir alcohol. Los resultados aparecen

CUADRO 5

MOTIVOS MAS FRECUENTES DE LOS ESTUDIANTES BEBEDORES OCASIONALES PARA INGERIR ALCOHOL
ENCUESTA UNIVERSITARIA U.N.A.M.
1980

| | | Sexo | |
| | Totales | Femenino | Masculino |
Motivaciones	%	%	%
Reuniones sociales	76.5	82.0	74.4
Otras situaciones	10.0	9.8	10.1
Por invitación	6.3	3.4	7.1
Sensación de alegría	4.7	2.4	5.7
Sensación de tristeza	1.4	1.1	1.6
Sensación de depresión	1.1	1.2	1.0

CUADRO 6

MOTIVOS PARA INGERIR ALCOHOL DE
LOS ESTUDIANTES BEBEDORES
HABITUALES SEGUN FRECUENCIA

ENCUESTA UNIVERSITARIA U.N.A.M.
1980

Motivos	Totales %	Sexo Femenino %	Sexo Masculino %
Reuniones sociales	65.0	68.1	64.6
Por invitación	14.0	14.6	14.0
Sensación de alegría	7.9	5.9	8.2
Otras situaciones	6.8	6.5	6.9
Sensación de tristeza	4.0	3.8	4.0
Sensación de depresión	2.1	1.0	2.3

en los cuadros 5 y 6. Las reuniones sociales son los acontecimientos más socorridos para beber, sobre todo entre las mujeres bebedoras ocasionales. Los bebedores habituales parecen responder más a motivaciones subjetivas para beber, ya que lo hacen en respuesta a estados emocionales como la alegría, la tristeza o la depresión con aproximadamente doble frecuencia que los bebedores ocasionales. Esta respuesta muestra la importancia que

puede tener el divulgar información sobre la manera de modificar la ingestión y los efectos del alcohol durante los acontecimientos sociales.

Los resultados sobre el tipo de bebida ingerida que se encuentra en el cuadro 7, concuerda con lo esperado. La cerveza es la bebida más consumida por los jóvenes, aunque la proporción de mujeres que la beben sea menor que la de los hombres en todos los casos. Llama también la atención que entre los estudiantes universitarios se continúe tomando pulque y mezcal.

Para conocer las señales que los dos grupos de bebedores obedecen para dejar de beber, se preguntó qué tanto suelen beber, pero de tal menera que expresaran en qué momento dejaban de hacerlo. Los resultados se encuentran en los cuadros 8 y 9. Desde luego que los bebedores ocasionales señalaron con mayor frecuencia que suelen beber poco, pero fueron las mujeres las que dieron esta respuesta con mayor frecuencia. La sensación de que el alco-

CUADRO 7

TIPO DE BEBIDA ALCOHOLICA QUE SUELEN CONSUMIR LOS ESTUDIANTES
BEBEDORES OCASIONALES (O) Y HABITUALES (H)

ENCUESTA UNIVERSITARIA U.N.A.M.
1 9 8 1

Tipo de bebida alcohólica	Totales O	% H	Sexo Femenino O	% H	Sexo Masculino O	% H
Cerveza	33.0	41.1	23.0	31.6	37.1	42.3
Vino	29.6	22.5	34.2	31.6	27.8	21.5
Otros	14.5	8.6	18.9	13.6	12.7	7.9
Whisky	8.0	11.3	7.7	14.1	8.1	11.3
Ginebra	5.5	4.0	8.0	2.9	4.5	4.2
Ron	3.7	5.0	3.8	4.3	3.7	5.0
Tequila	2.6	2.8	2.1	1.7	2.9	3.0
Pulque	1.1	1.8	0.5	0.4	1.3	2.0
Mezcal	0.9	1.8	0.8	1.2	1.0	1.8
Alcohol más refresco	0.8	0.9	0.7	0.8	0.9	0.9

CUADRO 8

LIMITES A LA INGESTION DE ALCOHOL ENTRE ESTUDIANTES
BEBEDORES OCASIONALES
U.N.A.M. 1980

		Sexo	
Límite	Totales %	Femenino %	Masculino %
Tiende a ser poca cantidad	53.7	63.8	49.7
Deja de beber alcohol cuando siente que se le "sube"	26.1	22.8	27.3
Hasta estar alegre	9.8	4.2	12.1
No respondieron	6.6	7.2	6.3
Tiende a ser mucha la ingestión	2.0	0.8	2.5
Hasta emborracharse	1.1	0.3	1.5
Hasta perder el sentido	0.5	0.8	0.4

CUADRO 9

LIMITES A LA INGESTION DE ALCOHOL ENTRE ESTUDIANTES
BEBEDORES HABITUALES
U.N.A.M. 1980

		Sexo	
Límite	Totales %	Femenino %	Masculino %
Tiende a ser poca la cantidad	40.5	41.1	40.4
Cuando siente que se le "sube"	20.3	19.4	20.4
Hasta estar alegre	20.2	11.3	21.4
Tiende a ser mucha la cantidad	7.8	2.7	8.6
Hasta emborracharse	4.8	1.6	5.3
No respondieron	3.7	17.2	1.8
Hasta perder el sentido	2.6	6.5	2.0

hol "se sube", o sea que se inicia la sensación subjetiva de ebriedad, fue señalada como límite para seguir bebiendo con mayor frecuencia por los bebedores ocasionales. Ello parece apuntar hacia que el bebedor habitual es menos sensible a esta sensación que el que bebe ocasionalmente. En cambio, los bebedores habituales confirmaron que buscan las sensaciones subjetivas, al afirmar que beben con frecuencia hasta sentirse alegres o hasta emborracharse. Llama la atención que entre los bebedores habituales es mayor la frecuencia de mujeres que de hombres que beben hasta perder el sentido. Esto parece confirmar que las bebedoras habituales lo hacen con mayor intensidad que los hombres.

En los cuadros 10 y 11 se han concentrado los resultados sobre el deseo de dejar de beber. Es interesante notar que la proporción de bebedores ocasionales que no manifiestan deseos de dejar de beber es semejante en los dos sexos y los dos tipos de bebedores. En cambio, las mujeres bebedoras ocasionales y habituales manifestaron con menos frecuencia que los hombres que si deseaban dejar de beber.

CUADRO 10

PORCENTAJE DE ESTUDIANTES BEBEDORES OCASIONALES QUE MANIFIESTAN DESEO DE DEJAR DE INGERIR BEBIDAS ALCOHOLICAS U.N.A.M. 1980

Desean dejar de beber	Totales %	Sexo Femenino %	Masculino %'
Si	63.5	55.7	66.6
No respondieron	20.6	28.8	17.4
No	15.8	15.4	16.3

CUADRO 11

PORCENTAJE DE ESTUDIANTES UNIVERSITARIOS BEBEDORES HABITUALES QUE MANIFIESTAN DESEO DE DEJAR DE INGERIR BEBIDAS ALCOHOLICAS U.N.A.M. 1980

Desean dejar de beber	Totales %	Sexo Femenino %	Masculino %'
Si	64.4	56.2	65.5
No	23.1	20.5	24.1
No respondieron	12.0	23.2	10.4'

Un resultado que llamó la atención aparece en el cuadro 12. Ahí se muestra que fue muy alto el porcentaje de bebedores habituales que respondieron que no tratan de resolver problemas personales bebiendo alcohol. Esto contrasta con lo que se mencionó respecto a que los bebe-

CUADRO 12

PORCENTAJE DE ESTUDIANTES BEBEDORES HABITUALES QUE RESUELVEN PROBLEMAS PERSONALES INTIMOS BEBIENDO ALCOHOL U.N.A.M. 1980

Resuelven problemas bebiendo alcohol	Totales %	Sexo Femenino %	Masculino %
No	83.6	78.3	84.4
Si	8.9	6.5	9.2:
No respondieron	7.5	15.3	6.4

dores habituales tienden a buscar más las sensaciones subjetivas del alcohol sobre su organismo.

En los cuadros 13 y 14 aparecen resultados en que se buscó tener una idea sobre la intensidad con que beben los alumnos de la UNAM. En el 13 se aprecia que

CUADRO 13

FRECUENCIA DE INGESTION DE ALCOHOL ENTRE LOS ESTUDIANTES BEBEDORES HABITUALES U.N.A.M. 1980

Frecuencia	Totales %	Sexo Femenino %	Masculino %
En ocasiones como fiestas	38.6	60.0	35.6
Cada semana	20.9	10.8	22.4
Varias veces al mes	20.5	14.0	21.4
Cada mes	9.5	6.4	9.9
Varias veces por semana	5.5	5.4	5.6
Diario	2.6	3.2	2.6
No respondieron	2.2	1.0	2.1

los bebedores habituales también utilizan las fiestas como ocasiones para hacerlo, pero además es alto el porcentaje de aquéllos que lo hacen de manera sistemática. La diferencia a destacar es que las mujeres tienden a hacerlo más en ocasiones sociales. Nuevamente se encuentra que beben diariamente más mujeres que hombres. En el cuadro 14 se aprecia que una tercera parte de los bebedores habituales suele embriagarse. Otra de las preguntas se refería a si tenía la costumbre de beber a solas. Un 21.7% de los hombres bebedores habituales y 11.9% de las mujeres afirmaron que lo hacen. Este dato es importante, ya que refleja aquellos casos que están en mayor probabilidad de que su ingesta de alcohol sea grave.

Cuadro 14

PROPORCION DE ESTUDIANTES BEBEDORES HABITUALES Y OCASIONALES QUE SE EMBRIAGAN. U.N.A.M. 1980

Se embriagan	Totales % O	H	Femenino % O	H	Masculino % O	H
No	78.1	62.3	86.0	61.6	75.0	62.4
Si	18.9	31.5	11.9	24.8	21.7	32.5
No respondieron	2.9	6.2	2.1	13.5	3.3	5.1

Cuadro 15

PORCENTAJE DE ESTUDIANTES BEBEDORES HABITUALES QUE CONSIDERAN UN PROBLEMA SU INGESTA DE ALCOHOL

ENCUESTA UNIVERSITARIA U.N.A.M. 1980

Beber alcohol	Totales %	Sexo Femenino %	Masculino %
No	75.6	74.6	75.7
Si	18.6	10.8	20.0
No respondieron	5.5	14.6	4.2

Cuadro 16

PROPORCION DE ESTUDIANTES BEBEDORES OCASIONALES CON CONOCIMIENTO DE LOS EFECTOS NOCIVOS DEL ALCOHOL SOBRE SU SALUD U.N.A.M. 1980

Conocimiento	Totales %	Sexo Femenino %	Masculino %
No	78.1	86.0	75.0
Si	18.9	11.9	21.7
No respondieron	2.9	2.1	3.3

Entre los bebedores habituales la mayoría no considera un problema su consumo de alcohol, como aparece en el cuadro 15. Lo que llama la atención es que los que sí lo consideran son en buena parte hombres.

Finalmente, se consideró interesante saber si los estudiantes estaban o no cons-

Cuadro 17

CONOCIMIENTO DE LOS EFECTOS NOCIVOS DEL ALCOHOL SOBRE LA SALUD ENTRE ESTUDIANTES UNIVERSITARIOS BEBEDORES HABITUALES ENCUESTA UNIVERSITARIA U.N.A.M. 1980

Conocimiento	Totales %	Sexo Femenino %	Masculino %
Si	42.2	39.4	42.6
No	31.7	57.8	28.0
No respondieron	26.1	2.7	29.4

Fuente: Encuesta directa.

cientes de que el alcohol podía dañarlos. Los bebedores habituales respondieron con mayor frecuencia que sí consideraban que el alcohol dañaba su salud. Lo notable es que casi el doble de las mujeres bebedoras habituales que los hombres del mismo grupo consideraron que el alcohol no las dañaba.

CONCLUSIONES

Por lo que se puede apreciar al comparar los resultados de la encuesta de los universitarios mexicanos con los estudiantes de otras partes del mundo, los patrones de ingestión de alcohol guardan ciertas semejanzas. Por una parte se confirma que las mujeres suelen beber menos que los hombres, pero que aquéllas que son bebedoras habituales parecen beber con mayor intensidad y frecuencia que los hombres. Es muy posible que la estructura social mexicana evite que un grupo mayor de mujeres beba. Pero, a pesar de la propaganda existente y del medio social favorable pará el consumo de alcohol, llama la atención que hay un grupo relativamente grande de personas abstemias.

Encuestas como la presente pueden proporcionar lineamientos generales para las campañas de prevención del alcoholismo entre los jóvenes. Uno de los hechos que destaca es que dichas campañas se deben iniciar en los años de la primaria y secundaria, ya que un grupo de estudiantes llega a iniciarse en el consumo de bebidas alcohólicas desde antes de los 10 años, siendo mayor el número conforme pasan los años de escolaridad.

Sería deseable que se realizaran más estudios en el resto del país para conocer la variabilidad del fenómeno.

REFERENCIAS

1. BARD S M Y PEACOCK J B: *Smoking and drinking habits of students at the University of Hong Kong: a longitudinal study.* Publ Health (London) *90:* 219-225, 1976.
2. BROWN CH N Y GUNN D G A: *Alcohol consumption in a student community.* The Practitioner *219:* 238-242, 1977.
3. CALDERÓN N G: *El alcoholismo, problema médico y social, simposio.* Gac Méd Méx *117:* 230-257, 1980.
4. CALDERÓN N G Y SUÁREZ DE U C: *La investigación de la OMS sobre la respuesta de la comunidad a los problemas que origina el alcohol.* Gac Méd Méx *116:* 259-264, 1980.
5. CASILLAS C L E Y BENAVIDES V L: *Epidemiología del tabaquismo y del alcoholismo entre los universitarios (comunicación preliminar).* En: *Memorias de las V Jornadas Internas de Trabajo de la DGSM.* México, Dirección General de Servicios Médicos de la UNAM 1980, p 138-155.
6. CASILLAS C L E Y BENAVIDES V L: *Consumo de alcohol y tabaco entre estudiantes universitarios.* En: *Memorias de las VI Jornadas Internas de Trabajo de la DGSM.* México, Dirección General de Servicios Médicos de la UNAM, 1981, p 335-368.
7. CASTRO M E Y VALENCIA M: *Problemas aso-*

8. CASTRO M E, VALENCIA M Y SMART G R: *Disponibilidad, consumo y problemas en materia de alcohol y estupefacientes entre los estudiantes de México y Canadá.* Bol Estupefacientes *31:* 41-48, 1979.
9. DIRECCIÓN GENERAL DE SERVICIOS MÉDICOS DE LA UNAM: *Problemas del alcoholismo.* Dirección General de Servicios Médicos de la UNAM, p 44. (Manual de Salud del Estudiante Universitario III, Oficina de Educación para la Salud del Departamento de Medicina Preventiva-. UNAM, 1982.
10. ENGS R C: *Drinking patterns and drinking problems of college students.* J Stud Alc *38:* 2144-2156, 1977.
11. LAMONTAGNE I, TETREAULT L Y BOYER R: *Consomation d'alcool et de drogues chez le étudiants.* L'Un Med Can *108:* 219-228, 1979.
12. LAPORTE J R, CAMI J, GUTIÉRREZ R Y LAPORTE Z: *Caffeine, tobacco, alcohol and drug consumption among medical students in Barcelona.* European J Clin Pharmac *11:* 449-453, 1977.
13. MARGULIES R Z, KESSLER C R, Y KANDEL B D: *A longitudinal study of outset of drinking among high school students.* J Stud Alc *38:* 897-912, 1977.
14. MEDINA M M E, DE LA PARRA C A Y TERROBA G G: *El consumo de alcohol en la población del Distrito Federal.* Sal Púb Méx *23:* 281-288, 1980.
15. MOSS M C Y BERESFORD D E: *A survey of alcoholism in an english county.* Altrincham St Ann's Press, 1967, p 127.
16. RICHMOND J B: *Healthy people. The surgeon general's report on health promotion and disease prevention.* Washington, US. Department of Health, Education and Welfare, DHEW (PHS) publication 79-55071, 1979, p 177.
17. SCHMIDT M T Y HANKOFF L D: *Adolescent alcohol abuse and its prevention.* Publ Hlth Rev *8:* 107-153, 1979.
18. SCHROTH J: *Drinking in college and alcohol education programs, a review of the literature.* Indiana Univ Stud Pers Assoc, spring, 1979, 13-13.
19. SMITH D W: *The fetal alcohol syndrome.* Hosp Pract october 1979, p 121-128.
20. SMITH R: *Alcohol in the third world: a chance to avoid a miserable trap.* Brit Med J *284:* 183-185, 1982.
21. TROTTER R T: *Ethnic and sexual patterns on alcohol use anglo and mexican american college students.* Adolescence *18:* 305-325, 1982.
22. WORLD HEALTH ORGANIZATION: *Problems related to alcohol consumption.* Geneve, World Health Organization, Technical report series 650, 1980, p 69.

LA SOCIOLOGIA DE LA EDUCACION Y EL PROBLEMA DEL ALCOHOLISMO

LAURA DÍAZ-LEAL ALDANA*

CONSIDERACIONES GENERALES

A. El alcohol

El alcohol es una bebida que ha existido desde que el hombre aprendió primero a fermentar los frutos y después a destilar los granos. El consumo de bebidas alcohólicas no ha sido exclusivo de una época, una sociedad o un estrato o clase social; desde tiempos muy antiguos, es práctica muy común en los distintos conglomerados humanos y, así mismo, cada sociedad ha impuesto sus reglas de ingestión, determinando qué necesidades y actitudes son legítimas y cuáles no.[1]

En la actualidad, la aceptación y tolerancia al uso del alcohol está aumentando en todos los grupos sociales, creando fuertes problemas a la sociedad. El consumo anual mundial per cápita en los últimos años se ha incrementado, según diversas estimaciones, entre un 30 y un 500%.[2]

Si por un lado crea problemas, por otra parte, la producción de alcohol genera fuentes de trabajo y aporta elevados impuestos al Estado, además de que el comercio internacional de bebidas alcohólicas es hoy uno de los más importantes.

Ricardo Muro[3] afirma que la venta anual en el mundo asciende a 9 mil millones de dólares. En cuanto a México se dice que actualmente 68 empresas producen cerca

de 175.2 millones de litros anuales de brandies que, en ocasiones, resultan insuficientes para satisfacer la creciente demanda nacional; además del aumento en el cultivo de la vid el cual se está incrementando a razón de 1.500 hectáreas de viñedos; para 1982 se tenía una superficie sembrada de 60 mil hectáreas. Los ingresos en la actualidad, por parte de la industria, superan los 25 mil millones de pesos.

Señala también que según datos de la Secretaría de Programación y Presupuesto[3] durante el lapso 1970-80, la producción de brandies creció a una tasa media de 13.5% anual, pasando de 35.3 millones de litros en el primer año a 125.5 millones de litros al final del período. La misma dependencia estima que para el lapso 1980-85, la industria nacional vitivinícola crecerá a razón de 5% anual en promedio, por lo que para 1985 se estima que se producirán 530 millones de litros de vinos de uva aproximadamente.

Una manera contundente de fomentar la demanda de dichas bebidas es el incremento de costosas y amplias campañas de publicidad que se mantienen a un ritmo ascendente, ya que crecen a razón de un 20.3% anual.[3]

Según el Instituto Nacional del Consumidor,[4] en diciembre de 1980, la televisión del D. F. transmitió 618 anuncios antialcohólicos (por un valor comercial de $ 12,125.000.00) contra 3.773 anuncios de bebidas alcohólicas (por $180,327.324.00). También señala que entre 1979 y 1981 los

* Licenciada en Sociología de la Educación. Jefe del Departamento de Investigación Educativa. Dirección General de Educación para la Salud de la S.S.A.

gastos en publicidad de bebidas alcohólicas se incrementaron en un promedio de 40%, alcanzando topes máximos en el caso de los anuncios de rones (con un incremento del 106%), de aperitivos (63%) y de vinos (57%).

B. *El alcoholismo*

El alcoholismo está reconocido por la Organización Mundial de la Salud como un grave problema de salud, ya que causa serios trastornos en los individuos, alterando las relaciones de equilibrio que mantiene el hombre, tanto con su organismo como con su medio ambiente.

En América Latina, el consumo inmoderado de bebidas alcohólicas es uno de los mayores problemas de salud pública: según la Asociación Iberoamericana de Estudios de los Problemas del Alcohol, Chile y México son los países que presentan mayores índices de alcoholismo en la zona. La Comisión Legislativa de la Cámara de Diputados de México señala que existen actualmente 6 millones de alcohólicos, de los cuales el 50% son individuos entre los 14 y 28 años de edad y un 65% de ellos en edad productiva.[7] A este ritmo, se calcula que al finalizar la década de los ochenta, serán alrededor de 12 millones de alcohólicos en nuestro país. Una de las dificultades más serias que afronta México en cuanto al alcoholismo es la participación de los adolescentes en el consumo, lo que acarrea fuertes problemas en su salud y ocasiona actitudes y actos delictivos de la población juvenil.

Durante la Colonia se expidieron cédulas reales con el objeto de controlar la producción de bebidas alcohólicas.[8] A partir de la Revolución se generaron diversas campañas dentro del Departamento de Salubridad Pública[9-11] y, posteriormente, el Congreso de la Unión emitió variadas adendas a los Códigos Sanitarios de 1926, 1934, 1954 y 1963.[12] En 1976 se reformó una vez más el Código Sanitario con la idea de controlar los procesos de producción y distribución de bebidas alcohólicas.

Ejemplo de lo anterior es la reglamentación que existe sobre la vigilancia del proceso de elaboración de los vinos y brandies,[13] misma que no es ejercida con el rigor necesario.[14]

Algunos autores[15] mencionan que sería importante analizar si los controles publicitarios en cuanto a los horarios restringidos; exhibición de escenas en las que las personas están ingiriendo bebidas alcohólicas; prohibición de adolescentes como artistas; la obligación de alternar anuncios de alcohol con mensajes formativos tendientes a disminuir las causas del alcoholismo, etc., se cumplen efectivamente, por lo que habría que reconsiderar el hecho de que las medidas legales son fundamentales para el control y éstas existen en abundancia en nuestro país; además de que no son aplicadas rigurosamente, tampoco son efectivas si no van acompañadas de campañas informativas y educativas que modifiquen las conductas por el convencimiento.

CONSIDERACIONES PARTICULARES

A. *La salud pública*

Según Mustard,[16] la salud pública, incluyendo la atención médica, no es sino una de muchas medidas sociales: una manifestación del esfuerzo consciente del hombre para vencer un grupo especial de peligros o sufrimientos. La relación entre lo que puede ser denominada la parte (el trabajo de salud pública) y el todo (el bienestar social) puede expresarse de la siguiente manera:

Puesto que la salud es un factor esencial en el bienestar humano, su mantenimiento y protección son necesariamente de importancia social.

Del grado y la forma en que la sociedad esté interesada en la salud pública depende la filosofía imperante en el sistema social.

Bajo un sistema en el que predomina el individualismo, la sociedad tiende a tomar solamente aquellas medidas de salud pública que se encuentran más allá del campo de la acción individual.

La salud está así determinada por la realidad social y las medidas que se tomen en favor estarán sujetas, entonces, al desarrollo social, económico y político de cada país.

B. *La educación para la salud*

La educación para la salud consiste en transmitir al gran público o a algún sector de la población, información referente a la preservación de la higiene, de un medio ambiente nítido para la salud personal, etc., con el propósito de que, tanto los individuos como la colectividad cubren conciencia de lo importante que resulta conservarse sano en un habitat propicio para ello.

Este proceso educativo para la salud se da tanto en los medios formales como informales,[16] y tiende a reforzar las tareas que el Estado y la sociedad civil realizan en favor de la comunidad.

En México, actualmente, una de las políticas de salud ha sido la de incrementar cualitativa y cuantitativamente las actividades destinadas a crear una conciencia de salud en el pueblo y orientarlo para que, a través de su esfuerzo y comportamiento, alcance la salud.

A partir de la nueva administración, el Presidente Miguel de la Madrid promovió, y fue aprobada por el Congreso, una adición al artículo 4o. de la Constitución Política de los Estados Unidos Mexicanos que consiste en incorporar un derecho que garantice a toda persona la protección a la salud. Esto implica que la salud es una responsabilidad que deben compartir el Estado, la sociedad y los interesados, y que sin la participación de éstos, no podrá hacerse efectiva esta nueva garantía social.[18]

C. *La educación para combatir el alcoholismo*

Se piensa que una de las causas que propician o coadyuvan al incremento del alcoholismo es la desinformación general sobre el consumo del alcohol y sus consecuencias, por lo cual se considera que el factor educativo es de suma importancia para entender y atacar el problema del alcoholismo. Habría que recordar que la educación debe analizarse desde diferentes perspectivas, con diversos enfoques, a la luz de variadas teorías y en diferentes niveles y sectores.[18-21] El proceso de transmisión de conocimientos y actitudes es un fenómeno eminentemente cultural, por lo cual cualquier acción que se planee en contra del alcoholismo debe considerar este aspecto.

Se ha visto que el proveer información referente a la salud no es solamente una medida social sino también una necesidad cada vez más apremiante para abatir los problemas generados por la ausencia de salud. En el caso concreto del alcoholismo, se necesitan emprender acciones de investigación, sobre todo en el área de las ciencias sociales, así como formar personal capacitado para atenderlo y, sobre todo, *educar* a la población en general para que aprenda a *beber responsablemente*.[22]

PROPUESTAS

A. *Una política integral de salud pública*

La política de salud pública responde a los requerimientos de la sociedad y a las condiciones y recursos con los que cuente el grupo. La salud responde a patrones culturales y sociales que reflejan los valores y las concepciones de la sociedad.

El gobierno mexicano ha realizado diversas acciones en materia de salud que han logrado importantes avances, pero uno de los principales problemas del país es que las medidas que adopta generalmente obedecen a necesidades urgentes y no se apoyan en un programa integral que abarque la atención en todos sus aspectos.

Es urgente elaborar una política *integral* de salud que sea la rectora de todos los programas de las diferentes instituciones que intervienen en el problema, porque en el caso de México, hay tantos programas de salud como instituciones interesadas en ella, por lo que una política única evitaría la duplicidad de esfuerzos y recursos en áreas comunes.

Con las nuevas disposiciones del actual gobierno, se ordena la integración del sector salud, siendo la SSA la indicada para establecer y conducir la política nacional en materia de asistencia social, servicios médicos y salubridad general, y coordinar los programas de servicios de salud de la Administración Pública Federal, así como los agrupamientos por funciones y programas afines que, en su caso, se determinen.

B. *Una política integral de educación para la salud*

Con base en lo anteriormente planteado, coincidimos con algunas de las ideas expresadas por las autoridades de salud en cuanto a que es necesario:

1. Incorporar la educación para la salud en los programas de las escuelas de enseñanza preescolar, primaria, media, técnica, normal y superior.
2. Preparar y poner en operación programas para capacitar al personal de salud y del magisterio nacional en áreas urbanas y rurales, para la realización eficiente de su labor de educación para la salud.
3. Establecer normas para la sistematización de la divulgación sobre la salud y la enfermedad, y
4. Lograr la participación de la comunidad en la realización de los programas de educación para la salud.

Las anteriores ideas han sido propuestas[23] aunque no puestas en práctica en su totalidad, por lo cual insistimos en la necesidad de convencer a quienes tienen el poder de decisión, de ver que se lleven a la práctica.

C. *Un programa contra el alcoholismo*

En cuanto al alcoholismo, resulta urgente elaborar programas educativos para informar verazmente a ciertos sectores de la población sobre los efectos del consumo inmoderado del alcohol.

Así, se sugiere que el programa se realice con base en tres aspectos o niveles:

1. El trabajo comunitario, el cual resalta como uno de los mecanismos más completos para la detección y diagnóstico de problemas sociales como el alcoholismo, pero sin olvidar que el trabajo para la comunidad debe partir del diagnóstico de sus problemas *con los miembros de la comunidad.*

2. La comunicación colectiva: es necesario promover la utilización más nacional de los medios de comunicación colectiva para llevar la información al público en relación con la salud, además de dar más apoyo técnico y material a' las actividades de educación higiénica.

Pensamos que, para lograr estos objetivos en materia de alcoholismo, es necesario implantar estrategias de información y motivación, seleccionando los públicos receptores y los mensajes emitidos, y aprovechando los medios de comunicación colectiva para la difusión de dichos programas, que en cierta medida, ayuden a contrarrestar los nocivos efectos de la publicidad que inducen al consumo exagerado.

3. La educación formal: en cuanto a la educación formal, es importante establecer programas que informen y eduquen a los que asisten al sistema escolar aprovechando las diversas instituciones educativas, por lo que proponemos que la información y educación, en el aspecto de salud, se lleve a cabo en todos los niveles escolares creando de esa manera una actitud responsable para el mantenimiento de la salud y la conservación adecuada del medio ambiente.

Dentro de las muchas acciones que pueden proponerse, se nos ocurre, por ejemplo, la reetiquetación de las botellas de contenido alcohólico en donde, al igual que con los cigarros, se advierta al público de los efectos negativos del consumo inmoderado.

Por otra parte, en las campañas educativas debe contemplarse la idea de *involucrar* a la comunidad en los programas de educación para la salud, en los que se incluya al problema del alcoholismo.

Es necesario un mejor control de la calidad en los productos alcohólicos, así como de la distribución y sobre todo de la venta de bebidas con contenido alcohólico, junto con una reducción en la propaganda en los medios de comunicación. Proponemos que también se difundan mensajes en los que, sin necesidad de atemorizar a la población, pero sí, como apuntamos, de generar una conciencia diferente, se instruya al público acerca del hecho de que usar bebidas alcohólicas no es grave, más sí lo es el abusar de ellas y caer en la intoxicación alcohólica cotidiana.

Pensamos que quizá uno de los posibles modelos que podía aplicarse en México es el que ha elaborado el Instituto Nacional de Alcoholismo y Abuso del Alcohol de los Estados Unidos[24] para una comunidad rural del Estado de Washington (Caspar), una comunidad periurbana (Somerville, Mass King County), y la Universidad del mismo Estado, del cual extraemos algunas ideas interesantes.

Bases esenciales para un programa educativo

Todo programa de educación para la salud, en el aspecto específico del alcohol, debe tener como finalidad el prevenir al alcoholismo, además de lograr la rehabilitación en los individuos que sufren el síndrome.

Para que se den resultados favorables se necesita lograr un cambio de conducta y de actitud, lo cual se fomentará a través de un programa integral dirigido primero, en términos generales, a la nación en su totalidad, seleccionando después, en sus niveles más específicos, a grupos de diferentes edades, intereses, variedad cultural y educación, dado que el contenido del programa será captado de diferente forma por la población y por la utilización de diferentes medios

Una característica importante de los responsables del programa debe ser la de su preparación y capacitación para el trabajo en ellos, además de tener cierta experiencia en educación para la salud.

Es importante que el grupo o institución que va a impartir la educación tenga una aceptación y sea digna de credibilidad por parte de la comunidad.

Filosofía y objetivos

El programa educativo contra el alcoholismo, como se mencionó, deberá ser integral, abarcando los aspectos de educación para la salud, tomando en cuenta el problema sociocultural de la comunidad, y tendrá una cobertura universal que atienda a niveles múltiples de la población, tanto en forma extensiva como intensiva. Las actividades incluyen: lanzar campañas en los medios de comunicación colectiva a través de carteles alusivos, panfletos, obras de teatro y conferencias. En cuanto a las actividades intensivas, éstas se refieren a: formación de educadores para dirigir ta-

lleres y programas, además de trabajar en las escuelas, en los centros de salud y en todas las organizaciones sociales comunitarias.

El objetivo general del programa es la prevención del alcoholismo, promoviendo la participación de la comunidad para conducir a ésta hacia un *uso más responsable de alcohol.*

Los objetivos específicos derivados del general son:

a) Aumentar el conocimiento de todos los miembros responsables en cuanto al uso del alcohol.
b) Motivar el interés individual para explotar y modificar el comportamiento personal y colectivo.
c) Promover la identificación de un individuo con la probabilidad de contraer problemas relacionados con el alcohol.

CARACTERÍSTICAS DEL PROGRAMA

El programa contra el alcoholismo tendrá como finalidad, entre otras:

a) Alcanzar el consenso y aprobación de la comunidad, involucrando grupos locales relacionados con el problema.
b) El programa debe aceptar e informar que el alcoholismo *es una enfermedad que puede atenderse.*
c) El programa enfatizará el problema que existe en la sociedad en cuanto al alcohol y pretenderá modificar, desaprender y reeducar las actitudes personales.
d) Propondrá moderar y crear patrones de responsabilidad en el consumo.
e) Señalará que la abstinencia debe ser

considerada como una alternativa saludable.

f) El programa propondrá que la educación sobre el alcohol se pueda impartir desde los primeros años de primaria. Para poder tomar una decisión personal, los jóvenes necesitan informarse de los diferentes factores que podrían intervenir en su decisión. Ellos deben tener una imagen positiva para ver las alternativas posibles y conocer los recursos disponibles para obtener ayuda en caso dado.

La población adolescente es la que más atención requiere en cuanto al consumo, en virtud de que es la edad en que empiezan a surgir problemas relacionados con el mismo.

a) La modificación del consumo por los jóvenes depende, entre otras cosas, del aprendizaje, experiencia, persistencia y significado que la comunidad logre establecer acerca del alcohol.

b) En el programa escolar se debe informar y conocer acerca de las actitudes y los cambios de conducta que sufre el adolescente con el consumo inmoderado de alcohol.

c) Los adolescentes necesitan aprender a manejar el problema de la ingesta de alcohol en una sociedad en donde se consume, y a utilizar el alcohol sin alterar sus propios valores y filosofía.

Las características del programa a nivel nacional a través de los medios, consistirá en:

a) Dar información a nivel general sobre el alcoholismo.

b) Enfatizar que el alcoholismo *es una enfermedad* y que si se atiende a tiempo puede ser curable.

c) Encauzar a la población para que asista a los centros de salud o a los diversos lugares donde puede ser atendido el paciente y, por último,

d) Anuncios breves por todos los medios que refuercen la conducta en sentido de hacer conciencia de la responsabilidad personal y social en cuanto al consumo del alcohol.

El programa asume que con una información apropiada y con educación, la gente puede *cambiar su forma de beber*.

ACTIVIDADES DEL PROGRAMA

Dentro de las actividades del programa, se propone que exista una estrecha colaboración entre las diversas estructuras de la sociedad en materia de educación y de salud para tener un acercamiento con diversos enfoques: el aspecto psiquiátrico, el psicológico, el médico, el sociocultural, etc., a través de:

a) Impartir un curso de capacitación en el problema del alcohol, adiestrando al personal tanto para la utilización del material de alcance, como la elaboración de sus propios utensilios de trabajo.

b) Incrementar, a través de sesiones y pláticas de especialistas, el conocimiento sobre el uso y abuso del alcohol, el alcoholismo y los recursos de la comunidad para la atención de personas o familias con problemas, y para motivar estrategias específicas.

c) Establecer lugares de capacitación y consulta para el personal local.

d) Organizar talleres comunitarios, basados en problemas del alcohol, eligiendo a líderes de la comunidad para capacitarlos y que ellos, a su vez, eduquen a la población.

e) Establecer comités para la comunidad, utilizando los centros de salud, y aprovechando las organizaciones sociales existentes y los centros escolares.

f) En las escuelas, realizar sesiones de educación con niños de secundaria para que ellos mismos, con ayuda del maestro, diseñen sus propias actividades y conductas en cuanto a educación para el alcohol.

g) Familiarizar a los maestros con los elementos curriculares y desarrollar planes para instituir sus programas en el terreno del alcohol.

h) Integrar a los libros de texto, lecciones y actividades educativas en materia de alcohol.

i) Mejorar la habilidad de los maestros para conducir discusiones abiertas.

Participantes y espacios

El programa del alcoholismo debe abarcar a grupos específicos tanto a nivel informal como a nivel formal.

Se deberán diseñar talleres sobre el alcohol en diferentes temas tales como: una visión general sobre el alcohol, conocimientos sobre los riesgos del alcohol, la mujer y el alcohol, el alcohol y su papel en el sexo, el alcohol y la familia, cómo ayudar a un alcohólico, alternativas evaluatorias, entrenamiento para el capacitador en alcohol, el hombre y el alcohol, cómo se debe planear una fiesta donde el alcohol no cause problemas serios, discusiones en torno al "stress", etc.

Lo anterior se realizaría en los centros asistenciales ya descritos y de acuerdo a calendarios adecuados.

Metas

Las metas a las que se pretende llegar con la implantación del programa que aquí se bosqueja son:

1. Decrecer el daño producido por el exceso de alcohol.

2. Decrecer el número de problemas de mala conducta producidos por el exceso.

3. Reducir la proporción de personas que conducen vehículos en estado de ebriedad.

4. Reducir la proporción de personas que incurren en faltas y accidentes relacionados con el alcohol.

5. Reducir la proporción de enfermos crónicos.

6. Reducir la proporción de jóvenes relacionados con la delincuencia juvenil provocada por el exceso de alcohol.

Estas metas están apoyadas en estudios que mostraron los problemas provocados por el abuso del alcohol, así como la efectividad del programa señalado.

Para finalizar, hay que recalcar que un programa preventivo-educativo, como el que aquí se propone, constituye solamente una de las vías para combatir el problema del alcoholismo. Otras acciones deberán realizarse necesaria y paralelamente, para lograr mejores resultados.

Nos referimos en concreto a la elevación del nivel de vida de la población (alimentación, salud, vivienda y servicios), generación de empleos, igualdad de oportunidades, etc.

Independientemente de este programa, es necesario realizar más investigaciones, formar más personal y mejorar los aspectos infraestructurales en la atención de los pacientes, revisar la reglamentación y controlar la calidad de los productos.

REFERENCIAS

1. BERRUECOS L: *El alcoholismo y el abuso del alcohol como problema de salud pública, desde el punto de vista de un antropólogo social.* Mesa Redonda de la Sociedad Mexicana de Antropología: "Investigaciones Recientes en el Area Maya". San Cristóbal las Casas, Chiapas, México, 1981. (Inédito).

2. VISIÓN: *La trampa del alcohol.* En: Visión: La Revista Interamericana, *59:* 5-10, 9 de agosto, México, 1982.

3. MURO R: *185 millones de litros de vinos y brandys se consumen anualmente en México: SPP.* Uno más Uno, lunes 21 de junio, México, 1982, p 8.

4. INSTITUTO NACIONAL DEL CONSUMIDOR: *Los mexicanos y el alcohol; ¿cuál salud?* Revista del Consumidor, *70:* 8, México, diciembre de 1982.

5. OMS: *Comité de expertos en salud mental. Reporte de la primera sesión del subcomité del alcoholismo.* No 42, Ginebra, 1951.

6. OMS: *XIII Informe del Comité de Expertos de la Organización Mundial de la Salud en Drogas Toxicomanígenas.* No 273, Ginebra, 1964.

7. COMISIÓN DE SALUBRIDAD Y ASISTENCIA (LI LEGISLATURA 1971-1982): *Informe de Labores.* Secretaría de Salubridad y Asistencia, México, Ms.

8. CALDERÓN N G: *Consideraciones acerca del alcoholismo entre los pueblos prehispánicos de México.* Rev Inst Nac Neurol, Vol II, Jul No *3:* 5-13, 1968.

9. BUSTAMANTE E M: *Aspectos socioeconómicos.* Gac Méd Méx *107:* 27-253, 1974.

10. ENCICLOPEDIA DE MÉXICO: Ed Enciclopedia de México, Tomo 5, México, 1978.

11. BRITTON J: *Educación y radicalismo en México.* Tomo II: "Los años de Cárdenas (1934-40)". Sep-Setentas, No 288, México, 1976.

12. LERNER V: *La educación socialista.* (1934-40), No 17 de la *Historia de la Revolución Mexicana.* El Colegio de México, 1979.

13. GONZÁLEZ G S: Ponencia presentada en la *VIII Semana de Educación para la Salud sobre problemas del alcoholismo.* Organizada por la Dirección General de Servicios Médicos de la UNAM. México, 1982. (Inédito).

14. LEYES Y CÓDIGOS DE MÉXICO: *Código Sanitario y sus disposiciones reglamentarias.* Porrúa, México, 1981.

15. MURO R: *Los vinicultores han actuado al margen de la ley durante los últimos 40 años: Inco y Conafrut.* Uno más Uno, México, martes 18 de enero, 1983, p 9.

16. MUSTARD Y STEBBINS: *Introducción a la Salud Pública.* La Prensa Médica Mexicana, México, 1965.

17. LA BELLE Y THOMAS J: *Educación no formal y cambio social en América Latina.* El Colegio de México, 1980.

18. SINDICATO NACIONAL DE TRABAJADORES DE SALUBRIDAD Y ASISTENCIA: *Preguntas y respuestas: Las reformas del Presidente Miguel de la Madrid H., para la reordenación del país.* México, 1983.

19. AZEVEDO F: *Sociología de la educación.* Ed Fondo de Cultura Económica, México, 1973.

20. GONZÁLEZ R G Y TORRES C A: *Sociología de la educación.* Ed Centro de Estudios Educativos, México, 1981.

21. CASTILLEJO B J L: *Nuevas perspectivas en la ciencia de la educación.* Ed Anaya, Salamanca, 1976.

22. AGUILA J C: *Sociología de la educación.* Ed. Paidós, Argentina, 1976.

23. VELASCO F R: *Esa enfermedad llamada alcoholismo.* Ed Trillas, México, 1981.

24. NATIONAL INSTITUTE ON ALCOHOL ABUSE AND ALCOHOLISM: *Prevention X Three: Alcohol Education Models for Youth.* National Clearinghouse for Alcohol Information, Rockville, 1980.

VARIABLES SOCIALES QUE INFLUYEN EN EL CONSUMO DE LICORES EN MEXICO

MA. DEL PILAR VELASCO MUÑOZ-LEDO*

INTRODUCCIÓN

Tratar de integrar todos los enfoques empleados para el análisis de la etiología del alcoholismo, y todas las hipótesis derivadas de ellos, resulta una tarea ardua que, necesariamente, conducirá a resultados poco alentadores, dado que tenderá a mostrar las grandes carencias existentes en el conocimiento de las variables casuales del consumo problemático de alcohol, y los enormes requerimientos de investigación.

Desde que los efectos negativos del consumo inmoderado de bebidas alcohólicas empezaron a manifestarse y a ser reconocidos mundialmente, una gran cantidad de instituciones y profesionales encaminaron sus esfuerzos a la comprensión de esta problemática. Con el objeto de combatir el alcoholismo, numerosos investigadores emprendieron la difícil tarea de definirlo y explicarlo desde diferentes perspectivas de orden médico, primero, e introduciendo elementos del campo de la psicopatología y la sociología, posteriormente.

Lo que aquí se pretende es exponer, de manera resumida —y de ninguna forma exhaustiva—, algunas de las ideas más importantes que han surgido en el intento por explicar las variaciones en el consumo de alcohol. No mencionaremos aquí los enfoques y las hipótesis que han sido empleados en las explicaciones fisiológicas

* Socióloga. Maestra en Demografía. Jefe del Departamento de Eventos Especiales de la Dirección General de Asuntos del Personal Académico de la UNAM.

y psicopatológicas, sino que analizaremos únicamente aquellos elementos vinculados a los factores sociales y culturales que se encuentran asociados a la ingestión.

Con el objeto de presentar la información de manera sistemática y ordenada, hemos agrupado las distintas variables socioculturales en cuatro apartados fundamentales, que pretenden proporcionar una visión rápida y general del tema. Así, elementos tales como la desintegración familiar, el divorcio y las fallas en el proceso de endoculturación se incluyen bajo el título "aspectos relacionados con la familia", mientras que los factores mítico-religiosos, los procesos de aculturación brusca, la marginación y otros, se integran en la parte "aspectos relacionados con la organización social".

Un aparato posterior es destinado a la exposición de los aspectos relacionados con la producción, la distribución y la propaganda de bebidas alcohólicas, y uno más en el que se consideran algunas variables sociodemográficas tales como la edad, el sexo y la educación, entre otros.

Por último, hemos destinado una parte a las consideraciones finales, reflexiones que han surgido durante el desarrollo del presente trabajo.

Vale la pena aclarar aquí, sin embargo, que la producción teórica sobre el alcoholismo en México ha sido sumamente pobre. En general, los estudiosos mexicanos han partido de las hipótesis derivadas de otros estudios realizados en el resto del mundo, aunque analicen casos particulares. Por lo anterior, en el presente trabajo hemos tomado como base los análisis de diversos autores extranjeros y, cuando ha sido posible, enfatizamos en los aspectos que han sido destacados por los investigadores de nuestro país.

LAS VARIABLES SOCIALES Y CULTURALES CONSIDERADAS EN EL ANÁLISIS DEL ALCOHOLISMO Y EL ABUSO DEL ALCOHOL

Hablar de las causas sociales que influyen en la génesis y en el desarrollo del alcoholismo (y del consumo inmoderado de bebidas alcohólicas) resulta sumamente complejo. Puesto que no hay una relación causal única, y dado que no puede decirse que sólo los factores sociales y culturales influyen en la aparición del alcoholismo, debemos iniciar este apartado señalando la existencia de numerosos aspectos de diversa índole, que deben ser tomados en consideración para realizar un análisis serio del tema que aquí nos ocupa. Resulta, pues, más acertado hablar de las variables que influyen en el consumo de alcohol y, aunque aquí trataremos de aquéllas consideradas de índole social y cultural, no podemos dejar de mencionar que existen otros factores de naturaleza diferente y que deben ser analizados para lograr obtener una visión más global del problema.

Mucho se ha repetido la afirmación de que en todas las sociedades consignadas por la historia el alcohol ha sido empleado como sustancia estimulante y anestésica, y ha desempeñado una importante función en los contactos sociales y en las ceremonias religiosas. Así, para los profesionales interesados en este tema, resulta casi increíble el hecho (de por sí desalentador) de que apenas en este siglo se haya alcanzado un apreciable conocimiento —aunque aún incipiente— acerca de las causas del alcoholismo, su diagnóstico y su tratamiento.

Los investigadores —y especialmente los médicos— se han conformado durante muchos años con estudiar algunos de los efectos más sobresalientes de la ingestión excesiva pero, en la actualidad, ha cobrado importancia el análisis de los distintos factores que contribuyen a su desarrollo. En los últimos años, el tema ha sido centro de la atención de muchos especialistas y numerosos organismos estatales y privados, que han pretendido establecer proposiciones que intenten explicar las variaciones de la ingestión y las desviaciones en el comportamiento individual y social debidas al alcoholismo. Sin embargo, vale la pena recordar nuevamente que, de acuerdo con los estudios más recientes, no existe una causa única o una "etiología unitaria" de este padecimiento, sino diversos factores predisponentes y desencadenantes del mismo.[1]

En general, los estudiosos coinciden en señalar la existencia de factores orgánicos o fisiológicos, psicológicos y socioculturales vinculados al consumo excesivo de bebidas alcohólicas, y todos ellos deben ser tomados en consideración si deseamos comprender la problemática que nos ocupa.

No nos detendremos aquí a analizar los factores de naturaleza diferente de la social que influyen en el consumo de bebidas alcohólicas, pero debemos repetir que no pueden dejarse de lado. Muchos factores de orden fisiológico u orgánico han sido analizados por diversos especialistas, y han surgido teorías relacionadas con la herencia, los problemas metabólicos, el mal funcionamiento glandular, etc., pero ninguna de ellas ha sido suficiente, por sí misma, para explicar el fenómeno del alcoholismo. De hecho, se ha concluido que "todo defecto genético, funcional, metabólico o nutricional, necesita la concomitancia de otros factores como los psicopatológicos y los socioculturales, para adquirir relevancia como precipitantes del alcoholismo".[1]

Los factores denominados psicopatológicos también han sido analizados con frecuencia y se han establecido hipótesis sobre la existencia de una "personalidad prealcohólica", sobre la "homosexualidad latente", privaciones emocionales de la infancia, etc. Sin embargo, las teorías psicopatológicas tampoco logran explicar completamente este fenómeno, puesto que no facilitan una respuesta satisfactoria al hecho de que, aun cuando no parece existir un conjunto determinado de circunstancias psicológicas que predispongan al alcoholismo, éste constituye un cuadro clínico privado de ciertas personas.

Los estudios realizados en este campo corroboran la idea de que, aun cuando el alcoholismo no sea resultado invariable de un tipo de personalidad único, ciertos tipos de personalidades, sometidos a determinadas tensiones circunstanciales, están particularmente predispuestas al alcoholismo como medio de ajuste. Es bastante frecuente que los estudios sobre la ingestión excesiva de alcohol estén cubiertos de alusiones a las experiencias de la socialización y la dinámica de la personalidad, en relación con los problemas básicos de temprana privación emocional y los conflictos de dependencia.[2]

Específicamente en lo que se refiere a los factores sociales y culturales que influyen en la ingestión anormal de alcohol, los estudios han sido iniciados más recientemente, y aún son muchas las lagunas que quedan por analizar. Numerosos trabajos han servido para señalar algunos hechos que indudablemente influyen sobre la incidencia o la ausencia del alcoholismo entre diferentes grupos sociales, pero en muchas ocasiones los efectos son confundidos con las causas, mostrando una línea divisoria difícil de distinguir.

Velasco Fernández y otros autores han señalado que las investigaciones más dignas de crédito demuestran que los grupos sociales con menor número de alcohólicos tienen las siguientes características.

— Los niños ingieren bebidas alcohólicas desde pequeños, pero siempre dentro de un grupo familiar unido, en poca cantidad y muy diluidas.

— Generalmente las bebidas más consumidas son las de alto contenido de componentes no alcohólicos.

— Las bebidas se consideran principalmente como alimentos, y se consumen generalmente con las comidas.

— Los padres son ejemplo de consumidores moderados.

— No se da a las bebidas alcohólicas ningún valor subjetivo. Así, el ingerirlas no es virtuoso ni vergonzoso, ni prueba que el bebedor sea más viril.

— La abstinencia es una actitud socialmente aceptable.

— En cambio, no es socialmente aceptable el exceso en el beber, que conduce a la intoxicación.

— Finalmente, existe un acuerdo completo respecto a lo que pueden llamarse las "reglas del juego" en el "beber".

Sin embargo, aún queda mucho por analizar en este campo, y muchos elementos que deben ser estudiados con una mayor profundidad.

Dentro de las teorías sociológicas (como en las psicopatológicas) encontramos aquéllas que aluden al supuesto de que la función primaria de las bebidas alcohólicas, en todas las sociedades, consiste en reducir la ansiedad. Horton,[3] por ejemplo, afirmaba que el consumo de alcohol tiende a ir acompañado de la liberación de impulsos agresivos y sexuales; todas las sociedades deben inhibir, en alguna medida, la expresión de estos impulsos, y reducir la ansiedad mediante el alcohol es, efectivamente, relajar la inhibición. Otros autores han completado esta visión, señalando la importancia central que tiene el conflicto de dependencia en la problemática del alcoholismo, y han propuesto que el alcohol provee la reducción de la ansiedad y la tensión, permitiendo la satisfacción de los deseos de dependencia.[4]

Klausner[5] investigó ampliamente el uso ceremonial del alcohol entre los pueblos "primitivos" en un estudio comparativo, y no encontró un nexo regular entre el uso ceremonial del alcohol y la sobriedad, pero advirtió cierta tendencia, a nivel cultural, a que al uso del alcohol en las ceremonias religiosas correspondiera un consumo excesivo del mismo, en situaciones sin significado religioso.

Aunque lo señalado hasta aquí sobre la bebida en las sociedades primitivas, no refleja toda la riqueza de las investigaciones antropológicas dedicadas a culturas concretas, destaca la importancia de los factores socioculturales en la conformación del comportamiento relacionado con la bebida.

Son realmente pocos los trabajos de los científicos sociales que enfocan resueltamente el tema de las funciones del alcohol en una sociedad moderna o compleja. Selden Bacon[6] describe a la sociedad grande muy especializada como "anómica" (caracterizada por rápidos cambios, controles sociales compartimentados, individualismo exaltado junto a la interdependencia funcional, intensa competencia, movilidad e impersonalidad), en la cual el valor social del alcohol se realza no sólo porque ofrece alivio a los individuos sometidos a tensión, sino porque proporciona un mecanismo necesario de integración social.

La "anomia", definida como el estado psicológico especial de los individuos que se sienten alienados en su propia sociedad —de la cual no aceptan ni asimilan sus valores éticos—, facilita la compulsión a ingerir bebidas alcohólicas y, en general, a usar drogas que provocan dependencia[1]. Los franceses, por su parte, definen a la anomia como el resultado de una ruptura en la estructura sociocultural, "debida a un desfasamiento y a una tensión excesiva entre las metas propuestas y los medios legítimos que pueden usarse. Los valores culturales de alguna manera suscitan conductas que van en su contra y esta desarticulación de la cultura y la sociedad, conducen a una disolución de las normas y a la anomia misma: estado social caracterizado por la ausencia de normas".[1]

Otros estudios llevados a cabo por Jellinek[7] y por John R. Seeley[8] han demostrado la existencia —dentro de amplios límites culturales— de una relación entre la concentración de la población, por una parte, y el consumo de alcohol y ciertos índices de alcoholismo, por la otra. Richard Jessor y sus colaboradores[9] establecieron conexiones entre la ingestión excesiva de alcohol y el máximo grado de anomia, tanto en el sentido de disociación de metas y medios culturales (de acuerdo con Merton), como en términos de simple fallo en el consenso normativo.

Desde el punto de vista histórico, existen evidencias de un uso cada vez más amplio del alcohol en las sociedades cuyo proceso de urbanización ha sido rápido, pero estudios recientes demuestran la existencia de elevados índices de alcoholismo en comunidades rurales cuyo proceso de urbanización ha sido sumamente lento.[10]

Factores sociodemográficos han sido señalados por diferentes autores como de gran utilidad para el análisis de las variaciones del consumo de alcohol entre distintos grupos sociales. La edad y el sexo son las dos variables fundamentales que se emplean para analizar diferenciales en la ingestión, y aunque —en general— los índices de alcoholismo son más elevados entre el sexo masculino, en años recientes el consumo femenino se ha incrementado notablemente, de acuerdo con la mayor participación de la mujer en la educación y en el mercado laboral, como se verá más adelante.

Aparte de las teorías sociológicas y antropológicas arriba señaladas, la gran mayoría de los autores confiere gran importancia a los factores socioculturales en la génesis y el desarrollo del alcoholismo, siempre en interacción con elementos de carácter orgánico y psicopatológico. Sin pretender elaborar una clasificación exhaustiva, resumimos a continuación algunos de los factores de orden social y cultural que han sido mencionados por distintos autores en diversas investigaciones. Con el objeto de sistematizar la información, hemos agrupado los diferentes elementos intervinientes en cuatro apartados específicos, pero es necesario decir que la clasificación tiene por objeto único el proporcionar una visión rápida y general del tema, y no procede de ningún estudio específico ni se presenta de manera rígida como la más adecuada. Los diferentes elementos incluidos en cada apartado pueden agruparse de diversas maneras, en función de los objetivos de cualquier trabajo particular.

1. Aspectos relacionados con la familia

Diversos autores han señalado a la familia como elemento primordial entre los factores sociales y culturales que intervienen en el desarrollo del alcoholismo. Los enfoques empleados en su estudio difieren considerablemente y se relacionan con distintos aspectos que van, desde la presencia de un alcohólico entre los miembros del núcleo familiar, hasta factores vinculados con la situación de pobreza y hacinamiento.

Cuando se habla del alcoholismo como problema de la familia, en muchas ocasiones se hace referencia al hecho de que este problema se encuentra presente entre los descendientes o ascendientes del alcohólico, situación que llevó a pensar a algunos investigadores en la posibilidad de un elemento hereditario de predisposición. Sin embargo, y sin descartar del todo esta posibilidad, investigaciones más recientes han llevado a pensar que no se trata de una herencia genética como tal, sino de la influencia del medio ambiente familiar deteriorado, y de la actitud del padre y de la madre del sujeto, quienes desempeñan un papel importantísimo.[11]

Aspectos tales como la desintegración familiar, el divorcio, los ingresos, el hacinamiento, la pobreza, la desorientación y otros, frecuentemente son empleados como instrumentos únicos en la explicación del alcoholismo, y pueden ser enfocados todos ellos desde el punto de vista del proceso de formación de la personalidad.

En términos muy generales —y en su sentido técnico más ampliamente difundido— la personalidad se refiere a aquellas disposiciones del individuo que ayudan a determinar su conducta y que difieren de una persona a otra. Por tanto, no se refiere a la conducta observable en sí, sino a las disposiciones que subyacen en la conducta.[12]

Los teóricos difieren acerca de cuáles son los elementos de la personalidad, cómo están organizados, cuáles son sus límites y cómo interactúa ésta con otros fenómenos. En la psicología contemporánea se han ofrecido muchas y diversas propuestas para el análisis de la personalidad, puesto que sus elementos son conceptos que han sido desarrollados en un esfuerzo por comprender una estructura compleja, en la que existen muchos niveles de organización. Sin analizar aquí los diferentes enfoques empleados para definir la personalidad (tesis psicoanalíticas, behavioristas, dinámico-organísmicas, etc.), podríamos

decir que, en general, se está de acuerdo en señalar que una personalidad, considerada constitucional y operativamente como una totalidad temporal que se extiende desde el nacimiento hasta la muerte, es la historia de los productos acumulativos de dos procesos fundamentales: el genético y el experimental.[12] Este último —que es el que en este momento nos interesa— se encuentra determinado por la sucesión y recurrencia de diversos enfrentamientos concretos con el medio. Las experiencias tenidas determinarán, en gran medida, las conductas posteriores del individuo, por lo que el medio ambiente contribuye al desarrollo de la personalidad.

La familia constituye el primer elemento con el que un individuo debe enfrentarse, y esta misma entidad es la que proporciona al niño los primeros elementos del aprendizaje. El proceso por medio del cual el individuo aprende los valores, normas, costumbres, etc., es denominado —de manera general— "socialización"; sin embargo, los antropólogos distinguen una primera etapa de socialización dentro de la familia —la endoculturación— y un momento posterior, en el que es la sociedad en su conjunto la que provee el aprendizaje —la socialización propiamente dicha.

Así pues, todas las experiencias individuales (provengan de la familia o del exterior) constituyen el proceso experimental del desarrollo de la personalidad. Si las experiencias son negativas, la probabilidad de desarrollar desórdenes en la conducta será mayor.

En el caso concreto del alcoholismo, tanto el padre como la madre desempeñan una función primordial; si uno de ellos sufre este padecimiento, existe una mayor probabilidad de que el sujeto se convierta en alcohólico.

Sin embargo, no es la presencia de un alcohólico én la familia el único elemento que hay que tomar en consideración. Experiencias negativas en la vida de un individuo (como el divorcio de los padres, la desintegración familiar, la pobreza, el hacinamiento, etc.), contribuyen a producir desorientación e insatisfacción y a la búsqueda de satisfactores como el alcohol y otros fármacos. De ahí que frecuentemente se mencione que el alcoholismo es menor entre los grupos sociales en donde "los pades son ejemplo de consumidores moderados. . .; los niños ingieren bebidas alcohólicas desde pequeños, pero siempre dentro de un grupo familiar unido, etc. . . ."[13]

2. Aspectos relacionados con la organización social

Las condiciones sociales generales son, quizás, la parte que más ha sido estudiada por los científicos sociales, en cuanto a la problemática del alcoholismo. Sin embargo, los análisis se han centrado más en los efectos "desastrosos" que la ingestión inmoderada trae consigo y, sólo superficialmente, se mencionan algunas de las consideradas causas.

Los aspectos mítico-religiosos han tenido participación en la ingestión de alcohol. Estudios como los de Calderón[14] señalan que el consumo entre las antiguas civilizaciones mesoamericanas estaba asociado, fundamentalmente, a rituales y ceremoniales de carácter religioso, mientras que la ingestión generalizada se encontraba sujeta a sanciones que abarcaban el repudio social y el castigo físico. Se han señalado

ya las conclusiones a las que arribó Klausner al respecto.

Los procesos de aculturación brusca y de consecuente pérdida de identidad nacional han sido tratados como condicionantes del alcoholismo por autores como Gruzinski,[15] quien señala que la civilización azteca se encontraba atrapada entre sus creencias ancestrales y la alternativa cristiana. Sin embargo, para poder llegar a conclusiones de esta naturaleza sería necesario realizar estudios profundos, por ejemplo, entre los inmigrantes mexicanos indocumentados hacia los Estados Unidos, o entre las comunidades indígenas que sufren rápidas y severas transformaciones en sus estructuras sociales, como resultado del contacto con los "beneficios del desarrollo".

Lo anterior se encuentra estrechamente vinculado con otros elementos que han sido considerados como factores que contribuyen a la "despersonalización" y, en ciertos casos, a desórdenes de la conducta, tales como los rápidos procesos de urbanización y tecnificación, pero aun cuando estos elementos fueran útiles en el análisis de ciertos casos de alcoholismo, no serían suficientes para explicar la mayoría de ellos.

La marginación —como la pobreza— ha sido empleada para explicar ciertos tipos de "desviaciones sociales" como el alcoholismo, pero nuevamente nos encontramos ante un gran número de casos que no pueden ser analizados a la luz de esta perspectiva, y que requieren de otro tipo de hipótesis para ser comprendidos.

En otros estudios revisados, se observa la existencia de una amplia gama de características significativas en la génesis y desarrollo del alcoholismo. Se afirma que los patrones de ingestión se basan, varían y están influenciados por las normas culturales y los valores de las diferentes sociedades, por lo que se hace indispensable analizar el papel que, en cada una de ellas, desempeña el alcohol.

En este contexto, debe ser analizado el papel del alcohol como factor de cohesión e integración social, así como su participación como elemento de prestigio. Berruecos y Velasco, por ejemplo,[10] señalan la importancia de estos aspectos en una comunidad indígena: (el alcohol) "Sirve... para convalidar una situación social... Cohesiona a la población al ingerirse en una festividad religiosa... Permite una interacción más abierta entre los que lo ingieren, al desinhibirse los vecinos que se reúnen socialmente... El que invita a una fiesta... y ofrece bebidas caras y abundantes, es apreciado y respetado... Una fiesta es 'buena'... según la cantidad de alcohol que circula en la misma... El habitante del lugar pide alcohol como ejemplo de compañerismo a los visitantes de fuera...", etc. Todas éstas son frases que indican la importancia del rol que puede desempeñar el alcohol en una comunidad.

Otros autores señalan que, en tanto hecho cultural, el consumo de alcohol tiene sus raíces en la condiciones ambientales y, más precisamente, en la disponibilidad de materia prima de la cual es posible obtener alcohol, en la tecnología con la que se cuenta para la obtención y el procesamiento de este producto y en "una estructura de significado que mediatice ese consumo y a la cual correspondan los valores de normalidad que estipulan los márgenes de tolerancia del uso de la droga,

en este caso el alcohol, y los criterios de transgresión, en base a los valores e intereses que su consumo amenace".[16] En cambio, el consumo problemático de las bebidas alcohólicas es analizado a la luz de otros elementos, como los que hemos venido describiendo.

En relación con lo anterior, cabe destacar aquí una afirmación derivada de los trabajos de la Organización Mundial de la Salud[17] y que señala que, en una primera etapa, los hábitos tradicionales de consumo —enmarcados en patrones culturales que lograban un control social relativamente consistente— mantenían el uso del alcohol en niveles bajos y con transgresiones poco significativas. Así, el consumo problemático es atribuido al desarrollo de la industrialización y del comercio internacional que, entre otros efectos, contribuyeron al debilitamiento de las restricciones implantadas por las costumbres tradicionales.

Autores como Bales[18] plantean que el alcoholismo puede ser considerado como comportamiento alternativo, que responde a la frustración permanente producida por el estado constante de desorganización social.

Finalmente, cabe recordar aquí dos elementos de los que han sido considerados en el intento por explicar las variaciones en el consumo de alcohol. El primero de ellos se refiere a los aspectos políticos, es decir, a la gran cantidad de intereses de esta naturaleza que influyen en la producción, venta y consumo de las bebidas alcohólicas. El segundo se relaciona con la idea de las contradicciones sociales en las que se ve envuelto un sujeto, y que producen conflictos entre sus valores y sentimientos y los requerimientos sociales de su persona (las expectativas en función de su posición social). Se dice que, de acuerdo al estatus, existe una serie de funciones que un individuo debe desarrollar y un conjunto de tareas que tiene que llevar a cabo; cuando éstas entran en contradicción con la personalidad del individuo —con sus principios morales y con sus experiencias—, se produce un estado de frustración y ansiedad del que ya hemos hablado, y que puede conducir a la búsqueda de otros satisfactores, y el consumo de bebidas alcohólicas puede producirle la sensación de un cambio sustancial de su situación.

3. Aspectos relacionados con la disponibilidad de bebidas alcohólicas

En los últimos años, han sido elaborados algunos trabajos que pretenden mostrar cómo la disponibilidad y la publicidad de las bebidas alcohólicas han tenido serias repercusiones en el incremento del consumo y de los índices de alcoholismo. Entre otros, el incremento del número de expendios de estas sustancias ha sido considerado como un elemento que contribuye a la aparición de este desorden de la conducta. Guedea[19] señala las distintas reglamentaciones que fueron elaboradas para disminuir el número de establecimientos de venta de bebidas embriagantes durante la época colonial, como medio para disminuir el consumo. Sin embargo, el aumento de este tipo de expendios ha continuado desmesuradamente (su número se ha incrementado notablemente, sobre todo si lo comparamos con el incremento de los establecimientos de instrucción primaria) debido, entre otras cosas, al monto de los impuestos que son recabados anualmente por este concepto y a la gran cantidad de intereses económicos y políticos que se encuentran involucrados.

El incremento en la producción se vislumbra, así, como una respuesta al mayor consumo de una población creciente, que constituye un mercado cada vez más amplio al que hay que incorporar, fundamentalmente a través de la publicidad.

Muchos estudios de años recientes han intentado atribuir a la propaganda el carácter de "variable causal" del consumo excesivo de bebidas alcohólicas.[20, 21] Trabajos como el de Rota y colaboradores[22] analizan la relación entre las fuentes de información y el conocimiento y uso de ciertas drogas, entre las que se incluye el alcohol; en éste, se señala que los medios de información colectiva son más efectivos en la difusión de la información, que aquéllos denominados interpersonales. Así, se llega a la conclusión de que el conocimiento, las actitudes y la conducta se encuentran positiva y significativamente vinculadas al flujo de información, pero es necesario recordar que el alcohol constituye una sustancia ampliamente conocida y que las conclusiones del trabajo son válidas únicamente en el caso de las otras sustancias contempladas en el análisis.

Sin embargo, trabajos realizados en Alemania señalan que la publicidad no parece tener influencia sobre el consumo de bebidas alcohólicas.[23] En general —y aunque falta mucho por estudiar— puede decirse que la publicidad desempeña una función de "reforzador" de la conducta y modifica patrones de consumo, pero no hay evidencias que nos indiquen que pueda considerársele como causa del alcoholismo. Para apoyar lo anterior, algunos investigadores suelen basarse en el hecho de que, en los países del bloque socialista, en donde no existe propaganda sobre estos productos, el alcoholismo se encuentra ampliamente difundido.

Efectivamente, las distintas marcas de productos con contenido alcohólico han incrementado su gasto publicitario, especialmente entre 1976 y 1979[21], pero este aumento puede muy bien ser visto como la respuesta lógica a la necesidad de captar un mayor número de consumidores, modificando las preferencias de una gran cantidad de población que anualmente se inicia en el consumo, ampliando el mercado.

Aun cuando falta mucho por investigar en este campo, puede afirmarse que la publicidad, en general, no debe ser considerada como variable causal de la ingestión inmoderada de bebidas alcohólicas. En cambio, muchos estudios apuntan la importancia de la "disponibilidad" de alcohol en el desarrollo de la problemática que aquí nos interesa, y se requieren estudios serios que verifiquen tal hipótesis.

En este sentido, cabe citar algunos trabajos realizados por la Organización Mundial de la Salud[17] en relación a los factores vinculados al cambio en el uso del alcohol (el paso del consumo, en tanto hecho cultural, al consumo problemático), en los que se señala:

— Una mayor disponibilidad de alcohol, como resultado del reemplazo de los sistemas tradicionales de fermentación y destilación, por procedimientos tecnológicos industriales.
— Una mayor accesibilidad, producto del decremento del costo real de las bebidas

alcohólicas y del debilitamiento de las restricciones.
— Un cambio en los hábitos de ingestión:
a. Diversificación del consumo, en términos de ingestión en situaciones nuevas y más variadas, de cantidad y frecuencia, de incorporación de sectores de la población tradicionalmente no consumidores, etc.
b. Convergencia, a escala mundial, que hace que los licores de marcas comerciales nuevas (generalmente importadas) se sumen a las bebidas de consumo tradicional.

De cualquier manera, la prohibición y la persecución a fabricantes y vendedores resulta poco factible, y sus resultados podrían ser contraproducentes, como ha ocurrido ya en países como los Estados Unidos (durante la "ley seca"). Lo que sí resulta indispensable es el hacer cumplir las disposiciones legales en torno a la producción y venta de licores y, sobre todo, en cuanto al control de los contenidos publicitarios de estos productos.

4. Otros factores socioculturales asociados al consumo de alcohol

Frecuentemente la falta de instrucción ha sido considerada como un elemento que contribuye a la aparición del alcoholismo. El "nivel educativo" de la población es percibido como la causa primordial del consumo excesivo de alcohol durante la época colonial[19], y esta opinión prevaleció durante largo tiempo, como lo demuestran algunos de los trabajos de principios de este siglo y de la década de los 70as.[24] Así, en algunas campañas contra el alcoholismo —como en la desarrollada por el Partido

Socialista Fronterizo de Tamaulipas—,[25] se considera indispensable elevar los niveles de instrucción para abatir los índices de alcoholismo.

Este aspecto de la educación debe también ser concebido desde otro punto de vistas; autores como Oliva,[26] se han preocupado por proporcionar a la población en general un mínimo de instrucción sobre los efectos negativos del alcohol. Desde su punto de vista, las informaciones erróneas sobre las bebidas alcohólicas —como las que hacen referencia a su valor nutritivo y fortificante— inducen a la población a consumirlas, por lo que es indispensable proporcionarle información seria, con bases científicas, sobre sus efectos.

Otros elementos han sido considerados como "causa" de la ingestión anormal de alcohol. Valenzuela[27] señalaba que la ambición y la decepción eran factores que inducían al alcoholismo.[24] Aunque aparentemente se trata de una afirmación "poco científica" algunos autores contemporáneos atribuyen a la depresión un valor contribuyente en el desarrollo del alcoholismo. Martínez Cid,[11] por ejemplo, señala que algunas personas intentan salir de la depresión aguda mediante la ingestión de bebidas embriagantes.

Muchas otras variables han sido analizadas en su asociación con el consumo de alcohol. Se han estudiado, en un intento por explicar las variaciones de la ingestión entre distintos grupos sociales, los diferenciales de acuerdo al sexo, la edad, la condición étnica, los ingresos, etc. Sin embargo, estos diferenciales no son suficientes para inferir respuestas apropiadas en cuanto a las variaciones en el consumo. En efecto, se ha visto que el sexo constituye una variable de diferenciación: hay una mayor proporción de hombres alcohólicos que de mujeres con este padecimiento, pero esta diferencia puede ser atribuida al papel que desempeñan los sexos en la sociedad. La mujer se ha visto marginada, durante muchos años, de la educación y del mercado laboral, y se observa una clara relación entre la vinculación de ésta a las actividades remuneradas, la instrucción y la cultura en general, con el aumento del consumo. Cada vez más, la brecha entre alcohólicos de sexo masculino y femenino se acorta, y la proporción de mujeres que sufren este padecimiento se eleva.

En cuanto a la edad, se ha observado que el alcoholismo se presenta más frecuentemente entre los adultos que entre los jóvenes, pero esta diferencia debe ser atribuida, en general, a la accesibilidad que se tiene respecto al alcohol. Muy frecuentemente, los jóvenes se encuentran marginados del beber, y sólo se les permite en ocasiones excepcionales, generalmente en las actividades de tipo social, mientras que los adultos no tienen restricciones al respecto.

En lo que respecta a los ingresos y el grupo étnico de pertenencia, no se ha observado la existencia de diferenciales importantes o significativos; se trata, más bien, de diferencias en el tipo y calidad de la bebida, y en las situaciones en las que se acostumbra beber.

CONSIDERACIONES FINALES

Hasta aquí, hemos querido exponer brevemente algunas de las principales ideas que han surgido en el intento por explicar y definir el alcoholismo y el consumo inmoderado de bebidas alcohólicas. Aunque no se trata, desde luego, de una revisión exhaustiva, parece útil en cuanto a la sistematización de los criterios empleados en el análisis del alcoholismo, y pone de manifiesto la gran diversidad de enfoques a través de los cuales se han llevado a cabo los estudios sobre este tema.

Al tratar de ordenar los factores sociales y culturales asociados al consumo de alcohol, específicamente, salta a la vista una primera conclusión: prácticamente no existe área de la vida social que no se vea afectada o no haya sido analizada en su relación con la ingestión excesiva de bebidas alcohólicas.

A diferencia de otros padecimientos, el alcoholismo se encuentra todavía en una etapa preliminar de análisis en la que no se ha logrado su comprensión total, de manera que, aún en la actualidad, carecemos de acuerdo general sobre una definición inobjetable. Así, cada especialista lo ha enfocado desde su perspectiva doctrinaria y, en cuanto a las definiciones basadas en la etiología, han dado énfasis a ciertos aspectos que parecen relevantes, en función de las características de su profesión específica.

Las definiciones del alcoholismo han proliferado en los últimos años y, de acuerdo con Velasco Fernández[1] pueden ser clasificadas en tres grandes grupos:

— Las que se refieren al alcohol mismo.
— Aquéllas que enfatizan los aspectos sociales.
— Las que hacen de la patología subyacente el criterio fundamental.

Sin intentar aquí una revisión de las distintas definiciones del alcoholismo, queremos señalar el hecho de que, hasta el momento, ninguna cuenta con la aprobación general de los especialistas, y ninguna sitúa a este padecimiento dentro del campo específico de estudio de una disciplina particular. En los diferentes intentos por comprenderlo, los profesionales han terminado por describir sus efectos, sin lograr definir sus causas.

Incluso las definiciones mas aceptadas, como la de Keller,[1, 28]

"El alcoholismo es una enfermedad crónica de carácter físico, psíquico o psicosomático, que se manifiesta por un desorden de la conducta y que se caracteriza por la ingestión repetida de bebidas alcohólicas, hasta el punto de que excede a lo que se acepta socialmente y que interfiere con la salud del bebedor, con sus relaciones interpersonales o con su capacidad para el trabajo"—

aluden a sus consecuencias, más que a su etiología, y no lo conceptualizan desde el punto de vista particular de una disciplina, al no conceder importancia primordial a algún elemento específico de carácter físico, psicológico o social. Así, el campo ha quedado abierto a discusión y casi cualquier elemento puede ser vinculado a la ingestión anormal de alcohol.

Específicamente en lo que respecta a lo social, existen numerosas definiciones en torno al alcoholismo, pero se carece de una conceptualización particular, de un entendimiento del fenómeno a la luz de un marco teórico general y, por consiguiente, no existe una teoría sociológica o antropológica del mismo. Se han visto las relaciones del consumo inmoderado de alcohol con diferentes aspectos de la organización social y familiar, pero al no existir la teoría que sustente estas relaciones, no puede llegarse a una definición que explique la naturaleza social del alcoholismo.

Dada esta incapacidad para conceptualizar a la ingestión anormal de alcohol desde el punto de vista sociológico, se ha producido una multiplicidad de definiciones, todas ellas subjetivas, descriptivas y parciales, y no se ha logrado establecer la jerarquización de las variables asociadas. Así, la desintegración familiar y la pobreza, se encuentran en el mismo nivel de análisis que el hacinamiento, la ansiedad o la desorganización social. Como consecuencia, las respuestas que han sido elaboradas en el intento por solucionar los problemas derivados del consumo de alcohol, se han visto sesgadas por la subjetividad y han tenido parciales alcances.

Si esto es así en la mayoría de los países que se han preocupado por el estudio del alcoholismo, en México esta situación se ha reflejado de manera que no ha habido creatividad ni imaginación en los análisis emprendidos. Sólo recientemente han sido iniciados los estudios con poblaciones específicas (comunidades rurales o indígenas, reclusos, pacientes, etc.), pero siempre con los "marcos teóricos" surgidos de las investigaciones de otros países.

Algunos autores mexicanos han intentado sistematizar la información sobre las variables intervinientes en la génesis y desarrollo del alcoholismo, pero hay poca originalidad en cuanto a las definiciones y,

sobre todo, en lo que respecta a la conceptualización.

Lo que parece más urgente, entonces, es emprender la difícil tarea de comprender al alcoholismo, insertado en el cuerpo teórico específico que se derive de su correcta conceptualización. Mientras esta labor no sea llevada a la práctica, seguirán proliferando los estudios compartimentalizados en los que se valore o se enfatice en uno o varios criterios, sin jerarquización alguna, y las acciones que se establezcan para resolver los problemas asociados al alcoholismo, seguirán multiplicándose, siempre con alcances limitados.

REFERENCIAS

1. VELASCO F R: *Salud mental, enfermedad mental y alcoholismo.* México, ANUIES-Trillas, 1980.
2. JONES H: *Alcohol addiction: A psycho-social approach to abnormal drinking.* Tavistock, London, 1963.
3. HORTON D: *The functions of alcohol in primitive societies: A cross-cultural study.* Quar J Stud Alc *4:* 199-320, 1943.
4. BACON M K, BARRY H y CHILD I L: *A cross-cultural study of drinking: relations to other features of culture.* Quar J Stud Alc Supp No *3:* 29-48, 1965.
5. KLAUSNER S Z: *Sacred and profande meanings of bloods and alcohol.* J Social Psych *64:* 27-43 USA, 1964.
6. BACON S D: *Alcohol and complex society.* Documento mecanografiado. Yale University. Laboratory of Applied Psychology.
7. JELLINEK E: *Recent trends in alcoholism and in alcohol consumption.* Quar J Stud Alc *8:* 1-42, USA.
8. SEELEY J R: *The ecology of alcoholism: A beginning.* Pittman D y Snyder Ch (edits): *Society, culture and drinking patterns.* Wiley, New York and London, 1962.
9. JESSOR R ET AL: *Tri-ethnic research project.* Research Report No 25. University of Colorado. USA, 1963.
10. BERRUECOS L y VELASCO M-L P: *Lástima que Mohuintía quema y no papá: patrones de ingestión de alcohol en una comunidad indígena de la Sierra Norte de Puebla, México.* Reportes Especiales. Centro Mexicano de Estudios en Salud Mental. México, 1977.

11. Martínez C E: *Aspectos médico-psiquiátricos del alcoholismo.* Heinze, G: *Opiniones de especialistas acerca de las causas, sintomatología y métodos terapéuticos.* Breviarios del Fondo. FCE. México, 1976.

12. Sanford N: *Personalidad. Ambito. Enciclopedia internacional de las ciencias sociales.* Vol 8, Edit Aguilar.México, 1976, p 63.

13. Velasco F R: *Esa enfermedad llamada alcoholismo.* ANUIES-Trillas, México, 1981, pp 51-52.

14. Calderón N G: *Consideraciones acerca del alcoholismo entre los pueblos prehispánicos de México.* Rev Inst Nac de Neurol México 2: 5-13, 1968.

15. Gruzinski S: *La mere devorante: alcoolisme, sexualité et déculturation chez les mexicas (1500-1550). Cahiers des Amériques Latines.* No 20. París, Francia, 1979-1980.

16. Turull T F: Introducción al reporte del proyecto *Variables que inciden en el consumo de licores (bebidas alcohólicas de alta graduación).* Reporte de Investigación. México, 1982.

17. OMS: *Problemas relacionados con el consumo de alcohol.* Informe de un Comité de Expertos. Serie de Informes Técnicos 650. Ginebra, Suiza, 1980.

18. Bales F: *Types of social structure as factors in cures for alcohol addiction.* Appl Anthrop *1:* 1-3, 1942.

19. Guedea V: *México en 1812: control político y bebidas prohibidas.* Estudios de historia moderna y contemporánea de México. Vol VIII. Instituto de Investigaciones Históricas. UNAM. México, 1980.

20. Cremoux R y Millán A: *La publicidad os hará libres.* FCE. México,1975.

21. García F S: *Esta noticia merece un brindis... con agua.* Revista del Consumidor No 48. México, febrero de 1981.

22. Rota J et al: *Repercusiones de los medios de comunicación en relación a la farmacodependencia en una población de alumnos de enseñanza media del D F.* Informe Técnico. Centro Mexicano de Estudios en Farmacodependencia. México, marzo de 1974.

23. *¿La publicidad de bebidas alcohólicas favorece el alcoholismo?* El Universal. México, 22 de marzo de 1982.

24. Velasco M-L M del P: *La concepción de problemas asociados al consumo de alcohol en la historia de México.* En este mismo volumen.

25. Partido Socialista Fronterizo: *Cruzada contra el alcoholismo.* Talleres Gráficos de la Secretaría de Agricultura y Fomento. Tamaulipas, México, 1929.

26. Oliva A: *Alcoholismo y tabaquismo. Sus peligros.* Imprenta El Regional. Alhóndiga. Guadalajara, México, 1911.

27. Valenzuela J: *Secretos del alcoholismo.* Librería de la Viuda de Ch Bouret. México, 1900.

28. Keller M: *The definition of alcoholism.* Quar J Stud Alc 21, 1960.

EL CONSUMO DE ALCOHOL EN TEPITO

RAQUEL BIALIK*

No todos los tópicos que pudieran ser del interés de los investigadores en las distintas disciplinas son susceptibles de ser abordados con la misma facilidad y de manera directa entre el que indaga y el que es objeto del estudio, pudiéndose llegar, al final, a su conocimiento profundo, objetivo y generalizado.

Uno de estos temas difíciles de investigar a fondo es el alcoholismo, ya sea por el estigma social que algunos grupos le confieren al alcohólico y a su núcleo familiar,[1] o bien por la falta de precisión o estandarización en su definición**[2] o, incluso, por los sentimientos ambiguos que se pueden tener sobre el uso y los efectos provocados por el alcohol.[3]

En muchas sociedades, el alcohol es valorado como: un alimento nutritivo, facilitador de la digestión, protector contra el frío y relajador de la fatiga y la tensión; como tranquilizante y depresor del sistema nervioso; como medicina para aliviar el dolor y para tratar enfermedades específicas (como el insomnio).

Se piensa que ayuda a disminuir el aislamiento y la distancia social, fortaleciendo los nexos grupales (función integradora).

Se le ha utilizado inmemorablemente para propiciar diversos ritos simbólicos, tales como nacimientos, uniones, comunión con las deidades, etc.

Se le ha hecho circular para ejercer control social. Asimismo, su producción y distribución es una importante fuente de ingresos no sólo para el productor, sino a través de los impuestos que se le imponen es una línea de producción que deja fuertes sumas a los gobiernos que la autorizan.

Por otro lado, son conocidos los efectos adversos (biológicos, económicos, psicológicos, sociales) que genera su ingesta inmoderada.[4]

Es todo ello lo que provoca que se tengan sentimientos evaluativos ambivalentes respecto al alcohol.

A pesar de todos los problemas metodológicos y, otros que existen en su entorno, es una necesidad ineludible el enfrentamiento científico del alcoholismo, determinando cuestiones como: las pautas de bebida de la colectividad, incidencia y prevalencia de la enfermedad, formas de la misma, consecuencias, factores causales (tanto de orden médico, como social), etc.[5]

Los estudios al respecto han sido, en su mayoría, parciales y los datos recabados son, más bien, estimativos.[6]

Las cifras de su incidencia y prevalencia casi siempre están tomadas de sujetos "cautivos" (como pacientes en tratamiento —físico o mental—, inferencias *post mortem,* grupos de Alcohólicos Anónimos, etc.) y no de censos poblacionales masivos abiertos que pudieran aportar datos fidedignos de *toda* la población.

---

* Antropóloga.
** Las distintas definiciones existentes pueden tener un fondo principalmente biológico, psicológico, situacional, económico, social, etc., pero no existe unanimidad al respecto.

Nosotros iniciamos en 1980 un Programa de Atención Integral para la Salud en el barrio de Tepito.* [7]

A través de un muestreo aleatorio,[8] aplicamos un cuestionario en 30 vecindades dispersas por todo el barrio, habiendo obtenido el dato que el 39% del total de familias tenía, por lo menos, a un miembro de la familia nuclear con problemas de alcoholismo.**

Aunque la intención primordial no era la detección de alcohólicos y su tratamiento, obtuvimos, sin embargo, un rico material al respecto, que revertimos de inmediato en estrategias terapéuticas, métodos y técnicas para su estudio, y que a continuación presentamos.

Tepito, antiguo barrio del primer cuadro de la ciudad de México, está situado dentro de "la herradura central de tugurios", en la colonia Morelos, perteneciente a las Delegaciones Políticas Cuauhtémoc y Venustiano Carranza.

Comprende 90 manzanas,[9] con una población fija de 60.000 habitantes, y una población flotante de 20.000, que se desplaza diariamente por razones de trabajo.

Consta de 10.450 familias y la media de miembros por familia es de 5.9, con un crecimiento demográfico del 3.2%.

Habitan en 9.858 viviendas, 95% de las cuales son alquiladas, pagando por muchas de ellas rentas "congeladas" que oscilan entre $ 20.00 y $ 500.00 mensuales.

El 85% de los habitantes del barrio vive en vecindades[7a, 10]

Una vecindad prototípica consta de 25-50 viviendas en dos patios o pasillos (foto 1), con lavaderos colectivos en un patio central (foto 2), algunos excusados colectivos (foto 3) y una puerta o zaguán de madera que da el acceso a la vecindad (foto 4).

Una vivienda tipo consta de una habitación y una pequeña cocina. Las paredes son de mampostería o tepetate y el techo es de ladrillos y vigas de madera; los pisos son de madera o de tierra.

La habitación mide 4 × 4 m. La cocina, que está a la entrada de la vivienda, mide 2 × 4 m.

Muchas de las viviendas cuentan con un tapanco (1.5 m. de altura) con una superficie un poco menor que la habitación.

Hay una pequeña escalera de madera para subir al tapanco; este último se usa, casi siempre, como dormitorio y para almacenar bienes.

El interior de la vivienda es húmedo, obscuro y casi sin ventilación. La única vía de acceso de la luz y aire naturales es la pequeña puerta de entrada.

La cocina es una construcción de lámina y asbesto que fue agregada a la vivienda. Cuenta con una estufa de gas o de petróleo y una alacena para guardar los utensilios de cocina, los platos de cristal y de barro para su uso diario y también los alimentos*** (foto 5).

En la habitación está(n) la(s) cama(s), ropero(s), mesa de madera, sillas, consolas, radios, aparatos de T.V., etc. Se usa

---

* El programa se llamó "El Taller de Salud" bajo mi coordinación; sigue operando en Peñón No. 60, Col. Morelos.

** Otros datos de desviación social que encontramos en el área: 7% drogadicción; 7% homosexualismo; 10% prostitución; 14% algún miembro familiar en prisión.

*** Es raro encontrar refrigeradores en dichas viviendas. Las compras de alimentos se hacen diariamente y en pequeñas cantidades, para el consumo familiar de cada día. En ocasiones se cuenta con una lavadora eléctrica que se coloca en el pasillo.

FOTO 1. Disposición de las viviendas en una vecindad típica.

Foto 2. Lavaderos y tendederos en el patio central de la vecindad

FOTO 3. Sanitarios públicos.

Foto 4. Entrada a la vecindad.

Foto 5. Cocina y enseres domésticos.

como lugar de estar, como comedor y también como dormitorio (foto 6).

Entre sus actividades productivas la mayoría se dedica a los oficios (principalmente zapateros, carpinteros, hojalateros, costureras, restauradores de latón, carniceros) y a actividades comerciales, de las que destacan los vendedores ambulantes (de paletas y comestibles diversos; billetes de lotería, artículos importados que venden en la vía pública tales como joyería, artículos eléctricos, bebidas alcohólicas, objetos usados y robados, etc.).

Sobre los servicios con los que cuenta el barrio, listamos los principales:

— Centros asistenciales de la S.S.A., I.S.S.S.T.E. e I.M.S.S. (aunque el 37% se atiende con médicos particulares y personal paramédico).
— 1 oficina de correos
— 1 banco
— 5 mercados públicos
— 1 galería de pintura
— 2 cines
— 1 casa de empeño
— 2 iglesias católicas
— 1 centro evangélico
— 12 primarias públicas y 6 particulares

En cuanto a comercios, Tepito cuenta con:

— 31 expendios de licores
— 76 tortillerías
— 59 taquerías
— 84 peluquerías
— 89 talleres de zapatos
— 73 tintorerías
— 58 farmacias
— 39 tlapalerías
— 22 baños públicos

— 18 billares
— 12 sanitarios públicos
— 2 gimnasios
— 5 futbolitos
— 239 fondas
— 228 comercios
— 155 comercios en zaguanes (foto 7)
— 48 tiendas de abarrotes

Además de los 31 expendios de licor, los principales lugares públicos donde se venden bebidas alcohólicas en Tepito son:

— 48 cantinas
— 4 salones de baile
— 13 pulquerías
— 18 billares
— 5 futbolitos
— 10-50 prostíbulos

Si uno de los nombres con los que se conoce a Tepito es "teporocholandia" y si la vista de sujetos alcoholizados en la acera pública o dentro de las vecindades no es una mera casualidad, la ingesta inmoderada de alcohol entre esta población es una realidad.

El alcohol forma parte integral de su cultura. Las bebidas alcohólicas son utilizadas en los distintos eventos sociales, donde participan hombres, mujeres, jóvenes y niños.

El consumo de bebidas embriagantes como pulque, cerveza, ron, tequila y alcohol con limonada o con té o refresco ("teporocha") es algo muy generalizado entre los vecinos de Tepito, aunque varía el tipo de bebida según el sexo y la edad.

Los varones adultos prefieren ron, tequila, brandy, cerveza y teporochas, mientras que las mujeres consumen más el pulque.

FOTO 6. Recámara. Muchas veces, es la única habitación con la que cuenta la vivienda.

Foto 7. Un comercio en el zaguán de una vecindad.

Los jóvenes prefieren las teporochas, el pulque y, ocasionalmente, cerveza.

No es bien visto que las mujeres se reúnan para beber, por lo que casi siempre lo hacen estando a solas en su vivienda, a diferencia de los varones, quienes generalmente toman alcohol estando en compañía.

Lo normal es que se consuman fuertes dosis de alcohol los sábados y domingos, y en las fiestas.

Transmitimos dos entrevistas de alcohólicos tepiteños, una de un joven alcohólico de 24 años y, la segunda, de un informante de 33 años.

Entrevista número 1

—¿Por qué bebe?

Por distracción, es una manera de pasar el rato; se desinhibe uno después de una copa (a veces más).

—¿Qué bebe?

Principalmente brandy, los viernes y sábados por la noche en compañía de 4-5 amigos y se beben de 1-3 botellas por reunión. Mientras beben, oyen discos (prefieren los de Camilo Sesto y Carole King) y platican de futbol.

Normalmente beben en su pieza-habitación, dentro de la vecindad y en ocasiones en la cantina. Es un alcohólico funcional que trabaja como pespuntador* de calzado desde hace 6 años. Piensa dejar dicha labor para dedicarse a vendedor de productos de una fábrica, pues cree que le dejará más ingreso con un menor esfuerzo físico y temporal.

---

* Cose, con puntadas unidas, que se hacen volviendo la aguja hacia atrás después de cada punto, para meter la hebra en el mismo sitio por donde pasó antes.

Entrevista número 2

J. E., vecino de 33 años, empezó tomando vino y cerveza; ahora prefiere el pulque, porque es más barato y según él, no hace tanto daño. Toma 3 litros diarios de pulque simple.

Se lleva con gente mayor que él, sobre todo con barrenderos (a pesar que su escolaridad es hasta el 2o. grado de secundaria).

Empieza a beber a las 3:30 de la tarde; consigue dinero haciendo negocios ahí mismo en la pulquería, vendiendo su mercancía (suéteres) y boletas de empeño de chamarras de piel; en la pulquería juega también dominó, por parejas, y quien pierde paga las "charolas", con 10 vasos de pulque cada charola.

Permanece hasta las 8:00 ó 9:00 p.m. y llega borracho a su casa y se duerme.

Su mujer también bebe un litro diario de pulque, que lo toma sola en su vivienda a la hora de la comida. En general, las mujeres prefieren cubas (Vergel + Coca Cola o refresco de toronja). A los niños muy rara vez se les da de beber pulque y, cuando lo hacen, se les da con avena.

Las personas que tienen una alta ingesta de bebidas embriagantes han acudido cuando menos una vez a jurar a la iglesia* y hay quienes a pesar de no participar de la bebida alcohólica procuran obtener la tarjeta de juramento porque se señala que

---

* Consiste en acudir a una iglesia, de preferencia a la Villa de Guadalupe, y celebrar un acto religioso (rezar, dar una limosna y recibir una tarjeta). El individuo promete no tomar bebidas alcohólicas durante un lapso variable. Algunos cumplen con el juramento por el tiempo propuesto, otros piden permiso de romperlo, otros más hacen caso omiso. Se puede decir que la tarjeta infunde respeto para con los amigos del alcohólico y basta saber que alguien está jurado para que no se le insista en beber.

"es la única forma de quitarse de encima a los amigos y de que no insistan en hacerme tomar".

El alcohólico es, para este grupo, una persona que toma bebidas tóxicas diariamente hasta emborracharse, no trabaja, ni tiene familia. Si un individuo toma dichas bebidas con un promedio de 3 veces a la semana, hasta embriagarse, no se le considera alcohólico.

El alcohólico es visto como un vicioso, no como un enfermo y, por consiguiente, piensan que sólo se requiere de fuerza de volutad para dejar de tomar.

A pesar de que diariamente se pueden observar personas que han ingerido alcohol, los miembros de la vecindad consideran que en este lugar el alcoholismo no es un problema.

Los entrevistados desconocen la existencia de centros médicos o asistenciales a los que se puede recurrir para recibir cualquier tipo de tratamiento de rehabilitación al alcohólico, excepto A.A.

El estado de embriaguez suele producir riñas entre las personas que toman con cierta frecuencia. Para comprar el alcohol, generalmente cooperan entre todos los miembros del grupo en forma voluntaria aportando cada quien lo que puede.

Un típico personaje de este barrio es la figura deambulatoria del "teporocho", que describe Ramírez:[11] "barba rala, de frente brillosa de mugre, de manos hinchadas y uñas crecidas con mugre en las comisuras, al caminar renguea de la pierna derecha, su ropa raída y pesada por la mugre que se ha ido acumulando a través de los meses de intensas borracheras diarias y noches de vigilia, producto de esa sed espantosa que, en la madrugada, lo hacen levantarse del frío suelo de la banqueta del callejón, en donde se acuesta a la intemperie para ir en busca de la señora enrebosada que expende en su vivienda café negro y hojas de naranjo con su chorrito de alcohol de noventa y seis grados".

El teporocho es el alcohólico de la calle que mezcla té o refrescos embotellados (gustan principalmente de tamarindo) con 1/3 de alcohol de 96° y que, además, al tener más dinero, consumiría otro tipo de bebidas embriagantes, como cerveza, tequila, ron, etc.

De las historias clínicas y sociales que revisamos de pacientes alcohólicos de Tepito, fueron sujetos con una evolución del padecimiento de más de 15 años, donde con mucha frecuencia algún miembro familiar (el padre, el hermano, la esposa) padece o padeció de alcoholismo y otras enfermedades como retraso mental, problemas de aprendizaje, homosexualismo, etcétera.

Cursando una fase aguda en su enfermedad con delirios, intoxicación, cefaleas, dolor epigástrico aunada a una desnutrición, el alcohólico puede someterse por algún tiempo a tratamiento (fármaco y psicoterapia, desintoxicación, etc.) pero reincide a corto plazo.

Con muy baja escolaridad y pobre atención médica,[12] el alcohólico de Tepito es un sujeto que con frecuencia tiene antecedentes penales, sufre de una pérdida social en cuanto a que empieza a ser rechazado por sus amigos y familiares, para reintegrarse a otros grupos de sujetos en sus mismas condiciones patológicas y círculos donde la drogadicción, la prostitución y la delincuencia lo pueden ir absorbiendo.

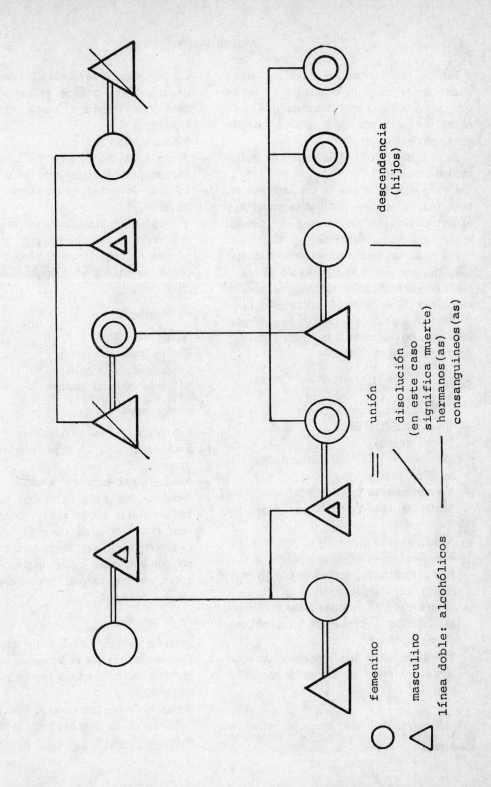

CUADRO No 1

femenino

masculino

línea doble: alcohólicos

= unión

disolución
(en este caso
significa muerte)

hermanos(as)
consanguíneos(as)

descendencia
(hijos)

No es raro encontrar familias, como queda simbolizado en el cuadro 1, en las que se establece una correlación directa entre familia y patología mental, en este caso, alcoholismo.

Se dice que el alcoholismo es una enfermedad "familiar".[1]

Una o más personas la pueden padecer, pero *todo* el núcleo familiar la resiente y el funcionamiento global de dicha unidad social se ve muy alterado.

Presentamos una síntesis sobre la opinión emitida por 100 esposas de alcohólicos*, que describen situaciones, percepción, etc. sobre ellas mismas, sobre sus hijos y sobre el marido alcohólico, lo que permite un acercamiento a la "vida familiar" del alcohólico en Tepito.

Sobre ellas mismas:

— Sufre golpes, humillaciones.
— Vivo en un infierno.
— Decidí dejarlo.
— Después de vivir con un enfermo, yo también enfermé.
— Yo también tuve la culpa.
— Sentía tanta vergüenza, que casi no quiero salir.
— Nunca atendía a los hijos, por la preocupación de cómo iba a llegar él.
— Era desordenada, decía que era yo muy limpia, pero mentira.
— Nunca tenía yo tiempo. Todo el tiempo lo dedicaba a pensar en el problema de mi esposo.
— Envidiaba al vecino, por ir al parque con sus hijos y su esposa y por vivir bien.

---

* Algunas de ellas están dentro de los grupos de Alcohólicos Anónimos, dirigidos a esposas de alcohólicos.

— La tristeza eterna de las caras, mía y de mis hijos, cuando él regresaba a casa o la angustia de cómo regresaría.
— Lo corría.
— Lo maldecía.
— A mis hijos casi les digo: no lo quieran.
— Me desquito siempre con los hijos.
— El dejó de tomar, y yo seguía presionándolo.
— Yo enferma, trabajando y pegándole por todo a mis hijos: por orinarse, porque no quería que al crecer fueran como su padre. Me desquitaba con ellos.

Sobre el marido:

— Actúa irracional.
— Pierde todo el control.
— Gasta todo el dinero.
— Me cela todo el tiempo.

Sobre los hijos:

— Los niños gritan, se espantan.
— Todo esto deja al niño con muchas dudas.
— No les gusta estar en la casa.
— Reciben mal trato de ambos padres.
— Las criaturas no lo ven y, cuando lo ven, está "tomado" (foto 8).
— Los pongo a hacer cosas que nos corresponden, como cuidar hermanos menores, cocinar, limpiar, mientras que yo salgo a trabajar.

Sobre la familia:

— Se sufre lo que sufren todas las familias donde hay un enfermo.
— No hay ni para comer, ni para pagar colegiaturas.
— Siempre se está nervioso y, con un alcohólico en la familia, toda la familia enferma.

Foto 8. ...y cuando el padre no está ausente...

Sobre la sociedad:

— **Este problema no es de vergüenza, sino de enfermedad.**

Remedios utilizados para su curación:

— **Pensaba que con cariño se iba a corregir.**
— **Pensó que al casarse, él iba a dejar de tomar.**
— **Le dio pastillas antialcohólicas y polvos.**
— **Lo llevé a "jurar".**
— **Prendía veladoras, rezaba rosarios y novenas.**
— **Fui a ver a un brujo para que lo tratara con conchitas molidas del mar.**

Una de las estrategias terapéuticas que implantamos en el Taller de Salud de Tepito, para difundir información masiva de distinta índole, fueron los guiones de divulgación.

Utilizamos múltiples historias de casos reales para formar "perfiles situacionales" —donde el problema y la situación no son individuales, sino que describen patrones generales— permitiendo así que el mensaje llegue y se introduzca a un gran número de personas y que se dé un inmediato "rapport" entre el lector y el autor, ya que la situación que se describe es muy concreta, y muy conocida localmente; lo utilizamos para sensibilizar, informar y promover programas específicos.

Presentamos a continuación uno de dichos guiones, que trata sobre alcoholismo:

PEDRO Y EL ALCOHOL

(Serie de guiones de divulgación)

...y pensar que todo comenzó cuando ese señor gordo maloliente y bien vestido, se me acercó a la salida del colegio, me llamó a un lado y me ofreció 5 relucientes pesos por cada copa que me tomara yo al hilo...

Tambaleante, pálido y sintiéndome morir, apenas pude llegar a mi vivienda, y acariciando en la bolsa del pantalón los 20 varos que le hice a fuerza pagarme al gordo ese, después de obligarme a tragar la última gota de esa cuarta copa, me puse a vomitar y a llorar.

Sí, señor, ahí empezó todo.

Con mis 14 años, una familia hostil, mi novia que empezó a andar de loca por ahí y la escuela que dejé, en parte por ayudar en el tallercito de zapatería de mi papá y en parte porque por "el vino" empecé a no poder concentrarme y a faltar, mi vida empezó a cambiar día con día, hasta convertirme en este ser débil y fracasado que hoy me siento.

¡Ay señor! todavía no me atrevo a reconocer que estoy enfermo, que soy alcohólico y que depende en mucho de que yo quisiera ayudarme, de que pida ayuda para volver a ser esa persona feliz y sana que alguna vez fui.

Mi esposa ha sido buena conmigo, me ha atendido, ha cuidado a los hijos pero ¿hasta cuándo?; ya empiezo a notarle triste, cansada, asustada de mí y de mis arranques violentos.

Y de mi trabajo, no señor, ahí si que se nota mi deterioro.

Ya la he hecho desde zapatero, boxeador, y de los buenos, era yo entonces cantinero. Y ahora ya ni puedo conservar un trabajo por un tiempo fijo.

No señor, ahora soy eventual.

Necesito un cambio, quiero un cambio ¡¡AYUDA!!

La utilización del alcohol es, también para Tepito, un fenómeno generalizado.

Lo que varía —y esto depende de cada cultura[13, 14]—, es el qué, el cómo y el cuánto es lo que se debe y se permite beber, definiendo con ello quién es, para cada sociedad, un alcohólico, y quién un mero bebedor social. Por lo tanto, cada sociedad delimita su tolerancia ante el bebedor "normal" y el alcohólico.

Esta medida debiera tomarse en consideración cada vez que se quisiera tener una definición operativa del alcoholismo, ya que el sujeto bebedor en cuestión funciona dentro de un ámbito particular y posee dicho sistema de valores y de reglas específicas.

A pesar de la "anosegnesia colectiva", o sea, la percepción mínima o subvaluada que los habitantes de Tepito adjudican a su alcoholismo, el problema del alcoholismo en esta zona es real.

El tema en sí no es fácilmente abordable, como tampoco lo es dicha población.

Sin embargo, es necesario seguirlo estudiando para encontrar técnicas que ayuden a entenderlo mejor, para aportar soluciones oportunas y realistas.

¿Es por el alcohol que el individuo en este medio se sumerge en su miseria y se retira de la vida, o es, más bien, la condición de su existencia: su subempleo y problemas económicos, la desintegración familiar, la vida en campamentos temporales y el eterno temor al trato con la autoridad, la deficiente ocupación de su tiempo libre, el hacinamiento en el que vive, el estar siempre rodeado de comercios, de tráfico, basura y ruido lo que orilla al habitante de Tepito, como a tantos otros, a empezar hasta caer en tan dramático final?

REFERENCIAS

1. ELIZONDO L J A: *Implicaciones familiares y sociales del alcoholismo en los derechohabientes del IMSS*. Programa de Rehabilitación de Alcohólicos. Hospital Psiquiátrico IMSS (inédito), 1978.

1 a JACKSON J K: *Alcoholism and the family*. En: *Society, culture & drinking patterns*. Pittman D J y Snyder Ch R (eds). John Wiley & Sons, Inc NY, 1962.

2. VELASCO F R: *Salud mental, enfermedad mental y alcoholismo*. ANUIES. México, 1980.

3. LEMERT E M: *Alcohol values & social control*. En: *Society, culture & drinking patterns*. Pittman D J y Snyder Ch R (eds). John Wiley & Sons, Inc NY, 1962.

4. *Alcoholismo y otras toxicomanías*. Patronato Nacional de Asistencia Psiquiátrica. Madrid, 1976.

4 a CALDERÓN N G: *Salud mental comunitaria*. Un nuevo enfoque de la Psiquiatría. Editorial Trillas, México, 1980.

5. SANTODOMINGO J: *La asistencia y rehabilitación de los alcohólicos y toxicómanos*. Temas de Asistencia Psiquiátrica. Dirección Gral de Sanidad. Madrid, 1975.

5 a FERNÁNDEZ F A: *Etiología de los alcoholismos* Temas de Asistencia Psiquiátrica. Direc Gral de Sanidad, Madrid, 1975.

6. SEELEY J R: *The ecology of alcoholism: A beginning*. Society, culture & drinking patterns. Pittman D J y Snyder Ch R (eds) John Wiley & Sons, Inc NY, 1962.

7. BIALIK R Y COLS: *La del 69. Estudio de una vecindad en el barrio de Tepito*. CEMESAM. México, 1979 (inédito).

7 a BIALIK R: *Un enfoque antropológico para el estudio biopsicosocial de los habitantes de una vecindad en el barrio de Tepito*. Cuadernos Científicos CEMESAM No 11 CEMESAM, México, 1979.

8. ANDER E E: *Técnicas de investigación social*. Ed Humanitas. Buenos Aires, 1976

9. *Informe de Tepito*. Gerencia de Promoción Social. INFONAVIT. México, 1972.

10. LEWIS O: *Antropología de la pobreza*. Cinco familias FCE. México, 1972, p 302.

10 a OCAMPO V M G: *Algunas consideraciones sobre la marginalidad en México*. El caso de Tepito. Tesis profesional. México, UNAM, 1974, p 162.

10 b GORDILLO M M R: *Las condiciones socioculturales de los pobres de una vecindad en*

la ciudad de México: Las Migas, Tepito. Tesis profesional ENAH. México, 1977, p 238.

11. RAMÍREZ A: *Chin, chin, el teporocho.* Ed Novaro, México, 1970.

12. LOMNITZ L: *De cómo sobreviven los marginados.* Siglo XXI, México, 1975.

13. HEATH D B:*Perspectivas socio-culturales del* *alcohol en América Latina.* Acta Psiq Psic Am Lat *20:* 99-111, 1974.

14. TROTTER R: *Conceptos culturales sobre el alcohol.* En: *Proceedings women and alcohol: Cultural perspectives and public responsibilities.* Sheldon M y Sparling R (eds). The Texas Committee for the Humanities & Public Policy. Amarillo College, 1977.

UTILIZACION Y LIMITACIONES DE LOS INDICADORES PARA EL ESTUDIO DEL ALCOHOLISMO EN MEXICO

DR. JAVIER BARBA CH.*
DR. MARCOS ARANA C.**

INTRODUCCIÓN

Los enfoques teóricos y metodológicos para el análisis de cualquier problema de salud se derivan de la manera en la que éste es definido. Esta conceptualización no es, sin embargo, una categorización universal inmodificable, desvinculada del contexto en el cual se desarrolla. En ella intervienen elementos que no son propiamente científicos y que de alguna manera son determinados por la estructura social en la cual éstos se dan.

El incremento en la ingesta de las bebidas alcohólicas como problema de salud pública ha motivado que a nivel mundial se realice un sinnúmero de estudios con una metodología que se deriva de las definiciones propuestas por los organismos internacionales, que no solamente resumen la evolución de las definiciones y clasificaciones que se han propuesto para el alcoholismo en diferentes épocas, sino que obedecen a condiciones predominantes de la sociedad.

Los indicadores para el estudio del alcoholismo, su manejo y su interpretación, dependen de estos conceptos, que al ser propuestos internacionalmente, no se ajustan en muchos de los casos a las condiciones de la información disponible en cada país ni a la capacidad o interés para generarla.

Para analizar estos indicadores es necesario hacer una muy breve reseña de las orientaciones predominantes sobre el concepto del alcoholismo en diferentes momentos.

Durante mucho tiempo predominó el concepto del alcoholismo como enfermedad. Entre 1800 y 1850, Von Brühl describía con este enfoque las principales formas clínicas del alcoholismo.[19]

Para la segunda mitad del siglo XIX, la naturaleza anatomo-patológica del alcoholismo es propuesta como la explicación predominante de "el conjunto de todas las perturbaciones duraderas en las funciones psíquicas y físicas producidas por el abuso habitual del alcohol".

A principios del siglo XX, comienza a difundirse la explicación del alcoholismo como adicción. En 1926, Cimbal afirmaba que la adicción al alcohol estaba determinada por una sed irresistible causada por la intoxicación.[20]

En las primeras décadas del siglo XX, predomina ya no el énfasis en los daños anatomopatológicos, sino en la dependencia física hacia la droga. Para 1940, Jellinek describe la sintomatología de la adicción al etanol y analiza cuidadosamente el proceso patológico y su evolución en el cual identifica la pérdida del control sobre la ingestión de bebidas como el síntoma principal. Este concepto es ampliado

* Médico Cirujano, Maestro en Salud Pública e Investigador del Departamento de Estudios Experimentales del Instituto Nacional de la Nutrición "Salvador Zubirán", y Director del Proyecto Alcoholismo y Nutrición.
** Investigador del Departamento de Vigilancia Epidemiológica de la Nutrición del Instituto Nacional de la Nutrición "Salvador Zubirán".

posteriormente con la inclusión de dos elementos, el de adicción al alcohol y el de bebedores excesivos habituales.[16]

En 1949, la Organización Mundial de la Salud emite por primera vez un concepto sobre el alcoholismo como una entidad definida y se enuncia a este problema como parte de la competencia de los servicios de salud.[30] Este hecho va a tener grandes repercusiones posteriores en las orientaciones analíticas y el desarrollo de indicadores para su estudio.

Estos conceptos estimularon enormemente el interés por diagnosticar el alcoholismo y por realizar investigaciones, para lo cual se han elaborado múltiples clasificaciones centradas principalmente en criterios cuantitativos de ingesta y dependencia al alcohol. Desde el punto de vista de la práctica médica, este problema ha sido de especial importancia debido a la gran dificultad para detectar el alcoholismo en sus fases iniciales. La novena revisión de la Clasificación Internacional de Enfermedades suple el término de alcoholismo por el de dependencia al alcohol en el que hace referencia al comportamiento frente a las bebidas alcohólicas, a las consecuencias orgánicas y a sus repercusiones sociales. De esta manera, se amplía el concepto para dar cabida a más elementos que recientemente han servido como punto de partida en la búsqueda de nuevas aproximaciones al problema del alcohol. Sin embargo, estas definiciones y clasificaciones no han logrado satisfacer las inquietudes por explicar el fenómeno ni han podido resolver los problemas metodológicos relacionados con su estudio, por lo que gran parte de lo que se conoce sobre

el alcoholismo como problema de salud pública ha sido a través de indicadores.

Los indicadores y el análisis que de ellos se ha hecho, reflejan la heterogeneidad que aún prevalece en el concepto que se tiene del problema y la gran diversidad de orientaciones existentes para su estudio.

En este trabajo nos proponemos analizar algunas de las dificultades que existen para conformar un panorama confiable de los problemas ocasionados por la ingestión de bebidas alcohólicas mediante la utilización de indicadores.

Los indicadores que con mayor frecuencia se han utilizado son:

— Producción de bebidas alcohólicas.
— Consumo per cápita de bebidas alcohólicas en la población mayor de 15 años.
— Número de lugares en donde se expenden bebidas alcohólicas.
— Mortalidad y morbilidad por cirrosis hepática y otras causas relacionadas al alcoholismo.
— Mortalidad y morbilidad por accidentes viales relacionados con el alcoholismo.
— Mortalidad y morbilidad de accidentes de trabajo relacionados con el alcoholismo.
— Homicidios y otras violencias relacionadas con la ingestión de bebidas alcohólicas.
— Suicidios consumados y tentativas de suicidio en las cuales opera la ingesta de bebidas alcohólicas.
— Violaciones relacionadas con la ingesta de bebidas alcohólicas.
— Divorcios y desintegración familiar a causa del alcoholismo.
— Maltrato al cónyuge y a los hijos

— Incidencia del gasto en alcohol en el presupuesto familiar
— El estado de salud y nutrición de los familiares del alcohólico.
— Incidencia en la calidad del producto
— Ausentismo laboral.
— Repercusiones sobre la producción.
— Costo de los servicios de atención, rehabilitación y seguridad social.
— Costo global del problema del alcoholismo.

PRODUCCIÓN DE BEBIDAS ALCOHÓLICAS

La disponibilidad de bebidas alcohólicas debe considerarse como el total de la producción de éstas, menos las exportaciones más las importaciones. Sin embargo, para que el indicador global sea de utilidad, hay que considerar el crecimiento de la población potencialmente consumidora (mayor de 15 años). Por esta razón se ha propuesto internacionalmente a la disponibilidad per-cápita como el indicador más adecuado. Este indicador, sin embargo, tiene una naturaleza homogenizadora que no permite diferenciar las grandes variaciones dentro de la población, las cuales son de una gran importancia, sobre todo en países en donde el consumo de estas bebidas no está distribuido regularmente. Así, las limitaciones y la representatividad de este indicador pueden variar de un lugar a otro. En el caso de muchos países europeos, por ejemplo, las cifras de disponibilidad per-cápita se aproximan más a los de consumo real debido al consumo generalizado de vino y otras bebidas. En México, en cambio, el consumo de todo tipo de productos industrializados, entre éstos las bebidas alcohólicas, se encuentra más polarizado, es decir que existe una menor dispersión, lo que hace que el indicador global sea menos representativo del consumo real.

El indicador de disponibilidad está construido con base en cifras estadísticas oficiales de producción industrial. Estas cifras no toman en consideración la producción de otras bebidas de gran consumo popular como lo es el pulque, el sotol, el posch, etc., por lo que el indicador subestima la disponibilidad real. Estas bebidas se encuentran además en un franco retroceso debido a la expansión de la gran industria productora de bebidas alcohólicas, que no sólo ha desplazado a estas bebidas tradicionales sino que también ha conllevado un acentuado proceso de transnacionalización. Debido a que gran parte de los centros productores y distribuidores de estas bebidas regionales son clandestinos, la información sobre su producción es prácticamente inexistente. Así, Miguez señala para Costa Rica que la producción de bebidas registradas iguala en magnitud a la clandestina.[24] Un fenómeno semejante debe encontrarse en México, principalmente en regiones alejadas de los controles fiscales y sanitarios, por ello este indicador no es muy confiable en los países que no cuentan con un buen sistema de registro de la producción, con la imposibilidad de realizar comparaciones de los países con similitudes culturales, sociopolíticas o geográficas.

En México, como en la mayor parte de los países del mundo, la producción y la comercialización de las bebidas alcohólicas se ha incrementado notablemente. Un informe publicado por la Organización Mundial de la Salud nos muestra para un período de doce años, de 1960 a 1972, la producción de vino en un grupo de 25 países aumentó en un 19%, la de cerveza 68% y la de las bebidas destiladas en un 61%.[31] México no es ajeno a este proceso ya que la producción de bebidas alcohólicas presentó un gran incremento de la producción a finales de la década de los años cincuenta, cuando se inició un proceso denominado de reemplazo o de sustitución de bebidas importadas por las elaboradas a nivel nacional y el desplazamiento de bebidas fermentadas tradicionales.

CUADRO 1

PRODUCCION DE CERVEZA EN LA REPUBLICA MEXICANA DE LOS AÑOS 1950 A 1980[2]

Año	Producción*
1950	500,608
1951	579,200
1952	593,789
1953	572,240
1954	653,168
1955	678,327
1956	750,925
1957	745,460
1958	732,796
1959	800,843
1960	854,499
1961	840,331
1962	858,588
1963	849,581
1964	1.016,342
1965	1.098,448
1966	1.161,811
1967	1.226,625
1968	1.267,086
1969	1.386,138
1970	1.460,037
1971	1.273,483
1972	1.494,060
1973	1.750,056
1974	1.983,069
1975	1.986,514
1976	1.955,855
1977	2.174,428
1978	2.281,433
1979	2 546,078
1980	2.714,535

* En miles de litros.

En el caso de la producción de cerveza, en los últimos 10 años, la producción presentó un incremento del 113% (Cuadro 1).

México en los últimos años ha sido exportador de cerveza, sin embargo, los reportes indican que es un exportador a pequeña escala a diferencia de otros países llamados grandes productores como Estados Unidos, República Federal Alemana, Gran Bretaña y la Unión Soviética.

Las bebidas destiladas de la uva, como los vinos y brandies, presentan un incremento impresionante en los últimos años. Esta es una de las industrias que han experimentado mayor expansión en su producto.

CUADRO 2

PRODUCCION DE VINOS Y BRANDY DE 1977 A 1982 EN LA REPUBLICA MEXICANA

Año	Producción*
1977	95,000
1978	100,000
1979	106,600
1980	131,500
1981	185,000
1982	205,000

* En miles de litros.

Actualmente, las bebidas destiladas de la uva han desplazado a otros productos destilados como los derivados de la caña de azúcar. Para el año de 1970, la producción de las bebidas de uva era de 35.3 millones de litros y para 1982 fue de 205 millones. Esta industria ha crecido en este lapso en más de 580%.[38, 39]

Existen otros tipos de bebidas alcohólicas que se consumen en menor proporción por la población; tal es el caso del tequila. La producción de este producto para el año de 1970 fue de 23 millones de litros, y para 1980 fue de 60 millones, lo que significa un incremento del 260%; no obstante, el 42.5% de la producción se destina al mercado exterior.

Al analizar los datos anteriores es inevitable concluir que los indicadores de la producción de bebidas alcohólicas, más que tener utilidad para conocer el consumo de éstas por parte de la población, tiene quizás un mayor valor como indicador de la magnitud de su importancia económica dentro del sector manufacturero, que en cierto modo va a ser un factor determinante para la definición del ámbito jurídico, político y económico en donde enmarcamos el análisis del consumo de las bebidas alcohólicas como problema de salud, y donde encontramos grandes contradicciones respecto a su funcionalidad para la sociedad como un todo.

CONSUMO PER CÁPITA DE BEBIDAS ALCOHÓLICAS

De acuerdo a la forma en la que se satisfacen las necesidades o se realiza el consumo, la disponibilidad va a tener impacto mediante la capacidad adquisitiva, es decir, de la accesibilidad. En el caso del consumo de bebidas alcohólicas se han omitido frecuentemente estos indicadores ante la falta de información directa sobre la cantidad absoluta y la proporción de dinero que los diferentes estratos sociales destinan a la adquisición de bebidas.

Muchas de las repercusiones del alcohol en el grupo familiar del bebedor van a tener como mecanismo causal la reducción del presupuesto para la satisfacción de otras necesidades. Recientemente se ha prestado una mayor atención a los problemas de nutrición de los hijos de bebedores.[4]

La accesibilidad va a tener importancia sobre la elegibilidad de la bebida, hecho que tiene una gran repercusión debido a que la capacidad de generar daños orgánicos es diferente para cada tipo. El impacto sobre la salud debería ser complementado también con un cálculo estandarizado del factor de riesgo para cada tipo de bebida y por la forma en la que se reducen las posibilidades económicas de satisfacer otras necesidades básicas.

Debido a que el tipo de bebidas consumidas varía enormemente en cuanto a la cantidad de alcohol que contienen, para la estimación de consumo per cápita y para fines de comparación se refieren, generalmente, la cifras de consumo en mililitros de etanol.

En una gran parte, las referencias al incremento en la ingesta de bebidas embriagantes como problema se ha derivado del incremento en el consumo anual per cápita, el cual ha sido definido como la cantidad de etanol que cada habitante mayor de quince años consume por año.

En la población mexicana el consumo teórico de alcohol absoluto para 1970 fue del orden de 3.9 litros. Para 1980 fue de 5.7 litros, con lo cual se observa un incre-

CUADRO 3

CONSUMO DE ETANOL* AL 100% EN LA POBLACION MEXICANA MAYOR DE 15 AÑOS DE 1970 Y 1980

Tipo de bebida	1970	1980	Incremento %
Cerveza	2,984	3,712	24.0
Brandy	549	1,436	161.0
Tequila	338	380	12.5
Vino de mesa	50	170	236.0
TOTAL	3,921	5,698	45.0

* En mililitros.

mento del 45% en un período de diez años (cuadro 3).

En México, como en la mayoría de los países del mundo, el consumo per cápita presenta una tendencia francamente ascendente (cuadros 4 y 5). Vale la pena señalar que para México este consumo está muy por debajo del que se presenta en países llamados "grandes consumidores" como Francia, Portugal y España, en donde el consumo per cápita se encuentra entre 16 y 14 litros de alcohol absoluto. Como se observa en el cuadro anterior, las bebidas

alcohólicas que presentan un mayor incremento son las derivadas de la uva (brandy y vino de mesa); conviene mencionar que en el cuadro anterior no se toman en cuenta una serie de bebidas que son consumidas por la población mexicana como el pulque, mezcal, derivados de la caña, etc., de las cuales no es posible obtener la información.

Esto no nos permite concluir sobre el consumo real de la población; ya que, de acuerdo a este indicador, los mexicanos de más de 15 años en promedio consumieron en 1980, 210 cervezas y 3.5 litros de

CUADRO 4

CONSUMO PER CAPITA DE BEBIDAS ALCOHOLICAS EN 100% DE ETANOL
EN 26 PAISES CON LA POBLACION TOTAL DE LOS AÑOS DE 1950, 1960, 1970, 1976,
Y CON LOS CAMBIOS DEL PORCIENTO ANUAL[25, 26]

| País | Consumo per cápita litros en 100% etanol | | | | Porciento anual | | | |
| | | | | | Total | Promedio anual | | |
	1950	1960	1970	1976	1950-1976	1950-1960	1960-1970	1970-1976
Francia	17.2	17.3	15.6	16.5	— 4	+ 0.05	— 1	+ 1
Portugal	—	10.9	11.7[b]	14.1	— 29[a]	—	— 0.6[e]	+ 3.4
España	—	8.5	10.7	14.0	+ 65[a]	—	+ 3	+ 5
Luxemburgo	6.8	8.3	10.1	13.4	+ 97	+ 2	+ 2	+ 5
Italia	9.2	12.2	13.7	12.7	+ 38	+ 3	+ 1	— 1
R. F. Alemana	2.9	6.9	10.4	12.5	+331	+14	+ 5	+ 4
Australia	5.0	8.7	12.0	11.2	+124	+ 7	+ 4	— 1
Hungría	4.8	6.2	9.1	10.7	+123	+ 3	+ 5	+ 3
Suiza	7.9	9.8	10.5	10.3	+ 30	+ 2	+ 0.7	— 0.3
Bélgica	6.3	6.4	8.9	10.2	+ 62	+ 0.2	+ 4	+ 2
Australia	6.1	6.5	8.2	9.6	+ 57	+ 0.7	+ 3	+ 3
Nueva Zelandia	5.4	6.5	7.5	9.3	+ 72	+ 2	+ 2	+ 4
Checoslovaquia	4.0	5.5	8.4	9.2	+130	+ 4	+ 5	+ 2
Dinamarca	3.6	4.2	6.8	9.2	+146	+ 2	+ 6	+ 6
Yugoslavia	—	4.7	7.5	8.9[c]	+ 89[d]	—	+ 6	+ 4[f]
Irlanda	3.3	3.4	5.4	8.7	+164	+ 0.3	+ 6	+10
Canadá	4.4	4.8	6.6	8.6	+ 95	+ 0.9	+ 4	+ 5
Reino Unido	4.9	5.1	6.4	8.4	+ 71	+ 0.4	+ 3	+ 5
Holanda á	2.1	2.6	5.5	8.3	+295	+ 2	+11	+ 8
R. D. Alemana	1.2	4.6	6.1	8.3	+592	+28	+ 3	+ 6
Polonia	3.0	3.8	5.2	8.2	+173	+ 3	+ 4	+10
Estados Unidos	5.0	4.8	6.3	8.1	+ 62	— 0.4	+ 3	+ 5
Finlandia	1.7	1.8	4.3	6.4	+276	+ 0.6	+14	+ 8
Suecia	3.6	3.7	5.7	5.9	+ 64	+ 0.3	+ 5	+ 0.6
Noruega	2.2	2.5	3.6	4.3	+ 95	+ 1	+ 4	+ 3
Perú	1.2	1.7	2.4	3.1	+158	+ 4	+ 4	+ 5

* Clasificado por orden de Consumo de 1976 (1975).
[a] ='1960-1976, [b] = 1972, [c] = 1975, [d] = 1966-1975, [e] = 1960-1972 y [f] = 1970-1975.

CUADRO 5

CONSUMO DE BEBIDAS ALCOHOLICAS*
EN 25 PAISES EN LA POBLACION MAYOR
DE 15 AÑOS DE LOS AÑOS
1960, 1970, 1976[25, 26]

País	Años		
	1960	1970	1976
Francia	27.32	23.98	21.3
Portugal	15.32	15.72	19.4
España	11.89	16.89	19.3
Luxemburgo	13.75	16.21	16.8
Italia	19.05	20.73	16.8
R. F. Alemana	10.15	16.04	15.8
Austria	10.85	13.29	14.6
Nueva Zelanda	9.49	11.02	13.7
Hungría	9.15	12.95	13.4
Australia	9.45	11.68	13.3
Suiza	12.58	14.52	13.2
Bélgica	11.71	13.21	13.2
Irlanda	4.90	7.27	12.6
Yugoslavia	6.79	10.36	12.0
Checoslovaquia	10.38	14.55	11.9
Dinamarca	6.11	9.70	11.8
Canadá	7.85	9.58	11.7
Holanda	3.82	7.81	11.1
Reino Unido	6.80	8.32	11.0
Polonia	6.16	7.52	10.8
Estados Unidos	7.83	9.74	10.7
R. D. Alemana	7.29	10.47	10.5
Finlandia	3.87	6.33	8.1
Suecia	3.86	7.94	7.4
Noruega	3.56	4.37	5.6

* En litros al 100% de Etanol.
Clasificado por orden de consumo.

brandy, un litro de tequila y un litro de vino, o sea, 5.69 litros de etanol puro.

El indicador de consumo per cápita de bebidas alcohólicas en la población mayor de 15 años debería ser un indicador no sólo diferente al de disponibilidad sino complementario a éste. En países como México, en donde existen muy pocos datos empíricos que muestran la variabilidad del consumo dentro de la población, este indi-

cador pierde importancia ya que coincide con el de disponibilidad.

El consumo teórico per cápita puede ser más cercano al real en países con menos diferencias culturales y, sobre todo, económicas. No existen datos empíricos para México que señalen en qué proporción las bebidas alcohólicas son cosumidas por los diferentes estratos sociales y en las diferentes regiones, así como la magnitud del consumo por bebedores excesivos.

EXPENDIOS DE BEBIDAS ALCOHÓLICAS

La cantidad y distribución de lugares en donde se expenden bebidas alcohólicas han sido utilizados como indicadores indirectos de la disponibilidad y de la demanda. En México, esta información ha sido manejada principalmente con fines fiscales.

Para 1968, existían en el país 134.313 expendios de bebidas alcohólicas,[88] lo que representa 240 habitantes mayores de 15 años por cada establecimiento. En 1977, el número total de establecimientos aumentó a 178.452, lo que significa un incremento del 32.8%. Para este año, la cifra de habitantes mayores de 15 años por cada expendio había aumentado a 273. En el medio rural, esta cifra era de 709 y en el medio urbano de 190.

Estos indicadores deben ser analizados con cautela, debido a que en el medio rural existe una gran cantidad de pequeños expendios no registrados que utilizan canales de comercialización no formales, entre vecinos, familiares y amigos. Esta práctica es mucho más reducida en las ciudades, en donde el control fiscal es mayor. El incremento en la proporción de habitantes por cada establecimiento para 1977 po-

CUADRO 6

MORTALIDAD POR CIRROSIS HEPATICA EN 26 PAISES PARA LOS PERIODOS 1955-1959 Y 1971-1974[25, 26]

País	Masculino Periodo 1955-1959 Tasa	Lugar	Masculino 1971 Tasa	Lugar	Masculino 1974 Tasa	Lugar	Femenino 1955-1959 Tasa	Lugar	Femenino 1971-1974 Tasa	Lugar	Tasa	Lugar
AMERICA												
Canadá	8.80	14	14.24	13	16.0	13	5.19	15	7.73	14	7.3	13
Chile	49.22	1	71.87	1	39.0	5	23.73	1	28.56	1	15.4	6
Estados Unidos	15.42	10	22.52	8	21.2	10	8.25	10	11.65	7	10.6	9
Venezuela	24.44	5	21.92	10	9.1	17	15.24	4	10.59	8	4.3	20
ASIA												
Israel	6.68	16	8.20	18	7.5	19	5.26	14	16.31	16	4.9	18
Japón	18.37	9	22.36	9	19.7	11	12.63	5	10.52	9	7.3	12
EUROPA												
Austria	25.13	4	43.26	5	49.3	1	9.92	8	14.26	6	17.9	4
Bélgica	9.96	13	13.09	14	17.8	12	5.87	13	8.18	12	11.2	8
Checoslovaquia	10.25	12	21.53	11	24.6	7	7.47	11	8.84	11	9.7	10
Dinamarca	6.04	17	10.03	16	12.5	15	9.88	9	8.07	13	8.4	11
Finlandia	5.25	19	6.19	19	8.3	18	3.67	22	3.38	21	2.8	24
Francia	38.27	3	48.04	3	47.6	2	18.23	3	20.06	3	18.6	2
R. F. Alemana	19.35	8	32.09	6	37.8	6	10.62	6	14.41	5	17.0	5
Hungría	11.01	11	16.66	12	21.3	9	7.32	12	9.63	10	11.3	7
Irlanda	2.76	25	2.90	26	4.8	24	1.82	26	2.21	26	2.6	26
Italia	24.17	6	14.73	4	46.4	3	10.17	7	15.90	4	18.1	3
Holanda	4.66	20	5.47	21	5.7	22	4.07	18	3.75	19	3.4	22
Noruega	3.69	23	4.43	22	5.5	23	3.88	20	2.89	23	2.7	25
Portugal	40.03	2	50.64	2	44.7	4	20.08	2	24.94	2	19.9	1
Suiza	5.42	18	10.28	15	15.1	14	4.13	17	5.46	17	6.0	15
Suecia	22.00	7	24.29	7	23.0	8	5.07	16	6.86	15	6.9	14
Reino Unido												
Gales	2.70	26	3.05	25	3.8	26	2.19	25	2.66	25	3.4	23
Irlanda del Norte	3.01	24	3.50	24	4.2	25	3.15	23	2.88	24	4.5	19
Escocia	4.51	21	4.37	23	7.2	20	3.77	21	3.52	20	5.4	16
OCEANIA												
Australia	7.05	15	8.82	17	11.6	16	3.96	19	4.44	18	4.9	17
Nueva Zelanda	4.22	22	5.58	20	7.2	21	2.62	24	3.12	22	3.7	21

Tasa por 100,000 habitantes.

siblemente sea debido a una mayor concentración en la comercialización y no a una disminución en el consumo.

MORTALIDAD Y MORBILIDAD POR CIRROSIS HEPÁTICA Y OTRAS CAUSAS RELACIONADAS AL CONSUMO DE ALCOHOL

La cirrosis hepática ha sido uno de los indicadores indirectos más utilizados para conocer el impacto del alcoholismo sobre la mortalidad, así como para inferir su magnitud. La acción sinérgica existente entre alcohol y nutrición en la génesis y en la evolución de la cirrosis obliga a que este indicador sea analizado tomando muy en cuenta la información sobre el estado de nutrición de la población y los cambios que en ésta se generan, principalmente en cuanto a la ingesta calórico-proteica.

Algunos autores de diversos países han señalado al alcoholismo como responsable del 60 al 80% de los casos de cirrosis hepática.[1] En Canadá y Finlandia, la cirrosis se ha convertido en una de las principales causas de mortalidad, lo cual se ha atribuido al incremento del consumo de bebidas alcohólicas sin hacerse referencia al estado de nutrición de la población afectada.

En otros países como Chile, la cirrosis ocupó, durante mucho tiempo el primer lugar como causa de mortalidad en ambos sexos, siendo desplazado el quinto lugar en 1974 para el sexo masculino y al sexto en el femenino en el mismo lapso (cuadro 6). A esta virtual disminución en la importancia relativa de la cirrosis no correspondió una disminución manifiesta de la ingesta de alcohol en la población. En México, la cirrosis hepática ha estado presente

como una de las principales causas de muerte durante los últimos treinta años. Para 1950, la cirrosis ocupaba el décimo quinto lugar con una tasa de 25.2. Para 1978, su tasa desciende a 19.6 y ocupa el octavo lugar de la mortalidad (cuadro 7), básicamente debido a una disminución de otras causas.

CUADRO 7

MORTALIDAD POR CIRROSIS HEPATICA ESTADOS UNIDOS MEXICANOS[40] 1950 – 1978

Año	No. defunciones	Tasa*	Lugar como causa de defunción
1950	6,489	25.2	15o.
1951	6,182	23.3	14o.
1952	5,764	21.1	14o.
1953	6,033	21.5	16o.
1954	5,937	20.6	13o.
1955	6,158	20.7	12o.
1956	6,754	22.1	12o.
1957	7,481	23.8	13o.
1958	7,233	22.4	13o.
1959	7,722	23.2	12o.
1960	7,678	22.0	10o.
1961	7,752	21.5	10o.
1962	7,556	20.3	11o.
1963	7,678	20.0	9o.
1964	7,550	19.0	11o.
1965	8,180	20.0	11o.
1966	8,622	19.5	10o.
1967	9,234	20.2	10o.
1968	9,535	20.2	9o.
1969	10,336	21.9	9o.
1970	11,182	22.8	9o.
1971	10,704	21.1	8o.
1972	11,236	21.0	9o.
1973	11,489	21.1	8o.
1974	11,244	19.3	9o.
1975	12,236	20.0	8o.
1976	12,261	19.7	9o.
1977**	—	—	—
1978	12,935	19.6	9o.

* Tasa por 100,000 habitantes.
** No se encontró información.

El grupo de edad más afectado por la cirrosis hepática es el que corresponde a la edad productiva de 15 a 64 años y dentro de ésta, al intervalo entre 25 y 44.

La cirrosis hepática es responsable del 8% de las muertes que ocurren en este período, en el que alcanza a ocupar el tercer lugar como causa de mortalidad.

Bustamante[3] reportó una tasa de mortalidad por cirrosis de 208 para Chapulco, Puebla que es la mayor encontrada en todo el mundo. No muy lejanas de ésta eran las tasas para otros seis municipios con gran proporción de población obrera.

Las estimaciones de alcoholismo como causas de cirrosis hepática presentan grandes discrepancias entre ellas. Una investigación realizada en el Instituto Nacional de la Nutrición[9] señala que en una serie de 2,394 casos de cirrosis, entre 1947 y 1975, el 55% de los casos eran secundarios a alcoholismo. En un estudio realizado en 1975 en pacientes del Instituto de Seguridad y Servicios Social para los Trabajadores al Servicio del Estado, el 79.4% de los casos correspondían a cirrosis alcohólica.[17]

Basado en un análisis de las estadísticas vitales y en información sobre el estado nutricional de la población, Manzano calculó para México que del 80 al 90% de los casos de cirrosis deberían ser atribuidos al alcoholismo.[18]

La información disponible para México no hace referencia, sin embargo, a otras causas que han sido descritas recientemente, tales como el de la exposición laboral a solventes industriales y a la hepatitis viral. Pese a la contribución de otras causas en la génesis de la cirrosis hepática y a que muchos otros indicadores señalan un incremento en la ingesta de bebidas alcohólicas, la tendencia de este padecimiento va en descenso. Una posible explicación a este fenómeno sería un mejoramiento en las condiciones nutricionales de la población. No obstante, si bien es cierto que ha habido una mejora a nivel nacional, ésta sólo ha beneficiado a algunos sectores socioeconómicos de la población. La segunda encuesta de nutrición realizada en 1979 demostró que el 68.4 de la población tiene una alimentación insuficiente.[15] Esta población está además relativamente marginada de los medios diagnósticos y de los registros. Por otro lado es muy probable que exista una asociación mecánica automática de cirrosis y alcoholismo que ha desviado el análisis de otras causas, como en el caso de las laborales.

Las incongruencias y la defectuosa disponibilidad en la información y la ausencia de una adecuada ponderación de otros fenómenos incidentes (estado nutricional de la población con cirrosis, variaciones por nivel socioeconómico y la frecuencia de cirrosis por otras causas), hace que este indicador tenga un valor muy relativo que conduce, al menos en el caso de México, a la subestimación del alcoholismo y de su impacto en la mortalidad.

Además de las muertes registradas por cirrosis hepática, se reportan conjuntamente las defunciones causadas por el alcoholismo en sus diferentes formas, como causa principal o asociada en los certificados de defunción. La Dirección de Salud Mental de la SSA[41] reportó, para 1969 un total de 7,427 defunciones por alcoholismo, que corresponden a una tasa de 15.65 por 100,000 habitantes. En 1978, la misma Dirección reporta una tasa de 11.99 con 7,966 casos. En este lapso se observó una importante reducción en las muertes registradas por alcoholismo. En el estudio sobre mortalidad urbana realizado por

Puffer y Griffith[33] entre 1962-1965 para la ciudad de México, se encontró una tasa de mortalidad por alcoholismo de 116.8 por cien mil habitantes en hombres y de 32.7 en mujeres entre 15 y 74 años. La discrepancia entre estas dos cifras es debida principalmente a la población tomada como base para la construcción de la tasa, a la diferencia en los criterios de inclusión al grupo de muertes por alcoholismo y al período comprendido. Hay que resaltar que los datos de mortalidad obtenidos por medio de los registros de defunción subestiman la magnitud del problema, como ya lo hemos señalado para el caso de la cirrosis.

PREVALENCIA

En los estudios epidemiológicos, la prevalencia es un indicador muy importante que refiere la frecuencia con la que un problema de salud se presenta en una población en un tiempo determinado. La construcción de este indicador requiere resolver previamente la definición operativa del problema que va a estudiarse y la elaboración de instrumentos adecuados para la captación de la información. Además, el universo estudiado deberá estar suficientemente representado por la población estudiada. En el caso de la prevalencia de alcoholismo, estas condiciones representan una gran dificultad para realizar estudios de este tipo. Ante las grandes deficiencias conceptuales y metodológicas, muchas investigaciones se han limitado a determinar la frecuencia de bebedores excesivos de acuerdo a límites de ingesta de bebidas alcohólicas definidos arbitrariamente.

La prevalencia de alcoholismo se ha determinado por dos tipos de métodos, directos e indirectos. El método indirecto más utilizado en México es el de Jellinek que, mediante una fórmula, multiplica el porcentaje de defunciones por cirrosis hepática alcohólica por la razón que existe entre el número total de alcohólicos y el de alcohólicos con complicaciones, y lo divide entre el porcentaje de alcohólicos que mueren por cirrosis hepática. La determinación de la prevalencia por medio de este método afronta serias dificultades debido a la deficiente calidad de la información. Este hecho reduce importantemente la confiabilidad del indicador. Por otro lado, la fórmula no hace distinción entre diferentes edades, grados de evolución y tipo de atención recibida, elementos que tienen una gran importancia para la definición de la letalidad.

Utilizando este método, Ibarra[14] calculó en 1971 que la prevalencia de alcohólicos en México era del 5.7 al 7% en la población con más de 20 años. Tres años antes, Bustamante[3] había calculado en 8% la prevalencia de alcoholismo en la ciudad de México, mediante el mismo procedimiento.

Ante las dificultades que presenta el método anterior, en la actualidad se ha preferido realizar investigaciones directas de prevalencia y los resultados de estos estudios han sido extrapolados a la población general. Las clasificaciones que han sido utilizadas con mayor frecuencia han sido la de Marconi y la de Cahalan.[7] Así tenemos que Cabildo,[5] utilizando la clasificación de Marconi[19] encontró para 1958 en una muestra de la ciudad de México, una prevalencia de 8 alcohólicos por cada cien habitantes. Para 1968, el mismo Cabildo reporta una cifra de 9 en la misma ciudad.[5]

En 1974, Medina Mora y colaboradores[22] utilizando la clasificación de Cahalan, encuentran una prevalencia de 6% de bebedores consuetudinarios en la ciudad de México y en 1975 Natera y colaboradores encuentran 21% en Monterrey.[27]

En estos trabajos no se incluye sólo a los alcohólicos, sino también a los bebedores regulares consuetudinarios, los cuales son aquéllos que reportan beber diariamente o que consumen alcohol con una frecuencia mínima de 2 veces al mes, pero que toman de 5 a 6 copas en cada ocasión. Por esta razón el porcentaje de bebedores consuetudinarios que se esperaría encontrar sería mucho más alta que el encontrado por estudios que influyen sólo a alcohólicos; sin embargo, el porcentaje encontrado para el D. F. en estas investigaciones es de sólo el 6%, hecho que contrasta con los porcentajes obtenidos tanto a partir de la fórmula de Jellinek, como por los hallazgos realizados por Cabildo.

Asimismo, Elizondo[11] ha referido que existen 6.5 millones de alcohólicos y 13.5 millones de bebedores excesivos en el país; sin embargo, el autor no da detalles sobre la metodología y la población utilizadas.

Debido a que las clasificaciones de alcoholismo utilizadas en los estudios directos difieren entre sí, se limitan las posibilidades de comparación. Además, estos métodos están basados en interrogatorios, lo que los hace suceptibles de sesgos del encuestador y del encuestado.

PREVALENCIA DE PADECIMIENTOS PSIQUIÁTRICOS

El estudio de la prevalencia de padecimientos psiquiátricos relacionados con el alcoholismo están limitados a la información reportada por las instituciones psiquiátricas y por los servicios de salud mental de las clínicas y hospitales, tanto para los internamientos, como para la consulta externa. Moser ha reportado[26] que el alcoholismo es una de las principales causas de internamiento en los hospitales psiquiá-

CUADRO 8

DIAGNOSTICO DE ALCOHOLISMO EN LOS SERVICIOS DE CONSULTA EXTERNA Y HOSPITALIZACION DE LOS CENTROS PSIQUIATRICOS Y SERVICIOS DE SALUD MENTAL EN LA REPUBLICA MEXICANA
1976 - 1978[41]

Causa	1976		1978	
	No.	Tasa*	No.	Tasa*
Psicosis alcohólica	3.707	6.1	7,111	11.1
Delirium tremens	872	1.5	2,370	3.7
Psicosis de Korsakoff	1.090	1.8	1,843	2.9
Otras alucinaciones alcohólicas	1.091	1.3	1,844	2.9
Paranoia alcohólica	218	0.4	527	0 8
Otras	436	0.7	527	0.8
Alcoholismo	7,414	12.3	13,432	21.0
Exceso alcohólico episódico	218	0.4	1,580	2.5
Exceso alcohólico habitual	872	1.5	7,638	11.9
Adicción al alcohol	4,143	6.9	3,687	5.8
Otras formas de alcoholismo	2,181	3.6	527	0.8

Tasa: por 100.000 habitantes.

tricos. Señala que en Australia, éstos llegan al 50%; en Alemania Federal, al 32%; y en Francia representan el 25%. En México se ha señalado que el 20% de los internamientos psiquiátricos son a consecuencia del alcoholismo.[12] Esta cifra es menor que la reportada para otros países de América Latina, como es el caso de Chile, en donde el porcentaje alcanza el 36%. Las cifras más recientes para México corresponden a los reportes de la Dirección General de Salud Mental para 1976 y 1978 (cuadro 8).[41]

Estos datos corresponden a la población cubierta por los servicios psiquiátricos, la cual es muy reducida para todo el país, aún en el caso de las zonas urbanas. Sin embargo, es muy notable la duplicación de los casos presentados en el país en 1978 respecto al año anterior. No obstante este puede estar influido por un incremento en la cobertura real de los servicios. Entre los casos de psicosis alcohólica es el que muestra un mayor aumento en el número de casos y en su tasa. En el mismo reporte, se señalan cifras de casos de alcoholismo en sus diferentes tipos que requirieron de atención psiquiátrica en estas instituciones. En éstas, destaca el alcoholismo habitual que sufre un incremento del 700 por ciento; hecho muy probablemente secundario a las tendencias diagnósticas recientes.

Un número importante de pacientes psiquiátricos pertenecientes a estratos medios y altos de la población son atendidos en clínicas o consultorios privados, de los cuales no se tiene ningún tipo de datos.

Los estudios en población abierta de las repercusiones mentales del alcoholismo son prácticamente inexistentes en México, por lo que se desconoce su magnitud en la población que no tiene acceso a servicios de atención psiquiátrica.

MORTALIDAD Y MORBILIDAD POR ACCIDENTES VIALES RELACIONADOS CON EL ALCOHOLISMO

La ingestión de bebidas alcohólicas se ha relacionado, tanto con la exaltación del estado emocional, como con la depresión de los reflejos. Este último efecto,[42] se ha relacionado cuantitativamente con la cantidad ingerida, y se ha descrito su participación en la causalidad, tanto de accidentes viales como de laborales.

En Canadá (O.M.S.),[31] el 68% de los accidentes viales se han relacionado con la ingestión de bebidas alcohólicas. En Estados Unidos[29] mueren anualmente doscientas mil personas por causas violentas relacionadas con la ingestión de bebidas alcohólicas; esta cifra corresponde al 50% de los accidentes en las carreteras y al 40% de los laborales.

La Organización Mundial de la Salud ha reportado datos que señalan que el 60% de los accidentes en Venezuela[32] y el 40% de los accidentes en España son secundarios a la ingesta de bebidas alcohólicas.

Para México existen, sin embargo, datos decididamente contradictorios. En un análisis de las lesiones atendidas en un puesto de emergencia en la ciudad de México[44] se encontró que el 27% se relacionaban con intoxicación alcohólica. Para 1981, 100,933 certificados médicos realizados en la misma ciudad por el ministerio público a consecuencia de infracciones legales, representaron el 56.3% del total. Sin em-

CUADRO 9

NUMERO DE ACCIDENTES OCURRIDOS
EN LA REPUBLICA MEXICANA EN LAS
CARRETERAS FEDERALES Y PORCEN-
TAJE DE CASOS EN LOS QUE SE
DETERMINO COMO CAUSA DEL
ACCIDENTE EL ESTADO DE
EBRIEDAD EN LOS CONDUCTORES

PARA EL PERIODO 1970 A 1980[37]

Año	Total de accidentes	No. casos	%
1970	19,807	864	4.3
1971	22,019	986	4.5
1972	24,118	1,040	4.3
1973	26,128	1,068	4.1
1974	25,523	1,021	4.0
1975	24,459	1,180	4.8
1976	23,922	935	3.9
1977	27,702	1,067	3.8
1978	33,004	1,339	4.0
1979	38,670	1,414	3.6
1980	55,994	1,563	2.8

bargo, el dato más reciente disponible sobre la participación de la ingesta de bebidas alcohólicas en muertes por accidentes en las carreteras del país y que corresponde a 1980, señala en sólo un 2.8% (cuadros 9, 10). Estas cifras contrastan enormemente con la manera en la que es manifestada la magnitud del mismo problema por las instituciones de salud mental, en las que se habla de una cifra relativa de alrededor del 90%. Cabildo[6] calculó que el 66% de las muertes por accidentes son secundarias a la ingestión de bebidas alcohólicas. El Servicio de Medicina Forense de la ciudad de México ha señalado que el 8.4% de las muertes en colisiones y el 26.8% de las muertes por atropellamiento se deben a efectos del alcohol. Estas incongruencias muy probablemente

CUADRO 10

NUMERO DE ACCIDENTES, MUERTOS, HERIDOS Y DAÑOS MATERIALES
REGISTRADOS EN LAS CARRETERAS FEDERALES DE LA REPUBLICA
MEXICANA DURANTE EL PERIODO DE 1960 A 1981

Años	Accidentes	Muertos	Heridos	Daños materiales (miles de pesos)[c]
1960	8,517	1,190	7,521	49,875
1961	8,373	1,177	7,676	54,713
1962	7,381	1,068	7,065	52,175
1963	8,271	1,313	7,894	66,771
1964	11,159	1,664	10,221	78,708
1965	14,336	1,739	10,269	85,339
1966	14,475	1,860	11,448	106,833
1967	14,140	1,953	12,470	124,114
1968	18,244	2,169	13,519	145,896
1969	19,372	2,350	14,600	164,872
1970	19,807	2,598	14,656	176,642
1971	22,019	2,806	16,407	210,119
1972	24,118	3,076	18,117	236,112
1973	26,128	3,979	18,474	289,351
1974	25,523	3,603	18,296	323,036
1975	24,459	3,711	18,500	368,807
1976	23,922	3,811	18,500	465,657
1977	27,702	4,264	19,046	721,545
1978	33,004	4,556	22,754	1,173,339
1979	38,670	5,238	26,213	1,722,847
1980	55,994	6,162	31,364	2,916,015
1981	63,274	6,020	31,844	4,450,530

están determinadas por sesgos en la calificación de las lesiones, en las que la intervención de la intoxicación alcohólica es una seria agravante de responsabilidad cuando se trata del conductor y diluye su responsabilidad cuando el intoxicado es la víctima atropellada. Esto último minimiza la confiabilidad del indicador, el cual es influido por muchos otros factores más relacionados con los defectos en la información con implicaciones legales y con el sistema de impartición de justicia.

La primera causa de mortalidad en la población en edad productiva la constituyen las muertes violentas y, específicamente, los accidentes. Su tendencia va en aumento; este fenómeno, junto a la identificación de una mayor magnitud de la ingesta de bebidas embriagantes como problema de salud pública, contrasta con la información oficial, hecho que requiere de estudios específicos orientados a un análisis más profundo y real de la problemática y que no dependa de un indicador sesgado por la información disponible.

Si bien la información existente sobre la participación del alcohol en los accidentes viales es deficiente, ésta es aún peor para los accidentes laborales. La atención de los problemas de ingesta alcohólica entre los trabajadores ha sido dominada sobre todo por la atención a las pérdidas económicas.

En Estados Unidos,[29] se ha reportado que el 40% de los accidentes laborales son secundarios al alcohol. El Instituto Mexicano del Seguro Social reportó, para 1981, 2.393,405 accidentes de trabajo que ocasionaron 7,150 defunciones y 63,542 incapacidades permanentes.

La participación del alcohol, como ha señalado Menéndez,[23] en un 10%, representaría pérdidas económicas por 950 millones de pesos.

El alcohol, como causa de accidentes en el trabajo, pertenece al grupo de causas imputables al trabajador, hecho que origina un marcado desinterés por estudiar la relación entre tipo y condiciones de trabajo con alcoholismo. Nuevamente aquí, predomina el análisis del alcohol como característica causal inherente al individuo; es decir, como padecimiento individual que afecta, sobre todo económicamente a la producción y no como un problema de salud que puede tener causas más profundas y relacionadas con las condiciones de trabajo.

HOMICIDIOS Y OTRAS VIOLENCIAS

Muchos autores han descrito la influencia de la ingesta del alcohol en actos violentos como una información muy importante para conocer el impacto social del alcoholismo como indicadores de su trascendencia, y como una aproximación a su magnitud. Entre estos problemas se han señalado principalmente a los homicidios, las lesiones, los suicidios, las violaciones, el maltrato a los niños y a la esposa, los daños a propiedades, entre otros.

La Organización de Naciones Unidas reporta que a nivel mundial, entre el 24 y el 72% de los homicidios son cometidos bajo la influencia del alcohol.[43] En la Unión Soviética, se ha reportado que el 65% de los homicidios y el 90% de otros delitos fueron cometidos en estado de ebriedad.[10]

Para México, la Procuraduría General[34] informa que en 1980, el 50% de las aprehensiones tuvieron relación con el alcohol. Estos datos contrastan con cifras señaladas por Rosovsky[35] que para 1973, el 18.6% de los delitos tuvieron relación con la ingesta de alcohol y que para 1975, del 19%.

Por otro lado, se ha descrito a la ingestión de bebidas alcohólicas como un elemento asociado con el 5% de los suicidios consumados en México y con un porcentaje de entre un 4 y un 6% de los intentos frustrados. En estos datos no se tiene información sobre la edad y la condición socioeconómica de las víctimas. Por otro lado, la información sobre suicidios, según datos de la Organización Mundial de la Salud tiende a subestimarse importantemente como consecuencia de problemas legales, de la estimación del suicida y por creencias religiosas. Para México no existe información confiable disponible, ni para cuantificar adecuadamente este problema, ni para relacionarla con otras variables como la ingesta de alcohol o el alcoholismo. Se ha señalado también al alcohol como un elemento que influye en una manera muy importante en los violadores. En México, de acuerdo con estimaciones realizadas por grupos feministas y por algunas autoridades legales,[36] solamente una violación entre cada diez es denunciada. Sin embargo, se ha señalado que en el 48% de los casos, el violador se encontraba bajo efectos de bebidas alcohólicas.

El maltrato a los niños y a la esposa como causa de desintegración familiar a consecuencia del alcohol ha sido uno de los problemas que en los últimos años se ha denunciado más; sin embargo, para Latinoamérica y específicamente para México —lugares para los que se estima una gran magnitud—, los registros disponibles son prácticamente inexistentes.

El Instituto de Orientación y Defensa de la Mujer señala que el 84% de las desavenencias familiares y el 82% de los divorcios y separaciones son causados por el alcohol.[43]

En relación con el maltrato a niños, Markovich,[21] en un estudio con niños maltratados que requirieron atención hospitalaria, encontró que el 15% de los padres golpeadores eran bebedores excesivos.

La importancia de la relación entre violencias sociales y alcohol tiene importancia innegable y ésta no necesita ser forzosamente basada en datos estadísticos. Las referencias cualitativas son en este caso de gran valor para señalar el problema.

Con gran frecuencia, los datos que relacionan al alcohol con distintos tipos de violencias mecánicamente establecen una relación causal sin ningún otro análisis, negando así su naturaleza eminentemente social.

REPERCUSIONES ECONÓMICAS

Las pérdidas económicas debidas al alcoholismo han sido señaladas continuamente como uno de los indicadores fundamentales de la trascendencia del problema. Estas pérdidas se producen principalmente a consecuencia de accidentes viales, accidentes laborales, ausentismo y "tortuguismo" en la producción y asistencia médica.

De acuerdo a cifras reportadas por el Departamento de Estadística de la Secretaría de Comunicaciones y Transportes, entre 1960 y 1981, la cifra de accidentes ha crecido en un 425% y la de daños materiales es 89 veces mayor.[37] La cifra registrada oficialmente de ingestión de alcohol como causa de accidentes es de 5%. Sin embargo, en los países en donde existe un registro más confiable, se señala que este porcentaje es mayor al 50%. Algunas autoridades han referido que la cifra real para México es de alrededor del 60%, lo que haría que el monto de pérdidas económicas por este rubro ascienda a más de 2,600 millones de pesos para 1981.

La información de accidentes laborales relacionados con la ingesta de alcohol, se limita a estimaciones hechas sobre los datos del Instituto Mexicano del Seguro Social, para los que Campillo y Medina[8] señalan en un 18%. Esto representa para 1981, 126,111 accidentes que implican grandes pérdidas humanas y materiales. De acuerdo con datos de Gamiochipi, el alcoholismo es responsable de la pérdida de 160,000 horas quincenales en los trabajadores asegurados por el Instituto.[13]

El ausentismo "del día siguiente" ha sido señalado por directivos de diferentes empresas importantes del país como responsable del 12% del total del ausentismo laboral.[23]

Para los Estados Unidos, un reporte del Congreso señala que en 1975, el alcoholismo originó pérdidas económicas por 42,750 millones de dólares,[29] de los cuales el 45.9% se debían a pérdidas en la producción.

Por otro lado, el mismo reporte señala en 12,740 millones de dólares los gastos debidos a problemas relacionados con el alcohol.

Nuevamente, para el caso de México, la información se limita a señalamientos del problema sin datos cuantitativos.

CONCLUSIONES

Debido a la forma en la que se ha desarrollado la epidemiología, su orientación metodológica ha sido determinada por un mayor interés y una mayor inclinación al estudio de los padecimientos con un componente orgánico predominante, principalmente a las enfermedades transmisibles. Este hecho ha originado que los epidemiólogos también tiendan a centrar su atención en lo aparente y en lo mesurable cuando se trata de estudiar a otros problemas de salud, en donde los componentes sociales y psicológicos son fundamentales. Así, el análisis se enfoca de manera casi exclusiva en las manifestaciones orgánicas secundarias. A estas limitaciones se les han adicionado importantes deficiencias conceptuales que ocasionan que el análisis de los indicadores reemplacen al del problema y al de su causalidad.

Al alcoholismo se le ha definido como una enfermedad, con lo que su estudio ha quedado confinado al campo biomédico, hecho que lo sujeta a categorías rígidas e incompletas, con un gran énfasis en lo individual y en lo biológico, en el que se desprecia la participación de factores sociales, reduciéndolos en la mayoría de los casos a asociaciones mecánicas y superficiales.

Al enmarcar la causalidad y la evolución del alcoholismo al esquema de la historia natural de la enfermedad, se acepta tácitamente que ésta es una entidad patológica bien definida con lo que se reduce una discusión del alcoholismo como sintomatología de problemas más profundos y complejos con una gran multitud de posibilidades causales. De este modo, el síntoma y no su causa, se convierte en el principal objeto de estudio.

La Organización Mundial de la Salud considera tres elementos para el estudio del alcoholismo; el agente (el etanol), el huésped (el bebedor individual) y el medio ambiente, en el que esto último actúa como condicionante. La causalidad de la "enfermedad del alcoholismo" va a ser así, universalizada y validada para todos los contextos sociales e históricos, reduciendo éstos a propiciadores de la acción del agente sobre huéspedes individuales.

El hecho de que el alcoholismo sea analizado de manera predominante en la órbita del campo biomédico ha ocasionado que el análisis epidemiológico se base en sus manifestaciones más visibles, las cuales corresponden a su período patogénetico y a la muerte, prestando poca atención a la dinámica de su "prepatogenicidad" y a formas de evolución que no necesariamente conducen a psicosis, cirrosis o muerte. Esto no sólo determina que existan problemas en la integración de los diferentes indicadores, sino que los elementos lógicos que existen entre alcoholismo y esas manifestaciones aparentes y tangibles no estén, en muchos casos, respaldados por datos suficientes.

Los indicadores que se han utilizado para el estudio del alcoholismo padecen, además, de graves problemas en cuanto a su confiabilidad. En ellos predominan las cifras de registros sesgados e incompletos, datos provenientes de poblaciones muy reducidas, criterios de clasificación no estandarizados y poca confiabilidad de los entrevistadores. Debido a estos problemas y a la ausencia de información sobre otros temas importantes, no se pue-

de conformar un panorama epidemiológico confiable ni representativo del alcoholismo ni de las repercusiones sobre la salud de la ingesta de bebidas alcohólicas.

La atención sobre los problemas originados por el alcohol en el ámbito laboral se ha enfocado principalmente a las repercusiones económicas, es decir, a las pérdidas en la producción que se originan por el ausentismo y los accidentes. No existe información sobre la influencia de las condiciones de trabajo en problemas mentales y sociales que se relacionan con la ingesta de alcohol. Tampoco existen datos comparativos entre trabajadores con diferente grado de mecanización, de salario, o de otros datos que permitan analizar el problema en términos colectivos y presentar así un enfoque alternativo a la visión individualista predominante que ve en el alcoholismo una causa de ineficiencia imputable al trabajador como individuo. Este análisis se suma así al de muchos problemas más que, en conjunto, desvían la atención de causas más profundas.

Los indicadores utilizados en el estudio del alcoholismo no han cubierto una serie de temas que tienen una gran importancia, tanto por sus repercusiones sobre la salud, como por su impacto social. Entre estos problemas podemos citar a los procesos de alimentación, la funcionalidad del alcohol en la sociedad, las repercusiones diferenciales por estratos sociales, la evolución de los casos controlados de alcoholismo en la población abierta, las características del alcoholismo juvenil, las repercusiones económicas y en la salud a nivel de grupo familiar, las instancias en la búsqueda de atención, las orientaciones diagnósticas y terapéuticas de las instituciones frente al alcohólico, la influencia del estigma en la detección y en el tratamiento, el efecto de la disponibilidad y la publicidad de bebidas alcohólicas sobre el consumo en diferentes medios, y muchos problemas más que no sólo son importantes para comprender y explicar integralmente el problema del alcoholismo, sino también para validar nuevos indicadores.

Muy probablemente, la ausencia de datos o de investigaciones sobre muchos de estos temas sea debido a la orientación ideológica de la práctica médica, la cual se ha ocupado de una parte importante de su análisis. La línea de las investigaciones que se ha seguido en otras disciplinas para el estudio del alcohol sufren de otras limitaciones. Sin embargo, los recursos teóricos y metodológicos de la antropología, la psicología social y la sociología así como el estudio de casos y los seguimientos longitudinales representan una clara alternativa para avanzar en el conocimiento del alcoholismo.

Analizados en su conjunto, los indicadores, pese a sus limitaciones, sí logran señalar al alcoholismo como uno de los principales problemas de salud pública que tiende a aumentar su importancia, debido a sus repercusiones sociales y económicas. No obstante, éstos no logran ser concluyentes para apuntar cuantitativamente la importancia de cada problema considerado.

Las limitaciones en cantidad y en calidad de la información adquieren una mayor relevancia cuando lo que se pretende es apoyar una tesis de causalidad, o la explicación de fenómenos más profundos relacionados con el alcoholismo. Este hecho se debe también a que los datos utilizados

como indicadores jamás podrán substituir a la información obtenida mediante investigaciones específicas, que analicen las relaciones causales más profundas, permitiendo así, la construcción y el enriquecimiento de un marco conceptual que dé a los indicadores una interpretación más adecuada.

REFERENCIAS

1. ACEVES S D Y COLS: *Epidemiología de la cirrosis en la población del ISSSTE, área metropolitana.* Sal Púb Méx *17:* 453, 1975.
2. ASOCIACIÓN NACIONAL DE FABRICANTES DE CERVEZA. Inf Estadística, Méx S/F.
3. BUSTAMANTE M: *Simposio el alcoholismo, problema médico y social. II. Aspectos epidemiológicos.* Gac Méd Méx *116:* 239, 1980.
4. BARBA J Y RÍOS E: *Ingesta del alcohol en México: Funciones positivas y negativas.* Ponencia presentada en X Congreso Mundial de Sociología. Agosto, Méx, 1982 (inédito).
5. CABILDO A Y COLS: *Encuesta sobre hábitos de ingestión de bebidas alcohólicas.* Sal Púb Méx *11:* 759, 1969.
6. CABILDO A H: *Panorama epidemiológico del alcoholismo en México.* Rev Fac Med UNAM *12:* 115, 1972.
7. CAHALAN D ET AL: *American drinking practices, a national study of drinking behavior and attitudes.* Rutgers Center of Alcohol Studies. Mono No 6, New Brunswick, NY, 1969.
8. CAMPILLO C Y MEDINA E: *Evaluación de los problemas y de los programas de investigación sobre el uso del alcohol y drogas.* Sal Púb Méx *20:* 733, 1978.
9. DAHER F ET AL: *Consideraciones sobre la epidemiología de la cirrosis hepática alcohólica en México.* Rev Inv Clín (Méx) *30:* 13, 1978.
10. *El alcoholismo... a lo claro.* Edit Popular Madrid, 1979.
11. ELIZONDO L J A: *Entrevista publicada en matutino Sol de México,* 26-III-1982.
12. ELORRIAGA H: *Los trastornos mentales y nerviosos en la República Mexicana y el Distrito Federal, 1975.* Sal Púb Méx *18:* 581, 1976.
13. GAMIOCHIPI L: *Mesa redonda alcoholismo.* Rev Fac Med UNAM, *19:* 6, 1976.
14. IBARRA L Y COL: *La participación de la comunidad en la lucha contra el alcoholismo.* I Conv Nac de Salud, Méx, 1973.
15. INSTITUTO NACIONAL DE LA NUTRICIÓN. *Div de nutrición, encuesta nacional de alimentación.* Pub Interna, Méx, 1979.

16. JELLINEK E: *The disease concept of alcoholism*. Hill House Press. New Haven, Connecticut, 1960.

17. LARA T H Y VÉLEZ J: *Alcoholismo y farmacodependencia en un sistema de seguridad social. Un estudio epidemiológico*. Sal Púb Méx *17:* 387, 1975.

18. MANZANO P J: *Epidemiología y prevención de la cirrosis hepática*. Sal Púb Méx *16:* 601, 1974.

19. MARCONI J: *The concept of alcoholism*. Quart J Stud Alc *20:* 216, 1959.

20. MARCONI J: *Ingestión de alcohol y factores fisiopatológicos: El concepto de enfermedad en alcoholismo. Epidemiología del alcoholismo en América Latina*. Acta Fondo para la Sal Mental, Buenos Aires, 1967.

21. MARCOVICH K J: *El maltrato a los hijos*. EDICOL. México, 1978.

22. MEDINA-MORA Y OTROS: *Estudio epidemiológico del consumo de fármacos en la población del D F*. Reporte interno CEMEF, México, 1974.

23. MENÉNDEZ E Y DI PARDO R: *Alcoholismo I: Características y funciones del proceso de alcoholización*. Cuad Casa Chata CIESAS, México, 1982.

24. MIGUEZ H: *Consideraciones acerca de la ingesta de alcohol en Costa Rica*. Depto de Inv del INSA, San José, Costa Rica, 1980.

25. MOSER J: *Prevention of alcohol — Related problems an international review of preventive measures, policies, and programmes, WHOARF*. Toronto, Canadá, 1980.

26. MOSER J: *Prevention of alcohol — related problems*. Organización Mundial de la Salud, Ginebra, 1980.

27. NATERA G Y TERROBA G: *Prevalencia del consumo de alcohol y variables demográficas asociadas de la ciudad de Monterrey, N L*. Sal Ment *5:* 82, 1982.

28. NIAAA: *Drinking and driving*. Alcohol World *7:* 3, 1982.

29. NIAAA: *Fourth special report to the US. Congress on alcohol and health*. From the Secretary of Health and Human Services, Maryland, 1981.

30. ORGANIZACIÓN MUNDIAL DE LA SALUD, COMITÉ DE EXPERTOS: *Alcohol y alcoholismo*. OMS. Informe Técnico No 94, Ginebra, 1955.

31. ORGANIZACIÓN MUNDIAL DE LA SALUD: *Problemas relacionados con el consumo de alcohol*. Inf Técnico No 650, Ginebra, 1980.

32. ORGANIZACIÓN PANAMERICANA DE LA SALUD: *Los accidentes de tráfico en Latinoamérica*. Boletín OPS *69:* 252, 1970.

33. PUFFER R Y GRIFFIT H: *Características de la mortalidad urbana*. OPS Pub Científica No 151. Washington, 1968.

34. PROCURADURÍA GENERAL DE JUSTICIA DEL DISTRITO FEDERAL: Inf Interno México, 1982.

35. ROSOVSKY H: *Alcoholismo y problemas relacionados con el consumo de alcohol en México*. Tesis para obtener el grado de Lic en Psicología, UNAM Méx, 1982.

36. RUIZ H R: *La violación en México "un crimen impune"*. Mund Med *10:* 105, 1977.

37. SECRETARÍA DE COMUNICACIONES Y TRANSPORTES: *Reporte de accidentes en carreteras federales*. Dir Gral de Transporte, México, 1981.

38. SECRETARÍA DE HACIENDA Y CREDITO PÚBLICO: *Anuarios estadísticos* (varios años). México.

39. SECRETARÍA DE PROGRAMACIÓN Y PRESUPUESTO: *Anuario estadístico* (varios años), México.

40. SECRETARÍA DE SALUBRIDAD Y ASISTENCIA: *Estadísticas vitales* (varios años), México.

41. SECRETARÍA DE SALUBRIDAD Y ASISTENCIA: Departamento de Estadística de la Dirección de Salud Mental, México, 1980.

42. SILVA M: *Alcoholismo y accidentes de tránsito*. Sal Púb Méx *14:* 809, 1972.

43. UGARTE G: *La trampa del alcohol*. Visión, Méx. 9, agosto 1982.

44. VILLAMIL R Y SOTOMAYOR J: *El alcoholismo en el D F. Un enfoque socioecológico*. ENEP, Acatlán, UNAM, México, 1980.

CONSIDERACIONES FINALES

Franz Peter Oberarzbacher*

La intención de este trabajo es ofrecer una visión panorámica de las contribuciones que hacen los autores que preceden. La lectura de los trabajos anteriores llevó a la presentación de las interrogantes y críticas que aquí se exponen para invitar al lector a la reflexión y al intercambio de ideas en vista de la complejidad y multicausalidad del fenómeno, y en virtud de que cada disciplina, como veremos, parte de paradigmas diferentes para explicar un problema.

Si es cierto que el consumo de bebidas alcohólicas en la época prehispánica era selectivo, es decir, un privilegio reservado a los ancianos, por considerarse concluído su ciclo de trabajo productivo, a los guerreros, para infundirles valentía, y era, sobre todo, un símbolo sujeto a rigurosas prescripciones ritual-ceremoniales, entonces podría afirmarse sin mayores vacilaciones que la historia del alcoholismo en México se inicia con la expansión mercantil-comercial de España.

El desconcierto a que pudiera inducir la última parte de la afirmación anterior posiblemente se disipa, si se tiene en cuenta que España fomentaba deliberadamente la producción y comercialización de bebidas alcohólicas, particularmente las de origen metropolitano, en virtud, entre otras razones, de los beneficios directos que obtenía por la vía de los gravámenes.

A reserva de que se aporten más evidencias históricas, parece ser que la utilización del alcohol como principal medio de retribución para asegurar la restitución parcial de la energía gastada durante cada jornada de trabajo, obtuvo una exitosa difusión en las grandes haciendas y en los obrajes. Claro, una vez adictos al alcohol, los propios indígenas lo reclamaban. Si aquellos desdichados, a causa de su embriaguez, se desplomaban camino a su miserable vivienda y tenían por añadidura la desgracia de obstaculizar el paso de una elegante dama o altivo caballero, se descargaba sobre ellos una mirada furtiva de reprobación por su degradante "vicio". Los que con estudiados arrebatos de indignación censuraban y castigaban el "vicio", eran los mismos que incitaban a él para realizar su ganancia.

En años recientes, el alcoholismo ha dejado de ser considerado como "vicio", al menos por organismos internacionales como la Organización Mundial de la Salud y por los círculos médicos y psiquiátricos; ahora se le ve como una *enfermedad* no sólo individual sino también social.

Se dice que las pérdidas económicas que origina el alcoholismo por los altos costos implicados en el tratamiento y rehabilitación, por ausentismo laboral, por delincuencia, entre muchas otras razones, podrían llegar a superar las ganancias globales que se obtienen por su venta. Es ya un hecho que los ingresos fiscales que recauda el Estado por este concepto son insig-

* Doctor en Filosofía. Profesor titular de tiempo completo del Departamento de Política y Cultura. División de Ciencias Sociales y Humanidades, Unidad Xochimilco. Universidad Autónoma Metropolitana.

nificantes respecto a los gastos que en materia de tratamiento y rehabilitación, entre otros, debe realizar.

Se piensa que el alcoholismo no es un problema tan grave como para afectar las bases sobre las que se sustenta la estructura de poder, pero sería un verdadero desafío que así ocurriese, sobre todo para aquéllos que explican las transformaciones sociales como el resultado de las contradicciones internas del sistema.

Puesto que el alcoholismo, como ya se dijo, es definido como una enfermedad, la tarea para combatirla debía ser confiada, las razones a primera vista son obvias, a los profesionales de la salud, pero incluso ellos, después de arduas y profundas investigaciones, después de prolongados debates y polémicas, después de largos y pacientes tratamientos, han determinado que el alcoholismo constituye una enfermedad cuyo camino de retorno a la salud es difícil y poco probable si no se toman en cuenta otras medidas colaterales.

Son indudables las razones que la medicina plantea para considerar al alcoholismo como una enfermedad en relación a los síntomas que se manifiestan en el organismo.

Algunos de los profesionales de la ciencia médica que contribuyen a esta obra, caracterizan al alcoholismo como un padecimiento que debe visualizarse desde dos perspectivas: la disponibilidad de bebidas alcohólicas por un lado y la dependencia física y psíquica por el otro.

La primera de ellas consiste en el empleo del alcohol, droga de fácil adquisición, que permite al individuo superar momentáneamente la ansiedad y aliviar sus desórdenes emocionales.

La segunda constituye una dependencia cada vez mayor al alcohol, que ocasiona el frecuente uso de sedantes hipnóticos, drogas, barbitúricos y algunos tranquilizantes.

Si bien es perfectamente posible detectar tempranamente el alcoholismo desde un punto de vista médico, los especialistas de la medicina se han enfrascado en serios obstáculos que dificultan su actividad profesional, puesto que las alteraciones patológicas que ocasiona la elevada ingestión de alcohol se originan *también* por otras razones de índole social y cultural; esta limitante reduce aún más la posibilidad de elaborar una estrategia estrictamente médica que permita prevenir el fenómeno, por lo que persiste la búsqueda de explicaciones interdisciplinarias.

Lo que ocurre más frecuentemente en la práctica diaria es que el alcoholismo se detecta cuando ya está en sus fases intermedia o avanzada y se presentan en forma sistemática: 1) un estado conductual, 2) un estado subjetivo y 3) un estado psicobiológico alterados.

Estas alteraciones consisten en lo siguiente:

El estado conductual se manifiesta en el individuo cuando éste ingiere mayor cantidad de etílico y con más frecuencia que el considerado normal por su patrón cultural.

El estado subjetivo alterado se presenta cuando existe una compulsiva e irrefrenable ingestión de alcohol, además de un obsesivo deseo de beber.

Asimismo, la presencia de marcadas alteraciones orgánicas producidas por la abstinencia, la desaparición de éstas al ingerir de nuevo alcohol y la adaptación del organismo al mismo, así como la ingestión cada vez mayor para lograr los efectos que antes se producían con una menor cantidad de alcohol, son algunos de los síntomas que caracterizan un estado psicobiológico alterado.

En este punto cabe señalar que, de acuerdo con la opinión de algunos exponentes de la medicina, aún no ha sido científicamente demostrado que la excesiva ingestión de alcohol produzca una lesión metabólica irreversible que ocasione en el enfermo alcohólico una necesidad patológica de volver a beber si pretende ingerir alcohol en forma moderada; explican que las posibles recaídas pueden ser resultado de un error metabólico adquirido.

Sin pretender describir la patología del alcohólico y a pesar de la incierta —por multicausal— etiología del alcoholismo y de su polémica definición, afirmamos que la medicina ha hecho significativas contribuciones en lo que pueden ser las causas del fenómeno desde ese punto de vista; se enumeran a continuación, sin que el orden implique mayor importancia algunas de ellas que, obvio, no se presentan necesariamente al mismo tiempo.

1. Metabolismo anormal del azúcar.
2. Factores genéticos (aún sin ser definidos perfectamente).
3. Alteración metabólica indefinida (que ocasiona una necesidad primaria de ingerir alcohol).
4. Sensibilidad determinada a un producto alimenticio básico, cuyos síntomas sólo son eliminados por el alcohol.
5. Estado físico que provoca una necesidad incontrolable de ingerir alcohol.
6. Aspectos individuales relacionados con la constitución física del individuo (edad, metabolismo, peso, talla, etcétera).
7. Susceptibilidad a los efectos tóxicos.
8. Fenómeno de alergia.
9. La presencia de ciertas sustancias bioquímicas alteradas en el organismo del bebedor, que se traducen en la necesidad de ingerir alcohol.
10. Deficiencia nutritiva.
11. Disfunción glandular.

Las investigaciones biomédicas, neurofisiológicas y bioquímicas han demostrado que el alcohol es una droga anestésica que altera en diferentes grados el habla y la coordinación visomotora, pudiendo llegar a ocasionar distintos niveles de inconciencia y a provocar severas modificaciones en la conducta. Altera, también, todas las funciones perceptuales y cogniscitivas. Asimismo, en niveles de mayor agudeza, se presenta el *delirium tremens*. Esta psicosis se convierte en el síndrome de abstinencia, es decir, cuando el alcohólico ha dejado de ingerir alcohol. El *delirium tremens* se caracteriza por alucinaciones visuales (principalmente auditivas), aversión a la comida, confusión mental, inquietud extrema, hiperactividad sensorial, irritabilidad excesiva, temblor, sueño perturbado, exacerbada euforia, irregular estado del humor, etc.

Entre otros efectos que el alcohol produce en el organismo y que nada tienen que ver con la psicosis, tenemos: pancreatitis, neuropatías periféricas, hepatopatía alcohólica, degeneración cerebelosa, gastritis crónica, trastornos en la coagulación, anomalías electrocardiográficas, úlcera péptica.

El síndrome de alcoholismo fetal, resultado de la ingesta durante el embarazo, se manifiesta una vez nacido el bebé, en bajo peso, tamaño pequeño, retraso mental, defectos congénitos, etc.

Estos son sólo algunos de los efectos que los especialistas de la medicina han asociado al consumo excesivo de alcohol y a medida que se conozca más sobre su etiología, se podrá instrumentar mejor una estrategia terapéutica que prevenga y proporcione un tratamiento y rehabilitación adecuados. Por lo pronto, gran número de médicos consideran que la meta por excelencia a la que se debe tender es la abstinencia. Y en virtud de que el afectado no tiene autocontrol en el consumo, la única forma de detener su curso —no de curarla— es la abstinencia, misma que a su vez, como ya vimos, produce otros efectos.

En otro orden de cosas, al revisar las ideas de algunos colaboradores, vemos que hay médicos que proponen un conjunto de programas de prevención sustentados en la educación para la salud. Insisten también en reforzar la acción legislativa de los reglamentos de producción y venta. A pesar de que existen instrumentos jurídicos que contemplan la reglamentación y venta de bebidas alcohólicas, la realidad ha demostrado que éstos han sido poco efectivos.

Proponen desarrollar campañas permanentes que informen sobre los efectos dañinos del consumo de alcohol en la salud del individuo, la familia y la comunidad. Sugieren que estas campañas se emprendan en las diferentes instituciones educativas, en los lugares de trabajo, en los centros recreativos, en las delegaciones políticas y en los propios hospitales.

Aconsejan estimular el desarrollo de actividades físicas, culturales y de apoyo al mejoramiento de la nutrición en las delegaciones políticas.

Recomiendan modificar la tradicional y subjetiva actitud hacia la ingestión de alcohol, misma que se ve exaltada por el bombardeo publicitario que constantemente se realiza a través de los medios de información, por medio también de campañas permanentes de difusión.

Sugieren preparar terapeutas, psicoterapeutas, trabajadoras sociales y promotores de salud especializados para la prevención y rehabilitación.

Insisten en la importancia de sensibilizar a la familia del alcohólico, con el fin de cooperar activamente en el tratamiento.

Hacen un llamado, para fomentar el desarrollo de las sociedades civiles con el propósito de ampliar su cobertura y mejorar la calidad de los servicios que prestan.

Algunos de los autores incluso llegan al extremo de invocar la conciencia ciudadana como agente informativo de todos los casos-problema, para facilitar la actuación inmediata de cualquiera de los niveles preventivo o curativo.

En realidad, poco puede decir el punto de vista estrictamente médico acerca de los motivos sociales y culturales que inducen a un individuo a contraer la dependencia patológica al alcohol. No es pues de extrañar que sus efectos no puedan ser erradicados mientras no se tenga una idea mejor de las causas múltiples que los producen. El alcohol hace recaer sus efectos sobre el organismo, pero muchas de las causas están fuera del organismo. El alcoholismo, aunque definido por la ciencia médica como una enfermedad, desborda, paradójicamente, la esfera de acción de los profesionales de la salud, porque su proceso de incubación se remonta más allá de la estructura neurobioquímica de los individuos. Los más lúcidos exponentes de esta disciplina, dispuestos a conceder un honroso tributo a su modestia científica, así lo reconocen.

Algunos psiquiatras buscan entonces abordar el alcoholismo como manifestación de profundas perturbaciones psíquicas a partir de la combinación de factores tanto orgánicos como socioculturales y psicológicos, por ejemplo, ciertos trastornos orgánicos en el cerebro (traumatismos, encefalitis, etc.), marginación social, presencia de un padre o madre alcohólicos durante la infancia del afectado, insatisfacción en las relaciones interpersonales, falta de autoestima, psicosis, entre otros.

En lo referente a los efectos que ocasiona la dependencia al alcohol, la Organización Mundial de la Salud enumera los siguientes:

1. Los que se relacionan con el bebedor.
2. Los que afectan a su familia: disarmonía en el matrimonio, maltrato a los hijos, pérdida del respeto a la figura del padre o madre alcohólicos, empobrecimiento, delincuencia juvenil, posible nacimiento de hijos con problemas congénitos.
3. Los que involucran a la sociedad en general, por ejemplo, diversas manifestaciones de la ruptura del orden público, conducta violenta, daño a la propiedad ajena, víctimas de accidentes, incremento en los costos por concepto de tratamientos médicos y psiquiátricos, pérdidas económicas por ausentismo laboral, incremento en los índices de mortalidad.

Se incluyen a la ya de por sí larga lista otros inconvenientes: reprobación de la conducta del enfermo frente a sus amistades, estigmatización social, vagancia, prostitución y contagio de enfermedades venéreas, ebriedad patológica, etc.

En lo que respecta a las medidas preventivas que recomienda el enfoque psiquiátrico, cabe destacar la relativa a "la educación para la salud", comprendida en un contexto más general de educación para la salud integral; con ello se pretende modificar, desde sus raíces mismas, los niveles de conocimiento, las actitudes subjetivas y la conducta misma que la mayoría de la población tiene acerca de la ingestión de alcohol.

Sin pretender establecer cronológicamente la participación de los científicos en este problema, afirmamos la idea de que el alcoholismo, aparte de ser expresión, pudiera ser una consecuencia de conductas desviadas de individuos, lo que hizo que la ciencia que se ocupa de estas cuestiones hiciera su entrada en escena. En el marco de una doctrina que proclama la igualdad jurídica de los individuos que integran una sociedad y que enarbola la defensa irrestricta de la libertad personal, siempre y cuando se salve la sola condición limitativa de no perjudicar a los semejantes, algunos exponentes de la psicología extraen con brillante rigurosidad lógica la conclusión de que la adicción al alcohol concierne sólo al individuo. Y si el individuo se infringe a sí mismo un daño —pero lo que es peor, se lo ocasiona por extensión también a los demás— ha de ser seguramente, según reza este credo, a causa de sus conflictos emocionales. Habrá pues que hurgar en aquellas recónditas profundidades que ocasionan "perturbaciones subyacentes en la personalidad" (neurosis, histeria, inmadurez emocional, etc.) y enderezar luego su conducta desviada con un adecuado tratamiento psicológico.

Si los desequilibrios emocionales son inducidos por agentes externos, incluyendo los sociales, habría que preguntarse hasta qué punto la adicción al alcohol concierne sólo al individuo. Por otra parte, los posibles éxitos logrados en el tratamiento de los conflictos de orden emocional que pudieran padecer los alcohólicos, no han coincidido con la erradicación misma de la adicción al alcohol. El resultado no fue el previsto: los alcohólicos siguen siéndolo aunque eventualmente ya sin conflictos.

Interlocutores de la misma disciplina argumentan que las sensaciones placenteras experimentadas por la ingestión de bebidas alcohólicas son resultado de un proceso de aprendizaje adquirido con motivo de reuniones con amigos, compañeros, familiares, etc. donde el etílico sirve de ocasión para realzar y animar la convivencia. El aprendizaje de placenteras sensaciones serían el punto de partida de un fácil deslizamiento a la adicción. Para evitar este riesgo se propone la sustitución por procesos de aprendizaje alternativos.

Pero valdría la pena preguntar a cuántos procesos alternativos de aprendizaje tienen realmente acceso quienes, agobiados por sus frustraciones, depresiones, angustias y demás desequilibrios emocionales a consecuencia de sus misérrimas condiciones de vida, buscan refugio, así sea solamente durante el período de acción del etílico, en una realidad ficticia. Para estos individuos la enfermedad alcohólica será la ocasión de esporádicas sensaciones placenteras que su verdadera realidad les escamotea. A ellos, paradójicamente, sólo la enfermedad les brinda bienestar. Por ello, y sin pretender inferir que la causa única del alcoholismo radica en las condiciones de vida, vemos que sería aconsejable que antes de proponer procesos alternativos de aprendizaje para estos individuos, se pugnara por la eliminación de las causas profundas que impiden condiciones dignas de vida.

Así por ejemplo, tenemos que el problema cruza fronteras de clase o estrato: los casos de alcohólicos pertenecientes a estratos sociales económicamente mejores, representan obviamente la excepción, según los cánones de toda regla, de lo que se afirmó anteriormente.

El diagnóstico de quienes asocian el alcoholismo a un síntoma de inadaptación social no precisa de mayores comentarios si las reflexiones precedentes merecen alguna atención, a no ser que se dé por sentado que los individuos sumergidos en sus tórridas privaciones, en uso de su "soberana libertad", hayan elegido voluntariamente este modo de vida. Hay que recordar que aún en los países donde las condiciones de vida son más equitativas, el problema es también grave.

Los antropólogos, en marcado contraste con los psicólogos, adoptan el punto de vista de que el consumo de alcohol constituye, en las comunidades estudiadas, un importante factor de cohesión social en cuanto a las causas no-médicas sino sociales. Señalan que esos grupos sociales recurren a las bebidas alcohólicas para desarrollar diversas actividades propias de su patrón cultural y que es inherente a la estructura político-ideológica de su comunidad. La función social del consumo de alcohol estriba en su papel de reforzador en la interacción social y de los valores que de ésta se derivan; proporciona seguridad individual y colectiva frente a manifestaciones de perturbaciones reales o imaginarias.

Por lo que se refiere a los marginados en las grandes concentraciones urbanas, éstos recurren al consumo del alcohol como eficaz resorte que permite activar su estrategia de supervivencia en la medida que facilita tejer redes de intercambios recíprocos de ayuda mutua. Es de suponerse que su estrategia de supervivencia quede atrapada finalmente en las redes del alcoholismo.

La ignorancia generalizada, combinada con arraigadas creencias estereotipadas de lo que es y no es, de los efectos que produce y no produce el alcohol, son consignadas con mucho acierto como foco de irradiación que permeabilizan disposiciones favorables al consumo excesivo de bebidas alcohólicas. Aunque las campañas informativas y educativas sobre los nocivos efectos que el alcohol ocasiona a la salud son aconsejables, éstas por sí solas tendrán, sin embargo, un éxito muy limitado si no van acompañadas de otras medidas, ciertamente menos viables, que acierten a corregir los cimientos mismos sobre los que se hace descansar un decorado frívolo de felicidad convencional o un sentido achatado, lacerante, hiriente de la vida.

Cuando los economistas reseñan con todo lujo de detalles los sinuosos circuitos que recorre la producción, promoción, distribución y venta de los productos alcohólicos, se apunta quizá al primer eslabón de la larga cadena etiológica del alcoholismo. Se señalan ganancias, se señalan pérdidas; las primeras superan seguramente las segundas. Pero si una sociedad no se limita a reducir sus cuentas a pesos y centavos, la segunda supera con mucho la primera. ¿Sobre quién hacer recaer la responsabilidad de la elección respecto al costo de oportunidad?

Si bien las contribuciones de este libro y desde diferentes perspectivas disciplinarias permiten dibujar un amplio panorama del complejo fenómeno del alcoholismo, la disparidad y dispersión de teorías, metodologías, técnicas y procedimientos, instrumentos, variables, datos, etc., representan al mismo tiempo el punto de partida y un obstáculo difícil para una visión integrativa. Ciertamente sólo una concepción interdisciplinaria permitiría llegar a una comprensión más aproximativa del fenómeno. Pero si los contenidos conceptuales están delineados por las características de la cosmovisión, del paradigma y del instrumental teórico-práctico que permiten una integración de intenciones, únicamente un diálogo profundo que incluya una revisión crítica de los propios "axiomas", podrá hacer prosperar las posibilidades de lograr por lo menos un alto nivel de sistematización orgánica.

Por otra parte, las alternativas teórico-prácticas de cada disciplina se verían asimismo altamente beneficiadas por una fecunda retroalimentación crítica.

La ciencia está buscando siempre; su tarea es plantearse problemas e interrogantes sobre sus propios logros, se niega a los satisfechos y a los dueños de las soluciones; en ello estriba su posibilidad de progreso, porque en el momento que se conocen las respuestas, cambian también las preguntas.

ESTA OBRA TITULADA "EL ALCOHOLISMO
EN MEXICO" II. ASPECTOS SOCIALES CUL-
TURALES Y ECONOMICOS, SE TERMINO DE
IMPRIMIR EL DIA 31 DE JULIO DE 1985,
EN LOS TALLERES GRAFICOS DE IMPRE-
SIONES MODERNAS, S. A. CALLE DE SE-
VILLA No. 702 - BIS, COLONIA PORTALES.
03300 MEXICO D. F.

LA EDICION CONSTA DE 2,000 EJEMPLARES
Y ESTUVO AL CUIDADO DE LOS EDITORES